dtv

Als Kurt Wallander seinen ersten Fall löst, ist er Anfang Zwanzig, ein junger Polizeianwärter und bis über beide Ohren in Mona verliebt. In einer Zeit, da die Polizei mit Schlagstöcken gegen Demonstranten vorgeht, wird seine Berufswahl nicht nur von seinem Vater kritisiert. Eines Abends findet er seinen Nachbarn Hålén erschossen auf dem Küchenboden. Die Kriminalpolizei tippt auf Selbstmord, doch Wallander zweifelt an dieser Erklärung, um so mehr, als Håléns Wohnung in Flammen aufgeht und man wenig später auf eine weitere Leiche stößt. Am Ende dieser Ermittlung hat Wallander eine Menge Fehler gemacht und leichtsinnig sein Leben riskiert, doch sein außerordentliches kriminalistisches Talent gilt als erwiesen. – Von Wallanders erstem Fall bis zu einem ausgewachsenen Kriminalroman, ›Die Pyramide‹, reicht das Spektrum dieser Geschichten, die alle vor dem 8. Januar 1990, dem Beginn der Wallander-Romane, spielen.

Henning Mankell, geboren 1948 in Härjedalen, ist einer der angesehensten und meistgelesenen schwedischen Schriftsteller. Er lebt als Theaterregisseur und Autor abwechselnd in Maputo/Mosambik und in Schweden. Mit Kurt Wallander schuf er einen der weltweit beliebtesten Kommissare. Auf deutsch sind von Mankell bislang erschienen: ›Mörder ohne Gesicht‹, ›Hunde von Riga‹, ›Die weiße Löwin‹, ›Der Mann, der lächelte‹, ›Die falsche Fährte‹, ›Die fünfte Frau‹, ›Mittsommermord‹, ›Die Brandmauer‹, ›Die Rückkehr des Tanzlehrers‹ und ›Vor dem Frost‹, Kriminalromane. Außerdem: ›Der Chronist der Winde‹, ›Die rote Antilope‹, ›Tea-Bag‹ und ›Das Auge des Leoparden‹, Romane; die Erzählungen ›Wallanders erster Fall‹ sowie das Theaterstück ›Butterfly Blues‹. (Bibliographische Hinweise zu den Büchern finden Sie am Schluß dieses Bandes.)

Henning Mankell

Wallanders erster Fall

und andere Erzählungen

Aus dem Schwedischen
von Wolfgang Butt

Deutscher Taschenbuch Verlag

Kurt Wallanders Fälle in chronologischer Folge:

Erster Fall: ›Mörder ohne Gesicht‹ (dtv 20232)
Zweiter Fall: ›Hunde von Riga‹ (dtv 20294)
Dritter Fall: ›Die weiße Löwin‹ (dtv 20150)
Vierter Fall: ›Der Mann, der lächelte‹ (dtv 20590)
Fünfter Fall: ›Die falsche Fährte‹ (dtv 20420)
Sechster Fall: ›Die fünfte Frau‹ (dtv 20366)
Siebter Fall: ›Mittsommermord‹ (dtv 20520)
Achter Fall: ›Die Brandmauer‹ (dtv 20661)

Bitte besuchen Sie Kurt Wallander im Internet:
www.wallander.de

Ungekürzte Ausgabe
April 2004
Deutscher Taschenbuch Verlag GmbH & Co. KG,
München
www.dtv.de

(Das Vorwort von Henning Mankell wurde
für die deutsche Ausgabe geschrieben.)
Titel der schwedischen Originalausgabe:
›Pyramiden‹ (Ordfront Verlag, Stockholm 1999)

Umschlagkonzept: Balk & Brumshagen
Umschlaggestaltung unter Verwendung eines Ausschnitts
aus dem Gemälde ›Pietà‹ (1876) von William-Adolphe Bouguereau
(Foto: © The Montreal Museum of Fine Arts / Brian Merrett)
Satz: Fotosatz Reinhard Amann, Aichstetten
Gesetzt aus der Aldus 9,5/11,25· (QuarkXPress)
Druck und Bindung: Druckerei C. H. Beck, Nördlingen
Gedruckt auf säurefreiem, chlorfrei gebleichtem Papier
Printed in Germany · ISBN 3-423-20700-0

Für Rolf Lassgård
in warmer Zuneigung, Dankbarkeit
und nicht geringer Bewunderung.
Er hat mir vieles über Wallander erzählt,
wovon ich selbst nichts wußte.

Inhalt

Vorwort

Erst nachdem ich den achten und letzten Teil der Serie über Kurt Wallander geschrieben hatte, wurde mir klar, welchen Untertitel ich die ganze Zeit gesucht, aber nicht gefunden hatte. Als alles, oder zumindest das meiste, geschrieben war, erkannte ich, daß der Untertitel »Romane über die europäische Unruhe« lauten müßte.

Ich hätte diesen Untertitel früher finden müssen. Denn die Romane hatten stets nur ein einziges Thema variiert: Was geschieht in den 90er Jahren mit dem europäischen Rechtsstaat? Wie kann die Demokratie überleben, wenn das Fundament des Rechtsstaats nicht mehr intakt ist? Hat die europäische Demokratie einen Preis, der eines Tages als zu hoch angesehen wird und nicht länger wert, daß man ihn bezahlt? Durch all die komplizierten Intrigen, durch das Gewimmel von Personen zog sich die ganze Zeit dieser Faden, diese für mich und offenbar für sehr viele Menschen so entscheidende Frage. Natürlich hat die Demokratie keinen Preis. Wenn wir einen Preis festlegen, der nicht überstiegen werden darf, haben wir die Demontage der Demokratie eingeleitet. Sie kann nur weiterleben, wenn sie als unschätzbar betrachtet wird.

Um ebendiese Fragen, um die Demokratie und den Rechtsstaat ging es auch in den allermeisten Briefen, die ich erhalten habe. Zahlreiche Leser aus vielen verschiedenen Ländern haben mir kluge Gedanken dazu mitgeteilt. Und ich denke schon, darin bestätigt worden zu sein, daß Wallander auf seine Weise als Sprachrohr für das Gefühl wachsender Unsicherheit und Wut und die in der Regel vernünftigen Ansichten vieler Menschen über das Verhältnis von Rechtsstaat und Demokratie gedient hat. Von vielen Orten auf der Welt, hauptsächlich in Europa, von denen ich noch nie gehört hatte und die ich auf keiner Karte finden konnte, haben mich dicke Briefe oder wortkarge Ansichtskarten erreicht. Anrufe haben mich zu ungewöhnlichen Uhrzeiten geweckt; erregt, aber fast immer freundlich haben Stimmen per e-Mail zu mir gesprochen.

Doch natürlich ist es auch um andere Fragen als die nach der Demokratie gegangen. Ich habe Briefe von Lesern erhalten, die Fehler entdeckt hatten. In den meisten Fällen hatten die Leser auch recht, und ich habe die Fehler in späteren Auflagen korrigiert. Dies hat auch dazu geführt, daß ich dann und wann bewußt Inkonsequenzen eingeschmuggelt habe, um die Aufmerksamkeit meiner Leser auf die Probe zu stellen. Auch diese versteckten Fehler sind entdeckt worden. Allerdings noch nicht alle ...

Die meisten Briefschreiber haben jedoch die Frage gestellt: Was war mit Wallander, bevor die Romanserie beginnt? Also, um Datum und Uhrzeit genau zu bestimmen, vor dem frühen Morgen des 8. Januar 1990. Was war, bevor Wallander an jenem winterlichen Morgen erwacht und der Fall *Mörder ohne Gesicht* beginnt? Wer war dieser Wallander? In den einzelnen Bänden der Serie finden sich immer wieder Andeutungen. Doch Genaues erfährt man nicht. Wallander kehrt in Gedanken ständig zu dem Tag zurück, an dem er als junger Polizist von einem Messerstecher überfallen wurde, ein Erlebnis, das sein ganzes Leben geprägt hat.

Die vielen brieflichen Anfragen hatten zur Folge, daß ich selbst anfing, darüber nachzudenken. Als Wallander das erstemal auf meinen Buchseiten auftritt, ist er im dreiundvierzigsten Lebensjahr. Aber da ist er schon seit langem Polizist, er ist verheiratet gewesen und geschieden, er hat eine Tochter, und einmal ist er von Malmö nach Ystad gezogen, fünfzig Kilometer weiter östlich. Leser haben sich gefragt: Was war zuvor? Und ich habe mich das gefragt. In den zehn Jahren, die seitdem vergangen sind, habe ich manchmal beim Aufräumen in Schubladen, in verstaubten Papierbergen oder zwischen den Nullen und den Einsen der Disketten nach frühen Spuren von Wallander gesucht.

Vor einigen Jahren, gerade als ich das fünfte Buch, *Die falsche Fährte*, abgeschlossen hatte, merkte ich, daß ich im Kopf anfing, Erzählungen zu schreiben, die vor dem Beginn der Romanserie spielten. Wieder dieses magische Datum, der 8. Januar 1990. Nach dem Abschluß der acht Romane habe ich diese Erzählungen gesammelt. Aber ich ließ diese Texte nicht deshalb erscheinen, weil ich meine Schubladen aufgeräumt hatte. Ich gab diesen Band heraus, weil er ein Ausrufezeichen darstellt nach dem Punkt, den ich mit *Die Brandmauer* gesetzt hatte. Es kann zuweilen von Vorteil sein, rückwärts zu gehen wie der Krebs. Zurück zum Ausgangspunkt. Dies ist mit anderen Worten kein Epilog, sondern ein Prolog. Obwohl er zuletzt geschrieben ist.

Wallander ist für viele ein lebendiger Mensch geworden. Er ist aus den Buchseiten herausgetreten und zu einem Mitmenschen geworden. Auch wenn alle im Innersten natürlich wissen, daß er nur in der Vorstellung existiert. Aber er hat trotzdem eine Vergangenheit. Er war einmal jung. In diesen Erzählungen versuche ich, einige der frühesten Teile seines Lebens, so wie ich sie mir vorstelle, in das Bild einzufügen.

Kein Bild wird jemals vollständig. Aber diese Geschichten gehören zur Serie über Wallander. Ich mache den Sack zu. Die letzten Zeilen in diesem Buch sind der Beginn eines neuen Falls: *Mörder ohne Gesicht.*

Doch auch wenn dies ein Epilog ist, der eigentlich einen Prolog darstellt, so ist es nicht nur eine Tür, die sich schließt. Hinter diesem Sack, der zugebunden wird, gibt es schon eine Fortsetzung. In seiner Jugend konfrontierte Wallander seinen Vater mit dem Entschluß, Polizist zu werden, was der Vater nie ganz akzeptiert hat. Jetzt, am Ende von *Die Brandmauer,* an einem Strand in der Nähe von Ystad, stellt Wallanders Tochter Linda ihn vor die gleiche Situation. Sie hat beschlossen, Polizistin zu werden. Und er reagiert positiv. Vielleicht, weil Lindas Entscheidung seinem eigenen Berufsleben eine Art von Würde verleiht. Linda besucht in den späten 90er Jahren die Polizeihochschule. Und als sie ihre Ausbildung abgeschlossen hat, kehrt sie nach Ystad zurück und wird die Kollegin ihres Vaters.

Eine Erzählung ist zu Ende gegangen. Eine andere wird bald beginnen ...

Henning Mankell
Im November 2001

Wallanders erster Fall

1

Am Anfang war alles nur ein Nebel.

Ein dickflüssiges Meer, in dem alles weiß und still war. Eine Landschaft des Todes. Das war auch das erste, was Kurt Wallander dachte, als er langsam wieder zur Oberfläche aufstieg. Daß er schon tot war. Er war nur einundzwanzig Jahre alt geworden. Ein junger Polizist, kaum erwachsen. Ein fremder Mann mit einem Messer war auf ihn zugestürzt, und er hatte keine Chance gehabt, sich zur Seite zu werfen.

Dann war nur der weiße Nebel dagewesen. Und das Schweigen.

Langsam erwachte er – langsam kehrte er ins Leben zurück. In seinem Kopf wirbelten unklare Gedanken. Er versuchte sie im Flug zu fangen, wie man Schmetterlinge fängt, aber die Bilder entglitten ihm, und nur mit äußerster Mühe gelang es ihm zu rekonstruieren, was eigentlich geschehen war …

Wallander hatte frei. Es war der 3. Juni 1969, und er hatte Mona gerade zu einem der Dänemarkboote gebracht. Nicht zu einem der neuen, dieser Tragflächenboote, sondern einem von den alten, auf denen man während der Überfahrt nach Kopenhagen immer noch Zeit für eine ordentliche Mahlzeit hatte. Sie wollte eine Freundin treffen. Sie wollten vielleicht in den Tivoli gehen, aber hauptsächlich in Modegeschäfte. Wallander wäre gern mitgekommen, denn er hatte frei. Aber Mona hatte nein gesagt. Die Reise war nur für sie und ihre Freundin gedacht. Sie wollten keine Männer dabeihaben.

Jetzt sah er das Schiff durch die Hafenausfahrt verschwinden. Mona würde am Abend zurückkommen, und er hatte ihr versprochen, sie abzuholen. Wenn das gute Wetter sich hielt, würden sie einen Spaziergang machen und dann in seine Wohnung draußen in Rosengård gehen.

Wallander merkte, daß allein der Gedanke ihn erregte. Er strich sich über die Hose und ging schräg über die Straße zum Bahnhofsgebäude. Dort kaufte er ein Päckchen Zigaretten, wie üblich John Silver, und zündete sich eine an, noch bevor er den Bahnhof wieder verließ.

Wallander hatte keine Pläne für diesen Tag. Es war ein Dienstag, und er hatte frei. Er hatte viele Überstunden angesammelt, vor allem wegen der großen und ständig wiederkehrenden Demonstrationen in Lund und Malmö. In Malmö war es zu Konfrontationen gekommen. Wallander war die ganze Situation zuwider gewesen. Was er selbst über die Forderungen der Demonstranten dachte, daß die USA aus Vietnam verschwinden sollten, wußte er nicht. Am Tag zuvor hatte er versucht, mit Mona darüber zu reden, doch sie hatte nichts anderes zu sagen gewußt, als daß die Demonstranten nur auf Randale aus waren. Als Wallander nicht klein beigab und meinte, daß es kaum richtig sein konnte, wenn die größte Kriegsmacht der Welt ein armes Bauernland in Asien bombardierte, oder zurück in die Steinzeit bombte, wie ein amerikanischer hoher Militär einer Zeitung zufolge gesagt hatte, da hatte sie zurückgeschlagen und gesagt, sie habe nicht die Absicht, sich mit einem Kommunisten zu verheiraten.

Wallander war verstummt. Eine Fortsetzung der Diskussion war ausgeblieben. Denn daß Mona die Frau war, die er heiraten wollte, davon war er überzeugt. Mona mit den hellbraunen Haaren, der spitzen Nase und dem schmalen Kinn war vielleicht nicht das schönste Mädchen, das er in seinem Leben getroffen hatte, aber dennoch war sie es, die er haben wollte.

Sie waren sich im vergangenen Jahr begegnet. Davor war Wallander über ein Jahr mit einem Mädchen namens Helena zusammengewesen, das bei einer Spedition in der Stadt arbeitete. Plötzlich, eines Tages, hatte sie ihm einfach eröffnet, daß es vorbei sei mit ihnen, da sie einen anderen gefunden habe. Wallander war zuerst sprachlos gewesen. Danach hatte er ein ganzes Wochenende in seiner Wohnung gesessen und geheult. Er war außer sich gewesen vor Eifersucht und war, nachdem es ihm gelungen war, seine Tränen zu trocknen, zum Hauptbahnhof hinuntergefahren und hatte in der Kneipe dort viel zuviel getrunken. Dann war er wieder nach Hause gefahren und hatte weitergeheult. Wenn er jetzt an der Bahnhofskneipe vorbeikam, schauderte es ihn. Er würde nie wieder einen Fuß da hineinsetzen.

Es waren ein paar schwere Monate gefolgt, in denen Wallander versucht hatte, Helena dazu zu bewegen, zu ihm zurückzukommen. Aber sie hatte ihn knallhart abgewiesen und war am Schluß über seine Hartnäckigkeit so verärgert gewesen, daß sie ihm gedroht hatte, ihn bei der Polizei anzuzeigen. Da hatte Wallander sich zurückgezogen. Und sonderbarerweise war es ihm nicht einmal schwergefallen. Sollte Helena ihren neuen Kerl doch in Frieden behalten. Das war an einem Freitag gewesen.

Am gleichen Abend fuhr er über den Öresund, und auf der Rückreise von Kopenhagen landete er neben einem Mädchen, das Mona hieß und strickte.

In Gedanken verloren spazierte Wallander durch die Stadt. Er fragte sich, was Mona und ihre Freundin gerade machten. Anschließend kreisten seine Gedanken um die Ereignisse der vergangenen Woche. Die Demonstrationen, die ausgeartet waren. Fragte sich, ob es seine eigenen Vorgesetzten waren, die es nicht geschafft hatten, die Situation korrekt zu beurteilen. Wallander hatte einer improvisierten Einsatztruppe angehört, die sich im Hintergrund in Reserve halten sollte. Man hatte sie erst herbeigerufen, als die Krawalle bereits in vollem Gange gewesen waren. Was wiederum nur dazu geführt hatte, daß sich die Situation noch weiter zuspitzte.

Der einzige, mit dem Wallander wirklich versucht hatte, über Politik zu diskutieren, war sein Vater. Er war sechzig Jahre alt und hatte vor kurzem beschlossen, nach Österlen zu ziehen. Sein Vater war ein launischer Mann, und Wallander wußte nie, woran er mit ihm war. Vor allem, seit er einmal so wütend geworden war, daß er fast die Verwandtschaft mit seinem Sohn aufgekündigt hätte. Das war vor ein paar Jahren gewesen, als Wallander nach Hause gekommen war und ihm mitgeteilt hatte, daß er Polizist werden wollte. Der Vater hatte in seinem Atelier gesessen, das nach Ölfarben und Kaffee roch. Er hatte Wallander einen Pinsel an den Kopf geworfen und ihn aufgefordert, zu verschwinden und nie wieder zurückzukehren. Einen Polizisten würde er in der Familie nicht dulden. Es war zu einem heftigen Streit gekommen, aber Wallander hatte sich behauptet. Er wollte Polizist werden, und auch noch so viele ihm an den Kopf geworfene Pinsel würden nichts daran ändern. Plötzlich hatte der Streit aufgehört. Sein Vater hatte sich in ein feindliches Schweigen zurückgezogen und sich wieder vor seine Staffelei gesetzt. Dann hatte er damit begonnen, mit Hilfe einer Schablone einen Auerhahn zu zeichnen. Er malte immer das gleiche Motiv: eine Waldlandschaft, die dadurch variiert wurde, daß er manchmal einen Auerhahn hineinmalte.

Wallander runzelte die Stirn, als er an seinen Vater dachte. Zu einer richtigen Versöhnung war es nie gekommen. Aber jetzt sprachen sie wenigstens wieder miteinander. Wallander hatte sich oft gefragt, wie seine Mutter, die gestorben war, als er in der Polizeiausbildung war, ihren Mann hatte ertragen können. Seine Schwester Kristina war klug genug gewesen, von zu Hause auszuziehen, sobald sie konnte. Sie lebte jetzt in Stockholm.

Es war zehn Uhr geworden. Nur ein schwacher Wind wehte durch Malmös Straßen. Wallander ging in ein Café neben dem Kaufhaus NK. Er bestellte Kaffee und ein belegtes Brot, blätterte in *Arbetet* und *Sydsvenskan.* In beiden Zeitungen gab es Leserbriefe von Menschen, die das Verhalten der Polizei im Zusammenhang mit den Demonstrationen lobten oder tadelten. Wallander überblätterte sie schnell. Er brachte es nicht über sich, sie zu lesen. Er hoffte, in Zukunft um Einsätze wie diesen gegen Demonstranten herumzukommen. Er wollte zur Kriminalpolizei. Es war von Anfang an sein Ziel gewesen, und er hatte nie ein Geheimnis daraus gemacht. In wenigen Monaten würde er in einer der Abteilungen anfangen, die sich mit der Aufklärung von Gewaltverbrechen und schwerwiegenden Sittlichkeitsverbrechen beschäftigte.

Plötzlich stand jemand vor ihm. Wallander hatte die Kaffeetasse in der Hand. Er blickte auf. Es war ein Mädchen, um die siebzehn, mit langen Haaren. Sie war sehr blaß und starrte ihn wütend an. Dann beugte sie sich vor, so daß die Haare ihr ins Gesicht fielen, und hielt ihm ihren Nacken hin. »Hier«, sagte sie, »hier hast du mich geschlagen.«

Wallander stellte die Tasse ab. Er verstand gar nichts. Sie hatte sich wieder aufgerichtet.

»Ich verstehe nicht richtig, was du meinst«, sagte Wallander.

»Du bist doch Polizist, oder?«

»Ja.«

»Also warst du dabei und hast auf uns Demonstranten eingeschlagen.«

Jetzt verstand Wallander. Sie hatte ihn wiedererkannt, obwohl er keine Uniform trug.

»Ich habe niemanden geschlagen«, erwiderte er.

»Spielt es denn eine Rolle, wer den Schlagstock in der Hand hat? Du warst da. Und du hast auf uns eingeschlagen.«

»Ihr habt die Demonstrationsvorschriften übertreten«, erwiderte Wallander und hörte selbst, wie hoffnungslos seine Worte klangen.

»Ich finde alle Bullen zum Kotzen«, sagte sie. »Ich hatte eigentlich vor, hier Kaffee zu trinken, aber jetzt gehe ich lieber woandershin.«

Dann war sie weg. Die Serviererin hinter der Theke betrachtete Wallander streng. Als sei er schuld daran, daß ihr ein Gast entging.

Wallander bezahlte und verließ das Café. Das belegte Brot ließ er halb gegessen liegen. Die Begegnung mit dem Mädchen hatte ihn verunsichert. Plötzlich hatte er das Gefühl, daß alle auf der Straße ihn anstarrten. Als trüge er seine Uniform. Nicht die dunkelblaue Hose, das helle Hemd und die grüne Jacke.

Ich muß von der Straße weg, dachte er. In ein Büro. In die Sitzungen der Ermittlungsgruppen. Direkt zu den Tatorten. Nur keine Demonstrationen mehr. Sonst lasse ich mich krank schreiben.

Er ging schneller. Überlegte, ob er den Bus hinaus nach Rosengård nehmen sollte. Sagte sich dann aber, daß er Bewegung brauchte. Gerade jetzt wollte er in erster Linie unsichtbar sein und mit niemandem zusammentreffen, den er kannte. Aber natürlich lief er vor dem Volkspark seinem Vater direkt in die Arme. Der schleppte sich mit einem seiner Bilder ab, das in braunes Papier eingeschlagen war. Wallander hatte auf den Boden gestarrt und ihn so spät entdeckt, daß er sich nicht mehr unbemerkt abwenden konnte. Der Vater trug eine eigenartige Mütze und einen dicken Mantel. Darunter eine Art Trainingsanzug und Turnschuhe ohne

Strümpfe. Wallander stöhnte innerlich. Er sieht aus wie ein Landstreicher, dachte er. Warum kann er sich nicht zumindest anständig anziehen?

Der Vater stellte das Bild ab und stöhnte. »Warum trägst du keine Uniform?« fragte er, ohne zu grüßen. »Bist du nicht mehr bei der Polizei?«

»Ich habe heute frei.«

»Ich dachte, Polizisten sind immer im Dienst. Um uns vor allem Bösen zu bewahren.«

Wallander konnte seine Wut gerade noch beherrschen. »Warum trägst du einen Wintermantel?« fragte er statt dessen. »Wir haben zwanzig Grad Wärme.«

»Schon möglich«, erwiderte der Vater, »aber ich halte mich dadurch gesund und frisch, daß ich viel schwitze. Das solltest du auch tun.«

»Man kann doch nicht im Sommer mit einem Wintermantel herumlaufen.«

»Na, dann mußt du wohl krank werden.«

»Ich bin doch nie krank.«

»Noch nicht. Aber das kommt.«

»Weißt du eigentlich, wie du aussiehst?«

»Ich pflege meine Zeit nicht damit zu vergeuden, daß ich mich im Spiegel betrachte.«

»Du kannst doch im Juni keine Wintermütze tragen!«

»Versuch nur, sie mir abzunehmen, wenn du es wagst. Dann zeige ich dich wegen Mißhandlung an! Ich nehme im übrigen an, daß du auch dabeigewesen bist und Demonstranten verprügelt hast.«

Jetzt er nicht auch noch, dachte Wallander. Das darf doch nicht wahr sein. Er hat sich doch nie für politische Fragen interessiert. Auch wenn ich versucht habe, mit ihm darüber zu diskutieren.

Aber Wallander irrte sich. »Jeder anständige Mensch muß diesen Krieg verurteilen«, sagte der Vater entschieden.

»Und jeder Mensch muß seine Arbeit tun«, erwiderte Wallander mit mühsam bewahrter Ruhe.

»Du weißt, was ich dir gesagt habe. Du hättest nie Polizist werden sollen. Aber du wolltest ja nicht auf mich hören. Jetzt siehst du mal, was dabei herauskommt. Schlägst unschuldigen kleinen Kindern mit Knüppeln auf den Kopf.«

»Ich habe keinen verdammten Menschen in meinem ganzen Leben je geschlagen«, erwiderte Wallander plötzlich richtig empört. »Außerdem benutzen wir keine Knüppel, sondern Schlagstöcke. Wo willst du denn mit dem Bild hin?«

»Ich will es gegen einen Luftbefeuchter tauschen.«

»Und was willst du mit einem Luftbefeuchter?«

»Den will ich gegen eine neue Matratze tauschen. Die, die ich jetzt habe, ist durchgelegen. Ich kriege Rückenschmerzen davon.«

Wallander wußte, daß sein Vater häufig in seltsame Transaktionen verwickelt war, bei denen die Ware, die er brauchte, viele Stationen durchlief, bevor sie endlich in seinen Händen landete.

»Willst du, daß ich dir helfe?« fragte Wallander.

»Ich brauche keine Polizeibewachung. Aber du könntest ruhig mal abends vorbeikommen und ein bißchen Karten spielen.«

»Ich komme«, erwiderte Wallander, »sobald ich Zeit habe.«

Kartenspielen, dachte er. Das letzte, was uns noch verbindet.

Der Vater hob das Bild an. »Warum kriege ich eigentlich keine Enkelkinder?« fragte er. Aber er wartete nicht auf die Antwort, sondern ging davon.

Wallander blickte ihm nach. Dachte, daß es gut war, daß der Vater jetzt nach Österlen zog. Dann riskierte er nicht mehr, ihm jederzeit über den Weg zu laufen.

Wallander wohnte in einem alten Haus in Rosengård. Das ganze Viertel war ständig vom Abriß bedroht, aber er fühlte sich hier wohl. Auch wenn Mona ihm gesagt hatte, daß sie in einem anderen Viertel wohnen wollte, falls sie heiraten sollten. Wallanders Wohnung bestand aus einem Zimmer, Küche und einem engen Bad. Es war seine erste eigene Wohnung. Die Möbel hatte er auf Auktionen und bei Trödlern erstanden. An den Wänden hingen Plakate. Mit Blumenmotiven oder Paradiesinseln. Weil der Vater zwischendurch zu Besuch kam, hatte er notgedrungen eine seiner Landschaften an der Wand über dem Sofa aufgehängt. Er hatte eine ohne Auerhahn gewählt.

Aber das wichtigste im Zimmer war das Grammophon. Wallander hatte nicht viele Platten. Und es waren fast nur Opernplatten. Wenn er einmal Kollegen bei sich zu Besuch hatte, fragten sie ihn jedesmal, wie er sich solche Musik anhören könne. Deshalb hatte er außerdem ein paar andere Platten gekauft, um sie bei solchen Anlässen parat zu haben. Aus irgendeinem ihm unbekannten Grund begeisterten sich viele Polizisten für Roy Orbison.

Um kurz nach eins hatte er gegessen, Kaffee getrunken und das Gröbste geputzt. Dabei hatte er eine Platte mit Jussi Björling gehört. Es war seine erste Platte gewesen. Sie war inzwischen völlig verkratzt, aber er hatte oft gedacht, daß er sie als erstes retten würde, wenn plötzlich im Haus ein Brand ausbräche.

Er hatte die Platte gerade zum zweitenmal aufgelegt, als es an der Decke klopfte. Wallander drehte die Lautstärke herunter. Über ihm wohnte eine Rentnerin, die früher ein Blumengeschäft gehabt hatte. Sie hieß Linnea Almqvist. Wenn sie meinte, daß er seine Musik zu laut spielte, dann klopfte sie auf den Fußboden, und er stellte gehorsam das Grammophon leiser. Das Fenster stand offen. Die Gardine, die Mona aufgehängt hatte, wehte im Wind. Er legte sich aufs Bett. Er fühlte sich müde und faul. Es war gut, einmal richtig auszuspannen. Er blätterte in einer Nummer des *Playboy*. Den versteckte er sorgfältig, wenn Mona zu Besuch kam. Kurz danach lag die Zeitschrift auf dem Fußboden, und er war eingeschlafen.

Er erwachte mit einem Ruck. Ein Knallen. Woher es gekommen war, konnte er nicht sagen. Er stand auf und ging in die Küche hinaus, um zu sehen, ob etwas auf den Boden gefallen war. Aber dort war alles in Ordnung. Dann ging er zurück ins Zimmer und schaute aus dem Fenster. Der Hof zwischen den Häusern war verlassen. Ein blauer Overall hing einsam an einer Wäscheleine und bewegte sich leicht im Wind. Wallander war aus einem Traum gerissen worden. Das Mädchen im Café hatte darin eine Rolle gespielt, aber der Traum war unklar und chaotisch gewesen.

Er stand auf und sah auf die Uhr. Viertel vor vier. Er hatte mehr als zwei Stunden geschlafen. Er setzte sich an den Küchentisch und schrieb eine Einkaufsliste. Mona hatte versprochen, aus Kopenhagen etwas zu trinken mitzubringen. Er steckte den Zettel ein, zog die Jacke an und machte die Tür hinter sich zu.

Dann blieb er im Halbdunkel stehen. Die Tür zur Nachbarwohnung war angelehnt. Das wunderte Wallander, weil der Mann, der dort wohnte, sehr scheu war und erst im Mai ein zusätzliches Schloß hatte einbauen lassen. Wallander überlegte, ob er die Sache auf sich beruhen lassen sollte, entschied sich dann aber, anzuklopfen. Der Mann, der allein in der Wohnung lebte, war ein pensionierter Seemann namens Artur Hålén. Er hatte schon im Haus gewohnt, als Wallander eingezogen war. Sie grüßten sich und führten manchmal kurze, nichtssagende Gespräche, wenn sie sich auf der Treppe trafen, aber mehr nicht. Wallander hatte nie gehört oder gesehen, daß Hålén Besuch bekam. Morgens hörte er Radio und abends machte er den Fernseher an. Doch um zehn Uhr war es immer schon still. Wallander hatte ein paarmal darüber nachgedacht, wieviel Hålén wohl von Wallanders Damenbesuchen mitbekam. Von den hitzigen nächtlichen Geräuschen. Aber er hatte ihn nie gefragt.

Wallander klopfte noch einmal. Keine Antwort. Dann öffnete er die Tür und rief. Es war still. Zögernd betrat er den Flur. Es roch muffig. Ein abgestandener Altmännergeruch. Wallander rief noch einmal. Er muß vergessen haben abzuschließen, als er hinausgegangen ist, dachte Wallander. Immerhin ist er über siebzig Jahre alt. Vielleicht ist er vergeßlich geworden.

Wallander warf einen Blick in die Küche. Ein zerknüllter Tippzettel lag auf dem Wachstuch neben einer Kaffeetasse. Dann zog er den Vorhang zur Seite, der die Küche vom Zimmer trennte. Er zuckte zusammen. Hålén lag auf dem Fußboden. Das weiße Hemd war blutverschmiert. Neben der einen Hand lag ein Revolver.

Der Knall, dachte Wallander. Ich habe einen Schuß gehört. Er spürte, wie ihm schlecht wurde. Er hatte schon viele tote Menschen gesehen. Ertrunkene und Erhängte. Menschen, die verbrannt oder bei Verkehrsunfällen bis zur Unkenntlichkeit entstellt worden waren. Aber noch immer hatte er sich nicht daran gewöhnt.

Er blickte sich im Zimmer um. Håléns Wohnung war spiegelverkehrt zu seiner eigenen. Die Möbel machten einen ärmlichen Eindruck. Keine Blumen, kein Zierat. Das Bett war ungemacht.

Wallander betrachtete den Körper. Hålén mußte sich in die Brust geschossen haben. Er war tot. Wallander brauchte ihm nicht den

Puls zu fühlen, um das feststellen zu können. Er kehrte hastig in seine eigene Wohnung zurück und rief die Polizei an. Sagte, wer er war, und berichtete, was passiert war. Dann ging er auf die Straße und wartete auf die Streifenwagen.

Polizei und Krankenwagen trafen fast gleichzeitig ein. Wallander nickte den Männern zu, als sie aus den Fahrzeugen stiegen. Er kannte sie alle.

»Was hast du denn hier gefunden?« fragte einer der Streifenpolizisten. Er hieß Sven Svensson, stammte aus Landskrona und wurde nie anders als Stachel genannt, seit er einmal bei der Jagd nach einem Einbrecher in eine Dornenhecke gefallen war und anschließend eine Anzahl von Stacheln im Unterleib gehabt hatte.

»Mein Nachbar«, erwiderte Wallander. »Er hat sich erschossen.«

»Hemberg ist schon auf dem Weg«, sagte Stachel. »Die Kriminalpolizei soll sich das einmal ansehen.«

Wallander nickte. Er wußte Bescheid. Todesfälle in der eigenen Wohnung, wie natürlich sie auch wirken mochten, mußten stets von der Polizei untersucht werden.

Hemberg war ein Mann mit einem gewissen Ruf. Einem nicht ausschließlich positiven. Er konnte leicht aufbrausen und gegenüber seinen Mitarbeitern sehr unangenehm werden. Aber gleichzeitig war er in seinem Beruf eine solche Kapazität, daß niemand etwas gegen ihn zu sagen wagte.

Wallander merkte, daß er nervös wurde. Hatte er einen Fehler gemacht? Hemberg würde es augenblicklich bemerken und darauf herumhacken. Und es war Kriminalkommissar Hemberg, bei dem Wallander arbeiten würde, sobald seine Versetzung beschlossen war.

Wallander blieb auf der Straße stehen und wartete.

Ein dunkler Volvo hielt am Straßenrand. Hemberg stieg aus. Er war allein. Es dauerte ein paar Sekunden, bis er Wallander erkannte. »Was machst du denn hier, zum Teufel?« fragte er.

»Ich wohne hier«, erwiderte Wallander. »Es ist mein Nachbar, der sich erschossen hat. Ich habe euch gerufen.«

Hemberg hob interessiert die Augenbrauen. »Hast du ihn gesehen?«

»Wie, gesehen?«

»Hast du gesehen, wie er sich erschossen hat?«

»Natürlich nicht.«

»Wie kannst du dann wissen, daß es Selbstmord war?«

»Die Waffe liegt neben der Leiche.«

»Na und?«

Wallander wußte nicht, was er antworten sollte.

»Du mußt lernen, die richtigen Fragen zu stellen, wenn du als Kriminalpolizist arbeiten willst«, sagte Hemberg. »Ich habe schon genug Leute, die nicht richtig denken können. Noch einen von der Sorte kann ich nicht brauchen.«

Doch dann schaltete er um und wurde freundlicher. »Wenn du sagst, daß es Selbstmord war, dann war es das wohl auch. Wo ist er?«

Wallander zeigte auf die Tür. Sie gingen hinein.

Wallander verfolgte Hembergs Arbeitsweise aufmerksam. Sah zu, wie er neben dem Körper in die Hocke ging und mit dem Arzt, der inzwischen eingetroffen war, über das Eintrittsloch der Kugel diskutierte. Betrachtete die Lage der Waffe, die Lage des Körpers, die Lage der Hand. Danach ging er in der Wohnung umher. Untersuchte die Schubfächer im Schreibtisch, die Kleiderschränke und die Kleidung.

Nach einer knappen Stunde war er fertig. Er machte Wallander ein Zeichen, mit hinaus in die Küche zu kommen. »Es war bestimmt Selbstmord«, sagte Hemberg, während er zerstreut den Tippzettel glättete und studierte, der auf dem Tisch lag.

»Ich habe einen Knall gehört«, sagte Wallander. »Das muß der Schuß gewesen sein.«

»Etwas anderes hast du nicht gehört?«

Wallander dachte, daß es am besten wäre, die Wahrheit zu sagen. »Ich habe einen Mittagsschlaf gemacht«, erwiderte er. »Der Knall hat mich geweckt.«

»Und danach? Keine eiligen Schritte auf der Treppe?«

»Nein.«

»Hast du ihn gekannt?«

Wallander erzählte das wenige, was er wußte.

»Hatte er keine Angehörigen?«

»Nicht soweit ich weiß.«

»Das finden wir schon heraus.«

Hemberg saß einen Moment schweigend da.

»Es gibt keine Familienbilder«, sagte er dann. »Weder auf der Kredenz da drinnen noch an den Wänden. Nichts in den Schubladen. Nur zwei alte Seemannsbücher. Das einzige von Interesse, das ich finden konnte, war ein bunter Käfer, der in eine Dose gestopft war. Größer als ein Baumschröter. Weißt du, was ein Baumschröter ist?«

Wallander wußte es nicht.

»Der größte schwedische Käfer«, erklärte Hemberg. »Aber er ist bald ausgerottet.«

Er legte den Tippschein zur Seite. »Es gibt auch keinen Abschiedsbrief«, fuhr er fort. »Ein alter Mann hat von allem genug und verabschiedet sich mit einem Knall. Dem Arzt zufolge hat er gut gezielt. Mitten ins Herz.«

Ein Polizist betrat die Küche und reichte Hemberg eine Brieftasche. Hemberg öffnete sie und nahm einen Ausweis heraus.

»Artur Hålén«, sagte er. »Geboren 1898. Er hatte viele Tätowierungen, wie es sich für einen Seemann vom alten Schlag gehörte. Weißt du, was er auf See gemacht hat?«

»Ich glaube, er war Maschinist.«

»In einem seiner Seemannsbücher wird er als Maschinist bezeichnet, in einem anderen als Matrose. Er hat also verschiedene Arbeiten an Bord erledigt. Einmal war er in ein Mädchen verliebt, das Lucia hieß. Den Namen hatte er auf die rechte Schulter und auf die Brust tätowiert. Man könnte fast annehmen, daß er sich symbolisch direkt durch diesen Namen erschossen hat.«

Hemberg steckte den Ausweis und die Brieftasche in seine Aktenmappe.

»Der Gerichtsmediziner hat natürlich das letzte Wort«, sagte er, »und wir können eine Routineuntersuchung der Waffe und der Kugel vornehmen, aber ich denke schon, daß es Selbstmord war.«

Hemberg warf noch einmal einen Blick auf den Tippschein.

»Von Fußball hatte Artur Hålén nicht besonders viel Ahnung«, überlegte er. »Wenn er mit diesem Schein hier gewonnen hätte, wäre er wahrscheinlich der einzige Gewinner gewesen.«

Hemberg stand auf. Gerade wurde der Leichnam abtransportiert. Die überdeckte Bahre wurde vorsichtig durch den engen Flur manövriert.

»Es kommt immer häufiger vor«, sagte Hemberg nachdenklich, »daß alte Menschen ihrem Leben selber ein Ende setzen. Aber nicht besonders häufig mit einer Kugel. Und erst recht nicht mit einem Revolver.«

Er betrachtete Wallander plötzlich aufmerksam. »Aber daran hast du natürlich schon gedacht.«

Wallander war überrascht. »Woran?«

»Wie merkwürdig es ist, daß er einen Revolver besaß. Wir sind seinen Schreibtisch durchgegangen, aber eine Lizenz dafür konnten wir nicht finden.«

»Er hatte ihn wohl noch aus seiner Zeit auf See.«

Hemberg zuckte mit den Schultern. »Bestimmt.«

Wallander begleitete Hemberg hinunter auf die Straße.

»Weil du sein Nachbar bist, dachte ich, du könntest vielleicht die Schlüssel an dich nehmen«, sagte Hemberg. »Wenn die anderen fertig sind, bringen sie sie dir. Paß auf, daß keiner die Wohnung betritt, bevor wir ganz sicher sein können, daß es Selbstmord war.«

Wallander ging ins Haus zurück. Auf der Treppe begegnete er Linnea Almqvist, die mit einer Mülltüte auf dem Weg nach draußen war.

»Was ist denn das für ein schreckliches Gelaufe hier auf der Treppe?« fragte sie streng.

»Wir haben leider einen Todesfall«, erwiderte Wallander höflich. »Hålén ist gestorben.«

Die Frau war anscheinend von der Nachricht erschüttert.

»Ich glaube, er war ziemlich einsam«, sagte sie langsam. »Ich habe ein paarmal versucht, ihn zum Kaffee einzuladen. Er hat sich immer damit entschuldigt, daß er keine Zeit hätte. Dabei war Zeit wohl das einzige, was er hatte.«

»Ich habe ihn kaum gekannt«, sagte Wallander.

»War es das Herz?«

Wallander nickte. »Ja«, antwortete er, »es war wohl das Herz.«

»Dann wollen wir nur hoffen, daß hier keine lauten jungen Leute einziehen«, sagte sie und ging davon.

Wallander kehrte in Håléns Wohnung zurück. Es war jetzt

leichter, nachdem die Leiche fortgebracht worden war. Ein Kriminaltechniker war dabei, seine Tasche zusammenzupacken. Der Blutfleck auf dem Linoleumboden war dunkel geworden. Stachel stand da und säuberte seine Fingernägel.

»Hemberg hat gesagt, ich soll die Schlüssel an mich nehmen«, sagte Wallander.

Stachel zeigte auf ein Schlüsselbund, das auf der Kredenz lag.

»Ich wüßte gern, wem das Haus gehört«, meinte Stachel. »Ich habe eine Freundin, die eine Wohnung sucht.«

»Hier ist es verdammt hellhörig«, gab Wallander zu bedenken. »Nur damit du es weißt.«

»Hast du noch nichts von diesen exotischen neuen Wasserbetten gehört?« fragte Stachel. »Die knarren nicht.«

Erst um Viertel vor sechs konnte Wallander Håléns Wohnungstür abschließen. Es waren immer noch mehrere Stunden, bis er Mona treffen sollte. Er ging in seine Wohnung und kochte Kaffee. Der Wind hatte zugenommen. Er schloß das Fenster und setzte sich in die Küche. Er war nicht dazu gekommen, Lebensmittel einzukaufen, und jetzt hatte der Laden geschlossen. Einen Laden, der am Abend noch geöffnet war, gab es in der Nähe nicht. Er dachte, daß ihm nichts anderes übrigblieb, als Mona zum Abendessen einzuladen. Seine Brieftasche lag auf dem Tisch. Er sah nach, ob er genügend Geld hatte. Mona liebte es, im Restaurant zu essen, aber Wallander fand, daß es rausgeschmissenes Geld war.

Der Kaffeekessel pfiff. Er goß sich Kaffee in eine Tasse und tat drei Stücke Zucker hinein. Wartete darauf, daß er abkühlte.

Irgend etwas beunruhigte ihn.

Er wußte nicht, woher die Unruhe kam.

Aber das Gefühl war sehr stark.

Er wußte nicht, was es war. Aber es hatte mit Hålén zu tun. In Gedanken ging er das Geschehen noch einmal durch. Der Knall, der ihn geweckt hatte. Die Tür, die offengestanden hatte. Der tote Körper auf dem Fußboden im Zimmer. Ein Mann hatte Selbstmord begangen. Ein Mann, der zufällig sein Nachbar war.

Dennoch stimmte irgend etwas nicht. Wallander ging ins Zimmer und legte sich aufs Bett. Lauschte in sich hinein. In seine Erinnerung. Hatte er außer dem Knall noch irgend etwas anderes gehört? Vorher oder nachher? Waren andere Geräusche in seine Träume gedrungen? Er suchte, aber er fand nichts. Dennoch war er sich sicher. Er hatte etwas übersehen.

Er stand auf und ging zurück in die Küche. Der Kaffee war jetzt abgekühlt. Ich bilde mir etwas ein, dachte er. Ich habe es selbst gesehen. Hemberg hat es gesehen. Alle haben es gesehen. Ein einsamer alter Mann hat Selbstmord begangen.

Dennoch war ihm, als hätte er etwas gesehen, ohne zu begreifen, was es war.

Gleichzeitig erkannte er, wie verlockend dieser Gedanke war. Daß er eine Beobachtung gemacht haben könnte, die Hemberg entgangen war. Es würde seine Chancen vergrößern, bald zum Kriminalbeamten aufzusteigen.

Er blickte auf die Uhr. Er hatte immer noch Zeit, bevor er los mußte, um Mona vom Fähranleger abzuholen. Er stellte die Tasse in die Spüle, nahm das Schlüsselbund und ging in Håléns Wohnung. Als er ins Zimmer kam, war alles wie zuvor, als er die Leiche entdeckt hatte; nur, daß diese jetzt fortgebracht worden war. Wallander sah sich langsam um. Was macht man, dachte er. Wie entdeckt man Dinge, die man sieht, ohne sie wirklich wahrzunehmen. Irgend etwas mußte es geben. Davon war er überzeugt.

Aber er sah es nicht.

Er ging hinaus in die Küche und setzte sich auf den Stuhl, auf dem Hemberg gesessen hatte. Der Tippschein lag vor ihm. Wallander verstand nicht besonders viel von Fußball. Genaugenommen verstand er überhaupt nichts davon. Wenn er einmal spielte, dann kaufte er ein Lotterielos, das war alles.

Der Tippschein galt für den kommenden Samstag. Soviel konnte er sehen. Hålén hatte sogar Namen und Adresse ausgefüllt.

Wallander kehrte ins Zimmer zurück und stellte sich ans Fenster, um den Raum aus einer anderen Perspektive zu betrachten. Sein Blick blieb am Bett hängen. Hålén war angekleidet gewesen, als er sich das Leben nahm. Aber das Bett war ungemacht, obwohl im übrigen pedantische Ordnung herrschte. Warum hat er sein Bett nicht gemacht, dachte Wallander. Es kann doch wohl nicht so gewesen sein, daß er angezogen geschlafen hat, erwacht ist, sich erschossen hat – und das alles, ohne vorher noch sein Bett zu machen. Und warum liegt ein ausgefüllter Tippschein auf dem Küchentisch?

Es paßte alles nicht zusammen. Aber es mußte anderseits auch nichts bedeuten. Hålén konnte sich ganz plötzlich entschlossen haben, seinem Leben ein Ende zu setzen. Er hatte vielleicht die Sinnlosigkeit darin erkannt, ein letztes Mal sein Bett zu machen.

Wallander setzte sich in den einzigen Sessel im Zimmer. Er war durchgesessen und abgewetzt. Ich bilde mir etwas ein, dachte er wieder. Der Gerichtsmediziner wird feststellen, daß es Selbstmord war. Die technische Untersuchung wird bestätigen, daß die Waffe und die Kugel zusammengehören und daß der Schuß von Håléns eigener Hand abgegeben worden ist.

Wallander beschloß, die Wohnung zu verlassen. Er mußte sich waschen und umziehen, bevor er losging, um Mona zu treffen, aber etwas hielt ihn noch zurück. Er ging zur Kredenz und begann die Schubladen zu öffnen. Sofort fand er die beiden Seemannsbücher. Artur Hålén war in seiner Jugend ein flotter Mann gewesen. Helle Haare, ein offenes und breites Lächeln. Es fiel Wallander nicht leicht, sich vorzustellen, daß das Bild denselben Mann darstellte, der stumm und zurückgezogen seine letzten Tage in Rosengård verbracht hatte. Noch weniger vorstellbar war es, daß das Bild einen Mann zeigte, der sich eines Tages das Leben nehmen würde. Aber Wallander wußte, wie falsch er dachte. Selbstmörder ließen sich nicht nach starren Schablonen beurteilen.

Er fand den farbenfrohen Käfer und nahm ihn mit ans Fenster. Auf der Unterseite der Schachtel glaubte er zu erkennen, daß dort »Brasil« gedruckt stand. Ein Souvenir, das Hålén auf irgendeiner seiner Fahrten gekauft haben mußte. Wallander ging die Schubladen weiter durch. Schlüssel, Münzen aus verschiedenen Ländern – nichts, was seine Aufmerksamkeit gefangennahm. Halb unter dem schäbigen und brüchigen Regalpapier, mit dem die unterste Schublade ausgelegt war, steckte ein brauner Umschlag. Wallander öffnete ihn; er enthielt eine alte Fotografie. Ein Hochzeitspaar. Auf der Rückseite der Name eines Fotoateliers und ein Datum: 15. Mai 1894. Das Atelier war in Härnösand. Außerdem stand dort: *Manda und ich am Tag unserer Hochzeit*. Die Eltern, dachte Wallander. Vier Jahre später wird der Sohn geboren.

Als er mit der Kredenz fertig war, ging er hinüber zum Bücherregal. Zu seiner Verwunderung standen dort mehrere deutsche Bücher. Sie waren abgegriffen und gründlich gelesen. Außerdem standen einige von Vilhelm Mobergs Büchern da, ein spanisches Kochbuch und ein paar Hefte einer Zeitschrift für Modellflugzeugbau. Wallander schüttelte verwundert den Kopf. Das Bild von Hålén war bedeutend komplexer, als er geahnt hatte. Er wandte sich vom Bücherregal ab und schaute unter das Bett. Nichts. Dann ging er weiter zum Kleiderschrank. Die Sachen waren ordentlich aufgehängt. Drei Paar geputzte Schuhe. Nur das ungemachte Bett, dachte Wallander wieder, das stört das Bild.

Er wollte gerade den Kleiderschrank zumachen, als es an der Tür klingelte. Wallander fuhr zusammen. Wartete. Es klingelte von neuem. Wallander hatte das Gefühl, sich auf verbotenem Gelände zu befinden. Er wartete noch einen Augenblick. Als es zum drittenmal klingelte, ging er hin und öffnete.

Ein Mann in einem grauen Mantel stand vor der Tür. Er blickte Wallander fragend an. »Bin ich hier falsch?« fragte er. »Ich möchte zu Herrn Hålén.«

Wallander versuchte einen formellen Ton anzuschlagen, von dem er meinte, er wäre der Situation angemessen. »Darf ich fragen, wer Sie sind?«

Der Mann runzelte die Stirn. »Wer sind denn Sie?« entgegnete er.

»Ich bin Polizist«, sagte Wallander. »Kriminalassistent Kurt Wallander. Würden Sie jetzt so freundlich sein und auf meine Frage antworten? Wer sind Sie und was wollen Sie?«

»Ich verkaufe ein Nachschlagewerk«, sagte der Mann kleinlaut. »Ich war in der vorigen Woche hier und habe die Bücher vorgestellt. Artur Hålén hat mich gebeten, heute noch einmal vorbeizukommen. Den Kaufvertrag und die Anzahlung hat er schon geschickt. Ich wollte ihm den ersten Band bringen und dann noch das Gratisbuch, das jeder Käufer als Willkommensgeschenk erhält.«

Er holte zwei Bücher aus einer Aktentasche, wie um Wallander zu beweisen, daß er die Wahrheit sagte.

Wallander hatte mit wachsender Verwunderung zugehört. Das

Gefühl, daß etwas nicht stimmte, verstärkte sich. Er trat zur Seite und nickte dem Mann mit den Büchern zu, einzutreten.

»Ist etwas passiert?« fragte dieser.

Wallander lotste ihn, ohne zu antworten, in die Küche und machte ihm ein Zeichen, sich an den Küchentisch zu setzen. Dann wurde Wallander bewußt, daß er jetzt zum erstenmal eine Todesnachricht überbringen mußte. Etwas, wovor er sich immer gefürchtet hatte. Aber er dachte auch, daß er keinen Angehörigen vor sich hatte, sondern lediglich einen Buchverkäufer.

»Artur Hålén ist tot«, sagte er unvermittelt.

Der Mann auf der anderen Seite des Tisches schien nicht zu verstehen.

»Aber ich habe doch heute früh noch mit ihm gesprochen.«

»Sagten Sie nicht, Sie hätten ihn in der vorigen Woche getroffen?«

»Ich habe heute vormittag angerufen und mich erkundigt, ob es ihm passen würde, wenn ich heute abend vorbeikäme.«

»Und was hat er geantwortet?«

»Daß es in Ordnung wäre. Warum wäre ich sonst gekommen? Ich bin keiner, der sich aufdrängt. Die Menschen haben so komische Vorstellungen von Buchverkäufern, die von Tür zu Tür gehen.«

Wallander hatte nicht den Eindruck, daß der Mann die Unwahrheit sagte. »Also, noch einmal von vorne«, sagte er.

»Was ist denn eigentlich passiert?« unterbrach ihn der Mann.

»Artur Hålén ist tot«, erwiderte Wallander. »Bis auf weiteres ist das alles, was ich Ihnen sagen kann.«

»Aber wenn die Polizei damit befaßt ist, muß doch etwas passiert sein. Ist er überfahren worden?«

»Es tut mir leid, aber mehr kann ich Ihnen nicht sagen«, wiederholte Wallander und fragte sich, warum er die Situation unnötig dramatisierte. Dann bat er den Mann, noch einmal alles zu erzählen.

»Ich heiße Emil Holmberg«, begann dieser. »Eigentlich bin ich Oberstufenlehrer für Biologie, aber ich versuche, Nachschlagewerke zu vertreiben, um Geld für eine Reise nach Borneo zu verdienen.«

»Nach Borneo?«

»Ja, ich interessiere mich für tropische Gewächse.«

Wallander bedeutete ihm fortzufahren.

»In der vorigen Woche bin ich hier im Viertel herumgegangen und habe an den Türen geklingelt. Artur Hålén zeigte sich interessiert und bat mich herein. Wir saßen hier in der Küche. Ich erzählte von dem Nachschlagewerk und was es kostete und zeigte ihm ein Probeexemplar. Nach etwa einer halben Stunde unterschrieb er den Kaufvertrag. Und als ich heute früh anrief, sagte er, es passe ihm, wenn ich heute abend vorbeikäme.«

»Und an welchem Tag in der vorigen Woche waren Sie hier?«

»Am Dienstag. Ungefähr zwischen vier und halb sechs.«

Wallander erinnerte sich, daß er zu dem Zeitpunkt Dienst gehabt hatte, aber sah keinen Grund, zu erzählen, daß er selbst im Haus wohnte. Besonders weil er behauptet hatte, er sei Kriminalbeamter.

»Hålén war der einzige, der Interesse hatte«, fuhr Holmberg fort. »Eine Dame im Obergeschoß war ungehalten, weil ich angeblich herumginge und die Leute störte. So etwas kommt vor, aber nicht besonders oft. Hier nebenan war, soweit ich mich erinnere, niemand zu Hause.«

»Sie sagten, daß Hålén seine erste Anzahlung geleistet hat?«

Der Mann öffnete seine Aktentasche, wo er die Bücher verwahrte, und zeigte Wallander eine Quittung. Sie trug das Datum vom Freitag der vergangenen Woche.

Wallander versuchte nachzudenken. »Wie lange sollte er dieses Nachschlagewerk abbezahlen?«

»Zwei Jahre. Dann wären alle zwanzig Bände bezahlt.«

Hier stimmt etwas nicht, dachte Wallander. Ein Mann, der die Absicht hat, Selbstmord zu begehen, unterschreibt kaum einen Kaufvertag, der sich über zwei Jahre erstreckt.

»Was für einen Eindruck hatten Sie von Hålén?« fragte Wallander.

»Ich verstehe nicht richtig, was Sie meinen.«

»Wie war er? Ruhig? Froh? Wirkte er bedrückt?«

»Er hat nicht viel gesagt, aber er interessierte sich wirklich für das Nachschlagewerk. Da bin ich mir sicher.«

Wallander hatte im Moment nichts mehr zu fragen. Auf der

Fensterbank lag ein Bleistift. Er suchte in seiner Tasche nach einem Stück Papier. Das einzige, was er fand, war seine Einkaufsliste.

»Wir werden wahrscheinlich nicht wieder von uns hören lassen«, sagte er. »Aber ich hätte trotzdem gern Ihre Telefonnummer.«

»Hålén kam mir vollkommen gesund vor«, sagte Holmberg, während er seine Telefonnummer auf die Rückseite von Wallanders Einkaufsliste schrieb. »Was ist eigentlich passiert? Und was geschieht nun mit dem Vertrag?«

»Sofern er keine Verwandten hat, die die Bestellung übernehmen, werden Sie Ihr Geld kaum bekommen.«

Wallander stand auf, als Zeichen, daß das Gespräch vorüber war. Holmberg blieb mit seiner Aktentasche stehen.

»Vielleicht kann ich Sie für ein Nachschlagewerk interessieren, Herr Kriminalbeamter?«

»Kriminalassistent«, erwiderte Wallander. »Und ein Nachschlagewerk brauche ich nicht. Jedenfalls nicht im Moment.«

Wallander brachte Holmberg auf die Straße. Erst als der Mann auf seinem Fahrrad um die Ecke gebogen war, ging Wallander wieder ins Haus und kehrte in Håléns Wohnung zurück. Er setzte sich an den Küchentisch und ging in Gedanken noch einmal alles durch, was Holmberg gesagt hatte. Die einzig sinnvolle Erklärung, die ihm einfiel, war die, daß Hålén ganz plötzlich beschlossen haben mußte, sich das Leben zu nehmen. Wenn er nicht so verrückt gewesen war, einem unschuldigen Buchverkäufer einen bösen Streich spielen zu wollen.

Irgendwo klingelte ein Telefon. Viel zu spät wurde ihm klar, daß es sein eigenes war. Er lief in die Wohnung. Es war Mona.

»Ich dachte, du wolltest mich abholen«, sagte sie verärgert.

Wallander blickte auf seine Armbanduhr und fluchte still in sich hinein. Er hätte vor einer Viertelstunde am Anleger sein sollen. »Ich bin durch eine Ermittlung aufgehalten worden«, sagte er entschuldigend.

»Aber du hast doch heute frei.«

»Leider haben sie mich gebraucht.«

»Gibt es denn außer dir keine anderen Polizisten? Soll das immer so weitergehen?«

»Es war sicher eine Ausnahme.«

»Hast du was zum Essen eingekauft?«

»Nein, dazu hatte ich keine Zeit.« Er hörte, wie enttäuscht sie war. »Ich komme jetzt«, sagte er. »Ich versuche, ein Taxi zu bekommen. Dann gehen wir aus und essen.«

»Und wieso soll ich mich darauf verlassen? Vielleicht wirst du wieder aufgehalten.«

»Nein, ich komme, so schnell ich kann. Ich verspreche es dir.«

»Ich sitze hier auf einer Bank vor dem Anleger. Aber ich warte nur zwanzig Minuten, dann geh ich nach Hause.«

Wallander legte auf und rief bei der Taxizentrale an. Besetzt. Es dauerte fast zehn Minuten, bevor er seine Bestellung loswurde. Zwischen den Versuchen durchzukommen, hatte er bei Hålén abgeschlossen und das Hemd gewechselt.

Er kam nach dreiunddreißig Minuten am Terminal der Dänemarkfähren an. Inzwischen war Mona nach Hause gegangen. Sie wohnte in der Södra Förstadsgata. Wallander ging hinauf zum Gustaf Adolfs Torg und rief von einer Telefonzelle aus an. Es nahm niemand ab. Fünf Minuten später versuchte er es noch einmal, da war sie nach Hause gekommen.

»Wenn ich zwanzig Minuten sage, dann meine ich zwanzig«, sagte sie wütend.

»Ich habe kein Taxi bekommen. In diesem verdammten Laden war immer besetzt.«

»Ich bin trotzdem müde«, sagte sie. »Wir sehen uns an einem anderen Abend.«

Wallander versuchte sie zu überreden, aber sie ließ sich nicht umstimmen. Das Gespräch endete mit einem Streit. Dann legte sie auf. Wallander knallte den Hörer auf die Gabel. Ein paar vorübergehende Streifenpolizisten betrachteten ihn mißbilligend. Sie schienen ihn nicht zu erkennen.

Wallander ging zu einer Würstchenbude am Marktplatz. Dort setzte er sich auf eine Bank und aß und betrachtete abwesend ein paar Möwen, die sich um ein Stück Brot balgten.

Es geschah nicht häufig, daß Mona und er sich stritten. Aber jedesmal machte es ihm Kummer. Im Innersten wußte er, daß es am nächsten Tag vorbei sein würde, aber seine Unruhe, daß es einmal nicht so sein könnte, war stärker als seine Vernunft. Die Unruhe war immer da. Als Wallander nach Hause gekommen war, setzte er sich an den Küchentisch und versuchte, sich darauf zu konzentrieren, eine Zusammenstellung dessen zu machen, was in der Nachbarwohnung geschehen war.

Aber er war unsicher. Wie führte man eigentlich eine Ermittlung? Wie analysierte man einen Tatort? Er sah ein, daß ihm noch viele grundlegende Kenntnisse fehlten, trotz seiner Zeit auf der Polizeihochschule. Nach einer halben Stunde warf er wütend den Bleistift hin. Alles war Einbildung. Hålén hatte Selbstmord begangen. Der Tippschein und der Buchverkäufer änderten nichts an dieser Tatsache. Er sollte lieber bedauern, daß er nicht mehr Kontakt mit Hålén gehabt hatte. Vielleicht war es die Einsamkeit, die am Schluß unerträglich für ihn geworden war?

Wallander ging rastlos in der Wohnung auf und ab. Mona war enttäuscht gewesen, und er hatte ihr Anlaß dazu gegeben.

Auf der Straße fuhr ein Wagen vorbei. Musik strömte aus dem offenen Wagenfenster: *The house of the rising sun*. Der Titel war vor ein paar Jahren ziemlich populär gewesen. Wie hieß noch gleich die Gruppe? Kings? Es fiel ihm nicht ein. Dann dachte er daran, daß er sonst um diese Tageszeit schwache Geräusche von Håléns Fernseher durch die Wand gehört hatte. Jetzt war es still.

Wallander setzte sich auf die Couch und legte die Füße auf den Tisch. Dachte an seinen Vater. An den Wintermantel und die Mütze. Die Füße ohne Strümpfe. Wenn es nicht so spät wäre, könnte er zu ihm fahren und Karten spielen. Aber er merkte, daß er müde wurde, obwohl es noch nicht einmal elf Uhr war. Er stellte den Fernseher an. Wie gewöhnlich wurde eine Diskussionsrunde gezeigt. Es dauerte eine Weile, bis er verstand, daß sich die Teilnehmer über die Vor- und Nachteile der neuen Welt unterhielten, die nach und nach entstehen würde. Die Welt der Computer. Er schaltete aus. Blieb noch eine Weile sitzen, bevor er sich gähnend auszog und ins Bett ging. Bald war er eingeschlafen.

Plötzlich war er hellwach.

Er lauschte in die Sommernacht hinaus. Etwas hatte ihn geweckt. Vielleicht war auf der Straße ein Wagen mit einem kaputten Auspuff vorbeigefahren. Die Gardine bewegte sich schwach vor dem angelehnten Fenster. Er schloß die Augen. Dann hörte er es wieder.

Ganz dicht neben seinem Kopf.

Jemand war in Håléns Wohnung. Er hielt den Atem an und versuchte zu lauschen. Da war ein Geräusch, als ob jemand einen Gegenstand bewegte. Kurz danach hörte man ein Schlurfen. Jemand verschob ein Möbelstück. Wallander schaute auf die Uhr auf seinem Nachttisch. Viertel vor drei. Er preßte das Ohr an die Wand. Er hatte schon angefangen zu glauben, daß alles nur Einbildung gewesen war, als er von neuem ein Geräusch hörte. Es war ganz bestimmt jemand in der Wohnung nebenan.

Er setzte sich im Bett auf und fragte sich, was er tun sollte. Seine Kollegen anrufen? Wenn Hålén keine Verwandten hatte, konnte wohl niemand einen Grund haben, sich in der Wohnung aufzuhalten. Aber sie wußten nicht sicher, wie Håléns familiäre Situation aussah. Vielleicht hatte er jemandem Reserveschlüssel gegeben, von denen sie nichts wußten.

Wallander stand auf und zog sich Hose und Hemd an. Dann ging er barfuß ins Treppenhaus. Die Tür zu Håléns Wohnung war geschlossen. Er hatte die Schlüssel in der Hand. Plötzlich war er unsicher, was er tun sollte. Das einzig Vernünftige war zu klingeln. Schließlich hatte er die Schlüssel von Hemberg bekommen und damit eine Art von Verantwortung. Er drückte auf die Klingel. Wartete. Jetzt war es in der Wohnung vollkommen still. Er klingelte noch einmal. Noch immer keine Reaktion. Im gleichen Augenblick sah er ein, daß eine Person, die sich in der Wohnung befand, sehr leicht durch ein Fenster fliehen konnte. Es waren nur knapp zwei Meter bis hinunter auf die Straße. Er fluchte und lief die Treppe hinunter. Hålén hatte eine Eckwohnung. Wallander eilte um die Ecke. Die Straße war leer. Aber eines von Håléns Fenstern stand sperrangelweit offen.

Wallander ging zurück ins Haus und schloß Håléns Wohnungstür auf. Bevor er eintrat, rief er, bekam aber keine Antwort. Er machte das Licht im Flur an und ging ins Zimmer. Die Schubladen in der Kredenz waren herausgezogen. Wallander schaute sich um. Die Person, die in der Wohnung gewesen war, hatte nach etwas gesucht. Er trat zum Fenster und versuchte zu erkennen, ob es aufgebrochen worden war, aber er fand keine Spuren von Gewaltanwendung. Das hieß, es waren zwei Schlußfolgerungen möglich.

Der Unbekannte, der in Håléns Wohnung gewesen war, hatte Schlüssel, und er oder sie hatte nicht ertappt werden wollen.

Wallander machte das Licht im Zimmer an und begann nachzuschauen, ob etwas, was sich vorher dort befunden hatte, jetzt fehlte. Aber er war sich seiner Erinnerung nicht sicher. Das, was ins Auge fiel, war noch da. Der Käfer aus Brasilien, die beiden Seemannsbücher und die alte Fotografie. Doch der Umschlag, in dem die Fotografie gesteckt hatte, lag auf dem Fußboden. Wallander bückte sich und hob ihn auf.

Jemand hatte die Fotografie herausgenommen.

Die einzige Erklärung, die Wallander finden konnte, war, daß jemand etwas anderes gesucht hatte, das sich vielleicht in einem Umschlag hätte befinden können.

Er legte den Umschlag zur Seite und sah sich weiter um. Die Bettlaken waren vom Bett gerissen, der Kleiderschrank stand offen. Einer von Håléns Anzügen lag auf dem Fußboden. Jemand hat etwas gesucht, dachte Wallander. Die Frage ist nur, was. Und ob er oder sie es gefunden hat, bevor es an der Tür geklingelt hat.

Er ging hinaus in die Küche. Die Küchenschränke standen offen. Ein Topf war herausgefallen und lag auf dem Fußboden. Vielleicht war er davon geweckt worden? Eigentlich ist die Antwort klar, dachte er. Wenn die Person, die hier gewesen ist, gefunden hätte, wonach sie suchte, hätte sie sich aus dem Staub gemacht. Und dann wohl kaum durchs Fenster. Also befindet sich das, was sie gesucht hat, möglicherweise noch in der Wohnung. Wenn es jemals hier war.

Wallander kehrte ins Zimmer zurück und betrachtete das eingetrocknete Blut auf dem Fußboden. Was war passiert, fragte er sich. War es wirklich Selbstmord?

Er ging die Wohnung noch einmal durch. Aber als es zehn nach vier geworden war, gab er auf. Kehrte in seine Wohnung zurück und legte sich ins Bett. Er stellte den Wecker auf sieben Uhr. Am Morgen würde er als erstes mit Hemberg sprechen.

Am nächsten Tag regnete es Bindfäden über Malmö, als Wallander zur Bushaltestelle lief. Er hatte unruhig geschlafen und war lange vor dem Klingeln des Weckers wach. Der Gedanke, daß er Hemberg mit seiner Wachsamkeit imponieren könnte, hatte ihn davon phantasieren lassen, eines Tages ein herausragender Kriminalbeamter zu sein. Dieser Gedanke hatte auch dafür gesorgt, daß er sich entschloß, Mona die Meinung zu sagen. Man durfte nicht erwarten, daß ein Polizist sich immer an die Zeiten halten konnte.

Es war vier Minuten vor sieben, als er im Polizeipräsidium eintraf. Er hatte gehört, daß Hemberg oft sehr früh zur Arbeit kam, und in der Anmeldung sagte man ihm, daß es auch heute so war. Hemberg war schon gegen sechs Uhr gekommen. Wallander ging in die Kriminalabteilung hinauf. Die meisten Büros standen noch leer. Er ging direkt zu Hembergs Tür und klopfte an. Als er Hembergs Stimme hörte, öffnete er und trat ein. Hemberg saß auf seinem Besucherstuhl und schnitt sich die Fingernägel.

Als er sah, daß es Wallander war, runzelte er die Stirn. »Hatten wir eine Verabredung? Ich kann mich nicht daran erinnern.«

»Nein, aber ich wollte etwas berichten.«

Hemberg legte die Nagelschere zwischen seine Bleistifte und setzte sich hinter den Schreibtisch. »Wenn es länger als fünf Minuten dauert, kannst du dich setzen«, sagte er.

Wallander blieb stehen. Dann schilderte er, was passiert war. Er begann mit dem Buchverkäufer und berichtete anschließend von den Ereignissen der Nacht. Ob Hemberg mit Interesse zuhörte oder nicht, konnte er nicht beurteilen. Hembergs Gesicht verriet überhaupt nichts.

»Das war alles«, schloß Wallander. »Ich dachte, ich sollte es so schnell wie möglich berichten.«

Hemberg nickte Wallander zu, sich zu setzen. Dann zog er seinen Kollegblock hervor, suchte einen Bleistift aus und notierte den Namen und die Telefonnummer des Bücherverkäufers Holmberg. Wallander merkte sich den Kollegblock. Hemberg benutzte also keine losen Blätter und keine vorgedruckten Berichtsformulare.

»Der nächtliche Besuch ist eigenartig«, sagte Hemberg. »Aber im Grunde ändert er nichts. Hålén hat Selbstmord begangen. Davon bin ich überzeugt. Wenn die Obduktion und die Untersuchung der Waffe abgeschlossen sind, werden wir die Bestätigung haben.«

»Die Frage bleibt trotzdem, wer in der Nacht in der Wohnung gewesen ist.«

Hemberg zuckte mit den Schultern. »Du hast selbst eine denkbare Antwort gegeben. Jemand, der einen Schlüssel besitzt. Der etwas gesucht hat, das er oder sie gern wiederhaben wollte. Gerüchte verbreiten sich schnell. Die Leute haben die Streifenwagen und den Krankenwagen gesehen. Daß Hålén tot ist, wußten viele schon nach ein paar Stunden.«

»Dennoch ist es sonderbar, daß diese Person durchs Fenster gesprungen ist.«

Hemberg lächelte. »Vielleicht glaubte sie, du wärst ein Einbrecher«, sagte er.

»Der an der Tür klingelt?«

»Eine ganz normale Methode, um festzustellen, ob jemand zu Hause ist.«

»Um drei Uhr in der Nacht?«

Hemberg legte den Stift zur Seite und beugte sich vor. »Du scheinst nicht überzeugt zu sein«, sagte er, ohne zu verbergen, daß Wallander anfing, ihn zu irritieren.

Wallander sah sogleich ein, daß er zu weit gegangen war. »Natürlich bin ich das«, sagte er. »Selbstverständlich war es Selbstmord.«

»Gut«, sagte Hemberg. »Dann sagen wir das. Es war gut, daß du mir berichtet hast. Ich werde ein paar Leute hinüberschicken, die alles noch einmal durchgehen. Dann warten wir auf die Berichte der Ärzte und Techniker. Und anschließend packen wir Hålén in eine Mappe und vergessen ihn.«

Hemberg legte die Hand auf den Telefonhörer als Zeichen dafür, daß das Gespräch beendet war, und Wallander verließ das Zimmer. Er kam sich vor wie ein Idiot. Was hatte er sich eigentlich eingebildet? Daß er einem Mord auf die Spur gekommen war? Er ging in sein Zimmer hinunter und sagte sich, daß Hemberg recht hatte. Er mußte die Gedanken an Hålén ein für allemal verbannen und noch eine Weile ein fleißiger Ordnungspolizist sein.

Am Abend kam Mona nach Rosengård. Sie aßen zusammen, und Wallander sagte nichts von dem, was er sich zu sagen vorgenommen hatte. Statt dessen entschuldigte er sich erneut, daß er zu spät gekommen war. Mona nahm die Entschuldigung an und blieb die Nacht über bei ihm.

Sie lagen lange wach und redeten über den Juli, wenn sie gemeinsam zwei Wochen Urlaub machen wollten. Immer noch hatten sie sich nicht entschieden, was sie tun wollten. Mona arbeitete in einem Damenfrisiersalon und verdiente nicht besonders viel. Ihr Traum war es, irgendwann einen eigenen Salon zu eröffnen. Wallander hatte auch kein hohes Gehalt. Genau 1896 Kronen im Monat. Sie hatten kein Auto und würden gezwungen sein, sorgfältig zu haushalten, damit das Geld reichte.

Wallander hatte vorgeschlagen, nach Norden zu reisen und ins Fjäll zu gehen. Er war nie weiter gekommen als bis Stockholm. Aber Mona wollte irgendwohin, wo man baden konnte. Sie hatte nachgerechnet, ob ihr gemeinsames Erspartes für eine Reise nach Mallorca reichen würde. Aber es war zu wenig. Statt dessen schlug Mona vor, nach Skagen in Dänemark zu fahren. Sie war ein paarmal als Kind mit ihren Eltern dort gewesen und hatte es nie vergessen. Sie hatte außerdem in Erfahrung gebracht, daß es dort billige Pensionen gab, die noch nicht ausgebucht waren.

Bevor sie einschliefen, hatten sie sich geeinigt: Sie würden nach Skagen fahren. Schon am nächsten Tag würde Mona ein Zimmer reservieren, während Wallander die Zugabfahrten von Kopenhagen herausfinden wollte.

Am nächsten Abend, es war der 5. Juni, besuchte Mona ihre Eltern in Staffanstorp. Wallander spielte ein paar Stunden Poker mit seinem Vater. Ausnahmsweise war der Vater in guter Stimmung und kritisierte Wallanders Berufswahl nicht. Als es ihm außerdem noch gelang, seinen Sohn um fast fünfzig Kronen zu erleichtern, war er so guter Laune, daß er eine Flasche Cognac hervorholte.

»Irgendwann fahre ich nach Italien«, sagte er, nachdem sie angestoßen hatten. »Und außerdem will ich einmal in meinem Leben die Pyramiden in Ägypten sehen.«

»Warum das?«

Der Vater betrachtete ihn lange. »Das war eine außerordentlich dumme Frage«, sagte er dann. »Natürlich muß man Rom gesehen haben, bevor man stirbt, und die Pyramiden. Das ist doch ganz normal für Menschen mit Lebensart.«

»Wie viele Schweden können es sich eigentlich leisten, nach Ägypten zu fahren? Was glaubst du?«

Der Vater tat, als hörte er den Einwand nicht.

»Aber ich werde nicht sterben«, sagte er statt dessen. »Ich werde nach Löderup ziehen.«

»Und wie geht es mit dem Hauskauf?«

»Der ist schon klar.«

Wallander blieb der Mund offenstehen. »Was meinst du mit klar?«

»Daß ich das Haus schon gekauft und bezahlt habe. Die Bezeichnung ist Svindala 12:24.«

»Aber ich habe es ja noch nicht einmal gesehen!«

»Du sollst ja auch nicht da wohnen. Ich will da wohnen.«

»Und bist du denn schon da gewesen?«

»Ich habe es auf einem Bild gesehen. Das reicht mir. Ich mache keine unnötigen Reisen. Das beeinträchtigt nur meine Arbeit.«

Wallander stöhnte innerlich. Er war überzeugt davon, daß der Vater bei dem Hauskauf über den Tisch gezogen worden war. Genauso, wie er über den Tisch gezogen worden war, wenn er seine Bilder an die zweifelhaften Gestalten in großen amerikanischen Autos verkauft hatte, die in all den Jahren seine Käufer gewesen waren.

»Das sind ja Neuigkeiten«, sagte Wallander. »Darf man fragen, wann du umziehen willst?«

»Am Freitag kommt der Lastwagen.«

»Schon diese Woche?«

»Du hörst doch, was ich sage. Das nächste Mal spielen wir draußen im schonischen Lehm Karten.«

Wallander hob ergeben die Arme. »Und wann willst du packen? Hier herrscht doch ein heilloses Durcheinander.«

»Ich bin davon ausgegangen, daß du keine Zeit hast. Deshalb habe ich deine Schwester gebeten, mir zu helfen.«

»Wenn ich heute abend nicht zu Besuch gekommen wäre, hätte ich also nächstes Mal ein leeres Haus hier vorgefunden?«

»Ja, das hättest du.«

Wallander reichte ihm sein Glas. Er brauchte noch einen Cognac. Der Vater füllte es knickerig nur bis zur Hälfte.

»Ich weiß ja nicht einmal, wo das liegt. Löderup. Liegt es von hier aus vor oder hinter Ystad?«

»Es liegt vor Simrishamn.«

»Kannst du nicht auf meine Frage antworten?«

»Das habe ich doch getan.« Der Vater stand auf und stellte die Cognacflasche weg. Dann zeigte er auf das Kartenspiel. »Spielen wir noch eine Runde?«

»Ich habe kein Geld mehr. Aber ich werde versuchen, abends herzukommen und dir beim Packen zu helfen. Was hast du denn für das Haus bezahlt?«

»Das habe ich schon wieder vergessen.«

»Das kannst du doch nicht vergessen haben! Hast du so viel Geld?«

»Nein, aber Geld interessiert mich nicht.«

Wallander sah ein, daß er keine genaueren Antworten bekommen würde. Es war halb elf geworden. Er mußte nach Hause und schlafen. Doch anderseits fiel es ihm nicht leicht, sich loszureißen. Hier war er aufgewachsen. Als er geboren wurde, hatten sie in Klagshamn gewohnt. Aber an Klagshamn hatte er kaum noch Erinnerungen.

»Und wer wird jetzt hier wohnen?« fragte er.

»Ich habe gehört, daß es abgerissen werden soll.«

»Das scheint dir nicht besonders viel auszumachen. Wie lange hast du eigentlich hier gewohnt?«

»Neunzehn Jahre. Das reicht.«

»Übertriebene Sentimentalität kann man dir auf jeden Fall nicht vorwerfen. Bist du dir darüber im klaren, daß ich hier praktisch meine Kindheit verbracht habe?«

»Ein Haus ist ein Haus«, erwiderte der Vater. »Ich habe genug von der Stadt. Ich will hinaus aufs Land. Dort werde ich meine Ruhe haben und malen und meine Reisen nach Italien und Ägypten planen.«

Wallander ging den ganzen Weg zurück nach Rosengård zu Fuß. Es war bewölkt. Er merkte, wie der Gedanke ihn beunruhigte, daß der Vater umziehen würde und daß man das Haus, in dem er seine Kindheit verbracht hatte, vielleicht abreißen würde. Ich bin sentimental, dachte er. Die Frage ist nur, ob man ein guter Polizist werden kann, wenn man zur Sentimentalität neigt.

Am nächsten Tag rief Wallander im Reisebüro an und ließ sich die Zugzeiten für ihre Urlaubsreise geben. Mona hatte in einer Pension, die einen netten Eindruck machte, ein Zimmer reserviert. Den Rest des Tages war Wallander im Stadtzentrum von Malmö auf Streife unterwegs. Ständig meinte er, das Mädchen zu sehen, das ihn vor ein paar Tagen im Café beschimpft hatte. Er sehnte den Tag herbei, an dem er die Uniform ablegen konnte. Überall richteten sich Blicke auf ihn, die Widerwillen oder Verachtung zum Ausdruck brachten. Vor allem von Personen in seinem eigenen Alter. Er war zusammen mit einem übergewichtigen und langsamen Polizisten namens Svanlund auf Streife, der die ganze Zeit davon redete, daß er in einem Jahr in Pension gehen und auf den väterlichen Hof in der Nähe von Hudiksvall ziehen würde. Wallander hörte zerstreut zu und murmelte nur dann und wann einen nichtssagenden Kommentar. Abgesehen davon, daß sie ein paar Betrunkene von einem Spielplatz vertrieben, passierte nichts, außer, daß Wallander die Füße weh taten. Es war das erste Mal, obwohl er schon so viele Tage seines bisherigen Polizistenlebens auf Streife gewesen war. Er fragte sich, ob es damit zusammenhing, daß er sich immer stärker danach sehnte, zur Kriminalpolizei zu kommen.

Zu Hause holte er die Abwaschschüssel hervor und füllte sie mit warmem Wasser. Ein Gefühl des Wohlbehagens breitete sich in seinem ganzen Körper aus, als er die Füße in das warme Wasser stellte.

Er schloß die Augen und dachte an die bevorstehende Urlaubsreise. Mona und er würden Zeit haben, ungestört ihre Zukunft zu planen. Und er hoffte, bald die Uniform loszusein und in die Etage umziehen zu können, in der Hemberg saß.

Er nickte auf dem Stuhl ein. Das Fenster war angelehnt. Er nahm einen schwachen Rauchgeruch wahr. Jemand schien Müll zu verbrennen. Vielleicht auch trockene Zweige. Es knisterte schwach.

Er schlug die Augen auf und fuhr hoch. Wer verbrannte im Hinterhof Müll? Und hier gab es keine Gärten.

Dann entdeckte er den Rauch.

Er drang vom Hausflur herein. Als er zur Wohnungstür lief, kippte er die Wasserschüssel um. Das Treppenhaus war voll Rauch. Dennoch zweifelte er nicht daran, wo es brannte.

Håléns Wohnung stand in Flammen.

2

Hinterher dachte Wallander, daß er ausnahmsweise wirklich einmal vorschriftsmäßig gehandelt hatte. Er war in seine Wohnung gelaufen und hatte die Feuerwehr alarmiert. Dann war er ins Treppenhaus zurückgekehrt, war die Treppe hinaufgerannt und hatte an Linnea Almqvists Tür geschlagen und dafür gesorgt, daß sie auf die Straße hinauskam. Sie hatte zunächst protestiert, aber Wallander hatte sie resolut am Arm gepackt. Als sie durch die Haustür nach draußen kamen, entdeckte Wallander, daß er sich das Knie aufgeschlagen hatte. Er war über die Schüssel gestolpert, als er in die Wohnung zurückgelaufen war, um die Feuerwehr anzurufen, und war mit dem Knie an eine Tischkante gestoßen. Erst jetzt sah er, daß es blutete.

Der Brand war schnell gelöscht worden. Er hatte sich noch nicht weit ausgebreitet, als Wallander den Rauch gerochen und Alarm geschlagen hatte. Als er sich dem Brandmeister näherte, um zu erfahren, ob man schon etwas über die Brandursache sagen könne, war er zurückgewiesen worden. Wütend war er in seine Wohnung gegangen und hatte seine Polizeimarke geholt.

Der Brandmeister hieß Faråker und war ein Mann in den Sechzigern mit gerötetem Gesicht und einer dröhnenden Stimme.

»Hättest ja sagen können, daß du Polizist bist«, posaunte er.

»Ich wohne hier im Haus. Ich war es, der euch benachrichtigt hat.«

Wallander erzählte, was mit Hålén passiert war.

»Es sterben viel zu viele Menschen«, sagte Faråker entschieden.

Wallander wußte nicht richtig, wie er den überraschenden Kommentar deuten sollte.

»Es scheint im Flur angefangen zu haben«, fuhr Faråker unbeeindruckt fort. »Weiß der Teufel, ob der Brand nicht sogar gelegt worden ist.«

Wallander blickte ihn fragend an. »Wie kannst du das jetzt schon sagen?«

»Mit den Jahren bekommt man so seine Erfahrung«, sagte Faråker und gab gleichzeitig ein paar Instruktionen. »Das wird dir auch so gehen«, meinte er dann und begann, eine alte Pfeife zu stopfen.

»Wenn der Brand gelegt worden ist, muß wohl die Kriminalpolizei hinzugezogen werden«, sagte Wallander.

»Die sind schon unterwegs.«

Wallander ging zu einigen Kollegen, um ihnen zu helfen, die Schaulustigen zu vertreiben.

»Der zweite Brand heute«, sagte einer der Polizisten, der Venström hieß. »Heute morgen hatten wir ein Holzlager draußen bei Limhamn.«

Wallander fragte sich, ob es möglicherweise sein Vater gewesen war, der sich entschieden hatte, das Haus abzubrennen, aus dem er sowieso ausziehen wollte. Aber er verfolgte den Gedanken nicht weiter.

In diesem Moment hielt ein Wagen an der Bürgersteigkante. Wallander entdeckte zu seiner Verwunderung, daß Hemberg gekommen war. Der winkte Wallander zu sich.

»Ich habe den Anruf mitbekommen«, sagte er. »Eigentlich war Lundin unterwegs, aber ich dachte, ich übernehme das mal, weil ich die Adresse ja kenne.«

»Faråker vermutet, daß es Brandstiftung war.«

Hemberg zog eine Grimasse. »Die Leute glauben so verdammt viel«, sagte er. »Ich kenne diesen Faråker seit fast fünfzehn Jahren. Es spielt überhaupt keine Rolle, ob ein Schornstein oder ein Automotor oder irgend etwas anderes brennt oder gebrannt hat. Für ihn ist es immer Brandstiftung gewesen. Komm mit, vielleicht kannst du was lernen.«

Wallander folgte Hemberg.

»Na, was meinst du?«

»Brandstiftung.« Faråker war sich ganz sicher.

Wallander ahnte, daß zwischen den beiden Männern eine massive gegenseitige Antipathie bestand.

»Der Mann, der hier gewohnt hat, ist bereits tot. Wer sollte da noch einen Brand legen?«

»Das herauszufinden ist deine Sache. Ich sage nur, daß das Feuer gelegt worden ist.«

»Können wir schon reingehen?«

Faråker rief einen der Feuerwehrleute zu sich heran, der das Klarzeichen gab. Der Brand war gelöscht, der schlimmste Rauch hatte sich verzogen. Sie gingen hinein. Der Flur in der Nähe der Wohnungstür war schwarz und verkohlt. Aber das Feuer war nicht weiter gekommen als bis zu dem Vorhang, der den Flur vom einzigen Zimmer der Wohnung trennte.

Faråker zeigte auf den Briefschlitz in der Tür. »Hier hat es angefangen«, sagte er. »Geschwelt und sich dann ausgebreitet. Hier sind weder Stromleitungen noch sonst etwas, das von sich aus Feuer gefangen haben könnte.«

Hemberg bückte sich. Dann schnüffelte er. »Möglich, daß du ausnahmsweise einmal recht hast«, sagte er dann und richtete sich wieder auf. »Es riecht nach etwas. Petroleum vielleicht.«

»Wenn es Benzin gewesen wäre, sähe es hier jetzt anders aus.«

»Jemand hat also etwas durch den Briefschlitz geworfen?«

»So dürfte es gewesen sein.« Faråker stocherte mit dem Fuß in den Resten der Fußmatte. »Papier allerdings kaum«, sagte er. »Eher Lumpen. Oder Putzwolle.«

Hemberg schüttelte ergeben den Kopf. »Absolut idiotisch. Wieso legt jemand einen Brand in der Wohnung eines Toten?«

»Das herauszufinden ist deine Sache«, wiederholte Faråker.

»Dann sagen wir also, daß sich die Spurensicherung das mal ansehen soll.«

Für einen Moment wirkte Hemberg bedrückt. Dann schaute er Wallander an. »Lädst du mich zu einem Kaffee ein?«

Sie gingen in Wallanders Wohnung. Hemberg betrachtete die umgestürzte Spülschüssel und die Wasserpfütze auf dem Fußboden.

»Hast du versucht, es selbst zu löschen?«

»Nein. Ich hatte gerade ein Fußbad genommen.«

Hemberg sah ihn interessiert an. »Fußbad?«

»Ja, manchmal tun mir die Füße weh.«

»Du trägst die falschen Schuhe«, sagte Hemberg. »Ich bin über zehn Jahre Streife gegangen, aber mir haben nie die Füße weh getan.«

Hemberg setzte sich an den Küchentisch, während Wallander Kaffee machte.

»Hast du etwas gehört?« fragte Hemberg. »Geräusche im Treppenhaus? Jemanden, der kam oder ging?«

»Nein.«

Wallander war es peinlich zuzugeben, daß er auch diesmal geschlafen hatte.

»Aber wenn sich da jemand bewegt hätte, hättest du es gehört?«

»Man hört es, wenn die Haustür zuschlägt«, antwortete Wallander ausweichend.

Er stellte ein Paket Kekse auf den Tisch. Das einzige, was er zum Kaffee anzubieten hatte.

»Aber komisch ist es schon«, meinte Hemberg. »Zuerst nimmt Hålén sich das Leben. In der folgenden Nacht bricht jemand bei ihm ein. Und jetzt legt jemand einen Brand.«

»Vielleicht war es gar kein Selbstmord?«

»Ich habe heute mit dem Gerichtsmediziner gesprochen«, sagte Hemberg. »Alles deutet auf einen perfekten Selbstmord hin. Hålén muß eine sichere Hand gehabt haben. Er hat genau richtig gezielt. Mitten ins Herz. Der Gerichtsmediziner hat seine Arbeit zwar noch nicht abgeschlossen, aber nach einer anderen Todesursache als Selbstmord wird er gar nicht erst suchen. Die gibt es nicht. Die Frage ist eher, wonach der Einbrecher gesucht hat. Und warum jemand die Wohnung abbrennen wollte. Vermutlich handelt es sich um ein und dieselbe Person.«

Hemberg gab Wallander mit einem Nicken zu verstehen, daß er mehr Kaffee haben wollte. »Hast du eine Meinung dazu?« fragte er plötzlich. »Jetzt zeig mal, ob du denken kannst.«

Wallander war vollkommen unvorbereitet.

»Der, der neulich nacht hier war, hat etwas gesucht«, begann er zögernd. »Aber vermutlich hat er nichts gefunden.«

»Weil du gekommen bist und ihn gestört hast? Weil er sonst schon von allein abgehauen wäre?«

»Ja.«

»Und wonach hat er gesucht?«

»Das weiß ich nicht.«

»Heute abend hat jemand versucht, Håléns Wohnung in Brand zu setzen. Laß uns einmal annehmen, daß es sich um dieselbe Person handelt. Was besagt das?«

Wallander überlegte.

»Nimm dir Zeit«, sagte Hemberg. »Wenn man ein guter Ermittler werden will, muß man lernen, methodisch zu denken. Und das ist oft gleichbedeutend damit, sich Zeit zu lassen.«

»Vielleicht wollte er nicht, daß jemand anders das findet, wonach er gesucht hat.«

»Vielleicht«, sagte Hemberg. »Warum vielleicht?«

»Es kann auch eine andere Erklärung geben.«

»Zum Beispiel?«

Wallander suchte fieberhaft nach einer Alternative, ohne eine zu finden. »Ich weiß es nicht«, erwiderte er. »Ich finde keine andere Erklärung. Jedenfalls nicht im Moment.«

Hemberg nahm sich einen Keks. »Ich auch nicht«, sagte er. »Was bedeutet, daß sich die Erklärung vielleicht immer noch dort in der Wohnung befindet, ohne daß es uns gelungen ist, sie zu finden. Wäre es bei dem nächtlichen Besuch geblieben, so wäre dieser Fall ad acta gelegt worden, sobald die Untersuchung der Waffe abgeschlossen wäre und der Gerichtsmediziner sich geäußert hätte. Aber dieser Brand jetzt bedeutet, daß wir noch einmal eine Runde da drinnen machen müssen.«

»Hatte Hålén wirklich keine Verwandten?« fragte Wallander.

Hemberg schob die Tasse von sich und stand auf.

»Komm morgen zu mir hoch, dann zeige ich dir den Bericht.«

Wallander zögerte.

»Ich weiß nicht, ob ich dazu Zeit habe. Wir schlagen morgen in den Parks zu. Drogenrazzia.«

»Ich rede mit deinem Chef«, sagte Hemberg. »Das geht schon klar.«

Kurz nach acht Uhr am folgenden Tag, dem 7. Juni, las Wallander das gesamte Material durch, das Hemberg über Hålén gesammelt hatte. Es war äußerst dürftig. Hålén hatte kein Vermögen, aber auch keine Schulden gehabt. Er schien ausschließlich von seiner Rente gelebt zu haben. Außer einer 1967 in Katrineholm verstorbenen Schwester wurde kein Verwandter erwähnt. Die Eltern waren früh gestorben. Wallander las den Bericht in Hembergs Zimmer, während dieser in einer Sitzung war.

Kurz nach halb neun kam er zurück. »Hast du etwas gefunden?«

»Wie kann ein Mensch so einsam sein?«

»Das kann man sich fragen«, erwiderte Hemberg. »Aber das gibt uns keine Antwort. Jetzt fahren wir hinüber in die Wohnung.«

Während des Vormittags führten die Kriminaltechniker eine sorgfältige Untersuchung von Håléns Wohnung durch. Der Mann, der die Untersuchung leitete, war klein und mager und sagte so gut wie nichts. Er hieß Sjunnesson und war unter schwedischen Kriminaltechnikern eine Legende.

»Wenn es hier etwas zu finden gibt, dann findet er es«, sagte Hemberg. »Bleib hier und lern was.«

Hemberg erhielt plötzlich eine Mitteilung und verschwand.

»Da hat sich einer in einer Garage oben in Jägersro aufgehängt«, sagte er, als er zurückkam.

Dann verschwand er von neuem. Als er zurückkam, hatte er die Haare geschnitten.

Um drei Uhr war Sjunnesson fertig. »Hier ist nichts«, sagte er. »Kein verstecktes Geld. Keine Drogen. Hier ist alles sauber.«

»Dann war da wohl nur einer, der geglaubt hat, hier gäbe es etwas«, sagte Hemberg. »Er hat sich geirrt. Und jetzt schließen wir diese ganze Geschichte ab.«

Wallander begleitete Hemberg auf die Straße hinunter.

»Man muß wissen, wann es Zeit ist aufzuhören«, sagte Hemberg. »Das ist vielleicht das Allerwichtigste.«

Wallander ging in seine Wohnung und rief Mona an. Sie verabredeten, sich am Abend zu treffen und eine Spritztour mit dem Auto zu machen. Sie konnte sich von einer Freundin ein Auto leihen. Um sieben Uhr wollte sie Wallander in Rosengård abholen.

»Wir fahren nach Helsingborg«, schlug sie vor.

»Warum?«

»Weil ich noch nie da gewesen bin.«

»Ich auch nicht«, sagte Wallander. »Um sieben bin ich fertig, und dann fahren wir nach Helsingborg.«

Aber Wallander kam an jenem Abend nicht nach Helsingborg. Kurz vor sechs klingelte sein Telefon. Es war Hemberg.

»Komm mal rüber«, sagte er. »Ich sitze in meinem Zimmer.«

»Eigentlich habe ich schon was anderes vor«, sagte Wallander. Hemberg unterbrach ihn. »Ich dachte, du interessiertest dich dafür, was mit deinem Nachbarn passiert ist. Komm her, ich zeige dir etwas. Es dauert nicht lange.«

Wallanders Neugier war geweckt. Er rief bei Mona an, aber sie nahm nicht ab.

Ich bin rechtzeitig zurück, dachte er. Eigentlich kann ich mir kein Taxi leisten, aber es ist nicht zu ändern. Er riß ein Stück Papier von einer Tüte ab und schrieb darauf, daß er um sieben Uhr zurück sein würde. Danach bestellte er ein Taxi. Diesmal kam er sofort durch. Er befestigte den Zettel mit einer Heftzwecke an seiner Wohnungstür und fuhr ins Polizeipräsidium.

Hemberg saß in seinem Zimmer und hatte die Füße auf den Tisch gelegt. Er nickte Wallander zu, sich zu setzen.

»Wir haben uns geirrt«, sagte er. »Es gab eine Alternative, an die wir nicht gedacht haben. Sjunnesson hingegen hat sich nicht geirrt. In Håléns Wohnung war nichts. Nicht mehr. Aber es ist etwas da gewesen.«

Wallander verstand nicht, was Hemberg meinte.

»Ich gebe zu, daß ich auch darauf hereingefallen bin«, sagte Hemberg. »Aber das, was in der Wohnung gewesen ist, hatte Hålén bereits mitgenommen.«

»Aber er war doch tot!«

Hemberg nickte. »Der Gerichtsmediziner hat vorhin angerufen«, sagte er. »Die Obduktion ist abgeschlossen. Und er hat etwas sehr Interessantes in Håléns Magen gefunden.«

Hemberg nahm die Füße vom Tisch. Dann holte er aus einer seiner Schubladen ein zusammengefaltetes kleines Stück Tuch heraus und wickelte es vorsichtig vor Wallander auf.

Es kamen Steine zum Vorschein. Edelsteine. Was für welche, konnte Wallander nicht sagen.

»Kurz bevor du gekommen bist, war ein Juwelier hier«, sagte Hemberg. »Er hat eine vorläufige Schätzung vorgenommen. Es sind Diamanten. Vermutlich aus Südafrika. Er meinte, sie wären ein kleines Vermögen wert. Und das hatte Hålén also verschluckt.«

»Hatte er die Steine im Magen?«

Hemberg nickte.

»Kein Wunder, daß wir sie nicht gefunden haben. Aber warum hat er sie verschluckt? Und wann hat er es getan?«

»Die letzte Frage ist vielleicht die wichtigere. Der Gerichtsmediziner meinte, er habe sie nur ein paar Stunden vor seinem Tod geschluckt. Bevor der Magen und die Därme aufgehört haben zu funktionieren. Worauf läßt das deiner Meinung nach schließen?«

»Daß er Angst hatte.«

»Richtig.« Hemberg schob das Tuch mit den Diamanten zur Seite und legte die Füße wieder auf den Tisch. Wallander roch, daß er Schweißfüße hatte.

»Faß das mal für mich zusammen«, sagte Hemberg.

»Ich weiß nicht, ob ich das kann.«

»Versuch es.«

»Hålén schluckte die Diamanten, weil er Angst davor hatte, daß jemand sie stehlen würde. Dann erschoß er sich. Die Person, die in der Nacht darauf in der Wohnung war, hat danach gesucht. Aber den Brand kann ich nicht erklären.«

»Kann man es nicht auch anders sehen?« schlug Hemberg vor. »Wenn du eine kleine Änderung von Håléns Motiv vornimmst, wohin kommst du dann?«

Wallander verstand plötzlich, worauf Hemberg hinauswollte.

»Vielleicht hatte er keine Angst«, sagte er. »Vielleicht hatte er nur beschlossen, sich nie von seinen Diamanten zu trennen.«

Hemberg nickte. »Man kann noch eine Schlußfolgerung ziehen: Jemand wußte, daß Hålén diese Diamanten hatte.«

»Und daß Hålén wußte, daß der andere es wußte.«

Hemberg nickte anerkennend. »Du machst dich«, sagte er. »Auch wenn es ziemlich langsam geht.«

»Trotzdem erklärt das nicht den Brand.«

»Man muß sich immer fragen, was wichtiger ist«, sagte Hemberg. »Wo ist das Zentrum? Wo ist der eigentliche Kern? Der Brand kann ein Ablenkungsmanöver sein. Oder die Tat eines Menschen, der wütend geworden ist.«

»Und wer soll das sein?«

Hemberg zuckte mit den Schultern. »Das werden wir wohl kaum erfahren. Hålén ist tot. Wie er zu den Diamanten gekommen ist, wissen wir nicht. Wenn ich damit zum Staatsanwalt gehe, lacht er mich aus.«

»Und was geschieht nun mit den Diamanten?«

»Die fallen der Staatskasse zu. Und wir können unsere Papiere abstempeln und den Bericht über Håléns Tod so tief vergraben, wie es nur möglich ist.«

»Bedeutet das, daß der Brand nicht untersucht wird?« fragte Wallander.

»Zumindest nicht besonders gründlich«, antwortete Hemberg. »Es gibt ja auch keinen Grund dafür.«

Hemberg war aufgestanden und zu einem Schrank an einer der Wände getreten. Er holte einen Schlüssel aus der Tasche und schloß auf. Dann nickte er Wallander zu, zu ihm zu kommen. Er zeigte auf ein paar Mappen, die dort, mit einem Band umwickelt, für sich lagen.

»Dies sind meine ständigen Begleiter«, sagte Hemberg. »Drei Mordfälle, die noch nicht aufgeklärt und auch noch nicht verjährt sind. Es sind eigentlich nicht meine Fälle. Wir gehen die Akten einmal im Jahr durch. Oder wenn neues Material auftaucht. Dies hier sind keine Originale, sondern Kopien. Es kommt manchmal vor, daß ich sie durchblättere. Es kommt sogar vor, daß ich von ihnen träume. Den meisten Polizisten geht es nicht so. Die tun ihren Job, und wenn sie nach Hause gehen, dann vergessen sie alles, womit sie sich beschäftigt haben. Aber dann gibt es noch einen anderen Typ, solche wie mich. Die das, was noch nicht aufgeklärt ist, nicht loslassen können. Ich nehme diese Mappen sogar mit, wenn ich in Urlaub fahre. Drei Mordfälle. Ein neunzehnjähriges Mädchen, 1963. Ann-Luise Franzén. Sie lag erdrosselt hinter Büschen an der nördlichen Ausfahrt. Leonard Johansson. Auch 1963. Erst siebzehn Jahre alt. Ihm hat jemand mit einem Stein den Kopf zerschmettert. Wir haben ihn am Strand südlich der Stadt gefunden.«

»An den erinnere ich mich«, sagte Wallander. »Hat man nicht vermutet, daß es einen Streit um ein Mädchen gegeben hatte, der außer Kontrolle geraten war?«

»Es gab einen Streit um ein Mädchen«, bestätigte Hemberg. »Wir haben den Rivalen über mehrere Jahre hinweg immer wieder verhört, aber wir konnten ihm nichts nachweisen. Und ich glaube auch nicht, daß er es war.«

Hemberg wies auf die unterste Mappe. »Noch ein Mädchen. Lena Moscho. Zwanzig Jahre. 1959. Im gleichen Jahr, in dem ich hier nach Malmö kam. Sie ist mit abgeschlagenen Händen neben der Straße nach Svedala vergraben worden. Ein Hund hat sie aufgestöbert. Sie ist vergewaltigt worden. Sie wohnte mit ihren Eltern bei Jägersro. Ein anständiges Mädchen, Medizinstudentin. Ausgerechnet. Es war im April. Sie wollte eine Zeitung kaufen und ist nie zurückgekommen. Sie wurde erst nach fünf Monaten gefunden.«

Hemberg schüttelte den Kopf. »Du wirst sehen, zu welchem Typ du gehörst«, sagte er und schloß den Schrank. »Zu denen, die vergessen, oder zu denen, die es nicht tun.«

»Ich weiß noch nicht einmal, ob ich geeignet bin«, sagte Wallander.

»Du willst auf jeden Fall zu uns«, erwiderte Hemberg. »Und das ist ein guter Anfang.«

Hemberg zog sein Jackett an. Wallander sah auf seiner Uhr, daß es fünf vor sieben war. »Ich muß jetzt gehen«, sagte er.

»Ich kann dich nach Hause fahren«, bot Hemberg an. »Wenn du es nicht zu eilig hast.«

»Ich habe es aber ein bißchen eilig«, sagte Wallander.

Hemberg zuckte mit den Schultern. »Jetzt weißt du jedenfalls, was Hålén im Magen hatte.«

Wallander hatte Glück und erwischte direkt vor dem Polizeipräsidium ein Taxi. Als er nach Rosengård kam, war es neun Minuten nach sieben. Er hoffte, daß Mona sich verspätet hatte. Aber als er den Zettel las, den er an seine Wohnungstür geheftet hatte, erkannte er, daß das ein Irrtum war. *Soll das so weitergehen?* stand da. Wallander nahm den Zettel ab. Die Heftzwecke kullerte die Treppe hinunter. Er machte sich nicht die Mühe, danach zu suchen. Bestenfalls würde sie in Linnea Almqvists Schuhen steckenbleiben.

Soll das so weitergehen? Wallander konnte Monas Ungeduld sehr gut verstehen. Sie hatte andere Erwartungen an ihr Berufsleben als er. Der Traum von einem eigenen Frisiersalon würde für sie noch lange nicht in Erfüllung gehen.

Er ging in die Wohnung und setzte sich aufs Sofa. Er fühlte sich schuldig. Er sollte Mona mehr Zeit widmen. Nicht nur hoffen, daß sie jedesmal, wenn er zu spät kam, geduldig auf ihn wartete. Sie jetzt anzurufen wäre sinnlos. Im Moment saß sie bestimmt in dem geliehenen Auto und war auf dem Weg nach Helsingborg.

Auf einmal überkam ihn das beunruhigende Gefühl, daß eigentlich alles falsch war. Hatte er sich wirklich klargemacht, was es bedeuten würde, mit Mona zusammenzuleben? Mit ihr Kinder zu haben?

Wir werden in Skagen miteinander reden, dachte er. Da haben wir Zeit. An einem Sandstrand kann man nicht zu spät kommen.

Er schaute auf die Uhr. Halb acht. Er schaltete den Fernseher ein. Wieder war irgendwo ein Flugzeug abgestürzt. Oder war ein Zug entgleist? Er ging in die Küche und hörte nur zerstreut auf die Nachrichten. Suchte vergebens nach einem Bier. Im Kühlschrank fand er eine angebrochene Limonadenflasche. Die Lust auf etwas Stärkeres nahm zu. Der Gedanke, noch einmal in die Stadt zu fahren und sich in irgendeine Bar zu setzen, war verlockend. Aber er verwarf ihn, weil er zu knapp bei Kasse war. Obwohl erst Monatsanfang war.

Statt dessen machte er sich Kaffee und dachte über Hemberg nach. Hemberg und seine ungelösten Fälle. Würde es ihm ebenso ergehen? Oder könnte er sich daran gewöhnen abzuschalten, wenn er nach Feierabend nach Hause ging? Um Monas willen werde ich dazu gezwungen sein, dachte er. Wenn nicht, dreht sie durch.

Sein Schlüsselbund schlug gegen den Stuhl. Er nahm es aus der Tasche und legte es ganz in Gedanken auf den Tisch. Dann tauchte etwas in seinem Kopf auf. Etwas, was mit Hålén zu tun hatte.

Das Extraschloß, das Hålén vor kurzer Zeit hatte einbauen lassen. Wie sollte man das deuten? Konnte es auf Angst schließen lassen? Und warum war die Tür angelehnt gewesen, als Wallander ihn fand?

Zu vieles paßte nicht zusammen. Obwohl Hemberg entschieden hatte, daß es Selbstmord war, nagte der Zweifel an Wallander.

Er wurde sich immer sicherer, daß hinter Håléns Selbstmord etwas steckte, an das sie noch nicht einmal gerührt hatten. Selbstmord oder nicht, da war noch mehr.

Wallander suchte in einer Küchenschublade nach einem Block und setzte sich, um die Punkte aufzuschreiben, die ihm immer noch zu schaffen machten. Da war das zusätzliche Schloß. Der Tippschein. Warum war die Tür angelehnt gewesen? Wer war in der Nacht in der Wohnung gewesen und hatte nach den Edelsteinen gesucht? Warum der Brand?

Dann versuchte er sich zu erinnern, was in den Seemannsbüchern stand. *Rio de Janeiro* fiel ihm ein. Aber war das der Name eines Schiffes oder der Name der Stadt? *Göteborg* hatte er gelesen und *Bergen*. Dann fiel ihm ein, daß *Saint Luis* da gestanden hatte. Wo lag das? Er stand auf und ging ins Zimmer. In der hintersten Ecke des Kleiderschranks fand er seinen alten Schulatlas, aber plötzlich wurde er unsicher, was die Schreibweise betraf. War es Saint Louis oder Saint Luis? USA oder Brasilien? Als er im Register blätterte, stieß er plötzlich auf São Luis und war auf einmal sicher, daß dies richtig war.

Er ging seine Liste von neuem durch. Sehe ich etwas, was ich bisher nicht gesehen habe? fragte er sich. Einen Zusammenhang, eine Erklärung, ein Zentrum?

Er fand nichts.

Der Kaffee war kalt geworden. Unruhig ging er zurück zum Sofa. Mittlerweile wurde im Fernsehen wieder diskutiert. Diesmal war es eine Runde von Menschen mit langen Haaren, die über die neue englische Popmusik sprachen. Er schaltete den Fernseher ab und legte eine Platte auf. Sofort begann Linnea Almqvist über ihm, auf den Fußboden zu klopfen. Am liebsten hätte er auf volle Lautstärke gedreht. Statt dessen machte er den Apparat aus.

In diesem Moment klingelte das Telefon. Es war Mona.

»Ich bin in Helsingborg«, sagte sie. »Ich stehe in einer Telefonzelle am Fähranleger.«

»Es tut mir leid, daß ich zu spät gekommen bin«, sagte Wallander.

»Du bist natürlich dienstlich unabkömmlich gewesen?«

»Sie haben mich tatsächlich angerufen, und zwar von der Kriminalabteilung. Obwohl ich noch nicht dort arbeite, wollten sie mit mir sprechen.«

Er hoffte, ihr damit ein bißchen imponieren zu können, hörte aber, daß sie ihm nicht glaubte. Zwischen ihnen wanderte das Schweigen hin und her.

»Kannst du nicht herkommen?« fragte er.

»Ich glaube, es ist am besten, wir machen eine Pause«, sagte Mona. »Mindestens eine Woche.«

Wallander spürte, wie ihm kalt wurde. War Mona im Begriff, sich von ihm zurückzuziehen?

»Ich glaube, es ist am besten so«, wiederholte sie.

»Ich dachte, wir wollten zusammen in Urlaub fahren.«

»Das tun wir auch. Wenn du es dir nicht anders überlegt hast.«

»Natürlich habe ich es mir nicht anders überlegt!«

»Du brauchst gar nicht so zu schreien. Du kannst mich in einer Woche anrufen, aber vorher nicht.«

Er wollte noch etwas sagen, aber sie hatte schon aufgelegt.

Den Rest des Abends blieb Wallander mit einem Gefühl wachsender Panik auf dem Sofa sitzen. Nichts fürchtete er so sehr, wie verlassen zu werden. Nur mit äußerster Anstrengung gelang es ihm, Mona nicht anzurufen, als Mitternacht längst vorbei war. Er ging ins Bett, stand aber sofort wieder auf. Der helle Sommerhimmel wirkte plötzlich bedrohlich. Er briet sich ein paar Eier, die er dann nicht aufaß.

Erst gegen fünf Uhr fiel er in einen unruhigen Schlaf. Doch sofort wurde er wieder hochgerissen und sprang aus dem Bett.

Ein Gedanke war ihm gekommen.

Der Tippschein.

Hålén mußte seine Scheine irgendwo abgegeben haben. Vermutlich jede Woche in derselben Annahmestelle. Weil er in der Regel das Viertel nicht verlassen hatte, mußte es bei einem der Tabakhändler gewesen sein, die in der Nähe lagen.

Was es eigentlich bringen würde, den richtigen Laden zu finden, wußte er nicht. Vermutlich gar nichts.

Trotzdem beschloß er, seinen Gedanken zu verfolgen. Das hatte zumindest das Gute, daß er sich die Panik, in die Mona ihn gestürzt hatte, vom Leibe hielt.

Er fiel für einige Stunden in einen leichten Schlaf.

Der nächste Tag war ein Sonntag. Wallander verbrachte ihn mit Nichtstun.

Am Montag, dem 9. Juni, tat er etwas, was er noch nie zuvor getan hatte. Er rief im Polizeipräsidium an und meldete sich krank. Als Ursache gab er eine Magen-Darm-Grippe an. Mona war in der Woche davor krank gewesen. Zu seiner Verwunderung hatte er überhaupt kein schlechtes Gewissen.

Es war bewölkt, aber trocken, als er kurz nach neun am Vormittag aus dem Haus ging. Es war windig und merklich kühler geworden. Der Sommer war noch nicht richtig in Gang gekommen.

Es gab zwei Tabakgeschäfte im Viertel, in denen Tippscheine angenommen wurden. Das eine lag in einer Seitenstraße ganz in der Nähe. Als Wallander eintrat, fiel ihm ein, daß er ein Foto von Hålén hätte mitnehmen sollen. Der Mann hinter dem Ladentisch war Ungar. Obwohl er seit 1956 in Schweden lebte, sprach er sehr schlecht Schwedisch. Aber er kannte Wallander, der bei ihm Zigaretten kaufte.

Das tat er auch jetzt, zwei Päckchen.

»Nehmen sie Tippscheine an?« fragte Wallander.

»Ich dachte, Sie kaufen nur Lose.«

»Hat Artur Hålén bei ihnen seine Tippscheine abgegeben?«

»Wer?«

»Der Mann, der vor ein paar Tagen bei dem Brand umgekommen ist.«

»Hat es einen Brand gegeben?«

Wallander erklärte, worum es ging. Aber der Mann hinter der Theke schüttelte den Kopf, als Wallander Hålén beschrieb.

»Er ist nicht hergekommen. Er muß zu jemand anderem gegangen sein.«

Wallander bezahlte und bedankte sich. Nieselregen hatte eingesetzt. Er beschleunigte seine Schritte. Die ganze Zeit dachte er an Mona. Auch mit dem nächsten Tabakgeschäft hatte Hålén nichts zu tun gehabt. Wallander stellte sich unter einen vorspringenden Balkon und fragte sich, was er da eigentlich tat. Hemberg würde glauben, daß ich nicht ganz gescheit bin, dachte er.

Dann ging er weiter. Bis zum nächsten Tabakladen brauchte er ungefähr zehn Minuten. Wallander bereute, daß er seine Regenjacke nicht angezogen hatte. Als er bei dem Laden ankam, der neben einem kleinen Lebensmittelgeschäft lag, mußte er warten. Die

Verkäuferin war eine junge Frau in Wallanders Alter. Sie war schön. Wallander konnte seinen Blick nicht von ihr losreißen, während sie nach einer alten Nummer einer Motorradzeitschrift suchte, die der Kunde vor ihm haben wollte. Es fiel Wallander immer schwer, sich nicht spontan in eine schöne Frau zu verlieben, die seinen Weg kreuzte.

Da, und erst da, kamen seine quälenden Gedanken wegen Mona für einen Augenblick zur Ruhe.

Obwohl er schon zwei Päckchen Zigaretten gekauft hatte, kaufte er noch eins. Er versuchte sich vorzustellen, ob die Verkäuferin eine Frau war, die unangenehm berührt wäre, wenn er sagte, daß er Polizist war. Oder ob sie zur Mehrheit der Bevölkerung gehörte, die trotz allem immer noch der Meinung war, daß die meisten Polizisten nicht nur notwendig, sondern auch mit einer anständigen Arbeit befaßt waren. Er setzte auf das zweite.

»Ich habe noch ein paar Fragen«, sagte er, nachdem er seine Zigaretten bezahlt hatte. »Ich bin Kriminalassistent und heiße Kurt Wallander.«

»Ach«, sagte die Verkäuferin, »und wie kann ich Ihnen helfen?« Ihr Dialekt war ungewohnt.

»Sie sind nicht hier aus der Stadt«, sagte er.

»War es das, was Sie fragen wollten?«

»Nein.«

»Ich komme aus Lenhovda.«

Wallander wußte nicht, wo Lenhovda lag. Er tippte auf Blekinge, sagte es aber nicht, sondern kam zu der Frage nach Hålén und den Tippscheinen. Sie hatte von dem Brand gehört. Wallander beschrieb Håléns Aussehen. Sie überlegte.

»Vielleicht«, meinte sie. »Hat er schleppend gesprochen? Schweigsam sozusagen?«

Wallander dachte ein wenig nach. Das konnte auf Håléns Art und Weise, sich auszudrücken, durchaus zutreffen.

»Ich glaube, er spielte ein ziemlich kleines System«, sagte Wallander. »Zweiunddreißig Reihen oder so.«

Sie überlegte wieder. Dann nickte sie. »Doch«, sagte sie, »der ist hergekommen. Einmal in der Woche. Er hat abwechselnd zweiunddreißig und vierundsechzig Reihen getippt.«

»Erinnern Sie sich daran, was er anhatte?«

»Eine blaue Jacke«, antwortete sie sofort.

Wallander erinnerte sich, daß Hålén fast jedesmal, wenn er ihn getroffen hatte, eine blaue Jacke mit Reißverschluß trug.

Das Erinnerungsvermögen der Verkäuferin war ausgeprägt. Ihre Neugier ebenso.

»Hat er was ausgefressen?«

»Nicht, soweit wir wissen.«

»Ich habe gehört, daß es Selbstmord gewesen sein soll.«

»Das war es auch. Aber der Brand ist gelegt worden.«

Das hätte ich nicht sagen sollen, dachte Wallander. Das wissen wir noch nicht mit Sicherheit.

»Er hatte immer passendes Geld«, erzählte sie. »Warum fragen Sie, ob er hier seine Tippscheine abgegeben hat?«

»Reine Routine«, erwiderte Wallander. »Können Sie sich noch an etwas anderes erinnern?«

Ihre Antwort überraschte ihn. »Er hat das Telefon benutzt.«

Das Telefon stand auf einem kleinen Regal neben dem Tisch mit den Tippscheinen.

»Ist das häufig vorgekommen?«

»Jedesmal. Zuerst lieferte er den Tippschein ab und bezahlte. Dann telefonierte er, kam hierher zurück und bezahlte das Gespräch.« Sie biß sich auf die Lippe. »Eins war komisch mit diesen Gesprächen. Ich erinnere mich, daß ich das jedesmal gedacht habe.«

»Was denn?«

»Er wartete immer, bis ein weiterer Kunde hereinkam, bevor er wählte und zu reden anfing. Er hat nie telefoniert, solange nur er und ich hier drinnen waren.«

»Er wollte also nicht, daß Sie hörten, was er sagte?«

Sie zuckte mit den Schultern. »Er wollte wohl ungestört sein. Will man das nicht, wenn man telefoniert?«

»Und Sie haben nie gehört, was er gesagt hat?«

»Man kann mehr hören, als man denkt, auch wenn man einen anderen Kunden bedient.«

Ihre Neugier ist von großem Nutzen, dachte Wallander.

»Und was hat er gesagt?«

»Nicht viel«, erwiderte sie. »Die Gespräche waren immer sehr kurz. Eine Uhrzeit, glaube ich. Viel mehr nicht.«

»Eine Uhrzeit?«

»Ich hatte den Eindruck, daß er sich mit jemandem verabredete. Er schaute während des Gesprächs oft auf die Uhr.«

Wallander überlegte. »Kam er immer an einem bestimmten Wochentag her?«

»Immer Mittwoch nachmittags. Zwischen zwei und drei, glaube ich. Vielleicht ein bißchen später.«

»Hat er etwas gekauft?«

»Nein.«

»Wie kommt es, daß Sie sich so genau daran erinnern? Sie müssen doch sehr viele Kunden haben.«

»Ich weiß es nicht«, sagte sie. »Aber ich glaube, man erinnert sich an mehr, als man denkt. Und wenn jemand fragt, dann kommt es hoch.«

Wallander betrachtete ihre Hände. Sie trug keine Ringe. Er überlegte, ob er versuchen sollte, sie zum Ausgehen einzuladen, verwarf dann aber erschrocken den Gedanken.

Ihm war, als habe Mona gehört, was er gerade dachte.

»Fällt Ihnen noch etwas ein?« fragte er.

»Nein«, antwortete sie. »Aber ich bin sicher, daß er mit einer Frau gesprochen hat.«

Wallander war erstaunt. »Wie können Sie da so sicher sein?«

»So etwas hört man«, sagte sie entschieden.

»Sie meinen also, daß Hålén bei einer Frau angerufen und sich mit ihr verabredet hat?«

»Ja, aber was sollte daran komisch sein? Er war zwar alt, aber das kann man doch trotzdem tun.«

Wallander nickte. Sie hatte natürlich recht. Und wenn es stimmte, was sie sagte, hatte er außerdem etwas Wichtiges erfahren.

Es hatte eine Frau in Håléns Leben gegeben.

»Gut«, sagte er. »Fällt Ihnen sonst noch etwas ein?«

Bevor sie antworten konnte, betrat Kundschaft den Laden. Wallander wartete. Zwei kleine Mädchen wählten umständlich Süßigkeiten aus, die sie dann mit einer unendlichen Anzahl an Fünförestücken bezahlten.

»Diese Frau hat vermutlich einen Namen, der mit A beginnt«, sagte sie, als die Kinder den Laden wieder verlassen hatten. »Er sprach immer sehr leise. Aber vielleicht heißt sie Anna. Oder ein Doppelname. Irgendwas mit A.«

»Sind Sie sicher?«

»Nein«, erwiderte sie, »aber ich glaube, daß es so war.«

Wallander hatte nur noch eine Frage. »Und er kam immer allein?«

»Immer.«

»Sie waren mir eine große Hilfe«, sagte er.

»Kann man erfahren, warum Sie das alles wissen wollen?«

»Leider nicht«, antwortete Wallander. »Wir stellen Fragen. Aber auf die Frage, warum wir sie stellen, antworten wir nicht immer.«

»Man sollte vielleicht zur Polizei gehen«, meinte sie. »Ich jedenfalls habe nicht vor, den Rest meines Lebens hier im Laden zu verbringen.«

Wallander beugte sich über die Theke und schrieb seine Telefonnummer auf einen kleinen Notizblock, der neben der Kasse lag.

»Rufen Sie mich mal an«, sagte er. »Dann können wir uns treffen. Und ich kann Ihnen erzählen, wie es ist, Polizist zu sein. Ich wohne hier ganz in der Nähe.«

»Wallander, haben Sie gesagt?«

»Kurt Wallander.«

»Ich heiße Maria. Aber machen Sie sich keine falschen Hoffnungen. Einen Freund habe ich schon.«

»Ich mache mir keine falschen Hoffnungen«, sagte Wallander und lächelte.

Dann ging er.

Einen Freund kann man immer besiegen, dachte er, als er wieder auf der Straße war, und blieb wie angewurzelt stehen. Was, wenn sie sich wirklich meldete? Er fragte sich, was er da gerade getan hatte. Gleichzeitig konnte er nicht umhin, eine gewisse Genugtuung zu empfinden.

Es geschah Mona ganz recht. Daß er einem Mädchen, das Maria hieß und sehr schön war, seine Telefonnummer gegeben hatte.

Als würde Wallander von der Strafe für die nur gedachte Sünde ereilt, begann es in diesem Augenblick in Strömen zu regnen. Als er nach Hause kam, war er bis auf die Haut durchnäßt. Er legte die nassen Zigarettenpäckchen auf den Küchentisch und zog sich dann nackt aus. Jetzt sollte Maria hier sein und mich trockenreiben, dachte er. Soll Mona doch bleiben, wo sie ist, und ihre Scheißpause haben.

Er zog seinen Bademantel an und notierte sich alles, was Maria gesagt hatte, auf einem Block. Hålén hatte also jeden Mittwoch eine Frau angerufen. Eine Frau, deren Name mit A begann. Aller Wahrscheinlichkeit nach war es ihr Vorname. Die Frage war jetzt, was das bedeutete, außer daß der Mythos vom einsamen alten Mann zerstört worden war.

Wallander setzte sich an den Küchentisch und las, was er am Tag zuvor geschrieben hatte. Plötzlich kam ihm ein Gedanke. Irgendwo mußte es ein Seemannsregister geben. Etwas, was über Håléns Jahre als Seemann Aufschluß geben konnte. Auf welchen Schiffen war er gefahren?

Ich kenne jemanden, der mir helfen kann, dachte Wallander. Helena. Sie arbeitet in einer Spedition, die sich auf Seefracht spezialisiert hat. Zumindest wird sie mir sagen können, wo ich suchen muß. Wenn sie nur nicht auf die Idee kommt, den Hörer aufzuknallen, wenn ich anrufe.

Es war noch nicht elf. Helena ging in der Regel nicht vor halb eins zum Mittagessen. Er würde mit anderen Worten noch Zeit haben, sie zu erwischen, bevor sie ihre Mittagspause machte.

Durch das Küchenfenster konnte er sehen, daß der Wolkenbruch schon vorüber war.

Wallander zog sich an und nahm den Bus zum Hauptbahnhof. Die Spedition, bei der Helena arbeitete, lag im Hafengebiet. Er trat durch das Tor. Der Mann in der Anmeldung erkannte ihn wieder und nickte ihm zu.

»Ist Helena noch drinnen?« fragte Wallander.

»Sie telefoniert, aber gehen Sie ruhig hoch. Sie wissen ja, wo ihr Zimmer ist.«

Nicht ohne innere Unruhe ging Wallander in den ersten Stock hinauf. Es könnte ja sein, daß sie wütend würde. Aber er versuchte sich damit zu beruhigen, daß sie in erster Linie verblüfft wäre. Das würde ihm die Zeit geben, die er brauchte, um zu erklären, daß er in einer rein beruflichen Angelegenheit hier war. Es war nicht der ehemalige Freund Kurt Wallander, der kam, sondern es war der Polizist gleichen Namens, der zukünftige Kriminalbeamte.

Helena Aaronsson, Assistentin, stand an der Tür. Wallander holte tief Luft und klopfte. Er hörte ihre Stimme und öffnete die Tür. Sie hatte ihr Telefongespräch beendet und saß vor der Schreibmaschine.

Er hatte recht gehabt. Sie war wirklich verblüfft, sah aber nicht verärgert aus. »Du?« fragte sie. »Was tust du denn hier?«

»Ich komme in einer dienstlichen Angelegenheit«, sagte Wallander. »Ich dachte, du könntest mir helfen.«

Sie war aufgestanden und blickte ihn abweisend an.

»Ich meine es ernst«, versicherte Wallander. »Nichts Privates, überhaupt nicht.«

Sie war weiterhin auf der Hut. »Und womit sollte ich dir helfen können?«

»Darf ich mich setzen?«

»Nur, wenn es nicht zu lange dauert.«

Das gleiche Machtgefüge wie bei Hemberg, dachte Wallander. Man soll stehen und sich unterlegen fühlen, während die, die die Macht haben, sitzen. Er setzte sich hin und fragte sich gleichzeitig, wie er in die Frau auf der anderen Seite des Schreibtisches so verliebt hatte sein können. Jetzt konnte er sich an nichts anderes erinnern, als daß sie steif und oft richtig abweisend gewesen war.

»Mir geht es gut«, sagte sie, »also danach brauchst du nicht zu fragen.«

»Mir auch.«

»Und was willst du?«

Wallander ärgerte sich über ihren schroffen Ton, aber er erzählte, was passiert war. »Du kennst dich doch in der Schiffahrt aus«, endete er. »Und du weißt sicher, wie ich in Erfahrung bringen kann, womit Hålén auf See eigentlich beschäftigt war. Für welche Reedereien er gearbeitet hat, auf welchen Schiffen er gefahren ist.«

»Ich habe mit Fracht zu tun«, sagte Helena. »Wir mieten Schiffe oder Lagerplätze für Kockums und Volvo, sonst nichts.«

»Aber es muß doch jemanden geben, der das weiß.«

»Kann die Polizei das nicht anders herausfinden?«

Diese Frage hatte Wallander erwartet. Deswegen hatte er auch eine Antwort parat. »Diese Ermittlung wird ein bißchen nebenher geführt«, antwortete er. »Aus Gründen, die ich dir nicht nennen kann.«

Er merkte, daß sie ihm nur teilweise glaubte. Gleichzeitig wirkte sie belustigt. »Ich kann ja mal einen meiner Kollegen fragen«, sagte sie. »Wir haben hier einen alten Kapitän. Und was bekomme ich dafür, wenn ich dir helfe?«

»Was willst du denn haben?« fragte er so freundlich, wie er konnte.

Sie schüttelte den Kopf. »Nichts.«

Wallander erhob sich. »Ich habe dieselbe Telefonnummer wie früher«, sagte er.

»Meine hat sich geändert«, antwortete Helena, »aber du bekommst sie nicht.«

Als Wallander wieder auf der Straße stand, merkte er, daß ihm der Schweiß ausgebrochen war. Die Begegnung mit Helena war anstrengender gewesen, als er sich hatte eingestehen wollen. Er blieb stehen und fragte sich, was er tun sollte. Hätte er mehr Geld bei sich gehabt, hätte er nach Kopenhagen hinüberfahren können. Aber er durfte nicht vergessen, daß er sich krank gemeldet hatte. Jemand könnte bei ihm zu Hause anrufen. Er durfte nicht zu lange von zu Hause wegbleiben. Es fiel ihm immer schwerer, zu begründen, warum er seinem toten Nachbarn so viel Zeit widmete. Er ging in ein Café gegenüber dem Fähranleger. Bevor er bestellte, überschlug er, wieviel Geld er hatte. Am nächsten Tag würde er zur Bank gehen müssen. Dort lagen immer noch tausend Kronen. Das würde bis Ende des Monats reichen. Er aß Gulasch und trank Wasser.

Um ein Uhr stand er wieder auf der Straße. Neue Unwetter zogen von Südwesten heran. Er beschloß, nach Hause zu fahren. Aber als er einen Bus sah, der hinaus zum Vorort des Vaters fuhr, nahm er den. Wenn er schon sonst nichts tat, konnte er ja seinem Vater ein paar Stunden beim Packen helfen.

Im Haus herrschte ein unbeschreibliches Chaos. Der Vater saß mit einem kaputten Strohhut auf dem Kopf da und las in einer alten Zeitung. Er blickte Wallander erstaunt an.

»Hast du aufgehört?« fragte er.

»Aufgehört womit?«

»Ich meine, ob du zur Vernunft gekommen bist und aufgehört hast, als Polizist zu arbeiten.«

»Ich habe heute frei«, erwiderte Wallander. »Und es hilft überhaupt nichts, daß du dieses Thema immer wieder aufgreifst. Wir werden uns nie einigen.«

»Ich habe eine Zeitung aus dem Jahr 1949 gefunden«, sagte sein Vater. »Darin steht viel Interessantes.«

»Du hast doch wohl keine Zeit, zwanzig Jahre alte Zeitungen zu lesen.«

»Damals habe ich es nicht geschafft«, sagte sein Vater. »Unter anderem deshalb, weil ich einen zweijährigen Sohn im Haus hatte, der den ganzen Tag geschrien hat. Deshalb lese ich sie jetzt.«

»Ich hatte eigentlich vor, dir beim Packen zu helfen.«

Der Vater zeigte auf einen Tisch, auf dem Porzellan stand. »Das da soll in Kisten verpackt werden«, sagte er. »Aber es muß ordentlich gemacht werden. Es darf nichts kaputtgehen. Wenn ich einen kaputten Teller finde, mußt du ihn ersetzen.«

Der Vater wandte sich wieder seiner Zeitung zu. Wallander hängte seine Jacke auf und begann, das Porzellan einzupacken. Er konnte sich aus seiner Jugend an die Teller erinnern. Besonders erinnerte er sich an eine Tasse, aus der eine Ecke herausgebrochen war. Im Hintergrund blätterte der Vater die Seite um.

»Was ist das für ein Gefühl?« fragte Wallander.

»Was für ein Gefühl meinst du?«

»Umzuziehen.«

»Gut. Veränderung ist schön.«

»Und du hast das Haus noch immer nicht gesehen?«

»Nein, aber es wird mir mit Sicherheit gefallen.«

Mein Vater ist entweder verrückt, oder er wird langsam senil, dachte Wallander. Und ich kann nichts dagegen tun.

»Sollte Kristina nicht kommen?« fragte er.

»Sie ist einkaufen.«

»Ich würde sie gern sehen. Wie geht es ihr?«

»Gut. Außerdem hat sie einen prima Mann kennengelernt.«

»Ist er mitgekommen?«

»Nein, aber er scheint in jeder Hinsicht in Ordnung zu sein. Er wird schon dafür sorgen, daß ich bald Enkel bekomme.«

»Wie heißt er? Was tut er? Muß man dir alles aus der Nase ziehen?«

»Er heißt Jens und ist Dialyseforscher.«

»Was ist denn das?«

»Nieren, falls du mal davon gehört hast. Er ist Forscher. Außerdem liebt er es, Niederwild zu jagen.«

»Hört sich wirklich nach einem ausgezeichneten Mann an.«

Im gleichen Augenblick fiel Wallander ein Teller auf den Boden. Er zerbrach in zwei Teile.

Der Vater hob die Augen nicht von der Zeitung. »Das wird teuer«, sagte er nur.

Da hatte Wallander genug. Er nahm seine Jacke und ging ohne ein Wort zu sagen hinaus. Ich werde nie nach Österlen hinausfahren, dachte er. Ich setze keinen Fuß in sein Haus. Ich verstehe nicht, wie ich es mit dem Alten die ganzen Jahre über ausgehalten habe. Aber jetzt reicht es. Ohne es zu merken, hatte er angefangen, auf der Straße mit sich selber zu reden. Ein Radfahrer, der sich gegen den starken Wind duckte, blickte sich verwundert nach ihm um.

Wallander fuhr nach Hause. Die Tür zu Håléns Wohnung stand offen. Er ging hinein. Ein einsamer Kriminaltechniker war damit beschäftigt, Aschereste aufzusammeln.

»Ich dachte, ihr wärt fertig«, sagte Wallander erstaunt.

»Sjunnesson nimmt es genau«, antwortete der Techniker.

Das Gespräch wurde nicht fortgesetzt. Wallander ging zurück ins Treppenhaus und schloß seine Tür auf.

Im gleichen Moment kam Linnea Almqvist durch die Haustür herein. »Furchtbar«, sagte sie. »Armer Kerl. Und so allein, wie er war.«

»Er hatte aber anscheinend eine Freundin«, sagte Wallander.

»Das kann ich mir nicht denken«, antwortete Linnea Almqvist. »Das hätte ich gemerkt.«

»Das glaube ich bestimmt«, bestätigte Wallander, »aber er braucht sie ja nicht hier getroffen zu haben.«

»Man soll nicht schlecht von den Toten reden«, antwortete sie streng und wandte sich der Treppe zu.

Wallander fragte sich, wie man es als Verleumdung eines Toten verstehen konnte, wenn man erwähnte, daß es in dessen im übrigen einsamen Leben eine Frau gegeben hatte.

Als Wallander in seine Wohnung kam, konnte er die Gedanken an Mona nicht länger verdrängen. Er dachte, daß er sie anrufen sollte. Oder vielleicht ließ sie selbst im Laufe des Abends von sich hören. Um seine Unruhe loszuwerden, begann Wallander, alte Zeitungen zu sortieren und wegzuwerfen. Dann machte er sich ans Badezimmer. Er brauchte nicht lange, um festzustellen, daß sich dort bedeutend mehr Schmutz festgesetzt hatte, als er sich hatte vorstellen können. Erst nach drei Stunden gab er zufrieden auf. Es war fünf Uhr geworden. Er setzte Kartoffeln auf und schälte Zwiebeln.

In dem Moment klingelte das Telefon. Er dachte sofort, daß es Mona wäre, und fühlte sein Herz schneller schlagen.

Aber es war eine andere Frauenstimme, die ihm aus dem Hörer entgegenkam. Sie nannte ihren Namen. Maria. Es dauerte ein paar Sekunden, bevor er begriff, daß es die Verkäuferin aus dem Tabakgeschäft war.

»Ich hoffe, ich störe nicht«, sagte sie. »Ich habe den Zettel verloren, den Sie mir gegeben haben. Sie stehen nicht im Telefonbuch. Ich hätte zwar die Auskunft anrufen können, aber ich habe statt dessen bei der Polizei angerufen.«

Wallander fuhr zusammen. »Und was haben Sie gesagt?«

»Daß ich einen Polizisten suche, der Kurt Wallander heißt. Und daß ich wichtige Informationen hätte. Zuerst wollten sie mir Ihre Privatnummer nicht geben, aber ich habe nicht lockergelassen.«

»Sie haben also nach Kriminalassistent Wallander gefragt?«

»Nein, ich habe nach Kurt Wallander gefragt. Spielt das denn eine Rolle?«

»Überhaupt nicht«, antwortete Wallander und fühlte sich erleichtert. Klatsch machte im Polizeipräsidium schnell die Runde. Es hätte Probleme mit sich bringen können und wäre außerdem eine unnötige, witzige Geschichte gewesen, daß Wallander herumlief und sich als Kriminalassistent ausgab. So wollte er seine Karriere als Kriminalbeamter nicht beginnen.

»Ich habe gefragt, ob ich störe«, wiederholte sie.

»Nein, überhaupt nicht.«

»Ich habe noch einmal nachgedacht«, sagte sie. »Über Hålén und seine Tippscheine. Er hat übrigens nie gewonnen.«

»Woher wissen Sie das?«

»Ich amüsiere mich damit nachzuschauen, was die Menschen tippen. Und Hålén hatte so gut wie überhaupt keine Ahnung von Fußball.«

Genau das hat Hemberg auch gesagt, dachte Wallander. Darüber dürfte jedenfalls kein Zweifel mehr bestehen.

»Ich habe auch noch einmal über die Telefongespräche nachgedacht«, fuhr sie fort. »Und da ist mir eingefallen, daß er einige Male auch noch jemand anders angerufen hat.«

Wallander wurde hellhörig. »Und wen?«

»Die Taxizentrale.«

»Woher wissen Sie das?«

»Ich hörte, wie er einen Wagen bestellte und die Adresse des Tabakgeschäfts angab.«

Wallander überlegte. »Und wie oft hat er ein Taxi bestellt?«

»Drei- oder viermal. Immer, nachdem er zuerst die andere Nummer angerufen hat.«

»Sie haben nicht zufällig gehört, wohin er fahren wollte?«

»Das hat er nie gesagt.«

»Ihr Erinnerungsvermögen ist nicht schlecht«, sagte Wallander anerkennend. »Aber Sie wissen nicht, wann er diese Telefongespräche geführt hat?«

»Es muß doch mittwochs gewesen sein.«

»Und wann zuletzt?«

Die Antwort kam schnell und sicher. »Letzte Woche.«

»Sind Sie sicher?«

»Ja, klar bin ich sicher. Er hat am letzten Mittwoch ein Taxi gerufen. Am 28. Mai, wenn Sie es genau wissen wollen.«

»Gut«, sagte Wallander. »Sehr gut.«

»Hilft Ihnen das?«

»Ganz bestimmt.«

»Wollen Sie mir immer noch nicht verraten, was passiert ist?«

»Ich kann nicht«, antwortete Wallander, »selbst wenn ich wollte.«

»Und können Sie es später erzählen?«

Das versprach Wallander. Dann beendete er das Gespräch und dachte noch einmal darüber nach, was sie gesagt hatte. Was bedeutete es? Hålén hatte irgendwo eine Frau. Nachdem er sie angerufen hatte, bestellte er ein Taxi.

Wallander piekste die Kartoffeln an. Sie waren noch nicht gar. Ihm fiel ein, daß er einen guten Freund hatte, der in Malmö Taxi fuhr. Sie waren von der ersten Klasse an Schulkameraden gewesen und hatten über die Jahre hinweg den Kontakt gehalten. Er hieß Lars Andersson, und Wallander erinnerte sich, daß er seine Telefonnummer auf der Innenseite des Telefonbuchs notiert hatte.

Er suchte die Nummer und wählte sie. Eine Frau nahm ab. Es war Anderssons Frau Elin. Wallander hatte sie ein paarmal getroffen.

»Ist Lars da?« fragte er.

»Er fährt«, erwiderte sie. »Aber er hat die Tagesschicht. Er kommt wohl bald nach Hause.«

Wallander bat sie, ihrem Mann zu sagen, er solle ihn anrufen.

»Was machen die Kinder?« fragte sie.

»Ich habe keine Kinder«, antwortete Wallander erstaunt.

»Dann muß ich etwas mißverstanden haben«, meinte sie. »Ich dachte, Lars hätte gesagt, Sie hätten zwei Söhne.«

»Leider nicht«, sagte Wallander. »Ich bin noch nicht einmal verheiratet.«

»Kinder kann man doch trotzdem kriegen«, sagte sie und beendete das Gespräch.

Die Kartoffeln waren mittlerweile fertig. Wallander bereitete sich daraus mit den Zwiebeln und Resten aus dem Kühlschrank eine Mahlzeit.

Mona hatte immer noch nicht angerufen.

Es hatte wieder angefangen zu regnen.

Von irgendwoher ertönte Akkordeonmusik.

Er fragte sich, was er eigentlich machte. Sein Nachbar Hålén hatte Selbstmord begangen. Vorher hatte er seine Diamanten geschluckt. Jemand hatte versucht, sie zu bekommen, und als das nicht gelang, vor Wut die Wohnung in Brand gesetzt. Idioten gab es genug. Ebenso wie gierige Menschen. Aber es war kein Verbrechen, Selbstmord zu begehen. Und auch nicht, habgierig zu sein.

Es wurde halb sieben. Lars Andersson hatte noch nicht zurückgerufen. Wallander entschloß sich, bis sieben Uhr zu warten, dann würde er es nochmals versuchen.

Um fünf vor sieben klingelte das Telefon. Es war Andersson.

»Wir haben immer mehr zu fahren, wenn es regnet. Elin sagte, daß du angerufen hast.«

»Ich bin da mit einer Ermittlung beschäftigt«, sagte Wallander. »Und ich dachte, du könntest mir vielleicht helfen. Es geht darum, einen Taxifahrer zu finden, der am vorigen Mittwoch eine Fahrt hatte. Gegen drei Uhr. Von einer Adresse hier in Rosengård. Ein Mann namens Hålén.«

»Was ist denn passiert?«

»Ich kann im Moment nicht darüber sprechen«, erwiderte Wallander und merkte, wie sein Unbehagen jedesmal größer wurde, wenn er eine ausweichende Antwort gab.

»Das kriege ich wohl hin«, sagte Andersson. »Die Zentrale in Malmö ist auf Draht. Kannst du mir die Einzelheiten noch mal sagen? Und wo soll ich dann anrufen? Im Polizeipräsidium?«

»Am besten rufst du bei mir an. Ich habe die ganze Sache in der Hand.«

»Von zu Hause aus?«

»Ja, im Moment jedenfalls.«

»Ich werde sehen, was ich tun kann.«

»Wie lange wirst du wohl dafür brauchen?«

»Wenn wir Glück haben, geht es schnell.«

»Ich bin zu Hause«, sagte Wallander. Er gab Andersson alle Einzelheiten, die er hatte. Als das Gespräch vorüber war, trank er Kaffee. Mona hatte immer noch nicht angerufen. Dann dachte er an seine Schwester. Und daran, welche Erklärung sein Vater wohl dafür gegeben hatte, daß Wallander das Haus so schnell wieder verlassen hatte. Wenn er es überhaupt für nötig befunden hatte, zu erwähnen, daß sein Sohn dagewesen war. Kristina ergriff häufig Partei für den Vater. Wallander hatte den Verdacht, daß es eigentlich aus Feigheit geschah. Daß sie vor ihrem Vater und seinen Launen Angst hatte.

Dann sah Wallander die Nachrichten. Die Autoindustrie boomte. In Schweden herrschte Hochkonjunktur. Danach folgten Bilder von einer Hundeausstellung. Er drehte den Ton leiser. Es regnete immer noch. In einiger Entfernung glaubte er Donner zu hören. Aber vielleicht war es auch nur ein Flugzeug, das zur Landung in Bulltofta ansetzte.

Es war zehn Minuten nach neun, als Andersson ihn wieder anrief.

»Es war so, wie ich dachte«, sagte er. »In der Taxizentrale in Malmö herrscht Ordnung.«

Wallander hatte seinen Block und einen Bleistift herangezogen.

»Die Fahrt ging nach Arlöv. Es ist kein Name aufgezeichnet. Aber der Fahrer hieß Norberg. Du könntest versuchen, ihn zu fassen zu kriegen und zu fragen, ob er sich an das Aussehen des Fahrgastes erinnert. Doch eigentlich ist es nicht notwendig.«

»Besteht kein Risiko, daß es sich um eine andere Fahrt gehandelt haben könnte?«

»Kein anderer hat am Mittwoch einen Wagen zu der Adresse bestellt.«

»Die Fahrt ging also nach Arlöv.«

»Ja, genau gesagt in die Smedsgata 9. Direkt neben der Zukkerfabrik. Ein altes Reihenhausviertel.«

»Also keine Mehrfamilienhäuser mit verschiedenen Mietparteien«, sagte Wallander. »Es wohnt dort nur eine Familie oder eine Person in jedem Haus.«

»Das sollte man jedenfalls annehmen.«

Wallander notierte. »Vielen Dank«, sagte er dann. »Das hast du gut gemacht.«

»Ich habe vielleicht noch mehr zu bieten«, meinte Andersson. »Auch wenn du nicht danach gefragt hast. Aber es gab auch eine Fahrt von der Smedsgata zurück in die Stadt. Genauer gesagt, am Donnerstag morgen um vier Uhr. Der Fahrer hieß Orre. Aber der macht im Moment Urlaub auf Mallorca.«

Können Taxifahrer sich das leisten, dachte Wallander. Ohne sogenanntes schwarzes Geld einzufahren?

Andersson gegenüber erwähnte er jedoch nichts von seinem Argwohn. »Das kann wichtig sein«, sagte er nur.

»Hast du immer noch kein Auto?«

»Noch nicht.«

»Hast du vor, hinauszufahren?«

»Ja.«

»Du kannst natürlich einen Polizeiwagen nehmen.«

»Natürlich.«

»Sonst könnte ich dich fahren. Ich habe nichts Besonderes vor. Wir haben uns so lange nicht gesehen.«

Wallander entschloß sich sofort, das Angebot anzunehmen, und Lars Andersson versprach, ihn in einer halben Stunde abzuholen. Inzwischen rief Wallander die Auskunft an und fragte, ob es in der Smedsgata 9 in Arlöv einen Telefonteilnehmer gebe. Er erfuhr, daß es in der Tat einen Teilnehmer gab, daß die Nummer aber geheim war.

Der Regen war stärker geworden. Wallander zog Gummistiefel und eine Regenjacke an. Er stellte sich ans Küchenfenster und sah Andersson vor dem Haus bremsen. Der Wagen hatte kein Schild auf dem Dach. Es war sein Privatwagen. Ein Wahnsinnsvorhaben in einem Wahnsinnswetter, dachte Wallander, als er die Wohnungstür abschloß. Aber lieber das, als hier auf und ab zu laufen und darauf zu warten, daß Mona anruft. Und sollte sie es tun, dann geschieht es ihr ganz recht, daß ich nicht da bin.

Lars Andersson begann sofort damit, alte Schulerinnerungen auszukramen. An das meiste konnte Wallander sich überhaupt nicht mehr erinnern. Oft fand er Andersson ermüdend, weil er ständig in die Schulzeit zurückkehrte, als sei sie die bisher beste Zeit seines Lebens gewesen. Für Wallander war die Schule ein grauer Alltag gewesen, der nur durch Geographie und Geschichte etwas aufgehellt wurde. Aber er mochte den Mann am Steuer dennoch. Seine Eltern hatten draußen in Limhamn eine Bäckerei gehabt. Zeitweise waren die beiden Jungen sehr viel zusammengewesen, und auf Lars Andersson hatte Wallander sich immer verlassen können. Ein Mensch, der die Freundschaft ernst nahm.

Sie ließen Malmö hinter sich und waren bald in Arlöv.

»Fährst du oft hierher?« fragte Wallander.

»Es kommt schon vor. Meistens an den Wochenenden. Leute, die in Malmö oder Kopenhagen gesoffen haben und nach Hause wollen.«

»Hast du irgendwann einmal Probleme gehabt?«

Lars Andersson warf ihm einen Blick zu. »Wie meinst du das?«

»Bist du mal überfallen oder bedroht worden, was weiß ich?«

»Nie. Einen habe ich mal gehabt, der abhauen wollte, ohne zu bezahlen. Aber den habe ich eingeholt.«

Sie befanden sich jetzt innerhalb der Ortschaft. Lars Andersson fuhr direkt zu der Adresse.

»Hier ist es«, sagte er und zeigte durch das nasse Wagenfenster. »Smedsgatan 9.«

Wallander kurbelte die Scheibe herunter und blinzelte in den Regen hinaus. Nummer neun war das letzte in einer Reihe von sechs Häusern. Es war Licht in einem Fenster, also war jemand zu Hause.

»Willst du nicht hineingehen?« fragte Andersson erstaunt.

»Es geht um eine Bewachung«, erwiderte Wallander ausweichend. »Wenn du ein bißchen weiter vorfährst, steige ich aus und schaue mir das Ganze einmal an.«

»Willst du, daß ich mitkomme?«

»Danke, das ist nicht nötig.«

Wallander stieg aus dem Auto und zog sich die Kapuze seiner Regenjacke über den Kopf. Was mache ich jetzt, dachte er. Soll ich klingeln und fragen, ob Hålén am letzten Mittwoch hier gewesen ist? Zwischen drei Uhr nachmittags und vier Uhr morgens? Vielleicht ist es eine Ehebruchsgeschichte. Was sage ich, wenn der Mann öffnet?

Wallander kam sich albern vor. Es ist sinnlos und kindisch und weggeworfene Zeit, dachte er. Das einzige, was ich bewiesen habe, ist, daß es tatsächlich eine Adresse Smedsgatan 9 in Arlöv gibt.

Dennoch konnte er es nicht lassen, über die Straße zu gehen. Am Tor hing ein Briefkasten. Wallander versuchte, den Namen darauf zu entziffern. Er hatte Zigaretten und eine Schachtel Streichhölzer in der Jackentasche. Mit Mühe bekam er eins der Streichhölzer an und konnte den Namen erkennen, bevor die Flamme vom Regen gelöscht wurde.

»Alexandra Batista« hatte er gelesen. Soweit hatte Maria also recht gehabt. Es war der Vorname, der mit A begann. Hålén hatte eine Frau angerufen, die Alexandra hieß. Die Frage war nur, ob die Frau hier allein wohnte oder mit ihrer Familie.

Er schaute über den Zaun, um zu sehen, ob Kinderfahrräder oder etwas anderes darauf hindeuteten, daß das Haus von einer Familie bewohnt wurde. Aber er sah nichts.

Er ging um das Haus herum. Auf der anderen Seite befand sich ein brachliegendes Feld. Ein paar rostige Tonnen standen hinter einem eingefallenen Zaun. Das war alles.

Die Rückseite des Hauses war dunkel. Nur im Küchenfenster, das zur Straße hin lag, brannte Licht. Mit dem wachsenden Gefühl, sich auf etwas absolut Sinnloses eingelassen zu haben, entschloß sich Wallander, seine Untersuchung zu Ende zu bringen. Er stieg über den niedrigen Zaun und lief über den Rasen zum Haus. Wenn mich jemand gesehen hat, werden sie die Polizei rufen, dachte er, und ich werde festgenommen. Dann geht meine weitere Polizeikarriere in Rauch auf.

Er beschloß aufzugeben. Er konnte am nächsten Tag die Telefonnummer der Familie Batista in Erfahrung bringen. War es eine Frau, die antwortete, könnte er einige Fragen stellen. War es ein Mann, würde er den Hörer auflegen.

Der Regen war schwächer geworden. Wallander trocknete sich das Gesicht. Er wollte gerade den gleichen Weg zurückgehen, den er gekommen war, als er entdeckte, daß die Tür zum Wintergarten offenstand. Sie haben vielleicht eine Katze, dachte er, die in der Nacht frei rein und raus laufen darf.

Gleichzeitig hatte er das Gefühl, daß etwas nicht stimmte. Was es war, konnte er nicht sagen. Aber er wurde das Gefühl nicht los. Vorsichtig ging er zur Tür und lauschte. Der Regen hatte fast aufgehört. In der Ferne hörte er das Geräusch eines Lastwagens langsam schwächer werden und verschwinden. Im Haus war es still. Wallander verließ den Wintergarten und ging zurück auf die Vorderseite des Hauses.

Immer noch brannte Licht im Fenster, das angelehnt war. Er stellte sich an die Hauswand und lauschte. Alles war immer noch genauso still. Dann stellte er sich vorsichtig auf die Zehenspitzen und guckte durch die Scheibe. Er zuckte zusammen.

Drinnen saß eine Frau auf einem Stuhl und starrte ihn an.

Er lief zurück auf die Straße. Jeden Moment konnte jemand auf der Treppe stehen und um Hilfe rufen. Oder die Polizei würde erscheinen. Er rannte hinüber zum Auto, in dem Andersson wartete, und ließ sich auf den Vordersitz fallen.

»Ist etwas passiert?«

»Fahr bloß los«, sagte Wallander.

»Und wohin?«

»Weg von hier. Zurück nach Malmö.«

»War jemand zu Hause?«

»Frag nicht. Starte einfach und fahr los.«

Lars Andersson tat, was Wallander sagte. Sie kamen auf die Hauptstraße nach Malmö. Wallander dachte an die Frau, die ihn angestarrt hatte. Das Gefühl war wieder da. Irgend etwas stimmte nicht.

»Fahr auf den nächsten Parkplatz«, sagte er. Lars Andersson tat weiter, was ihm gesagt wurde. Sie hielten an. Wallander blieb still sitzen.

»Findest du nicht, daß ich wissen sollte, was hier eigentlich vorgeht?« fragte Andersson vorsichtig.

Wallander antwortete nicht. Da war etwas mit dem Gesicht dieser Frau. Etwas, worauf er nicht kam.

»Fahr zurück«, sagte er dann.

»Nach Arlöv?«

Wallander spürte, daß Andersson die Lust zu verlieren begann.

»Ich erkläre es dir später«, sagte Wallander. »Fahr zurück zu derselben Adresse.«

»Ich nehme verdammt noch mal kein Geld von meinen Freunden«, sagte Andersson sauer.

Schweigend fuhren sie nach Arlöv zurück. Der Regen hatte jetzt aufgehört. Wallander stieg aus. Keine Polizeiwagen, keine Reaktionen. Nur das einsame Licht im Küchenfenster.

Wallander öffnete vorsichtig das Gartentor. Er ging zurück zum Fenster. Bevor er sich wieder auf die Zehenspitzen stellte, holte er ein paarmal tief Luft. Wenn es so war, wie er glaubte, würde es sehr unangenehm werden.

Er stellte sich auf die Zehenspitzen und griff nach der Fensterbank.

Die Frau saß immer noch auf dem Stuhl und starrte ihn an. Ihr Gesichtsausdruck war unverändert.

Wallander ging ums Haus herum und öffnete die Tür des Wintergartens. Im Licht der Straße konnte er eine Tischlampe erkennen. Er schaltete sie ein. Dann zog er seine Stiefel aus und ging in die Küche.

Die Frau saß auf dem Stuhl, aber sie sah Wallander nicht an. Sie starrte in Richtung Fenster. Eine Fahrradkette war mit Hilfe eines Hammerschafts um ihren Hals zusammengezogen worden.

Wallander fühlte sein Herz in der Brust hämmern.

Dann suchte er das Telefon, fand es draußen im Flur und rief das Polizeipräsidium in Malmö an.

Es war elf geworden. Wallander verlangte nach Hemberg. Er erfuhr, daß dieser das Präsidium gegen sechs Uhr verlassen hatte.

Wallander ließ sich die Privatnummer geben und rief sofort an.

Hemberg meldete sich. Man konnte hören, daß er aus dem Schlaf gerissen worden war.

Wallander berichtete ihm, was er entdeckt hatte.

Eine tote Frau saß auf einem Stuhl in einem Reihenhaus in Arlöv.

3

Hemberg kam kurz nach Mitternacht in Arlöv an. Die Spurensicherung hatte ihre Arbeit bereits aufgenommen. Wallander hatte Andersson mit seinem Wagen nach Hause geschickt, ohne ihm eine nähere Erklärung gegeben zu haben, was passiert war. Dann hatte er am Gartentor gestanden und gewartet, bis die ersten Streifenwagen eintrafen.

Er hatte mit einem Kriminalassistenten gesprochen, der Stefansson hieß und in seinem Alter war.

»Hast du sie gekannt?« fragte Stefansson.

»Nein«, antwortete Wallander.

»Und was tust du dann hier?«

»Das erkläre ich Hemberg«, sagte Wallander. Stefansson betrachtete ihn argwöhnisch. Aber er stellte keine weiteren Fragen.

Hemberg ging als erstes in die Küche. Er blieb in der Tür stehen und betrachtete die tote Frau. Wallander sah, wie er den Blick durchs Zimmer wandern ließ. Nachdem er eine längere Zeit so gestanden hatte, wandte er sich an Stefansson, der großen Respekt vor Hemberg zu haben schien. »Wissen wir, wer sie ist?«

Sie gingen ins Wohnzimmer. Stefansson hatte eine Handtasche geöffnet und einige Papiere auf einem Tisch verteilt.

»Alexandra Batista Lundström«, antwortete er. »Nationalität schwedisch. Geboren in Brasilien. 1922. Offenbar ist sie unmittelbar nach dem Krieg hierhergekommen. Wenn ich die Papiere richtig verstanden habe, war sie mit einem Schweden verheiratet, der Lundström hieß. Es existieren Scheidungsunterlagen aus dem Jahr 1957. Damals war sie schon schwedische Staatsangehörige. Den schwedischen Nachnamen hat sie später nicht mehr verwendet. Ihr Postsparbuch läuft auf den Namen Batista, nicht Lundström.«

»Hatte sie Kinder?«

Stefansson schüttelte den Kopf. »Auf jeden Fall scheint niemand sonst hier gewohnt zu haben. Wir haben mit einem der Nachbarn gesprochen. Sie hat hier gewohnt, seit das Haus gebaut wurde.«

Hemberg nickte und wandte sich dann an Wallander. »Ich glaube, wir gehen mal nach oben und lassen die Techniker hier unten in Ruhe arbeiten.«

Stefansson wollte sich ihnen anschließen, aber Hemberg hielt ihn zurück. Im Obergeschoß waren drei Zimmer. Das Schlafzimmer der Frau, ein Zimmer, das bis auf einen großen Wäscheschrank vollkommen leer war, und ein Gästezimmer. Hemberg setzte sich auf das Bett im Gästezimmer und bedeutete Wallander, sich auf einen Stuhl zu setzen, der in einer Ecke stand.

»Eigentlich habe ich nur eine Frage«, begann Hemberg. »Kannst du dir denken, welche?«

»Du willst natürlich wissen, was ich hier tue.«

»Ich würde es ein bißchen stärker formulieren«, sagte Hemberg. »Was, verdammt noch mal, hast du hier zu suchen?«

»Das ist eine lange Geschichte«, sagte Wallander.

»Mach sie kurz«, erwiderte Hemberg. »Aber laß nichts aus.«

Wallander erzählte. Von dem Tippschein, von den Telefongesprächen, von den Taxifahrten. Hemberg hatte die Augen fest auf den Fußboden gerichtet, während er zuhörte. Als Wallander geendet hatte, saß er eine Weile schweigend da.

»Dafür, daß du einen Menschen entdeckt hast, der ermordet worden ist, muß ich dich natürlich loben«, begann er. »Deine Hartnäckigkeit läßt anscheinend nichts zu wünschen übrig. Außerdem hast du nicht völlig falsch gedacht. Aber abgesehen davon ist das hier vollkommen unmöglich. Bei der Polizei gibt es nichts, das individuelle und geheime Nachforschung heißt. Polizisten erteilen sich niemals, unter keinen Umständen, selbst Aufträge. Ich sage das nur ein einziges Mal.«

Wallander nickte, er hatte verstanden.

»Hast du noch andere Sachen auf Lager? Abgesehen von dem, was dich hier nach Arlöv gebracht hat?«

Wallander berichtete von seinem Kontakt mit Helena.

»Sonst nichts?«

»Nichts.«

Wallander war bereit, eine Standpauke über sich ergehen zu lassen. Aber Hemberg erhob sich nur vom Bett und nickte ihm zu mitzukommen.

Auf der Treppe blieb er stehen und wandte sich um. »Ich habe den Tag über versucht, dich zu erreichen«, sagte er, »um zu erzählen, daß die Untersuchung der Waffe abgeschlossen ist. Sie hat nichts Unerwartetes erbracht. Aber mir wurde gesagt, du wärst krank geschrieben?«

»Ich hatte heute morgen Bauchschmerzen. Magen-Darm-Grippe.«

Hemberg betrachtete ihn ironisch. »Die war aber kurz«, sagte er. »Und weil du genesen zu sein scheinst, kannst du ja heute nacht hierbleiben. Vielleicht lernst du was. Faß nichts an, sag nichts, aber merk dir alles.«

Um halb vier wurde die Frau fortgebracht. Kurz nach eins war Sjunnesson nach Arlöv gekommen. Wallander hatte sich gefragt, warum der Mann überhaupt nicht müde wirkte, obwohl es mitten in der Nacht war. Hemberg, Stefansson und noch ein weiterer Polizist waren systematisch die ganze Wohnung durchgegangen, hatten Schubladen aufgezogen und Schränke geöffnet und eine große Anzahl von Dokumenten gesammelt, die sie auf den Tisch gelegt hatten. Wallander hatte auch ein Gespräch zwischen dem Gerichtsmediziner Jörne und Hemberg verfolgt. Es bestand kein Zweifel daran, daß die Frau erdrosselt worden war. Doch Jörne hatte außerdem bei einer ersten Untersuchung Anzeichen dafür gefunden, daß sie vorher einen Schlag auf den Hinterkopf erhalten hatte. Hemberg erklärte, daß er vor allem wissen müsse, wie lange sie schon tot sei.

»Sie hat wohl ein paar Tage auf dem Stuhl gesessen«, erwiderte Jörne.

»Wie viele?«

»Ich will da nicht raten. Du wirst dich bis nach der Obduktion gedulden müssen.«

Als das Gespräch mit Jörne vorüber war, wandte Hemberg sich an Wallander. »Du verstehst natürlich, warum ich so gefragt habe«, sagte er.

»Du willst wissen, ob sie vor Hålén gestorben ist?«

Hemberg nickte. »Das würde uns eine denkbare Erklärung dafür geben, warum sich ein Mensch das Leben nimmt. Es ist nicht ungewöhnlich, daß Mörder Selbstmord begehen.«

Hemberg hatte sich auf das Sofa im Wohnzimmer gesetzt. Stefansson stand draußen im Flur und sprach mit dem Polizeifotografen.

»Eines können wir immerhin mit ziemlicher Sicherheit sagen«, meinte Hemberg nach einer Weile des Schweigens. »Die Frau ist getötet worden, als sie auf dem Stuhl saß. Jemand hat sie auf den Hinterkopf geschlagen. Daher stammen die Blutspuren auf dem Fußboden und auf dem Wachstuch. Dann ist sie erdrosselt worden. Das gibt uns mehrere mögliche Ausgangspunkte.«

Hemberg sah Wallander an.

Er testet mich, dachte Wallander. Er will wissen, ob ich etwas tauge. »Es ist ein Indiz dafür, daß die Frau denjenigen, der sie getötet hat, kannte.«

»Richtig. Und weiter?«

Wallander überlegte. Gab es noch eine Schlußfolgerung, die er ziehen konnte? Er schüttelte den Kopf.

»Du mußt die Augen benutzen«, sagte Hemberg. »Stand etwas auf dem Tisch? Eine Tasse? Mehrere Tassen? Wie war sie gekleidet? Eine Sache ist die, daß sie den Täter gekannt hat. Laß uns der Einfachheit halber annehmen, es war ein Mann. Aber wie gut kannte sie ihn?«

Wallander begriff. Es irritierte ihn, daß er nicht sofort verstanden hatte, was Hemberg meinte. »Sie hatte Nachthemd und Morgenrock an«, sagte er. »Das zieht man doch kaum an, wenn irgend jemand zu Besuch kommt.«

»Wie sah es in ihrem Schlafzimmer aus?«

»Das Bett war ungemacht.«

»Schlußfolgerung?«

»Es könnte sein, daß Alexandra Batista mit dem Mann, der sie getötet hat, ein Verhältnis hatte.«

»Und weiter?«

»Es standen keine Tassen auf dem Tisch. Dagegen standen ein paar ungewaschene Gläser neben dem Herd.«

»Die werden wir untersuchen«, sagte Hemberg. »Was haben sie getrunken? Gibt es Fingerabdrücke? Leere Gläser können viele interessante Geschichten erzählen.«

Er erhob sich schwer vom Sofa. Wallander sah, daß er müde war.

»Wir wissen also eine ganze Menge«, fuhr Hemberg fort. »Weil nichts auf Einbruch hindeutet, arbeiten wir nach der Theorie, daß der Mörder andere, nämlich persönliche Motive hatte.«

»Das erklärt noch immer nicht den Brand zu Hause bei Hålén«, sagte Wallander.

Hemberg schaute ihn forschend an. »Jetzt galoppierst du voraus«, sagte er, »wo wir ruhig und methodisch traben sollten. Wir wissen gewisse Dinge mit einiger Sicherheit, und davon müssen wir ausgehen. Mit dem, was wir noch nicht wissen, sollten wir uns zurückhalten. Du kannst kein Puzzle legen, solange die Hälfte der Teile noch im Karton ist.«

Sie waren in den Flur hinausgetreten. Stefansson hatte seine Unterredung mit dem Fotografen beendet und sprach jetzt ins Telefon.

»Wie bist du hergekommen?« fragte Hemberg.

»Taxi.«

»Dann kannst du mit mir zurückfahren.«

Auf dem Rückweg nach Malmö saß Hemberg schweigend neben ihm. Sie fuhren durch Nebel und Nieselregen.

Hemberg setzte Wallander vor seinem Haus in Rosengård ab. »Nimm morgen Kontakt zu mir auf«, sagte er. »Natürlich nur, wenn du dich von deiner Magenverstimmung erholt hast.«

Wallander sah zu, daß er in seine Wohnung kam. Es war schon hell. Der Nebel begann sich zu lichten. Er machte sich nicht die Mühe, sich auszuziehen, sondern legte sich so aufs Bett. Kurz danach war er eingeschlafen.

Er wurde durch ein Klingeln an der Tür aus dem Schlaf gerissen. Schlaftrunken taumelte er in den Flur hinaus und öffnete.

Vor ihm stand seine Schwester Kristina. »Störe ich?«

Wallander schüttelte den Kopf und ließ sie herein.

»Ich habe die ganze Nacht gearbeitet. Wie spät ist es?«

»Sieben. Ich will heute mit Papa nach Löderup fahren. Aber ich dachte, ich könnte dich vorher noch sehen.«

Wallander bat sie, Kaffee zu machen, während er sich wusch und seine Kleider wechselte. Er hielt sein Gesicht lange unter den Kaltwasserhahn. Als er in die Küche zurückkam, hatte er die lange Nacht aus seinem Körper verjagt.

»Du bist einer der wenigen Männer, die ich kenne, die keine langen Haare haben«, sagte Kristina mit einem Lächeln.

»Das paßt nicht zu mir«, erwiderte Wallander. »Dabei habe ich es weiß Gott versucht. Einen Bart kann ich auch nicht tragen. Ich sehe damit völlig bescheuert aus. Mona hat gedroht, mich zu verlassen, als sie es gesehen hat.«

»Und wie geht es ihr?«

»Gut.«

Wallander überlegte einen Augenblick, ob er ihr erzählen sollte, was passiert war. Von dem Schweigen, das im Moment zwischen ihnen herrschte.

Früher, als sie beide noch zu Hause wohnten, hatten Kristina und er ein enges und vertrauensvolles Verhältnis zueinander. Dennoch entschied sich Wallander, nichts zu sagen. Seit sie in Stockholm lebte, war der Kontakt zwischen ihnen vage und unregelmäßig geworden.

Wallander setzte sich an den Tisch und fragte, wie es ihr ginge.

»Gut.«

»Vater hat gesagt, du hättest jemanden kennengelernt, der sich mit Nieren beschäftigt.«

»Er ist Ingenieur und arbeitet an der Entwicklung eines neuen Typs von Dialyseapparat.«

»Ich weiß nicht genau, was das ist«, sagte Wallander. »Aber es hört sich beeindruckend an.«

Dann wurde ihm klar, daß sie aus einem bestimmten Grund gekommen war. Er konnte es an ihrem Gesicht ablesen.

»Ich weiß nicht, woran es liegt«, sagte er, »aber ich sehe immer, wenn du etwas Besonderes willst.«

»Ich begreife nicht, wie du Papa so behandeln kannst!«

Wallander war verblüfft. »Was meinst du damit?«

»Was glaubst du denn? Du hilfst ihm nicht beim Packen, du willst nicht einmal sein Haus in Löderup sehen. Wenn du ihn auf der Straße triffst, tust du so, als würdest du ihn nicht kennen.«

Wallander schüttelte den Kopf. »Hat er das gesagt?«

»Ja, und er ist sehr empört.«

»Nichts von alldem stimmt.«

»Aber ich habe dich auch nicht gesehen, seit ich hier bin. Und heute zieht er um.«

»Hat er dir nicht erzählt, daß ich da gewesen bin? Und daß er mich fast vor die Tür gesetzt hätte?«

»Davon hat er mir kein Wort gesagt.«

»Du brauchst nicht alles zu glauben, was er sagt. Jedenfalls nicht, was er über mich sagt.«

»Dann stimmt es also nicht?«

»Gar nichts stimmt. Er hat mir nicht einmal erzählt, daß er das Haus gekauft hat. Er hat es mir nicht zeigen wollen, nicht davon geredet, was es kostet. Als ich ihm beim Packen helfen wollte, habe ich einen alten Teller fallen lassen, und er hat ein wahnsinniges Theater veranstaltet. Ich bleibe sogar auf der Straße stehen und rede mit ihm, wenn ich ihm begegne. Auch wenn er manchmal nicht ganz gescheit aussieht.«

Wallander merkte, daß sie nicht überzeugt war. Das ärgerte ihn. Aber noch mehr empörte es ihn, daß sie dasaß und ihn maßregelte. Es erinnerte ihn an seine Mutter. Und an Mona. Und warum nicht auch an Helena. Frauen, die sich anmaßten, ihm vorzuschreiben, wie er sich zu benehmen hatte, konnte Wallander nicht ertragen. »Du glaubst mir nicht«, sagte er sauer, »aber das solltest du. Vergiß nicht, daß du in Stockholm wohnst und daß ich den Alten die ganze Zeit hier dicht auf der Pelle habe. Das ist ein gewisser Unterschied.«

Das Telefon klingelte. Es war zwanzig Minuten nach sieben. Wallander nahm ab.

Es war Helena. »Ich habe dich gestern abend angerufen«, sagte sie.

»Ich habe die Nacht über gearbeitet.«

»Weil sich niemand gemeldet hat, dachte ich, es wäre die falsche Nummer. Also habe ich Mona angerufen und sie gefragt.«

Wallander wäre beinah der Telefonhörer aus der Hand gefallen. »Du hast was getan?«

»Ich habe Mona angerufen und nach deiner Nummer gefragt.«

Wallander waren sofort die Konsequenzen klar. Wenn Helena Mona angerufen hatte, bedeutete das, daß Monas Eifersucht mit voller Kraft aufwallen würde. Das würde ihr Verhältnis nicht verbessern.

»Bist du noch dran?« fragte sie.

»Ja«, antwortete Wallander. »Aber im Moment habe ich gerade Besuch von meiner Schwester.«

»Ich bin im Büro. Du kannst zurückrufen.«

Wallander legte auf und kehrte in die Küche zurück. Kristina sah ihn fragend an. »Ist dir nicht gut?«

»Doch«, sagte er, »aber ich muß jetzt arbeiten.«

Sie trennten sich im Flur.

»Du solltest mir glauben«, sagte Wallander. »Man kann sich nicht immer auf das verlassen, was Papa sagt. Grüß ihn von mir und sage ihm, daß ich hinauskomme, sobald ich kann. Wenn ich denn willkommen sein sollte und wenn mir endlich jemand erzählen würde, wo dieses Haus überhaupt liegt.«

»Am Ortsrand von Löderup«, erklärte Kristina. »Du fährst an einem Dorfladen vorbei, dann durch eine Weidenallee, und an deren Ende liegt das Haus auf der linken Seite. Zur Straße hin steht eine Steinmauer. Das Haus hat ein schwarzes Dach und ist sehr schön.«

»Bist du da gewesen?«

»Die erste Fuhre ist ja gestern abgegangen.«

»Weißt du, was er dafür bezahlt hat?«

»Das sagt er nicht.«

Kristina ging. Wallander winkte ihr durchs Küchenfenster nach. Seinen Ärger über das, was sein Vater gesagt hatte, schluckte er hinunter. Schlimmer war es schon, was Helena gesagt hatte. Wallander rief sie an. Als er hörte, daß sie ein anderes Telefongespräch führte, knallte er den Hörer auf. Er verlor selten die Kontrolle. Aber jetzt merkte er, daß er ziemlich dicht daran war. Er rief noch einmal an. Immer noch besetzt. Mona wird Schluß machen, dachte er. Sie wird glauben, daß ich wieder angefangen habe, Helena den Hof zu machen. Es wird keine Rolle spielen, was ich sagen werde. Sie wird es sowieso nicht glauben.

Er rief noch einmal an. Diesmal nahm sie ab.

»Was wolltest du vorhin?« fragte Wallander.

Ihre Stimme war fast böse, als sie antwortete. »Mußt du so unfreundlich sein?«

»War es wirklich nötig, Mona anzurufen?«

»Sie weiß doch, daß ich mich nicht länger für dich interessiere.«

»Weiß sie das? Da kennst du aber Mona schlecht!«

»Ich habe nicht die Absicht, mich dafür zu entschuldigen, daß ich mich nach deiner Telefonnummer erkundigt habe.«

»Also, was wolltest du?«

»Dir von meinen Nachforschungen berichten. Kapitän Verke hat mir geholfen. Erinnerst du dich? Ich sagte doch, daß wir einen alten Kapitän hier haben.«

Wallander fiel es wieder ein.

»Ich habe Fotokopien vor mir auf dem Tisch. Listen von Matrosen und Maschinisten, die in den letzten zehn Jahren bei schwedischen Reedereien gearbeitet haben. Wie du dir vorstellen kannst, sind es ziemlich viele. Bist du übrigens sicher, daß der Mann nur auf Schiffen gearbeitet hat, die unter schwedischer Flagge fuhren?«

»Sicher bin ich überhaupt nicht«, erwiderte Wallander.

»Du kannst die Listen hier abholen«, sagte sie, »wenn du Zeit hast. Aber heute nachmittag habe ich eine Besprechung.«

Wallander versprach, noch am Vormittag zu kommen. Dann legte er auf und dachte, daß er jetzt eigentlich Mona anrufen müßte und ihr eine Erklärung geben sollte. Aber er ließ es auf sich beruhen. Er wagte es ganz einfach nicht.

Es war inzwischen zehn vor acht geworden. Er zog sich die Jacke an.

Der Gedanke daran, einen ganzen Tag auf Streife zu verbringen, verbesserte seine Laune nicht gerade.

Er wollte eben aus der Wohnung gehen, als das Telefon klingelte. Mona, dachte er. Jetzt ruft sie an und sagt mir, daß ich zur Hölle fahren soll. Er holte tief Luft und nahm den Hörer ab.

Es war Hemberg. »Was macht deine Magenverstimmung?«

»Ich war gerade auf dem Weg ins Präsidium.«

»Gut, aber komm zu mir hoch. Ich habe mit Lohman gesprochen. Du bist schließlich ein Zeuge, mit dem wir noch zu reden haben. Heute also keine Streife. Außerdem bleiben dir die Razzien in den Drogenhöhlen erspart.«

»Ich komme«, sagte Wallander.

»Es reicht, wenn du um zehn Uhr hier bist. Ich dachte, du könntest dabeisitzen, wenn wir den Mord in Arlöv noch einmal gründlich durchgehen.«

Das Gespräch war vorbei. Wallander schaute auf die Uhr. Er würde noch Zeit genug haben, die Papiere abzuholen, die bei Helena auf ihn warteten. An der Küchenwand hing ein Busfahrplan. Wenn er sich beeilte, brauchte er nicht einmal zu warten.

Als er aus der Haustür trat, stand Mona da. Damit hatte er nicht gerechnet. Ebensowenig mit dem, was dann geschah. Sie kam umstandslos auf ihn zu und gab ihm eine Ohrfeige. Dann drehte sie sich um und ging davon.

Wallander war so verblüfft, daß er überhaupt nicht reagieren konnte. Seine Wange brannte, und ein Mann, der in der Nähe die Tür seines Wagens aufschloß, betrachtete ihn neugierig.

Mona war schon verschwunden. Langsam begann er, zur Bushaltestelle zu gehen. Jetzt hatte er einen Kloß im Hals. Er hatte nie geglaubt, daß Mona derart heftig reagieren würde.

Der Bus kam. Wallander fuhr ins Stadtzentrum. Der Nebel war jetzt verschwunden, aber es war bewölkt. Der Nieselregen hielt sich hartnäckig. Er saß im Bus, und sein Kopf war vollkommen leer. Die Ereignisse der Nacht existierten nicht mehr. Die Frau, die tot auf einem Stuhl in der Küche gesessen hatte, war Teil eines Traums. Das einzig Wirkliche war Mona, die ihn geohrfeigt hatte und dann ihrer Wege gegangen war. Ohne ein Wort. Ohne zu zögern.

Ich muß mit ihr reden, dachte er. Nicht jetzt, wo sie immer noch so wütend ist, aber heute abend.

Er stieg aus. Seine Wange brannte immer noch. Der Schlag war richtig hart gewesen. Er spiegelte sich in einem Schaufenster. Seine eine Backe war deutlich gerötet. Er blieb stehen. Überlegte, daß er eigentlich so bald wie möglich mit Lars Andersson sprechen müßte. Ihm für seine Hilfe danken und ihm erklären, was geschehen war.

Dann dachte er an ein Haus in Löderup, das er noch nie gesehen hatte. Und an das Haus, in dem er seine Kindheit verbracht hatte und das nicht mehr in der Familie war. Er ging weiter. Nichts wurde besser davon, daß er reglos auf einem Bürgersteig im Zentrum von Malmö stand.

Wallander nahm den dicken Umschlag entgegen, den Helena an der Rezeption für ihn hinterlegt hatte. »Ich muß mit ihr reden«, sagte er zu der Dame hinter der Scheibe.

»Sie ist beschäftigt. Sie hat mich gebeten, Ihnen dies hier zu geben.«

Wallander sagte sich, daß Helena über ihr Gespräch am Morgen verärgert war und ihn nicht treffen wollte. Es fiel ihm nicht sonderlich schwer, ihr das nachzufühlen.

Als er ins Polizeipräsidium kam, war es fünf Minuten nach neun. Er ging in sein Zimmer und sah zu seiner Erleichterung, daß dort niemand auf ihn wartete. Noch einmal überdachte er, was am Morgen passiert war. Wenn er im Frisiersalon anriefe, würde Mona sagen, sie hätte keine Zeit. Er mußte also bis zum Abend warten.

Er öffnete den Umschlag und war verblüfft darüber, daß Helena so viele Namenlisten verschiedener Reedereien zusammenbekommen hatte. Er suchte nach dem Namen Artur Hålén. Aber er fand ihn nicht. Am ähnlichsten waren der Name eines Matrosen, Håle, der meistens für die Grängesreederei gefahren war, und der eines Maschinenoffiziers Halén auf der Johnssonline. Wallander schob den Papierstapel beiseite. Wenn das Verzeichnis vollständig war, bedeutete dies, daß Hålén auf Schiffen gefahren war, die nicht unter schwedischer Flagge registriert waren. Dann würde es nahezu unmöglich sein, ihn zu finden. Wallander wußte plötzlich nicht mehr, was er eigentlich zu finden gehofft hatte. Eine Erklärung wofür?

Es hatte fast eine Dreiviertelstunde gedauert, die Listen durchzusehen. Er stand auf und ging eine Etage höher. Auf dem Flur stieß er mit seinem Chef zusammen. »Solltest du nicht bei Hemberg sein?« fragte Lohman.

»Ich bin auf dem Weg.«

»Was hast du eigentlich in Arlöv gemacht?«

»Das ist eine lange Geschichte. Darum geht es ja bei der Besprechung mit Hemberg.«

Lohman schüttelte den Kopf und eilte davon. Wallander war erleichtert, daß es ihm erspart blieb, die finsteren und deprimierenden Rauschgifthöhlen zu sehen, die seine Kollegen an diesem Tag durchsuchen mußten.

Hemberg saß in seinem Zimmer und blätterte in ein paar Papieren.

Wie gewöhnlich lagen seine Füße auf dem Tisch. Er sah auf, als Wallander in der offenen Tür erschien. »Was ist denn mit dir passiert?« fragte er und zeigte auf die Backe.

»Ich bin gegen eine Tür gelaufen«, erwiderte Wallander.

»Das ist genau die Antwort, die mißhandelte Ehefrauen geben, wenn sie ihre Männer nicht anzeigen wollen«, sagte Hemberg amüsiert und setzte sich auf seinem Stuhl zurecht.

Wallander fühlte sich durchschaut. Er fand es immer schwerer, zu verstehen, was Hemberg eigentlich meinte. Er schien über eine Art doppelter Sprache zu verfügen, bei der sein Gesprächspartner die ganze Zeit nach dem eigentlichen Sinn hinter den Worten suchen mußte.

»Wir warten immer noch auf das endgültige Resultat von

Jörne«, sagte Hemberg. »So etwas braucht seine Zeit. Solange wir nicht genau wissen, wann die Frau gestorben ist, können wir nicht von der Theorie ausgehen, daß Hålén sie getötet hat und anschließend nach Hause gegangen ist, um sich zu erschießen. Aus Reue oder Angst.«

Hemberg stand auf und klemmte sich einen Stapel Papiere unter den Arm. Wallander folgte ihm zu einem Besprechungsraum etwas weiter den Korridor hinunter. Dort saßen schon einige Kriminalbeamte, unter ihnen Stefansson, der Wallander mißbilligend betrachtete. Sjunnesson reinigte seine Fingernägel und sah überhaupt keinen an. Außer ihnen waren noch zwei weitere Männer anwesend, die Wallander kannte. Der eine hieß Hörner, der andere Mattsson. Hemberg setzte sich ans Kopfende und wies auf einen Stuhl für Wallander.

»Muß uns jetzt schon die Ordnungspolizei helfen?« fragte Stefansson. »Haben die nicht genug mit ihren Scheißdemonstranten zu tun?«

»Die Ordnungspolizei braucht uns nicht zu helfen«, erwiderte Hemberg geduldig. »Aber Wallander hat die Frau draußen in Arlöv gefunden. Deshalb ist er hier. So einfach ist das.«

Stefansson schien der einzige zu sein, der Wallanders Anwesenheit mit Mißbilligung zur Kenntnis nahm. Die anderen nickten freundlich. Wallander vermutete, daß sie vor allem froh darüber waren, Verstärkung zu bekommen. Sjunnesson legte den Zahnstocher fort, mit dem er seine Fingernägel gesäubert hatte. Offenbar war dies das Zeichen, daß Hemberg beginnen konnte. Wallander fiel die methodische Genauigkeit auf, mit der die Ermittlungsgruppe bei ihrer Besprechung vorging. Sie hielten sich einerseits an die vorliegenden Fakten. Anderseits erlaubten sie einander und vor allem Hemberg, Fühler in verschiedene Richtungen auszustrecken.

Warum war Alexandra Batista ermordet worden? Was konnte es für einen Zusammenhang mit Hålén geben? Gab es irgendwelche anderen Spuren?

»Die Edelsteine in Håléns Bauch«, sagte Hemberg gegen Ende der Sitzung. »Ich habe sie von einem Juwelier schätzen lassen. Hundertfünfzigtausend Kronen. Viel Geld also. Hier bei uns sind Menschen schon für wesentlich weniger ermordet worden.«

»Jemand hat vor ein paar Jahren einem Taxifahrer mit einem Eisenrohr den Kopf eingeschlagen«, sagte Sjunnesson. »Damals betrug die Beute zweiundzwanzig Kronen.«

Hemberg blickte sich am Tisch um. »Die Nachbarn?« fragte er. »Was gehört? Was gesehen?«

Mattsson blätterte in seinen Aufzeichnungen. »Keine Beobachtungen«, sagte er. »Die Batista hat isoliert gelebt. Ging selten aus, außer zum Einkaufen. Bekam keinen Besuch.«

»Jemand muß aber doch Hålén haben kommen sehen«, wandte Hemberg ein.

»Offenbar nicht. Dabei machten die nächsten Nachbarn den Eindruck, ganz normale Schweden zu sein. Das heißt unerhört neugierig.«

»Wann ist die Batista zuletzt gesehen worden?«

»Darüber gingen die Meinungen auseinander. Aber aus dem, was ich herausbekommen habe, kann man schließen, daß es schon ein paar Tage her ist. Ob es zwei oder drei Tage sind, ließ sich nicht klären.«

»Wissen wir, wovon sie lebte?«

Jetzt war Hörner an der Reihe. »Sie scheint eine kleine Rente bekommen zu haben«, sagte er, »teilweise unklaren Ursprungs. Es gibt da eine Bank in Portugal, die Filialen in Brasilien hat. Es dauert immer so verdammt lange mit Banken. Jedenfalls hat sie nicht gearbeitet. Wenn man gesehen hat, was sie in ihren Kleiderschränken und in der Speisekammer hatte, dann war ihr Leben nicht besonders aufwendig.«

»Aber das Haus?«

»Keine Kredite. Bar bezahlt von ihrem früheren Mann.«

»Und wo ist der?«

»In einem Grab«, antwortete Stefansson. »Er starb vor ein paar Jahren. Beerdigt in Karlskoga. Ich habe mit seiner Witwe gesprochen. Er hatte wieder geheiratet. Es war ein bißchen peinlich. Ich habe leider zu spät gemerkt, daß sie nichts von einer Alexandra Batista in seinem Leben gewußt hat. Kinder scheint die Batista übrigens nicht gehabt zu haben.«

»So kann es gehen«, meinte Hemberg und wandte sich Sjunnesson zu.

»Wir sind noch dabei«, sagte der. »Wir untersuchen die Fingerabdrücke auf den verschiedenen Gläsern. Sie scheinen Rotwein getrunken zu haben. Spanischen, glaube ich. Wir vergleichen die Abdrücke mit denen auf einer leeren Flasche, die ebenfalls in der Küche stand. Gleichzeitig sind wir dabei zu überprüfen, ob wir die Abdrücke in unseren Registern haben. Und dann werden wir sie natürlich mit Håléns vergleichen.«

»Genaugenommen könnten sich seine Fingerabdrücke sogar in Interpolregistern befinden«, unterbrach ihn Hemberg. »Aber es dauert seine Zeit, bis wir von denen Bescheid bekommen.«

»Wir können davon ausgehen, daß der Mörder von Alexandra Batista hereingelassen wurde«, fuhr Sjunnesson fort. »Es gibt keine Einbruchsspuren an Fenstern oder Türen. Er könnte natürlich einen eigenen Schlüssel gehabt haben. Wir haben uns daraufhin Håléns Schlüsselbund angeschaut, aber es war keiner dabei, der paßte. Die Tür zum Wintergarten war angelehnt, wie uns Wallander berichtet hat. Weil die Batista weder eine Katze noch einen Hund gehabt hat, können wir davon ausgehen, daß sie offengestanden hat, um die Nachtluft hereinzulassen. Was wiederum darauf hinweisen dürfte, daß sie keine Angst hatte oder erwartete, daß irgend etwas passieren würde. Vielleicht hat aber auch der Täter auf diesem Wege das Haus verlassen. Auf der Rückseite konnte er nicht so leicht gesehen werden.«

»Andere Spuren?« drängte Hemberg.

»Nichts Aufsehenerregendes.«

Hemberg schob die Papiere fort, die vor ihm auf dem Tisch lagen. »Dann heißt es also weitermachen«, sagte er. »Die Gerichtsmediziner sollen sich ein bißchen beeilen. Das Beste, was uns hier passieren könnte, wäre, wenn wir Hålén mit dem Mord an der Batista in Verbindung bringen könnten. Ich persönlich glaube daran. Aber wir müssen weiter mit den Nachbarn reden und verschiedene Hintergründe abklopfen.«

Dann wandte Hemberg sich an Wallander. »Hast du noch etwas hinzuzufügen? Immerhin warst du es, der sie gefunden hat.«

Wallander schüttelte den Kopf und merkte, daß er einen ganz trockenen Mund hatte. »Nichts. Ich habe nichts Besonderes bemerkt, was ihr nicht schon kommentiert habt.«

Hemberg schlug einen Trommelwirbel mit den Fingern auf den Tisch. »Dann brauchen wir hier nicht länger zu sitzen«, sagte er. »Weiß jemand von euch, was es heute zu Mittag gibt?«

»Hering«, sagte Hörner. »Der ist meistens gut.«

Hemberg bat Wallander, mitzukommen und mit ihm zu essen, aber Wallander lehnte ab. Ihm war der Appetit vergangen. Er hatte das Bedürfnis, allein zu sein und nachzudenken. Er ging in sein Zimmer, um seine Jacke zu holen. Durch das Fenster sah er, daß der Nieselregen aufgehört hatte. Gerade als er das Zimmer verlassen wollte, kam einer seiner Kollegen von der Ordnungspolizei herein. Er warf seine Uniformmütze auf den Tisch.

»Pfui Teufel«, sagte er und ließ sich schwer auf einen Stuhl fallen. Er hieß Jörgen Berglund und stammte von einem Bauernhof in der Nähe von Landskrona. Wallander hatte manchmal Probleme, seinen Dialekt zu verstehen. »Jetzt haben wir zwei von diesen Rauschgiftnestern ausgehoben«, fuhr Berglund fort. »In einem davon haben wir dreizehnjährige Mädchen gefunden, die schon vor Wochen von zu Hause verschwunden waren. Eins von ihnen hat so ekelhaft gerochen, daß man sich die Nase zuhalten mußte. Das andere hat Persson ins Bein gebissen, als wir sie hochheben wollten. Was geht hier in diesem Land eigentlich vor? Und warum warst du nicht dabei?«

»Ich bin zu Hemberg gerufen worden«, antwortete Wallander. Auf die andere Frage, was eigentlich in Schweden los war, wußte er keine Antwort.

Er nahm seine Jacke und ging.

In der Anmeldung wurde er von einem der Mädchen angehalten, die in der Telefonvermittlung saßen. »Hier ist eine Nachricht für dich«, sagte sie und reichte ihm einen Zettel durch die Glasscheibe. Es stand eine Telefonnummer darauf.

»Und was ist das?« fragte er.

»Es hat jemand angerufen und gesagt, er sei ein entfernter Verwandter von dir. Er sei nicht einmal sicher, daß du dich an ihn erinnern würdest.«

»Hat er nicht gesagt, wie er heißt?«

»Nein, aber er schien ziemlich alt zu sein.«

Wallander betrachtete die Telefonnummer. Sie hatte auch eine

Vorwahl: 0411. Das kann doch nicht wahr sein, dachte er. Mein Vater ruft an und erklärt, er sei ein entfernter Verwandter, an den ich mich nicht einmal richtig erinnern könne.

»Wo liegt Löderup?« fragte er.

»Ich glaube, das ist Polizeibezirk Ystad.«

»Ich meine nicht den Polizeibezirk. Ich meine, in welchem Vorwahlbereich?«

»Es gehört zu Ystad.«

Wallander steckte den Zettel in die Tasche und ging. Wenn er einen Wagen gehabt hätte, wäre er schnurstracks nach Löderup hinausgefahren und hätte seinen Vater gefragt, was er mit diesem Anruf eigentlich bezweckte. Wenn er eine Antwort bekommen hätte, hätte er klipp und klar gesagt, daß es von jetzt an keinen Kontakt mehr zwischen ihnen geben würde. Keine Pokerabende, keine Telefongespräche. Wallander würde versprechen, sich bei der Beerdigung einzufinden, von der er hoffte, daß sie in nicht allzu ferner Zukunft stattfinden würde. Aber das wäre auch alles.

Wallander ging die Fiskehamnsgata entlang. Dann bog er in die Slottsgata ein und ging weiter in den Kungspark. Ich habe zwei Probleme, dachte er. Das größte und wichtigste ist Mona. Das zweite ist mein Vater. Beide Probleme muß ich so schnell wie möglich lösen.

Er setzte sich auf eine Bank und betrachtete ein paar Spatzen, die in einer Wasserpfütze badeten. Ein Betrunkener lag schlafend zwischen den Büschen. Eigentlich sollte ich ihn auf die Beine stellen, dachte Wallander. Ihn hier auf eine Bank setzen oder mich sogar darum kümmern, daß er in Gewahrsam genommen wird, um seinen Rausch auszuschlafen. Aber im Moment ist es mir völlig egal. Soll er doch da liegenbleiben.

Er stand auf und ging weiter. Verließ den Kungspark und kam auf die Regementsgata. Er hatte immer noch keinen Hunger. Dennoch blieb er an einem Wurststand am Gustav Adolfs Torg stehen und kaufte sich eine Bratwurst. Dann ging er zurück zum Polizeipräsidium.

Inzwischen war es halb zwei. Hemberg war beschäftigt. Was er selbst tun sollte, wußte er nicht. Eigentlich müßte er mit Lohman darüber sprechen, was er am Nachmittag tun sollte. Aber er ließ es bleiben. Statt dessen zog er die Listen, die Helena ihm gegeben hatte, noch einmal zu sich heran. Ging erneut die Namen durch. Versuchte, ihre Gesichter zu sehen, sich ihre Leben vorzustellen. Matrosen und Maschinisten. Am Rand standen ihre Geburtsdaten. Wallander legte die Papiere wieder fort. Vom Korridor her hörte er etwas, was wie Hohngelächter klang.

Wallander versuchte, an Hålén zu denken. Seinen Nachbarn. Der seinen Tippschein abgegeben, sich ein Extraschloß angeschafft und sich dann erschossen hatte. Alles sprach dafür, daß Hembergs Theorie sich als haltbar erweisen würde. Hålén hatte aus irgendeinem Grund Alexandra Batista getötet und sich anschließend das Leben genommen.

Hier war plötzlich Schluß. Hembergs Theorie war vollkommen logisch und nachvollziehbar. Dennoch kam es Wallander so vor, als ob sie hohl wäre. Die Schale stimmte. Aber der Inhalt? Noch immer blieb vieles unklar. Vor allem paßte es sehr schlecht zu dem Eindruck, den Wallander von seinem Nachbarn gehabt hatte. Einen leidenschaftlichen oder gewalttätigen Zug hatte Wallander an ihm nie festgestellt. Zwar konnten die zurückhaltendsten Menschen in Chaos und Gewalttätigkeit explodieren, wenn sie unter Druck gerieten, aber war es wirklich denkbar, daß Hålén die Frau, mit der er vermutlich ein Verhältnis hatte, ermorden konnte?

Etwas fehlt, dachte Wallander. Innerhalb der Schale ist es leer.

Er versuchte, noch ein Stück weiter zu denken.

Abwesend betrachtete er die Listen vor sich auf dem Tisch. Ohne richtig sagen zu können, woher der Gedanke kam, begann er plötzlich, die Geburtsdaten in der rechten Randspalte durchzugehen. Wie alt war Hålén eigentlich gewesen? Er erinnerte sich, daß er 1898 geboren war, aber an welchem Tag? Wallander rief bei der Vermittlung an und ließ sich zu Stefansson durchstellen. Der nahm sofort ab.

»Wallander hier. Ich wollte nur wissen, ob du Håléns Geburtsdatum gerade greifbar hast.«

»Willst du ihm zum Geburtstag gratulieren?«

Der mag mich nicht, dachte Wallander. Aber die Zeit wird schon noch kommen, da ich ihm zeigen werde, daß ich ein entschieden besserer Ermittler bin als er.

»Hemberg hat mich gebeten, einer Sache nachzugehen«, log Wallander.

Stefansson legte den Hörer hin. Wallander konnte hören, daß er in Papieren blätterte.

»17. September 1898«, sagte Stefansson. »Noch was?«

»Das war alles«, sagte Wallander und legte auf. Dann zog er die Listen wieder zu sich heran. Auf dem dritten Bogen fand er das, wonach er, mehr oder weniger bewußt, gesucht hatte. Einen Maschinisten, geboren am 17. September 1898. Anders Hansson. Die gleichen Initialen wie Artur Hålén, dachte Wallander.

Er ging den Rest der Papiere durch, um sich zu vergewissern, daß es nicht noch mehr Personen gab, die am gleichen Tag Geburtstag hatten. Er fand einen Matrosen, der am 19. September 1901 geboren worden war. Das kam am nächsten.

Wallander zog das Telefonbuch heran und schlug die Nummer des Einwohnermeldeamts nach. Weil Hålén und er im selben Haus gewohnt hatten, mußten sie auch beim selben Einwohnermeldeamt registriert sein. Er wählte die Nummer und wartete. Eine Frau nahm ab. Wallander dachte, daß er ebensogut damit fortfahren konnte, sich als Kriminalbeamter auszugeben.

»Ich heiße Wallander und rufe von der Kriminalpolizei an«, begann er. »Es handelt sich um einen Todesfall, der vor einigen Tagen eingetreten ist. Ich bin bei der Mordkommission.«

Er gab Håléns Namen, Adresse und Geburtsdatum an.

»Und was wollen Sie wissen?« fragte die Frau.

»Ob es irgendwelche Informationen darüber gibt, daß Hålén eventuell früher einen anderen Namen gehabt hat.«

»Er soll also irgendwann seinen Nachnamen geändert haben?«

Verdammt, dachte Wallander. Die Menschen ändern nicht ihre Vornamen, nur ihre Nachnamen.

»Ich sehe einmal nach«, sagte die Frau.

Ein Schlag ins Wasser, dachte Wallander. Ich reagiere, bevor ich meine Ideen gründlich genug durchdacht habe.

Er war versucht, einfach aufzulegen. Aber die Frau würde glauben, ihr Gespräch sei unterbrochen worden, und würde vielleicht im Polizeipräsidium zurückrufen. Er wartete. Es dauerte lange, bis sie zurückkam.

»Der Todesfall ist gerade erst registriert worden«, sagte sie, »deshalb hat es so lange gedauert. Aber Sie hatten recht.«

Wallander fuhr auf seinem Stuhl hoch.

»Er hieß früher Hansson. Der Namenswechsel ist 1962 vorgenommen worden.«

Richtig, dachte Wallander, und trotzdem falsch.

»Und der Vorname?« fragte er. »Wie lautet der?«

»Anders.«

»Aber es müßte Artur sein.«

Die Antwort überraschte ihn.

»Das stimmt. Er muß Eltern gehabt haben, die Vornamen liebten. Oder die sich nicht einigen konnten. Er hieß Erik Anders Artur Hansson.«

Wallander hielt den Atem an. »Dann danke ich Ihnen für Ihre Hilfe«, sagte er.

Als er aufgelegt hatte, verspürte Wallander unmittelbare Lust, sofort Hemberg zu informieren. Aber er blieb auf seinem Stuhl sitzen. Die Frage war, wieviel seine Entdeckung eigentlich wert war. Ich werde diese Sache hier selbst verfolgen, dachte er. Wenn sie zu nichts führt, dann braucht auch niemand etwas davon zu erfahren.

Wallander zog einen Kollegblock heran und erstellte eine Zusammenfassung. Was wußte er eigentlich? Artur Hålén hatte vor sieben Jahren seinen Namen geändert. Linnea Almqvist im ersten Stock hatte bei einer Gelegenheit gesagt, daß Hålén Anfang der sechziger Jahre eingezogen sei. Das konnte stimmen.

Wallander blieb mit dem Bleistift in der Hand sitzen. Dann rief er noch einmal beim Einwohnermeldeamt an. Dieselbe Frau meldete sich.

»Ich habe etwas vergessen«, entschuldigte sich Wallander. »Ich muß wissen, wann Hålén in Rosengård eingezogen ist.«

»Sie meinen Hansson«, berichtigte die Frau. »Ich sehe einmal nach.«

Diesmal ging es schneller. »Er ist am 1. Januar 1962 eingezogen.«

»Und wo wohnte er vorher?«

»Das weiß ich nicht.«

»Ich dachte, es ginge aus Ihren Unterlagen hervor.«

»Er hat im Ausland gelebt. Wo, kann ich Ihnen nicht sagen.«

Wallander nickte in den Hörer.

»Dann ist das jetzt wohl alles. Ich verspreche Ihnen, Sie nicht noch einmal zu stören.«

Er kehrte zu seinen Aufzeichnungen zurück. Hansson zieht von irgendeinem ausländischen Ort 1962 nach Malmö und ändert gleichzeitig seinen Namen. Er beginnt ein Verhältnis mit einer Frau in Arlöv. Ob sie sich von früher kannten, weiß ich nicht. Nach einigen Jahren wird sie ermordet, und Hålén begeht Selbstmord. In welcher Reihenfolge dies geschieht, ist nicht geklärt. Aber Hålén erschießt sich. Nachdem er einen Tippschein ausgefüllt, ein Zusatzschloß an seiner Tür angebracht sowie eine Reihe wertvoller Edelsteine verschluckt hat.

Wallander verzog das Gesicht. Noch immer hatte er keinen Punkt gefunden, an dem er ansetzen konnte. Warum ändert ein Mensch seinen Namen, dachte er. Um sich unsichtbar zu machen? Um unauffindbar zu sein? Damit niemand weiß, wer man ist oder wer man gewesen ist?

Wer man ist oder wer man gewesen ist?

Wallander überlegte. Niemand hatte Hålén gekannt. Er war ein einsamer Wolf. Dagegen konnte es aber Menschen geben, die einen Mann namens Anders Hansson kannten. Die Frage war nur, wie er sie finden sollte.

In diesem Augenblick fiel ihm etwas ein, was im Vorjahr passiert war und was ihm vielleicht dabei helfen konnte, einer Lösung näher zu kommen.

Eines Abends war es zu einer Schlägerei zwischen ein paar Betrunkenen unten am Fähranleger gekommen. Wallander war mit ausgerückt, um die Schlägerei zu beenden. Einer der Beteiligten war ein dänischer Seemann namens Holger Jespersen. Nach Wallanders Auffassung war dieser unfreiwillig in die Schlägerei hineingezogen worden. Das hatte Wallander seinem Vorgesetzten auch gesagt. Er hatte darauf bestanden, daß Jespersen nichts getan habe, und sie hatten ihn laufenlassen, während die anderen zur Wache gebracht wurden. Danach hatte Wallander den Vorfall vergessen.

Aber einige Wochen später war Jespersen plötzlich vor seiner

Tür in Rosengård aufgetaucht und hatte ihm eine Flasche dänischen Aquavit überreicht, als Dank für seine Hilfe. Wallander blieb unklar, wie Jespersen ihn gefunden hatte, aber er hatte ihn eingeladen. Jespersen hatte Alkoholprobleme, allerdings nur quartalsweise. Dazwischen arbeitete er auf verschiedenen Schiffen als Maschinist. Er war ein guter Geschichtenerzähler und schien jeden skandinavischen Seemann zu kennen, der in den letzten fünfzig Jahren gelebt hatte. Jespersen hatte erzählt, daß er seine Abende in einer Bar in Nyhavn verbrachte. Wenn er trocken war, trank er Kaffee, sonst Bier. Aber immer in derselben Kneipe. Wenn er sich nicht gerade irgendwo auf See befand.

Jetzt fiel er Wallander wieder ein. Jespersen weiß es, dachte er. Auf jeden Fall kann er mir einen Rat geben.

Wallander hatte seinen Entschluß bereits gefaßt. Wenn er Glück hatte, wäre Jespersen in Kopenhagen, und hoffentlich nicht mitten in einer seiner Saufperioden. Es war noch nicht drei Uhr. Den Rest des Tages würde Wallander damit verbringen, nach Kopenhagen und zurück zu fahren. Im Polizeipräsidium schien ihn niemand zu vermissen.

Doch bevor er über den Sund fuhr, mußte er noch ein Telefongespräch führen. Es war, als ob der Entschluß, nach Kopenhagen zu fahren, ihm das nötige Selbstvertrauen gegeben hätte. Er wählte die Nummer des Frisiersalons, in dem Mona arbeitete.

Die Frau, die abnahm, hieß Karin und war die Besitzerin. Wallander war ihr mehrfach begegnet. Er fand sie aufdringlich und neugierig. Mona meinte aber, sie sei eine gute Chefin. Er sagte, wer er war, und bat sie darum, Mona etwas zu bestellen.

»Sie können selbst mit ihr sprechen«, sagte Karin. »Sie hat gerade eine Kundin unter der Trockenhaube.«

»Ich sitze in einer Besprechung«, erwiderte Wallander und versuchte sehr beschäftigt zu klingen. »Bestellen Sie ihr bitte nur, daß ich mich bis spätestens zehn Uhr heute abend bei ihr melden werde.«

Karin versprach, es Mona auszurichten.

Hinterher merkte Wallander, daß ihm bei dem kurzen Gespräch der Schweiß ausgebrochen war. Aber er war trotzdem froh, daß er angerufen hatte.

Dann verließ er das Präsidium und erreichte gerade noch das Tragflügelboot um drei Uhr. In früheren Jahren war er oft in Kopenhagen gewesen. In der letzten Zeit zuweilen mit Mona. Früher meist allein. Er mochte die Stadt. So viel größer als Malmö. Manchmal besuchte er das königliche Theater, wenn es eine Opernvorstellung gab, die er sehen wollte.

Eigentlich mochte er die Flugboote nicht. Die Reise ging viel zu schnell. Die alten Fähren gaben ihm stärker das Gefühl, daß zwischen Schweden und Dänemark ein Abstand existierte. Daß er eine Auslandsreise machte, wenn er über den Sund fuhr. Er schaute aus dem Fenster, während er Kaffee trank. Eines Tages werden sie hier bestimmt eine Brücke bauen, dachte er, aber den Tag brauche ich wohl nicht mehr zu erleben.

Als Wallander in Kopenhagen ankam, hatte wieder Nieselregen eingesetzt. Das Boot legte in Nyhavn an. Jespersen hatte ihm erklärt, wo seine Stammkneipe lag, und Wallander war sehr gespannt, als er hineinging.

Es war Viertel vor vier. Er blickte sich in dem düsteren Lokal um. An den Tischen saßen vereinzelt Gäste und tranken Bier.

Irgendwo lief ein Radio. Oder war es ein Grammophon? Eine dänische Frauenstimme sang etwas, was sehr sentimental klang. Wallander konnte Jespersen an keinem der Tische entdecken. Hinter der Theke stand der Barkeeper und löste das Kreuzworträtsel in einer Zeitung, die aufgeschlagen vor ihm lag. Er blickte auf, als Wallander an den Tresen trat.

»Ein Bier«, sagte Wallander. Der Mann gab ihm ein Tuborg.

»Ich suche Jespersen«, sagte Wallander.

»Holger? Der kommt erst in einer Stunde.«

»Er ist also nicht auf See?«

Der Barkeeper lächelte. »Dann würde er wohl kaum in einer Stunde kommen. Er ist meistens so gegen fünf hier.«

Wallander setzte sich an einen Tisch und wartete. Die sentimentale Frauenstimme war jetzt von einer ebenso sentimentalen Männerstimme abgelöst worden. Wenn Jespersen gegen fünf kam, würde Wallander ohne Probleme rechtzeitig wieder in Malmö sein, um Mona noch anzurufen. Er versuchte zu überlegen, was er sagen sollte. Die Ohrfeige würde er überhaupt nicht erwähnen. Er würde ihr erzählen, warum er Helena angerufen hatte. Und er würde nicht nachgeben, bevor sie ihm glaubte.

An einem Tisch war ein Mann eingeschlafen. Der Barkeeper stand immer noch über sein Kreuzworträtsel gebeugt. Die Zeit verstrich langsam. Dann und wann ging die Tür auf, und Tageslicht fiel herein. Jemand kam und jemand ging. Wallander schaute auf die Uhr. Zehn vor fünf. Immer noch kein Jespersen. Er wurde hungrig und bekam ein paar Wurststücke auf einem Teller. Und noch ein Tuborg. Er hatte das Gefühl, daß der Barkeeper immer noch über demselben Wort brütete wie vorhin, als Wallander hereingekommen war.

Es wurde fünf Uhr. Immer noch kein Jespersen. Er kommt nicht, dachte Wallander.

Zwei Frauen traten durch die Tür. Eine von ihnen bestellte einen Schnaps und setzte sich an einen Tisch. Die andere ging hinter den Tresen. Der Barkeeper wandte sich von der Zeitung ab und begann, die Flaschen in den Regalen durchzugehen. Offensichtlich arbeitete die Frau in der Kneipe.

Es wurde zwanzig nach fünf.

Die Tür ging auf, und Jespersen kam herein. In Jeansjacke und Schlägermütze. Er ging direkt zur Theke und grüßte. Der Barkeeper stellte sofort eine Tasse Kaffee vor ihn und zeigte auf den Tisch, an dem Wallander saß. Jespersen nahm seine Kaffeetasse und grinste, als er sah, daß es Wallander war.

»Das ist aber ungewartet«, sagte er in gebrochenem Schwedisch. »Ein schwedischer Polizeibedienter in Kopenhagen.«

»Nicht Bedienter«, sagte Wallander, »Kriminalpolizist.«

»Ist das nicht verdammt noch mal dasselbe?« Jespersen kicherte und tat vier Stücke Zucker in den Kaffee. »Auf jeden Fall schön, Besuch zu bekommen«, sagte er. »Ich kenne alle, die hierherkommen. Ich weiß, was sie trinken, und ich weiß, was sie sagen. Und sie wissen das alles auch über mich. Manchmal frage ich mich, warum ich nicht woanders hingehe. Aber ich glaube, das wage ich nicht.«

»Warum nicht?«

»Jemand könnte etwas sagen, was ich nicht hören will.«

Wallander war nicht sicher, ob er alles verstand, was Jespersen sagte. Teils war sein Dänisch-Schwedisch genuschelt, teils konnten seine Aussagen manchmal etwas unklar sein.

»Ich bin hergekommen, um dich zu treffen«, sagte Wallander. »Ich dachte, daß du mir vielleicht helfen kannst.«

»Jedem anderen Polizeibedienten würde ich sagen, er sollte sich zur Hölle scheren«, erwiderte Jespersen munter, »aber mit dir ist es was anderes. Was willst du denn wissen?«

Wallander erzählte in kurzen Zügen, was passiert war.

»Ein Seemann, der sowohl Anders Hansson als auch Artur Hålén heißt«, schloß er. »Der als Maschinist und auch als Matrose gefahren ist.«

»Welche Reederei?«

»Sahlèn.«

Jespersen schüttelte langsam den Kopf. »Ich müßte davon gehört haben, wenn jemand den Namen gewechselt hat«, sagte er. »Ich glaube nicht, daß so etwas häufig vorkommt.«

Wallander versuchte Håléns Aussehen zu beschreiben. Gleichzeitig dachte er an die Fotografien, die er in den Seemannsbüchern gesehen hatte. Ein Mensch veränderte sich. Vielleicht hatte Hålén sein Äußeres ebenso bewußt verändert wie seinen Namen?

»Kannst du mir noch mehr sagen?« fragte Jespersen. »Außer daß er Matrose und Maschinist war, was an und für sich eine ungewöhnliche Kombination ist. Welche Häfen hat er angelaufen? Auf was für Schiffen ist er gefahren?«

»Ich glaube, er ist ziemlich häufig in Brasilien gewesen«, meinte Wallander zögernd. »Rio de Janeiro natürlich. Aber auch in einer Stadt, die São Luis heißt.«

»Nordbrasilien«, antwortete Jespersen, »ich bin einmal da gewesen. Hatte Freigang und wohnte elegant in einem Hotel, das Casa Grande hieß.«

»Viel mehr kann ich dir nicht erzählen«, sagte Wallander.

Jespersen betrachtete ihn, während er noch ein Stück Zucker in seine Kaffeetasse tat. »Jemand, der ihn kannte? Ist es das, was du wissen willst? Jemand, der Anders Hansson kannte oder Artur Hålén?«

Wallander nickte.

»Dann kommen wir im Moment nicht weiter«, sagte Jespersen,

»aber ich werde mich umhören. Sowohl hier als auch in Malmö. Und jetzt gehen wir etwas essen, finde ich.«

Wallander schaute auf die Uhr. Halb sechs. Er brauchte sich nicht zu beeilen. Wenn er das Boot um neun nahm, käme er noch früh genug nach Hause, um Mona anzurufen. Außerdem hatte er Hunger. Die Wurststücke hatten ihn nicht gesättigt.

»Muscheln«, entschied Jespersen und stand auf. »Wir gehen in ›Anne-Birtes Krug‹ und essen Muscheln.«

Wallander bezahlte für seine Getränke. Weil Jespersen schon hinausgegangen war, mußte Wallander auch den Kaffee bezahlen.

»Anne-Birtes Krug« lag im unteren Teil von Nyhavn. Weil es noch früh am Abend war, hatten sie keine Probleme, einen Tisch zu finden. Muscheln waren vielleicht nicht das, worauf Wallander am meisten Appetit hatte, aber Jespersen hatte entschieden, daß es Muscheln sein sollten. Wallander trank weiter Bier, während Jespersen zu einer giftiggelben Zitronenlimonade überging.

»Ich saufe im Moment nicht«, sagte er, »aber in ein paar Wochen fange ich wieder an.«

Sie aßen, und Wallander hörte Jespersens zahlreichen und gut erzählten Geschichten aus seiner Zeit auf See zu. Kurz vor halb neun brachen sie auf.

Wallander war vorübergehend besorgt, ob er genug Geld bei sich hatte, um die Rechnung zu bezahlen, denn Jespersen sah es offensichtlich als selbstverständlich an, daß er eingeladen war. Aber es reichte.

Sie trennten sich vor dem »Krug«.

»Ich werde die Sache untersuchen«, versprach Jespersen. »Ich lasse von mir hören.«

Wallander ging hinunter zum Fähranleger und stellte sich in die Schlange. Um Punkt neun Uhr wurden die Leinen losgeworfen. Wallander schloß die Augen und schlief sofort ein.

Er erwachte davon, daß alles um ihn her sehr still war. Das Dröhnen der Schiffsmotoren war verstummt. Verwundert blickte er sich um. Sie befanden sich ungefähr in der Mitte zwischen Dänemark und Schweden. Über den Lautsprecher kam eine Mitteilung des Kapitäns. Das Schiff hatte einen Maschinenschaden und mußte nach Kopenhagen zurückgeschleppt werden. Wallander fuhr aus seinem Sitz hoch und fragte eine der Schiffsstewardessen, ob es Telefon an Bord gäbe. Er erhielt eine negative Antwort.

»Wann kommen wir nach Kopenhagen zurück?« fragte er.

»Das wird leider ein paar Stunden dauern, aber wir laden Sie in der Zwischenzeit zu einem belegten Brot und einem Getränk Ihrer Wahl ein.«

»Ich will kein belegtes Brot«, sagte Wallander. »Ich brauche ein Telefon.«

Aber niemand konnte ihm helfen. Er wandte sich an den Steuermann, der ihm kurz und bündig erklärte, daß die Funktelefone nicht für private Gespräche benutzt werden konnten, solange sich das Schiff in einer Notsituation befand.

Wallander setzte sich wieder.

Das glaubt sie mir nie, dachte er. Ein Tragflächenboot mit Motorschaden. Das ist zuviel für sie. Jetzt geht unsere Beziehung endgültig den Bach hinunter.

Wallander erreichte Malmö um halb drei in der Nacht. Sie waren erst kurz nach Mitternacht nach Kopenhagen zurückgekommen. Da hatte er den Gedanken, Mona anzurufen, bereits aufgegeben. Als er in Malmö an Land ging, regnete es in Strömen. Weil er nicht mehr genug Geld bei sich hatte, um ein Taxi zu nehmen, mußte er den ganzen Weg nach Rosengård zu Fuß gehen. Er war gerade durch die Wohnungstür gekommen, als ihm entsetzlich übel wurde. Nachdem er sich erbrochen hatte, bekam er Fieber.

Die Muscheln, dachte er. Sag bloß nicht, daß ich jetzt wirklich eine Magenverstimmung habe.

Den Rest der Nacht verbrachte Wallander auf ständiger Wanderschaft zwischen Bett und Toilette. Immerhin fiel ihm ein, daß er gar nicht angerufen hatte, um sich gesund zu melden. Also war er immer noch krank geschrieben. Im Morgengrauen gelang es ihm endlich, ein paar Stunden zu schlafen. Aber gegen neun Uhr mußte er wieder zur Toilette. Der Gedanke daran, Mona in diesem Zustand anzurufen, war ihm unmöglich. Bestenfalls würde sie einsehen, daß er krank war.

Das Telefon schwieg. Den ganzen Tag rief niemand an.

Spät am Abend begann er sich besser zu fühlen. Aber er war so schlapp, daß er sich nichts anderes machen konnte als eine Tasse

Tee. Bevor er wieder einschlief, fragte er sich, wie es Jespersen wohl ginge. Er hoffte, daß er genauso leiden mußte. Schließlich war es Jespersen gewesen, der vorgeschlagen hatte, Muscheln zu essen.

Am nächsten Morgen versuchte er, ein gekochtes Ei zu essen. Aber es endete damit, daß er wieder zur Toilette laufen mußte. Den Rest des Tages verbrachte er im Bett, merkte aber, daß es seinem Magen langsam besserging.

Kurz vor fünf am Nachmittag klingelte das Telefon. Es war Hemberg. »Ich habe nach dir gesucht«, sagte er.

»Ich liege krank im Bett«, antwortete Wallander.

»Magen-Darm-Grippe?«

»Nein, eher Muscheln.«

»Es gibt wohl kaum einen vernünftigen Menschen, der Muscheln ißt!«

»Ich habe es leider getan, und das hat sich gerächt.«

Hemberg wechselte das Thema. »Ich rufe an, um dir zu sagen, daß Jörne fertig ist«, sagte er. »Es war nicht so, wie wir gedacht haben. Hålén hat sich das Leben genommen, bevor Alexandra Batista erdrosselt wurde. Das bedeutet, daß wir diese Ermittlung einmal in eine andere Richtung drehen müssen. Es war also ein unbekannter Täter.«

»Vielleicht war alles nur Zufall«, sagte Wallander.

»Daß die Batista stirbt und Hålén sich erschießt? Mit Edelsteinen im Magen? Das kannst du jemand anderem erzählen. Aber uns fehlt ein Glied in der Kette. Der Einfachheit halber können wir sagen, daß sich ein Zweipersonendrama plötzlich in ein Dreipersonendrama verwandelt hat.«

Wallander wollte Hemberg von Håléns Namensänderung erzählen, merkte aber, daß er wieder kotzen mußte. Er entschuldigte sich.

»Wenn es dir bessergeht, dann komm morgen zu mir hoch«, sagte Hemberg. »Und denk daran, viel zu trinken. Flüssigkeit ist das einzige, was hilft.«

Nachdem er schleunigst das Gespräch beendet und einen Besuch auf der Toilette absolviert hatte, kehrte Wallander ins Bett zurück. Den Abend und die Nacht verbrachte er irgendwo im Grenzbereich zwischen Wachen und Dösen. Sein Magen hatte sich jetzt beruhigt, aber er war immer noch sehr schlapp. Er träumte von Mona und dachte an das, was Hemberg gesagt hatte. Aber es gelang ihm nicht, sich zu konzentrieren. Er konnte keinen klaren Gedanken fassen.

Am Morgen ging es ihm besser. Er machte sich Toast und trank eine Tasse schwachen Kaffee. Der Magen rebellierte nicht. Er lüftete die Wohnung. Die Regenwolken waren weitergezogen, und es war warm geworden. Gegen Mittag rief Wallander im Damenfrisiersalon an. Wieder war Karin am Apparat.

»Können Sie Mona bestellen, daß ich heute abend anrufe?« fragte er. »Ich bin krank gewesen.«

»Ich werde es ihr ausrichten.«

Wallander konnte nicht sagen, ob ihre Stimme sarkastisch geklungen hatte. Er glaubte nicht, daß Mona besonders viel über ihr Privatleben erzählte. Zumindest hoffte er das.

Gegen ein Uhr machte Wallander sich fertig, um ins Polizeipräsidium zu fahren. Sicherheitshalber rief er vorher an und fragte, ob Hemberg da sei. Nach mehreren ergebnislosen Versuchen, ihn zu erreichen oder zumindest zu erfahren, wo er sich befand, gab Wallander auf. Er entschloß sich, einkaufen zu gehen und sich dann den Rest des Nachmittags auf das Gespräch mit Mona vorzubereiten, das nicht leicht werden würde.

Er machte sich Suppe zum Abendessen, legte sich aufs Sofa und schaute fern. Kurz nach sieben klingelte es. Mona, dachte er. Sie hat eingesehen, daß etwas nicht stimmt, und ist hergekommen, um nach mir zu sehen. Aber als er die Tür öffnete, stand Jespersen davor.

»Deine Scheißmuscheln«, sagte Wallander wütend. »Ich bin zwei Tage lang krank gewesen.«

Jespersen sah ihn fragend an. »Ich habe nichts gemerkt«, sagte er. »Die Muscheln waren bestimmt in Ordnung.«

Wallander begriff, daß es sinnlos war, weiter über das Essen zu reden. Er ließ Jespersen herein. Sie setzten sich in die Küche.

»Hier riecht es aber komisch.«

»So riecht es eben, wenn der Bewohner fast vierzig Stunden auf der Toilette zugebracht hat.«

Jespersen schüttelte den Kopf. »Es muß was anderes gewesen sein«, sagte er, »nicht Anne-Birtes Muscheln.«

»Du bist hier«, sagte Wallander. »Das bedeutet, daß du mir etwas zu sagen hast.«

»Bißchen Kaffee wäre ganz gut«, meinte Jespersen.

»Mein Kaffee ist leider alle. Ich wußte ja nicht, daß du kommst.«

Jespersen nickte. Er war nicht sauer. »Von Muscheln kann man schon ganz schöne Schmerzen in der Wampe kriegen«, sagte er. »Aber irre ich mich total, wenn ich glaube, daß dir eigentlich etwas anderes Sorgen macht?«

Wallander blieb der Mund offenstehen. Jespersen sah geradewegs in ihn hinein, direkt ins Zentrum all seiner momentanen Schmerzen.

»Du könntest recht haben. Aber darüber möchte ich jedenfalls nicht sprechen.«

Jespersen hob beschwichtigend die Hände.

»Du bist hier«, wiederholte Wallander. »Also hast du etwas zu erzählen.«

»Habe ich dir schon einmal erzählt, wieviel Respekt ich vor eurem Präsidenten Palme habe?«

»Er ist nicht Präsident. Er ist noch nicht einmal Ministerpräsident. Außerdem bist du wohl kaum hergekommen, um mir das zu sagen.«

»Es muß trotzdem mal gesagt werden«, insistierte Jespersen. »Doch du hast recht damit, daß mich etwas anderes herführt. Wenn man in Kopenhagen wohnt, fährt man nur nach Malmö, wenn man ein Anliegen hat. Wenn du verstehst, was ich meine.«

Wallander nickte ungeduldig. Jespersen konnte ziemlich umständlich sein. Außer, wenn er sein Seemannsgarn spann. Darin war er ein Meister.

»Ich habe ein wenig mit Freunden in Kopenhagen geredet«, fuhr Jespersen ungerührt fort. »Aber das hat nichts gebracht. Dann bin ich nach Malmö rübergefahren, und da lief es besser. Ich habe mit einem alten Elektriker geredet, der eine halbe Ewigkeit die sieben Weltmeere besegelt hat. Ljungström heißt er. Lebt jetzt im Altersheim. Den Namen des Heims habe ich vergessen. Er kann sich kaum noch auf den Beinen halten, aber seine Erinnerung ist klar.«

»Und was hat er gesagt?«

»Nichts. Aber er hat vorgeschlagen, ich soll ein bißchen mit einem Mann draußen im Freihafen reden. Und als ich den gefunden habe und nach Hansson und Hålén frage, da hat er gesagt: Die sind aber verdammt gefragt, die beiden.«

»Was hat er damit gemeint?«

»Was glaubst du? Du bist doch Polizist, du mußt doch verstehen, was normale Menschen nicht begreifen.«

»Noch mal, was hat er gesagt?«

»Daß die aber verdammt gefragt wären, die zwei.«

Wallander begriff. »Also hat noch jemand anders nach ihm gefragt.«

»Yes.«

»Und wer?«

»Er kannte den Namen nicht. Aber er hat behauptet, es war ein Typ, der ein bißchen heruntergekommen gewirkt hat. Unrasiert, schlecht gekleidet, nicht nüchtern.«

»Und wann ist das gewesen?«

»Vor einem Monat.«

Ungefähr zu der Zeit, als Hålén sein Zusatzschloß hat einbauen lassen, dachte Wallander. »Und er wußte nicht, wie der Mann hieß? Kann ich selber mit ihm reden? Wie heißt er?«

»Er will nicht mit Polizisten reden.«

»Warum nicht?«

Jespersen zuckte mit den Schultern. »Du weißt doch, wie das in einem Hafen ist. Schnapskisten gehen zufällig kaputt. Der eine oder andere Kaffeesack fehlt plötzlich.«

Wallander hatte von so was reden hören.

»Aber ich habe mich noch ein bißchen weiter umgehört«, sagte Jespersen. »Und wenn ich richtig verstanden habe, gibt es da so ein paar wilde Typen, die sich ab und zu treffen und sich die eine oder andere Flasche teilen. In diesem Park da, mitten in der Stadt. Ich habe jetzt den Namen vergessen. Etwas mit P.«

»Pildammspark?«

»Genau der. Übrigens hat der Typ, der nach Hålén und Hansson gefragt hat, ein hängendes Lid.«

»Welches Auge?«

»Es dürfte nicht schwer zu erkennen sein, wenn du ihn findest.«

»Er hat also nach Hålén oder Hansson gefragt. Vor ungefähr einem Monat. Und er treibt sich im Pildammspark herum?«

»Ich dachte, wir könnten versuchen, ihn aufzutreiben, bevor ich zurückfahre«, sagte Jespersen, »und vielleicht sehen wir ja unterwegs ein Café.«

Wallander schaute auf die Uhr. Halb acht.

»Heute abend geht es nicht. Ich bin verabredet.«

»Na, dann fahre ich zurück nach Kopenhagen. Und rede mit Anne-Birte über ihre Muscheln.«

»Es kann auch etwas anderes gewesen sein«, meinte Wallander.

»Genau das werde ich Anne-Birte auch sagen.«

Sie waren in den Flur hinausgegangen. »Vielen Dank, daß du gekommen bist«, sagte Wallander, »und danke für deine Hilfe.«

»Keine Ursache«, erwiderte Jespersen. »Wenn du nicht gewesen wärst, hätte ich damals, als diese Kerle die Schlägerei angefangen haben, Strafe zahlen müssen und bestimmt noch Ärger gekriegt.«

»Bis bald«, sagte Wallander. »Aber Muscheln essen wir keine mehr!«

»Muscheln essen wir keine mehr«, sagte Jespersen und ging.

Wallander kehrte in die Küche zurück und machte sich Notizen über das, was er gerade gehört hatte. Jemand hatte nach Hålén oder Hansson gesucht. Das war vor einem Monat gewesen. Zur gleichen Zeit hatte Hålén ein zusätzliches Schloß in seine Tür einbauen lassen. Der Mann, der sich nach Hålén erkundigen wollte, hatte ein herabhängendes Lid, schien auf die eine oder andere Weise ein Herumtreiber zu sein und hielt sich möglicherweise im Pildammspark auf.

Wallander legte den Stift beiseite. Auch hierüber werde ich mit Hemberg sprechen müssen, dachte er. Jetzt ist es tatsächlich eine richtige Spur.

Dann fiel Wallander ein, daß er Jespersen hätte bitten sollen, auch danach zu fragen, ob einer seiner Bekannten einmal von einer Frau namens Alexandra Batista hatte reden hören.

Es ärgerte ihn, daß ihm ein solches Versäumnis unterlaufen war. Ich denke unvollständig, sagte er zu sich selbst. Ich mache vollkommen unnötige Fehler.

Es war inzwischen Viertel vor acht geworden. Wallander ging in seiner Wohnung auf und ab. Er war rastlos, obwohl sein Magen wieder in Ordnung war. Er überlegte, ob er seinen Vater unter der neuen Telefonnummer draußen in Löderup anrufen sollte. Aber es bestand die Gefahr, daß sie sich wieder streiten würden. Es reichte mit Mona.

Damit die Zeit verging, machte er einen Spaziergang um den Block. Der Sommer war gekommen.

Es war ein warmer Abend.

Er fragte sich, was nun aus der geplanten Reise nach Skagen würde.

Um halb neun war er zurück in seiner Wohnung. Er setzte sich an den Küchentisch und legte die Armbanduhr vor sich hin. Ich benehme mich wie ein Kind, dachte er. Aber im Moment weiß ich wirklich nicht, wie ich es ändern könnte.

Als es neun Uhr war, rief er an. Mona antwortete sofort.

»Bevor du wieder auflegst, würde ich gerne was erklären«, begann Wallander.

»Wer hat denn gesagt, daß ich vorhabe, wieder aufzulegen?«

Wallander war verwirrt. Er hatte sich so gut vorbereitet und genau gewußt, was er sagen wollte. Statt dessen redete jetzt sie.

»Ich glaube dir, daß du alles erklären kannst«, sagte sie, »aber im Moment interessiert mich das nicht. Ich finde, wir sollten uns treffen und miteinander reden.«

»Jetzt?«

»Nicht heute abend, aber morgen. Wenn du kannst.«

»Ich kann.«

»Dann komme ich morgen abend zu dir nach Hause. Aber nicht vor neun. Meine Mutter hat morgen Geburtstag, und ich habe versprochen, sie zu besuchen.«

»Ich kann Abendessen machen.«

»Das ist nicht nötig.«

Wallander begann noch einmal von vorn mit seinen vorbereiteten Erklärungen, aber sie unterbrach ihn.

»Wir reden morgen darüber«, sagte sie, »nicht jetzt. Nicht am Telefon.«

Das Gespräch hatte weniger als eine Minute gedauert. Nichts war so gelaufen, wie Wallander es sich gedacht hatte. Es war ein

Gespräch, von dem er kaum zu träumen gewagt hätte. Auch wenn da ein Unterton war, der nichts Gutes verhieß.

Die Vorstellung, den Rest des Abends zu Hause zu sitzen, machte ihn ruhelos. Es war erst Viertel nach neun. Nichts hindert mich daran, einen Spaziergang durch den Pildammspark zu machen, dachte er. Vielleicht sehe ich sogar einen Mann mit herabhängendem Lid.

In einem der Bücher in seinem Regal lagen hundert Kronen in kleinen Scheinen. Wallander steckte sie in die Tasche, zog die Jacke an und verließ die Wohnung. Es war windstill und immer noch warm. Während er zur Bushaltestelle ging, summte er eine Melodie aus einer Oper. *Rigoletto.* Er sah den Bus kommen und begann zu laufen.

Als er zum Pildammspark hinunterkam, begann er sich zu fragen, ob es wirklich eine so gute Idee war. Der Park war groß. Außerdem suchte er genaugenommen nach einem möglichen Mörder. Ihm klang noch Hembergs absolutes Verbot in den Ohren, allein zu agieren. Aber ich kann ja zumindest einen Spaziergang machen, dachte er. Ich trage keine Uniform. Niemand weiß, daß ich Polizist bin. Ich bin nur ein Mann, der spazierengeht und seinen unsichtbaren Hund ausführt.

Wallander schlenderte einen der Parkwege entlang. Unter einem Baum saß eine Gruppe Jugendlicher. Jemand spielte Gitarre. Wallander sah ein paar Weinflaschen. Er fragte sich, wie viele Gesetzesverstöße diese Jugendlichen gerade begingen. Lohman hätte mit Sicherheit sofort eingegriffen. Aber Wallander ging einfach weiter. Vor ein paar Jahren hätte er selbst noch einer von denen sein können, die da unter dem Baum saßen. Aber jetzt war er Polizist und mußte statt dessen Leute festnehmen, die in der Öffentlichkeit Schnaps und Wein tranken. Er schüttelte den Kopf bei diesem Gedanken. Er konnte es kaum erwarten, endlich bei der Kriminalpolizei anzufangen. Er war nicht Polizist geworden, um gegen Jugendliche vorzugehen, die an einem der ersten warmen Sommerabende Gitarre spielten und Wein tranken. Sondern um die wirklich großen Verbrecher zu fassen, die Gewaltverbrechen oder grobe Eigentumsdelikte begingen oder Rauschgift schmuggelten.

Er ging weiter in das Parkinnere hinein. In einiger Entfernung rauschte der Verkehr. Zwei Jugendliche gingen eng umschlungen an ihm vorbei. Wallander dachte an Mona. Es würde sich alles wieder einrenken lassen. Bald würden sie nach Skagen fahren. Und er würde nie mehr zu spät zu einer Verabredung kommen.

Wallander blieb stehen. Auf einer Bank, nicht weit von ihm entfernt, saßen ein paar Leute und tranken Schnaps. Einer von ihnen riß an der Leine eines Schäferhundes, der nicht stilliegen wollte. Wallander näherte sich langsam. Die Männer schienen sich nicht um ihn zu kümmern. Wallander konnte nicht erkennen, ob einer von ihnen ein herabhängendes Lid hatte.

Plötzlich kam einer der Männer hoch und baute sich auf schwankenden Beinen vor Wallander auf. Er war sehr kräftig. Die Muskeln schwollen unter seinem Hemd, das bis zum Bauch aufgeknöpft war. »Ich brauch 'nen Zehner«, nuschelte er.

Wallander wollte zuerst nein sagen. Zehn Kronen waren eine Menge Geld. Aber dann überlegte er es sich anders.

»Ich suche einen Kumpel«, sagte er. »Ein Typ mit einem herabhängenden Lid.«

Wallander rechnete nicht damit, daß er Glück haben würde. Um so verblüffter war er, als er eine Antwort bekam, die er nicht erwartet hatte.

»Rune is nicht hier. Weiß der Teufel, wohin er verschwunden is.«

»Genau«, sagte Wallander, »Rune.«

»Wer bist du denn, verdammich?« fragte der Mann, der schwankend vor ihm stand.

»Ich heiße Kurt«, antwortete Wallander. »Bin 'n alter Kumpel von Rune.«

»Hab dich hier noch nie gesehen.«

Wallander gab ihm einen Zehner. »Sag Rune Bescheid, wenn du ihn siehst«, sagte er. »Sag, Kurt ist hiergewesen. Weißt du übrigens, wie Rune mit Nachnamen heißt?«

»Ich weiß nicht mal, ob er überhaupt einen Nachnamen hat. Rune is Rune.«

»Und wo wohnt er?«

Der Mann hörte einen Augenblick zu schwanken auf. »Ich

dachte, ihr wärt Kumpel. Dann mußt du doch wissen, wo er wohnt.«

»Er zieht ziemlich oft um.«

Der Mann wandte sich an die übrigen, die auf der Bank saßen.

»Weiß einer von euch, wo Rune jetzt wohnt?«

Das Gespräch, das sich anschloß, war äußerst wirr. Es dauerte lange, bis sie sich einigten, um welchen Rune es eigentlich ging. Dann gab es unterschiedliche Meinungen dazu, wo Rune momentan wohnte. Ob er überhaupt eine Adresse hatte.

Wallander wartete. Der Schäferhund neben der Bank bellte ununterbrochen. Der Mann mit den Muskeln kam zurück.

»Wir wissen nicht, wo Rune wohnt«, sagte er. »Aber wir können ihm sagen, daß Kurt hiergewesen is.«

Wallander nickte und ging schnell davon. Natürlich konnte er sich irren. Mehr als ein Mensch konnte ein hängendes Lid haben. Dennoch war er sicher, daß er auf der richtigen Spur war. Er dachte, daß er sofort Kontakt zu Hemberg aufnehmen und vorschlagen sollte, den Park zu bewachen. Vielleicht hatte die Polizei bereits einen Mann mit einem herabhängenden Lid in ihrer Kartei?

Aber Wallander fühlte sich plötzlich unsicher. Er ging zu schnell vor. Zuerst müßte er ein ordentliches Gespräch mit Hemberg führen. Er würde von der Namensänderung erzählen und davon, was Jespersen gesagt hatte. Dann mußte Hemberg entscheiden, ob dies eine Spur war oder nicht.

Mit dem Gespräch mit Hemberg würde Wallander bis zum nächsten Tag warten.

Er verließ den Park und nahm den Bus nach Hause.

Er war immer noch müde und erschöpft nach der Magenverstimmung und schlief schon vor Mitternacht ein.

Am nächsten Tag erwachte Wallander ausgeschlafen schon um sieben Uhr. Nachdem er festgestellt hatte, daß sein Magen wieder ganz in Ordnung war, trank er eine Tasse Kaffee. Dann wählte er die Telefonnummer, die er von dem Mädchen in der Anmeldung des Polizeipräsidiums bekommen hatte. Er mußte es lange klingeln lassen, bis sein Vater abnahm.

»Bist du das?« fragte der Vater brüsk. »Ich habe in dem ganzen Durcheinander das Telefon nicht gefunden.«

»Warum rufst du im Präsidium an und gibst dich als entfernter Verwandter aus? Du kannst doch verdammt noch mal sagen, daß du mein Vater bist!«

»Ich will nichts mit der Polizei zu tun haben«, entgegnete der Vater. »Warum kommst du nicht her und besuchst mich?«

»Ich weiß ja nicht einmal, wo du wohnst. Kristina hat es nur ungefähr beschrieben.«

»Du bist nur zu faul, es herauszufinden.«

Wallander sah ein, daß das Gespräch aus dem Ruder gelaufen war. Am besten war es jetzt, es so schnell wie möglich zu beenden.

»Ich komme in ein paar Tagen hinaus«, sagte er. »Ich rufe vorher an, und dann erklärst du mir den Weg. Wie fühlst du dich?«

»Gut.«

»Ist das alles? Gut?«

»Es ist ein bißchen durcheinander hier. Aber wenn ich erst alles aufgeräumt habe, dann wird es ausgezeichnet. Ich habe ein schönes Atelier draußen in einem alten Stall.«

»Ich komme«, versprach Wallander.

»Das glaube ich erst, wenn du hier vor mir stehst«, sagte der Vater. »Polizisten kann man selten trauen.«

Wallander beendete das Gespräch. Es kann sein, daß er noch zwanzig Jahre lebt, dachte er resigniert. Und ich werde mich die ganze Zeit mit ihm herumschlagen müssen. Ich werde ihn nicht los. Vielleicht sollte ich das endlich einsehen. Und wenn er jetzt schon ein Griesgram ist, wird es mit den Jahren nur noch schlimmer und schlimmer.

Wallander aß mit neuerwachtem Appetit ein paar belegte Brote und nahm dann den Bus zum Polizeipräsidium.

Kurz nach acht klopfte er an Hembergs halbgeöffnete Tür. Er bekam ein Brummen zur Antwort und trat ein. Ausnahmsweise hatte Hemberg einmal nicht die Füße auf dem Tisch. Er stand am Fenster und blätterte in einer Morgenzeitung.

Als Wallander eintrat, musterte Hemberg ihn amüsiert. »Muscheln«, sagte er, »davor sollte man sich in acht nehmen. Die saugen den ganzen Dreck in sich auf, der im Wasser ist.«

»Es kann ja auch etwas anderes gewesen sein«, antwortete Wallander ausweichend. Hemberg legte die Zeitung fort und setzte sich.

»Ich muß mit dir reden«, sagte Wallander. »Und es wird mehr als fünf Minuten dauern.«

Hemberg nickte zum Stuhl hin.

Wallander erzählte von seiner Entdeckung, daß Hålén vor einigen Jahren den Namen geändert hatte. Er merkte, daß Hemberg aufhorchte. Danach berichtete er von seinem Gespräch mit Jespersen, dem Besuch am Abend zuvor und dem Spaziergang durch den Pildammspark.

»Ein Mann, der Rune heißt«, schloß er. »Der keinen Nachnamen, aber ein hängendes Lid hat.«

Hemberg dachte schweigend nach. »Kein Mensch ist ohne Nachnamen«, sagte er dann. »Und so viele Menschen mit einem hängenden Lid als besonderes Kennzeichen kann es in einer Stadt wie Malmö nicht geben.«

Dann runzelte er die Stirn. »Ich habe dir schon einmal gesagt, du sollst nicht auf eigene Faust agieren. Du hättest schon gestern abend mit mir oder mit jemand anderem Kontakt aufnehmen müssen. Wir hätten die Typen, die du im Park getroffen hast, hergeholt. Bei einem gründlichen Verhör nach einer Nacht in der Ausnüchterungszelle pflegen sich die Leute bestens zu erinnern. Hast du dir aufgeschrieben, wie diese Männer hießen?«

»Ich habe nicht gesagt, daß ich Polizist bin. Ich habe mich als Kumpel von Rune ausgegeben.«

Hemberg schüttelte den Kopf. »So kannst du nicht weitermachen«, sagte er. »Wir agieren offen, solange es nicht gute Gründe für das Gegenteil gibt.«

»Er hat mich um Geld angehauen«, verteidigte sich Wallander, »sonst wäre ich einfach vorbeigegangen.«

Hemberg schaute Wallander forschend an. »Was hast du denn im Pildammspark gemacht?«

»Ich bin spazierengegangen.«

»Du hast also nicht auf eigene Faust ermittelt?«

»Ich mußte mich nach meiner Magenverstimmung ein bißchen bewegen.«

Hembergs Gesicht verriet starke Skepsis. »Es war mit anderen Worten Zufall, daß du den Pildammspark gewählt hast?«

Wallander antwortete nicht. Hemberg stand auf.

»Ich setze ein paar Leute auf die Geschichte an. Gerade im Moment müssen wir auf möglichst breiter Front vorgehen. Ich hätte gedacht, daß es Hålén war, der Batista getötet hat. Aber man irrt sich manchmal. Und dann heißt es nur, einen Strich drunterzuziehen und von vorn anzufangen.«

Wallander verließ Hembergs Zimmer und ging ein Stockwerk tiefer. Er hoffte, nicht auf Lohman zu stoßen. Aber es war fast, als hätte sein Vorgesetzter ihm aufgelauert. Er kam geradewegs aus einem Besprechungszimmer auf ihn zu.

»Ich habe mich schon gefragt, wo du bleibst«, sagte er.

»Ich war krank geschrieben«, erwiderte Wallander.

»Aber man hat dich doch hier im Haus gesehen.«

»Jetzt bin ich ja wieder gesund«, sagte Wallander. »Ich hatte mir den Magen verdorben. Muscheln.«

»Du bist heute für die Fußstreife eingeteilt«, sagte Lohman. »Rede mit Håkansson.«

Wallander ging in das Zimmer, in dem die Ordnungspolizisten ihre Dienstanweisungen entgegennahmen. Håkansson, der groß und dick war und ständig schwitzte, saß an einem Tisch und blätterte in einer Illustrierten.

Er blickte auf, als Wallander hereinkam. »Innenstadt«, sagte er. »Wittberg fängt um neun an und hört um drei auf. Du gehst mit.«

Wallander nickte und ging zum Umkleideraum. Aus seinem Schrank holte er die Uniform und zog sich um. Gerade als er fertig war, kam Wittberg herein. Er war dreißig Jahre alt und sprach ständig von seinem Traum, eines Tages einen Rennwagen zu fahren. Um Viertel nach neun verließen sie das Polizeipräsidium.

»Wenn es warm ist, ist es immer ruhig«, sagte Wittberg. »Also, vielleicht wird es ein angenehmer Tag.«

Der Tag war wirklich sehr ruhig gewesen. Als Wallander um kurz nach drei die Uniform in seinen Spind hängte, hatten sie nicht einmal eingegriffen. Abgesehen davon, daß sie einen Radfahrer angehalten hatten, der auf der falschen Straßenseite gefahren war.

Um vier Uhr war Wallander nach Hause gekommen. Unterwegs hatte er Lebensmittel eingekauft. Es konnte sein, daß Mona ihre Pläne geändert hatte und daß sie trotz allem hungrig sein würde, wenn sie kam.

Um halb fünf hatte er geduscht und sich umgezogen. Noch immer waren es viereinhalb Stunden, bis Mona kommen würde. Nichts hindert mich daran, noch einen Spaziergang im Pildammspark zu machen, dachte Wallander. Nicht, wenn ich mit meinem unsichtbaren Hund unterwegs bin.

Gleichzeitig zögerte er.

Hemberg hatte ihm ausdrückliche Order erteilt.

Trotzdem machte sich Wallander auf den Weg. Um halb sechs ging er den gleichen Parkweg entlang wie am Abend zuvor. Die Jugendlichen, die Gitarre gespielt und Wein getrunken hatten, waren fort. Die Bank, auf der die betrunkenen Männer gesessen hatten, war auch leer. Wallander beschloß, noch eine Viertelstunde weiterzugehen, dann würde er nach Hause zurückkehren. Er ging einen Abhang hinunter, blieb eine Weile stehen und sah den Enten auf dem großen Teich zu. Von irgendwoher hörte er Vogelgezwitscher. Die Bäume dufteten intensiv nach Frühsommer. Ein älteres Paar ging vorbei. Wallander hörte, daß sie von irgend jemandes armer Schwester sprachen. Wessen Schwester es war und warum sie arm dran war, konnte er nicht mehr hören.

Er wollte schon umkehren und denselben Weg zurückgehen, als er zwei Personen im Schatten eines Baumes auf dem Boden sitzen sah. Ob sie betrunken waren oder nicht, konnte er nicht erkennen. Einer der Männer erhob sich. Sein Gang war unsicher. Sein Kumpel saß unter dem Baum und war eingenickt. Sein Kinn lag auf der Brust. Wallander ging näher heran, aber er konnte nicht sagen, ob er ihn am Abend vorher gesehen hatte. Der Mann war schäbig gekleidet, und zwischen seinen Füßen lag eine leere Wodkaflasche.

Wallander bückte sich und versuchte sein Gesicht zu erkennen. Im gleichen Augenblick hörte er Schritte auf dem Kiesweg hinter sich. Als er sich umwandte, standen zwei Mädchen da. Die eine von ihnen erkannte er wieder, ohne jedoch sagen zu können, wo er sie schon einmal gesehen hatte.

»Einer von diesen Scheißbullen«, sagte das Mädchen, »die mich bei der Demonstration geschlagen haben.«

Da wußte Wallander wieder, wer sie war. Das Mädchen, das ihn in der vorigen Woche in dem Café beschimpft hatte.

Wallander erhob sich. Im gleichen Augenblick sah er im Gesicht des anderen Mädchens, daß etwas hinter seinem Rücken passierte. Er wandte sich schnell um.

Der Mann, der gegen den Baum gelehnt gesessen hatte, hatte nicht geschlafen. Jetzt stand er auf.

Er hatte ein Messer in der Hand.

Dann ging alles sehr schnell. Später konnte Wallander sich nur daran erinnern, daß die Mädchen aufgeschrien hatten und weggelaufen waren. Wallander hatte die Arme zum Schutz erhoben, aber es war zu spät. Es gelang ihm nicht, den Stoß zu parieren.

Das Messer traf ihn mitten in die Brust.

Es war, als würde ein warmes Dunkel ihn umfangen und schlüge über ihm zusammen.

Schon bevor er auf dem Kiesweg zusammensackte, hatte sein Bewußtsein aufgehört zu registrieren, was geschah.

Dann war alles nur noch Nebel. Ein dickflüssiges Meer, in dem alles weiß und schweigend war.

Wallander lag vier Tage in tiefer Bewußtlosigkeit. Er mußte sich zwei komplizierten Operationen unterziehen. Das Messer hatte sein Herz gestreift. Aber er überlebte. Und langsam kehrte er aus dem Nebel zurück. Als er schließlich am Morgen des fünften Tages die Augen aufschlug, wußte er nicht, was passiert war oder wo er sich befand.

Aber neben dem Bett war ein Gesicht, das er erkannte. Ein Gesicht, das alles bedeutete.

Monas Gesicht.

Und sie lächelte.

Epilog

Eines Tages Anfang September, als Wallander von dem Arzt, der ihn untersucht hatte, den Bescheid bekam, daß er eine Woche später wieder arbeiten könne, rief er Hemberg an. Später am Nachmittag kam Hemberg hinaus zu Wallanders Wohnung in Rosengård. Sie trafen sich im Treppenhaus. Wallander war gerade unten gewesen und hatte den Müll hinausgebracht.

»Hier hat es angefangen«, sagte Hemberg und nickte zu Håléns Tür.

»Es ist noch kein neuer Mieter eingezogen«, sagte Wallander. »Die Möbel stehen noch drinnen. Die Brandschäden sind noch nicht behoben. Jedesmal, wenn ich gehe oder nach Hause komme, habe ich das Gefühl, daß es nach Rauch riecht.«

Sie setzten sich in Wallanders Küche und tranken Kaffee. Der Septembertag war ungewöhnlich kühl. Hemberg trug einen dicken Pullover unter seinem Mantel. »Der Herbst kommt früh dies Jahr«, sagte er.

»Ich habe gestern meinen Vater besucht«, sagte Wallander. »Er ist aus der Stadt hinaus nach Löderup gezogen. Es ist schön dort draußen auf der Ebene.«

»Wie man sich freiwillig mitten in dem Lehm da draußen ansiedeln kann, das übersteigt meinen Verstand«, erwiderte Hemberg abweisend. »Dann kommt der Winter und alles schneit ein.«

»Ihm scheint es gutzugehen«, meinte Wallander. »Außerdem glaube ich nicht, daß er sich viel aus dem Wetter macht. Er malt von morgens bis abends seine Bilder.«

»Ich wußte nicht, daß dein Vater Künstler ist.«

»Er malt die ganze Zeit dasselbe Motiv«, sagte Wallander. »Eine Landschaft. Mit oder ohne Auerhahn.«

Er stand auf. Hemberg folgte ihm ins Zimmer, wo das Bild an der Wand hing.

»Einer von meinen Nachbarn hat so eins«, sagte Hemberg. »Sie scheinen populär zu sein.«

Sie kehrten in die Küche zurück.

»Du hast alle Fehler gemacht, die man nur machen kann«, sagte Hemberg. »Aber das habe ich dir ja schon gesagt. Man ermittelt nicht auf eigene Faust. Man greift nicht ein, wenn man nicht mindestens zu zweit ist. Es fehlten nur ein paar Zentimeter, dann wärst du tot gewesen. Ich hoffe, du hast etwas gelernt. Zumindest, wie man sich nicht verhält.«

Wallander antwortete nicht. Hemberg hatte natürlich recht.

»Aber du bist hartnäckig gewesen«, fuhr Hemberg fort. »Du warst derjenige, der herausgefunden hat, daß Hålén seinen Namen geändert hatte. Wir hätten es natürlich auch herausgefunden, früher oder später. Wir hätten auch Rune Blom gefunden. Aber du hast richtig gedacht, und du hast logisch gedacht.«

»Ich habe dich angerufen, weil ich neugierig war«, sagte Wallander. »Da ist so vieles, was ich noch gar nicht weiß.«

Rune Blom hatte gestanden. Und aufgrund kriminaltechnischer Beweise konnte ihm auch der Mord an Alexandra Batista nachgewiesen werden.

»Das Ganze begann 1954«, erzählte Hemberg. »Blom ist sehr ausführlich gewesen. Hålén, oder Hansson, wie er damals hieß, und er hatten der Besatzung eines Schiffes angehört, das Brasilien angelaufen hatte. In São Luis waren sie bei irgendeiner Gelegenheit an die Edelsteine gekommen. Er behauptet, daß sie sie für einen Spottpreis von einem betrunkenen Brasilianer gekauft hätten, der ihren richtigen Wert nicht kannte. Das taten sie aber vermutlich auch nicht. Ob sie sie nun gestohlen oder tatsächlich gekauft haben, werden wir wohl nie erfahren. Sie beschlossen, den Schatz zu teilen. Aber dann landete Blom wegen Totschlags in einem brasilianischen Gefängnis, und diese Gelegenheit machte Hålén sich zunutze. Er war es, der die Steine verwahrte. Er änderte seinen Namen, versteckte sich hier in Malmö und traf die Batista. Er rechnete damit, daß Blom den Rest seines Lebens im brasilianischen Gefängnis verbringen würde. Aber Blom wurde schließlich entlassen und begann, nach Hålén zu suchen. Irgendwie erfuhr Hålén, daß Blom in Malmö aufgetaucht war. Er bekam es mit der

Angst zu tun und ließ ein zweites Schloß an seiner Tür anbringen. Aber er besuchte weiterhin seine Freundin Batista. Blom beobachtete ihn. Er behauptet, Hålén habe am gleichen Tag Selbstmord begangen, an dem er, Blom, entdeckt hatte, wo Hålén wohnte. Offenbar reichte das aus, um Hålén in solche Angst zu versetzen, daß er nach Hause ging und sich erschoß. Aber eigenartig ist es schon. Warum gab er Blom nicht einfach die Steine? Warum die Steine schlucken und sich erschießen? Was für ein Sinn liegt darin, so gierig zu sein, daß man es vorzieht zu sterben, anstatt etwas wegzugeben, was doch bloß Geld wert ist?«

Hemberg trank einen Schluck Kaffee und schaute nachdenklich aus dem Fenster. Es regnete.

»Den Rest weißt du«, fuhr er fort. »Blom fand keine Edelsteine. Er vermutete, daß sie bei Alexandra Batista waren. Weil er sich als Freund von Hålén vorstellte, ließ sie ihn herein, ohne Verdacht zu schöpfen. Doch auch sie hatte die Steine nicht, und Blom brachte sie um. Er ist eine gewalttätige Natur. Das hat er schon früher unter Beweis gestellt. Wenn er trinkt, kann er äußerst brutal werden. Er hat mehrere Vorstrafen wegen schwerer Körperverletzung abgesessen. Dazu kommt noch der Totschlag in Brasilien. Diesmal mußte Alexandra Batista dran glauben.«

»Warum hat er sich die Mühe gemacht, zurückzukehren und die Wohnung anzuzünden? War das nicht riskant?«

»Er hat keine andere Erklärung dafür gegeben, als daß er wütend war, weil die Edelsteine verschwunden waren. Und ich glaube ihm. Blom ist ein unangenehmer Zeitgenosse. Anderseits fürchtete er vielleicht auch, daß sein Name irgendwo auf einem Zettel in der Wohnung zu finden sein könnte. Das hatte er noch nicht im Detail nachprüfen können, als du ihn überrascht hast. Aber natürlich ist er mit dem Brand ein Risiko eingegangen. Er hätte ja entdeckt werden können.«

Wallander nickte. Jetzt war ihm das meiste klar.

»Eigentlich ein ekelhafter kleiner Scheißmord. Und ein habgieriger Alter, der sich umbringt«, sagte Hemberg. »Wenn du zur Kriminalpolizei kommst, wirst du so etwas häufig erleben. Nie auf die gleiche Art und Weise. Aber immer mit ungefähr dem gleichen Grundmotiv.«

»Das wollte ich schon fragen«, sagte Wallander. »Ich sehe ein, daß ich viele Fehler gemacht habe.«

»Nun mach dir deswegen nicht ins Hemd«, sagte Hemberg kurz. »Du fängst am 1. Oktober bei uns an. Aber nicht früher.«

Wallander hatte richtig gehört. Insgeheim jubelte er. Aber er ließ sich nichts anmerken, sondern nickte nur.

Hemberg blieb noch eine Weile sitzen. Dann verschwand er in den Regen hinaus. Wallander stand am Fenster und sah ihn in seinem Wagen davonfahren. Zerstreut befühlte er die Narbe an seiner Brust.

Plötzlich fiel ihm etwas ein, was er gelesen hatte. In welchem Zusammenhang, wußte er nicht mehr.

Zu leben hat seine Zeit, zu sterben hat seine Zeit.

Ich bin davongekommen, dachte er. Ich habe Glück gehabt.

Er nahm sich vor, diese Worte nie wieder zu vergessen.

Zu leben hat seine Zeit, zu sterben hat seine Zeit.

Diese Worte würden von nun an seine persönliche Beschwörungsformel sein.

Der Regen trommelte gegen die Scheibe.

Um kurz nach acht kam Mona.

An diesem Abend sprachen sie lange darüber, daß sie im nächsten Sommer die Reise nach Skagen machen wollten, aus der diesmal nichts geworden war.

Der Mann mit der Maske

Wallander sah auf die Uhr. Es war Viertel vor fünf. Er saß in seinem Dienstzimmer im Polizeipräsidium von Malmö. Es war Heiligabend 1975. Die beiden Kollegen, mit denen er das Büro teilte, Stefansson und Hörner, hatten frei. Er selbst wollte in einer knappen Stunde Feierabend machen. Er stand auf und stellte sich ans Fenster. Es regnete. Auch in diesem Jahr würde es keine weiße Weihnacht geben. Er blickte abwesend hinaus, bis die Scheibe anfing zu beschlagen. Dann gähnte er. Sein Kiefer knackte. Vorsichtig schloß er den Mund. Manchmal, wenn er richtig herzhaft gähnte, kam es vor, daß er einen Krampf in einem Muskel unter dem Kinn bekam.

Er ging zurück zum Schreibtisch und setzte sich. Es lagen ein paar Papiere darauf, um die er sich im Moment nicht zu kümmern brauchte. Er lehnte sich im Stuhl zurück und dachte mit Wohlbehagen an die dienstfreien Tage, die er vor sich hatte. Fast eine ganze Woche. Erst Silvester mußte er wieder zum Dienst. Er legte die Füße auf den Tisch, nahm eine Zigarette und zündete sie an. Sofort mußte er husten. Er hatte beschlossen aufzuhören. Es war kein Vorsatz zum neuen Jahr; er kannte sich selbst viel zu gut, um zu glauben, daß das gelingen könnte. Er brauchte eine lange Vorlaufzeit. Aber dann, eines Morgens, würde er erwachen und wissen, daß dies der letzte Tag war, an dem er eine Zigarette anzündete.

Er schaute wieder zur Uhr. Eigentlich konnte er jetzt schon gehen. Es war ein ungewöhnlich ruhiger Dezember gewesen. Die Kriminalpolizei in Malmö hatte zur Zeit keine schweren Gewaltverbrechen aufzuklären. Für die Familienstreitigkeiten, die normalerweise während der Weihnachtstage auftraten, waren andere zuständig.

Wallander nahm die Füße vom Tisch und rief Mona zu Hause an. Sie nahm fast sofort ab.

»Hier ist Kurt.«

»Nun sag bloß nicht, daß du später kommst.«

Seine Verärgerung kam wie aus dem Nichts. Er konnte sie nicht verbergen.

»Ich rufe nur an, um zu sagen, daß ich jetzt schon nach Hause komme. Aber wahrscheinlich war das ein Fehler.«

»Warum bist du gleich sauer?«

»Ich sauer?«

»Du hörst doch, was ich sage.«

»Ich höre, was du sagst. Aber hörst du mich auch? Daß ich tatsächlich anrufe, um zu sagen, daß ich bald nach Hause komme?«

»Fahr bloß vorsichtig.«

Das Gespräch war zu Ende. Wallander blieb mit dem Telefonhörer in der Hand sitzen. Dann knallte er ihn hart auf die Gabel.

Wir können nicht einmal mehr am Telefon miteinander reden, dachte er aufgebracht. Mona fängt aus dem geringsten Anlaß Streit an. Und sie würde vermutlich dasselbe über mich sagen.

Er blieb noch sitzen und sah dem Rauch nach, der zur Decke aufstieg. Er merkte, daß er versuchte, den Gedanken an Mona und sich selbst auszuweichen. Und an ihre Streitereien, die immer alltäglicher wurden. Aber es gelang ihm nicht. Immer häufiger dachte er, daß er am liebsten allem aus dem Weg gehen würde. Daß es ihre fünfjährige Tochter Linda war, die ihre Ehe zusammenhielt. Aber er wehrte sich dagegen. Der Gedanke an ein Leben ohne Mona und Linda war ihm unerträglich.

Er dachte auch, daß er noch nicht einmal dreißig Jahre alt war. Er wußte, daß er die Voraussetzungen hatte, ein guter Polizist zu werden. Wenn er wollte, könnte er bei der Polizei eine glänzende Karriere machen. Seit sechs Jahren arbeitete er in diesem Beruf, und seine rasche Beförderung zum Kriminalassistenten bestärkte ihn in dieser Vorstellung. Auch wenn er häufig das Gefühl hatte, nicht gut genug zu sein. Aber war es das eigentlich, was er wollte? Mona hatte oft versucht, ihn zu überreden, sich bei einer der Wachgesellschaften zu bewerben, die in Schweden immer üblicher wurden. Sie schnitt Annoncen aus und meinte, er würde bedeutend besser verdienen. Seine Arbeitszeiten würden regelmäßiger sein. Aber er wußte, daß sie im Innersten an ihn appellierte, den

Beruf zu wechseln, weil sie Angst hatte. Angst, daß ihm wieder etwas zustoßen könnte.

Er trat erneut ans Fenster. Blickte durch die beschlagene Scheibe über Malmö.

Es war sein letztes Jahr hier. Zum Sommer würde er in Ystad anfangen. Sie waren schon dorthin gezogen. Seit September wohnten sie in einer Wohnung im Zentrum. In der Mariagata. Wallander fühlte, daß er eine Veränderung brauchte. Daß sein Vater seit einigen Jahren in Österlen wohnte, war ein Grund mehr für sie, nach Ystad zu ziehen. Wichtiger war aber, daß es Mona gelungen war, einen günstigen Damenfrisiersalon zu erstehen. Außerdem wollte sie, daß Linda in einer kleineren Stadt als Malmö aufwachsen sollte.

Sie hatten den Umzug in eine Kleinstadt eigentlich nie in Frage gestellt. Auch wenn es Wallanders Karriere vielleicht nicht dienlich sein würde, die Großstadt zu verlassen.

Er war bei verschiedenen Gelegenheiten ins Polizeipräsidium von Ystad gekommen und hatte sich mit seinen zukünftigen Kollegen bekannt gemacht. Vor allem hatte er einen Polizeibeamten in mittleren Jahren namens Rydberg schätzen gelernt.

Wallander hatte vorab hartnäckige Gerüchte gehört, dieser Rydberg sei ein barscher und abweisender Mensch. Sein Eindruck war vom ersten Moment an ein anderer gewesen. Rydberg war zweifellos ein Mann, der seine eigenen Wege ging. Aber Wallander war vor allem beeindruckt von seiner großen Fähigkeit, mit wenigen Worten ein Verbrechen exakt zu beschreiben und zu analysieren.

Er ging zum Schreibtisch zurück und drückte die Zigarette aus. Es war Viertel nach fünf. Jetzt konnte er fahren. Er nahm seine Jacke vom Haken an der Wand. Er würde langsam und vorsichtig nach Hause fahren.

Vielleicht hatte er am Telefon sauer und unfreundlich geklungen, ohne es zu merken? Er war müde. Er brauchte die freien Tage. Mona würde es verstehen, wenn er nur erst Zeit hatte, es zu erklären.

Er zog die Jacke an und fühlte nach, ob er die Schlüssel zu seinem Peugeot in der Tasche hatte.

An der Wand, gleich neben der Tür, hing ein kleiner Rasierspiegel. Wallander betrachtete sein Gesicht. Er war zufrieden mit dem, was er sah. Bald würde er dreißig werden. Aber im Spiegel sah er ein Gesicht, das wesentlich jünger wirkte.

Im gleichen Augenblick wurde die Tür geöffnet. Es war Hemberg, sein unmittelbarer Vorgesetzter, seit er zur Mordkommission gewechselt war. Wallander arbeitete meistens gut mit ihm zusammen. Wenn es zwischen ihnen einmal Probleme gab, lag das fast ausschließlich an Hembergs heftigem Temperament.

Wallander wußte, daß Hemberg sowohl Weihnachten als auch Neujahr Dienst tun würde. Weil er Junggeselle war, hatte er seine freien Tage mit einem Kollegen getauscht, der eine Familie mit vielen Kindern hatte.

»Ich habe mich gerade gefragt, ob du noch da bist«, sagte Hemberg.

»Ich wollte eben gehen«, erwiderte Wallander. »Ich hatte vor, eine halbe Stunde früher abzuhauen.«

»Von mir aus«, sagte Hemberg.

Aber Wallander war sofort klar, daß Hemberg aus einem bestimmten Grund in sein Zimmer gekommen war.

»Was wolltest du denn?« fragte er.

Hemberg zuckte mit den Schultern. »Du wohnst doch jetzt in Ystad«, begann er, »und deswegen dachte ich, du könntest vielleicht unterwegs mal kurz anhalten. Ich habe im Moment ein bißchen wenig Leute. Und an der Sache ist bestimmt sowieso nichts dran.«

Wallander wartete ungeduldig auf die Fortsetzung.

»Eine Frau hat heute nachmittag ein paarmal angerufen. Sie hat ein kleines Lebensmittelgeschäft bei dem Möbelhaus, unmittelbar in der Nähe des letzten Rondells bei Jägersro. Neben der OK-Tankstelle.«

Wallander wußte, wo es war.

Hemberg warf einen Blick auf den Zettel in seiner Hand.

»Sie heißt Elma Hagman und ist der Stimme nach schon ziemlich alt. Sie sagte, daß sich bereits den ganzen Nachmittag eine sonderbare Person vor ihrem Laden herumtreibe.«

Wallander wartete vergeblich auf eine Fortsetzung. »Ist das alles?«

Hemberg machte eine vielsagende Geste mit den Armen. »Es sieht so aus. Sie hat gerade wieder angerufen. Und da bist du mir plötzlich eingefallen.«

»Ich soll also kurz anhalten und mit ihr reden?«

Hemberg warf einen Blick auf die Uhr. »Sie wollte um sechs Uhr zumachen. Du würdest gerade noch rechtzeitig kommen. Ich nehme an, sie hat sich nur etwas eingebildet. Aber du kannst sie ja zumindest beruhigen. Und ihr frohe Weihnachten wünschen.«

Wallander überlegte. Es würde ihn höchstens zehn Minuten kosten, bei dem Laden anzuhalten und festzustellen, ob alles in Ordnung war.

»Ich rede mit ihr«, sagte er. »Immerhin bin ich ja noch im Dienst.«

Hemberg nickte. »Frohe Weihnachten«, sagte er. »Wir sehen uns dann Silvester.«

»Hoffentlich wird es ein ruhiger Abend«, sagte Wallander.

»Zur Nacht hin beginnen die Streitereien«, erwiderte Hemberg düster. »Wir können nur hoffen, daß die Leute nicht allzu gewalttätig werden. Und daß nicht allzu vielen erwartungsfrohen Kindern die Freude genommen wird.«

Sie trennten sich im Korridor. Wallander eilte zu seinem Wagen, den er an diesem Tag vor dem Polizeipräsidium geparkt hatte. Es regnete jetzt stärker. Er legte eine Kassette ein und drehte die Lautstärke hoch. Die Stadt um ihn her glitzerte von erleuchteten Schaufenstern und Straßendekorationen. Jussi Björlings Stimme erfüllte seinen Wagen. Er freute sich wirklich auf die freien Tage, die vor ihm lagen.

Als er sich dem letzten Kreisverkehr vor der Abfahrt nach Ystad näherte, hätte er beinah vergessen, worum Hemberg ihn gebeten hatte. Er mußte heftig bremsen und die Fahrbahn wechseln. Dann bog er beim Möbelhaus, das schon geschlossen hatte, ab. Auch die Tankstelle war verlassen. Aber die Fenster des Lebensmittelgeschäfts direkt hinter der Werkstatthalle waren noch erleuchtet. Wallander hielt und stieg aus. Die Schlüssel ließ er stecken. Er warf die Tür so nachlässig zu, daß das Licht im Wagen nicht ausging. Er kehrte nicht um. Sein Besuch würde nur ein paar Minuten dauern.

Es regnete immer noch sehr stark. Er blickte sich langsam um. Es war niemand zu sehen. Das Brausen der Autos drang schwach herüber. Er fragte sich, wie ein Tante-Emma-Laden in einem Gewerbegebiet überleben konnte, das fast ausschließlich aus Kaufhäusern und Handwerksbetrieben bestand. Ohne eine Antwort gefunden zu haben, eilte er durch den Regen und öffnete die Tür.

Als er den Laden betrat, wußte er sofort, daß etwas nicht in Ordnung war.

Etwas stimmte nicht. Ganz und gar nicht.

Was ihn so unmittelbar reagieren ließ, wußte er selbst nicht. Er blieb an der Tür stehen. Der Laden war leer. Kein Mensch. Und es war still.

Zu still, dachte er nervös. Zu still und zu ruhig. Wo war Elma Hagman?

Vorsichtig trat er an die Theke. Beugte sich hinüber und schaute auf den Fußboden dahinter. Leer. Die Kasse war zu. Das Schweigen um ihn her war ohrenbetäubend. Er dachte, daß er jetzt eigentlich den Laden verlassen sollte. Und nach Verstärkung rufen. Sie müßten mindestens zu zweit sein. Ein Polizist allein durfte nicht eingreifen.

Aber er verwarf den Gedanken, daß etwas nicht stimmte. Er konnte sich nicht unentwegt von seinen Gefühlen leiten lassen.

»Ist hier jemand?« rief er. »Frau Hagman?«

Keine Antwort.

Er ging um die Theke herum. Die Tür dahinter war geschlossen. Er klopfte. Immer noch keine Antwort. Er drückte langsam die Klinke herunter. Die Tür war unverschlossen. Vorsichtig schob er sie auf. Im Zimmer vor ihm lag eine Frau ausgestreckt auf dem Bauch. Daneben ein umgestürzter Stuhl. Um das zur Seite gewandte Gesicht der Frau war Blut auf dem Fußboden. Wallander zuckte zusammen, obwohl er im Innersten erwartet hatte, daß etwas geschehen war. Das Schweigen war zu massiv. Er drehte sich um. Im selben Moment erkannte er, daß jemand hinter ihm stand. Er vollführte die Drehung und duckte sich. Vage nahm er einen Schatten wahr, der mit großer Wucht auf ihn zukam. Dann wurde es dunkel.

Als er die Augen wieder aufschlug, wußte er sofort, wo er sich befand. Er saß auf dem Fußboden hinter der Theke. Sein Kopf dröhnte, ihm war übel.

Etwas Dunkles war auf ihn zugekommen. Ein Schatten, der ihn hart am Kopf getroffen hatte. Das war seine letzte Erinnerung. Sie war sehr klar. Er versuchte aufzustehen, aber es gelang ihm nicht. Ein Tau war um seine Arme und Beine geschlungen und hielt ihn an etwas fest. An etwas hinter seinem Rücken, das er nicht sehen konnte.

Das Tau kam ihm bekannt vor. Dann wurde ihm klar, daß es sein eigenes Abschleppseil war, das immer im Kofferraum seines Wagens lag.

Plötzlich kamen die Erinnerungsbilder zurück. Er hatte eine tote Frau im Büro entdeckt. Höchstwahrscheinlich war es Elma Hagman. Dann hatte ihm jemand einen Schlag auf den Kopf versetzt und ihn anschließend mit seinem eigenen Abschleppseil gefesselt. Er blickte sich um und horchte. Jemand mußte in der Nähe sein. Jemand, vor dem er allen Grund hatte Angst zu haben. Die Übelkeit kam und ging in Wellen. Er versuchte, das Abschleppseil zu dehnen. Konnte er sich losmachen? Er horchte weiter angespannt. Es war immer noch sehr still. Aber es war eine andere Stille. Nicht die, die ihm begegnet war, als er den Laden betrat. Er ruckte an seinen Fesseln. Sie saßen nicht besonders fest, aber seine Arme und Beine waren so verdreht, daß er seine Kraft kaum nutzen konnte.

Er hatte Angst. Was hatte Hemberg gesagt? Elma Hagman habe angerufen und von einer sonderbaren Person gesprochen, die sich in der Nähe ihres Ladens aufhielt. Sie hatte also recht gehabt. Wallander zwang sich, ruhig zu denken. Mona wußte, daß er auf dem Weg nach Hause war. Wenn er nicht käme, würde sie sich Sorgen machen und in Malmö anrufen. Hemberg würde dann sofort daran denken, daß er Wallander zu Elma Hagmans Laden geschickt hatte. Dann würde es nicht mehr lange dauern, bis die Streifenwagen hier wären.

Wallander horchte. Alles war still. Er streckte sich und versuchte zu sehen, ob die Kasse aufgebrochen war. Um etwas anderes als einen Raubmord konnte es sich ja kaum handeln. War die

Kasse offen, hatte der Räuber zudem mit großer Sicherheit das Weite gesucht. Wallander streckte sich, so weit er konnte, aber er vermochte nicht zu erkennen, ob die Kasse geöffnet oder geschlossen war. Dennoch war er überzeugt davon, daß er sich jetzt allein mit der toten Besitzerin in dem Laden befand.

Der Mann, der sie ermordet und ihn niedergeschlagen hatte, mußte bereits verschwunden sein. Mit größter Wahrscheinlichkeit hatte er Wallanders Wagen genommen, denn er hatte den Schlüssel steckenlassen.

Wallander zerrte wieder an seinen Fesseln. Nachdem er die Arme und Beine so weit gestreckt hatte, wie es ihm möglich war, wurde ihm klar, daß er sich auf sein linkes Bein konzentrieren mußte. Wenn er das Bein noch stärker hin und her bewegte, konnte er das Seil lockern und vielleicht loskommen. Das wiederum würde bedeuten, daß er sich umdrehen und nachschauen könnte, wie er an der Wand festgebunden war.

Er merkte, daß ihm der Schweiß ausbrach. Ob es die Anstrengung war oder die Angst, konnte er nicht sagen. Vor sechs Jahren war er niedergestochen worden. Damals war alles so schnell gegangen, daß er überhaupt nicht hatte reagieren und sich wehren können. Das Messer war unmittelbar neben dem Herzen in seine Brust gedrungen. Damals war die Angst erst hinterher gekommen. Diesmal war sie von Anfang an da. Er versuchte sich einzureden, daß nichts mehr passieren würde. Früher oder später würde er sich befreien, früher oder später würde man auch anfangen, nach ihm zu suchen.

Einen Augenblick ließ er von seinen Anstrengungen ab, das linke Bein zu befreien. Sofort schlug die Absurdität der Situation über ihm zusammen. Eine alte Frau wurde an Heiligabend kurz vor Ladenschluß in ihrem Geschäft ermordet. Die Brutalität war auf erschreckende Weise unwirklich. Solche Dinge passierten in Schweden ganz einfach nicht. Schon gar nicht an Heiligabend.

Wieder zerrte und ruckte er an seinen Fesseln. Es ging langsam, aber er hatte das Gefühl, daß das Seil nicht mehr ganz so fest saß. Es gelang ihm mit großer Mühe, den Arm so zu drehen, daß er auf die Uhr sehen konnte. Neun Minuten nach sechs. Es konnte nicht mehr lange dauern, bis Mona unruhig würde. Noch eine halbe

Stunde, und sie würde sich Sorgen machen. Spätestens um halb acht würde sie in Malmö anrufen.

Wallander wurde in seinen Gedanken unterbrochen. Er hatte irgendwo in der Nähe ein Geräusch gehört. Er hielt den Atem an und lauschte. Dann hörte er es wieder. Ein scharrendes Geräusch. Er hatte es schon vorher gehört. Es war die Ladentür. Er hatte das gleiche Geräusch verursacht, als er selbst den Laden betreten hatte. Jemand kam herein. Jemand, der sehr leise ging.

Dann entdeckte er den Mann.

Er stand neben der Theke und schaute auf ihn herunter.

Er hatte eine schwarze Maske über den Kopf gezogen und trug eine dicke Jacke und Handschuhe. Er war mittelgroß und wirkte mager. Er stand vollkommen reglos. Wallander versuchte seine Augen zu sehen. Aber das Licht von der Neonlampe an der Decke war ihm dabei keine Hilfe. Er konnte nichts erkennen. Nur zwei dunkle Löcher.

In der Hand hielt der Mann ein Eisenrohr.

Er stand unbeweglich da.

Wallander fühlte sich klein und hilflos. Er konnte höchstens rufen. Das war alles. Und es wäre sinnlos. Es war niemand in der Nähe. Niemand würde ihn hören.

Der vermummte Mann betrachtete ihn unverwandt.

Dann drehte er sich hastig um und verschwand. Wallander fühlte sein Herz in der Brust hämmern. Er versuchte Geräusche auszumachen. Die Tür? Aber er hörte nichts. Der Mann befand sich also noch im Laden.

Wallander dachte fieberhaft nach. Warum ging der Mann nicht? Warum blieb er? Worauf wartete er?

Er ist von draußen gekommen, dachte Wallander. Er ist in den Laden zurückgekommen. Er wollte kontrollieren, ob ich noch da bin, wo er mich niedergeschlagen und gefesselt hat.

Wallander versuchte den Gedanken zu Ende zu denken. Die ganze Zeit über lauschte er.

Ein maskierter Mann mit Handschuhen begeht einen Raubüberfall, ohne erkannt zu werden. Er hat sich Elma Hagmans einsamen Laden ausgesucht. Warum er sie erschlagen hat, bleibt unbegreiflich. Sie kann ihm keinen Widerstand geleistet haben. Er macht auch nicht den Eindruck, nervös zu sein oder unter Drogen zu stehen.

Der Überfall ist geschehen, und trotzdem bleibt er da. Er flieht nicht. Bleibt da. Wartet.

Wallander begriff, daß irgend etwas nicht stimmen konnte. Es war kein gewöhnlicher Raubüberfall, in den er geraten war. Warum floh der Mann nicht? Stand er unter Schock? Er hatte wahrscheinlich nicht damit gerechnet, einen Menschen zu töten. Oder daß jemand so kurz vor Ladenschluß an Heiligabend noch hereinkam.

Wallander wußte, daß es wichtig war, eine Antwort auf diese Fragen zu finden. Aber es paßte alles nicht zusammen.

Wallander sagte sich, daß ein weiterer Umstand von Bedeutung war.

Der maskierte Mann wußte nicht, daß er Polizist war.

Er hatte keine Veranlassung gehabt, etwas anderes zu glauben, als daß ein später Kunde in den Laden gekommen war. Ob das nun von Vorteil oder Nachteil war, konnte Wallander nicht beurteilen.

Er versuchte das linke Bein zu strecken. Den Durchgang zur Theke behielt er, so gut es ging, im Auge. Der vermummte Mann war dort irgendwo im Hintergrund. Und er bewegte sich lautlos. Das Abschleppseil begann sich zu lockern. Wallanders Hemd war naßgeschwitzt. Mit einer gewaltigen Anstrengung gelang es ihm, das Bein freizubekommen. Er blieb reglos sitzen. Dann wandte er sich vorsichtig um. Das Seil war um die Stütze eines Wandregals gezogen. Wallander wurde klar, daß er sich nicht befreien könnte, ohne gleichzeitig das Regal umzureißen. Dagegen konnte er jetzt das freie Bein benutzen, um das andere Bein Stück für Stück aus den Fesseln zu befreien. Er warf einen Blick auf die Uhr. Es waren sieben Minuten vergangen, seit er zuletzt auf die Uhr geschaut hatte. Noch hatte Mona nicht in Malmö angerufen. Es war fraglich, ob sie überhaupt schon angefangen hatte, sich Sorgen zu machen. Wallander zerrte weiter. Jetzt gab es kein Zurück mehr. Wenn der Mann mit der Maske zu ihm hinsah, würde er sofort entdecken, daß Wallander im Begriff war, sich zu befreien, und Wallander hätte keine Möglichkeit, sich zu verteidigen.

Er arbeitete so schnell und lautlos, wie er konnte. Beide Beine waren jetzt frei. Kurz darauf auch der linke Arm. Jetzt blieb nur noch der rechte. Dann konnte er aufstehen. Was er dann tun würde, wußte er nicht. Eine Waffe hatte er nicht bei sich. Er müßte sich mit bloßen Händen verteidigen, falls er angegriffen würde. Aber er hatte das Gefühl bekommen, daß der Mann mit der Maske nicht besonders groß oder kräftig war. Außerdem wäre er nicht vorbereitet. Der Überraschungseffekt war Wallanders Waffe. Sonst nichts. Und er würde den Laden so schnell wie möglich verlassen. Er würde den Kampf nicht unnötig in die Länge ziehen. Allein konnte er nichts machen. Er mußte unbedingt Kontakt mit Hemberg im Polizeipräsidium aufnehmen.

Seine rechte Hand war jetzt frei. Das Abschleppseil lag neben ihm. Wallander merkte, daß seine Gelenke schon steif geworden waren. Er richtete sich vorsichtig auf die Knie auf und schaute um die Theke herum.

Der Mann mit der Maske kehrte ihm den Rücken zu.

Wallander konnte jetzt zum ersten Mal die ganze Gestalt des Mannes sehen. Sein Eindruck stimmte. Der Mann war wirklich sehr mager. Er trug dunkle Jeans und weiße Turnschuhe.

Er stand vollkommen unbeweglich da. Der Abstand betrug höchstens drei Meter. Wallander könnte sich auf ihn werfen und ihm einen Schlag ins Genick versetzen. Das müßte reichen, um anschließend aus dem Laden herauszukommen.

Dennoch zögerte er.

Im gleichen Augenblick entdeckte er das Eisenrohr. Es lag auf einem Regal neben dem Mann.

Wallander zögerte nicht mehr. Ohne Waffe könnte der Mann mit der Maske sich nicht verteidigen. Langsam begann er sich aufzurichten. Der Mann reagierte nicht. Wallander stand jetzt aufrecht.

Genau in dem Moment fuhr der Mann herum. Wallander warf sich auf ihn. Der Mann trat einen Schritt zur Seite. Wallander stieß gegen ein Regal, das hauptsächlich mit Knäckebrot und Zwieback gefüllt war. Aber er stürzte nicht, es gelang ihm, sich auf den Beinen zu halten. Er drehte sich um und wollte den Mann packen. Aber mitten in der Bewegung erstarrte er.

Der maskierte Mann hatte eine Pistole in der Hand. Er hielt sie ruhig auf Wallanders Brust gerichtet.

Dann hob er langsam den Arm, bis die Waffe genau auf Wallanders Stirn zeigte.

Einen schwindelerregenden Moment lang dachte Wallander, er würde sterben. Einmal hatte er einen Messerstich überlebt. Aber die Pistole, die jetzt auf seine Stirn gerichtet war, würde ihn nicht verfehlen. Er würde sterben. An Heiligabend. In einem Lebensmittelgeschäft am Rande von Malmö. Einen vollkommen sinnlosen Tod, mit dem Mona und Linda von nun an leben müßten.

Unwillkürlich schloß er die Augen. Vielleicht, um nicht hinsehen zu müssen. Oder um sich unsichtbar zu machen. Doch dann schlug er sie wieder auf. Die Pistole war immer noch auf seine Stirn gerichtet.

Wallander konnte seinen eigenen Atem hören. Jedes Ausatmen klang wie ein Stöhnen. Der Mann, der die Pistole auf ihn gerichtet hielt, atmete vollkommen lautlos. Er schien von der Situation völlig unberührt zu sein.

Wallander starrte abwechselnd auf die Pistole und die Maske mit den dunklen Löchern. »Nicht schießen«, sagte er und hörte, daß seine Stimme brüchig und stammelnd klang.

Der Mann reagierte nicht.

Wallander streckte die Hände vor. Er hatte keine Waffe. Er hatte nicht die Absicht, Widerstand zu leisten.

»Ich wollte nur einkaufen«, sagte Wallander. Dann zeigte er auf eines der Regale. Er achtete genau darauf, daß die Handbewegung nicht zu ruckhaft war.

»Ich war auf dem Heimweg«, sagte er. »Sie warten zu Hause. Ich habe eine Tochter. Sie ist fünf Jahre alt.«

Der Mann antwortete nicht. Wallander konnte überhaupt keine Reaktion erkennen.

Er versuchte zu denken. Vielleicht war es doch falsch, sich als ein verspäteter Kunde auszugeben? Vielleicht sollte er lieber die Wahrheit sagen? Daß er Polizist war und herbeordert worden war, weil Elma Hagman angerufen und erzählt hatte, daß ein unbekannter Mann um ihren Laden strich?

Er wußte es nicht. Die Gedanken wirbelten durch seinen Kopf. Aber sie kehrten immer wieder zum selben Ausgangspunkt zurück.

Warum haut er nicht ab? Worauf wartet er?

Plötzlich machte der Mann einen Schritt zurück. Die Pistole wies weiterhin auf Wallanders Kopf. Mit dem Fuß zog er einen kleinen Hocker heran. Dann deutete er mit der Pistole darauf, die er anschließend sofort wieder auf Wallander richtete.

Wallander begriff, daß er sich setzen sollte. Wenn er mich nur nicht wieder fesselt, dachte er. Wenn es bei Hembergs Auftauchen zu einem Schußwechsel kommt, will ich nicht gefesselt hier sitzen.

Er ging langsam vor und setzte sich auf den Hocker. Der Mann war ein paar Schritte zurückgetreten. Als Wallander sich gesetzt hatte, steckte er die Pistole in seinen Gürtel.

Er weiß, daß ich die tote Frau gesehen habe, dachte Wallander. Er war irgendwo hier im Laden, ohne daß ich ihn entdeckt habe. Deswegen hält er mich hier fest. Er wagt es nicht, mich gehen zu lassen. Deswegen hatte er mich gefesselt.

Wallander überlegte, ob er sich auf den Mann stürzen und dann aus dem Laden rennen sollte. Aber da war die Waffe. Und die Ladentür war wahrscheinlich inzwischen verschlossen. Wallander verwarf den Gedanken. Der Mann machte den Eindruck, als beherrsche er die Situation vollständig.

Bisher hat er noch nichts gesagt, dachte Wallander. Es ist immer leichter, sich auf einen Menschen einzustellen, wenn man seine Stimme gehört hat. Aber dieser Mann hier ist stumm.

Wallander machte eine langsame Kopfbewegung. Als sei sein Nacken steif geworden. In Wirklichkeit wollte er einen Blick auf seine Armbanduhr werfen.

Fünf nach halb sieben. Jetzt müßte Mona unruhig werden. Vielleicht war sie schon unruhig geworden. Aber ich kann nicht damit rechnen, daß sie schon angerufen hat. Es ist noch zu früh. Sie ist viel zu sehr daran gewöhnt, daß ich später komme.

»Ich weiß nicht, warum Sie mich hier festhalten wollen«, sagte Wallander. »Ich weiß nicht, warum Sie mich nicht gehen lassen.«

Keine Antwort. Der Mann zuckte zusammen, sagte aber nichts.

Für ein paar Minuten war Wallanders Angst verflogen, aber jetzt kam sie mit voller Kraft zurück.

Irgendwie muß der Mann verrückt sein, dachte Wallander. Er

beraubt an Heiligabend einen Laden, erschlägt eine wehrlose alte Frau, fesselt mich und bedroht mich mit einer Pistole.

Und er flieht nicht. Vor allem das. Er bleibt einfach da.

Das Telefon neben der Kasse begann zu klingeln. Wallander fuhr zusammen. Aber der Mann mit der Maske blieb ungerührt. Er schien nicht zu hören.

Es klingelte weiter.

Der Mann stand reglos.

Wallander versuchte sich vorzustellen, wer der Anrufer sein könnte. Jemand, der sich fragte, warum Elma Hagman nicht nach Hause kam? Das war am wahrscheinlichsten. Sie hätte jetzt längst ihren Laden geschlossen. Es war Weihnachten. Irgendwo saß ihre Familie und wartete.

Wallander fühlte, wie Empörung in ihm aufwallte. Sie war so stark, daß sie seine Angst verdrängte. Wie konnte man eine alte Frau so brutal töten? Was war hier in Schweden eigentlich los?

Sie sprachen oft darüber im Polizeipräsidium, beim Essen oder wenn sie Kaffee tranken. Oder wenn sie eine Ermittlung kommentierten, an der sie arbeiteten.

Was ging eigentlich um sie her vor? Ein unterirdischer Riß war plötzlich in der schwedischen Gesellschaft aufgebrochen. Empfindliche Seismographen registrierten ihn. Aber woher kam er? Daß die Kriminalität sich ständig veränderte, war an sich nichts Bemerkenswertes. Wie einer von Wallanders Kollegen es einmal ausgedrückt hatte: Früher hat man Trichtergrammophone gestohlen, aber keine Autoradios. Aus dem einfachen Grunde, weil es sie damals noch nicht gab.

Aber der Riß, der sich aufgetan hatte, war von anderer Art. Er hatte mit der zunehmenden Gewalt zu tun. Einer Brutalität, die nicht danach fragte, ob sie notwendig war oder nicht.

Und jetzt befand sich Wallander selbst mitten in diesem Riß. An Heiligabend. Vor ihm stand ein vermummter Mann mit einer Pistole im Gürtel. Und ein paar Meter hinter ihm lag eine tote Frau.

Es gab keinerlei Logik in dem Ganzen. Wenn man lange und hartnäckig genug suchte, fand sich meistens ein nachvollziehbares Moment. Aber hier nicht. Man erschlug nicht eine Frau mit einem

Eisenrohr in einem abseits gelegenen Geschäft, außer es war absolut notwendig. Oder sie leistete heftigen Widerstand.

Doch vor allem blieb man nicht anschließend mit einer Maske über dem Kopf da und wartete. Worauf auch immer.

Das Telefon klingelte wieder. Wallander war jetzt davon überzeugt, daß jemand Elma Hagman vermißte. Jemand, der unruhig zu werden begann.

Er versuchte sich vorzustellen, was in dem Mann mit der Maske vorging.

Aber der Kerl bewegte sich nicht und schwieg weiter. Seine Arme hingen herunter.

Das Klingeln hörte auf. Eine der Neonröhren begann zu flackern.

Wallander merkte plötzlich, daß er dasaß und an Linda dachte. Er sah sich selbst in der Tür der Wohnung in der Mariagata stehen und sich darüber freuen, wie sie ihm entgegenlief.

Was für eine wahnsinnige Situation, dachte er. Wieso sitze ich hier auf einem Hocker mit einer dicken Beule im Nacken? Mir ist kotzübel, und ich habe Angst. Die einzigen Kopfbedeckungen, die man zu dieser Jahreszeit tragen sollte, sind Weihnachtsmannmützen. Sonst keine.

Er drehte wieder den Kopf. Es war inzwischen neunzehn Minuten vor sieben. Jetzt rief Mona bestimmt an und wollte wissen, wo er bliebe. Und sie würde nicht klein beigeben. Sie war hartnäckig. Schließlich würde das Gespräch bei Hemberg landen, der sofort Alarm schlagen würde. Mit größter Wahrscheinlichkeit würde er die Sache selbst in die Hand nehmen. Wenn man befürchtete, daß einem Polizisten etwas zugestoßen war, scheute man keine Mittel. Dann zögerten nicht einmal die höheren Vorgesetzten, sich unmittelbar ins Geschehen zu stürzen.

Wallander fühlte seine Übelkeit zurückkehren. Außerdem mußte er bald aufs Klo.

Gleichzeitig war ihm bewußt, daß er nicht mehr lange untätig bleiben konnte. Es gab nur eine Möglichkeit. Das wußte er. Er mußte mit dem Mann sprechen, der sein Gesicht hinter der schwarzen Maske verbarg.

»Ich bin in Zivil«, begann er, »aber ich bin Polizist. Das beste ist, Sie geben auf. Legen Sie die Waffe weg. In ein paar Minuten wird es hier draußen von Streifenwagen wimmeln. Sie sollten wirklich aufgeben und es nicht noch schlimmer machen, als es sowieso schon ist.«

Wallander hatte langsam und deutlich gesprochen. Er hatte sich dazu gezwungen, seine Stimme energisch klingen zu lassen.

Der Mann reagierte nicht.

»Legen Sie die Pistole weg«, sagte Wallander. »Bleiben Sie, oder hauen Sie ab. Aber lassen Sie die Pistole da.«

Immer noch keine Reaktion.

Wallander begann sich zu fragen, ob der Mann stumm war. Oder war er so benebelt, daß er nicht begriff, was Wallander sagte?

»In meiner Innentasche steckt mein Ausweis«, fuhr Wallander fort. »Da können Sie sehen, daß ich Polizist bin. Ich bin unbewaffnet. Aber das habe ich ja schon gesagt.«

Da kam endlich eine Reaktion. Aus dem Nichts. Ein Geräusch, das wie ein Klicken klang. Wallander dachte, daß der Mann mit den Lippen geschnalzt hatte. Oder mit der Zunge gegen den Gaumen geklickt hatte.

Das war alles. Er stand immer noch reglos da.

Es verging vielleicht eine Minute.

Dann hob der Mann plötzlich die eine Hand. Griff von oben an seine Mütze und zog sie sich vom Kopf.

Wallander starrte das Gesicht des Mannes an. Er blickte direkt in ein paar dunkle und müde Augen.

Hinterher sollte Wallander viel darüber nachgrübeln, was er eigentlich erwartet hatte. Wie hatte er sich das Gesicht hinter der Maske vorgestellt? Absolut sicher war er sich nur, daß er sich nie das Gesicht vorgestellt hatte, das er schließlich zu sehen bekam.

Es war ein Schwarzer, der vor ihm stand. Er war nicht braun, nicht kupferfarben, kein Mestize. Sondern wirklich schwarz.

Und er war jung. Kaum älter als zwanzig Jahre.

Mehrere Gedanken schossen Wallander gleichzeitig durch den Kopf. Der Mann hatte vermutlich nicht verstanden, was er auf schwedisch gesagt hatte. Wallander wiederholte, was er gerade gesagt hatte, in seinem dürftigen Englisch, und jetzt konnte er sehen, daß der Mann verstand. Wallander sprach sehr langsam. Und er sagte es, wie es war. Daß er Polizist war. Daß es bald um den Laden von Polizeiwagen wimmeln würde. Daß es das beste wäre, wenn er aufgäbe.

Der Mann schüttelte fast unmerklich den Kopf. Wallander hatte den Eindruck, daß er unendlich müde war. Jetzt, wo er die Maske abgezogen hatte, konnte man es sehen.

Ich darf nicht vergessen, daß er brutal eine alte Frau getötet hat, sagte sich Wallander. Er hat mich niedergeschlagen und gefesselt. Er hat eine Pistole.

Was hatte er eigentlich darüber gelernt, wie man sich in einer Situation wie der gegenwärtigen verhalten mußte? Ruhe bewahren, keine plötzlichen Bewegungen oder provozierenden Bemerkungen machen. Ruhig sprechen. Einen stetigen Strom von Worten. Geduldig und freundlich sein. Versuchen, ein Gespräch in Gang zu bringen. Nicht die Beherrschung verlieren. Vor allen Dingen das nicht. Die Beherrschung zu verlieren hieße die Kontrolle zu verlieren.

Wallander dachte, daß es ein guter Anfang sein könnte, von sich selbst zu sprechen. Er erzählte also, wie er hieß. Daß er auf dem Weg nach Hause zu seiner Frau und seiner Tochter war, um Weihnachten zu feiern. Er merkte, daß der Mann jetzt zuhörte.

Wallander fragte ihn, ob er verstehe.

Der Mann nickte, aber er sagte immer noch nichts.

Wallander schaute auf die Uhr. Jetzt hatte Mona ganz sicher angerufen. Hemberg war vielleicht schon auf dem Weg.

Er entschloß sich, es genau so zu sagen. Der Mann hörte zu. Wallander hatte das Gefühl, daß er schon damit rechnete, die sich nähernden Sirenen zu hören.

Wallander verstummte. Er versuchte zu lächeln.

»Wie heißen Sie?« fragte er.

»Oliver.«

Die Stimme war unsicher. Ergeben, dachte Wallander. Er wartet nicht darauf, daß jemand kommt. Er wartet darauf, daß jemand ihm erklärt, was er getan hat.

»Wohnen Sie hier in Schweden?«

Oliver nickte.

»Sind Sie schwedischer Staatsangehöriger?«

»Nein.«

»Und woher kommen Sie?«

Er antwortete nicht. Wallander wartete. Er war sicher, daß die Antwort kommen würde. Er wollte möglichst viel erfahren, bevor Hemberg und die Streifenwagen eintrafen. Aber er durfte es nicht übereilen. Der Schritt dahin, daß dieser Schwarze die Pistole aus dem Gürtel zog und ihn erschoß, brauchte nicht besonders groß zu sein.

Wallander merkte, daß der Schmerz im Hinterkopf sich verstärkt hatte. Aber er versuchte ihn zu ignorieren.

»Alle kommen von irgendwoher«, sagte er, »und Afrika ist groß. Ich habe etwas über Afrika gelesen, als ich in die Schule ging. Geographie war mein bestes Fach. Ich habe von den Wüsten und den Flüssen gelesen. Und den Trommeln. Wie sie in der Nacht dröhnen.«

Oliver hörte aufmerksam zu. Wallander bekam das Gefühl, daß er jetzt weniger auf der Hut war.

»Gambia«, sagte Wallander. »Dahin fahren viele Schweden in Urlaub. Auch einige meiner Kollegen. Kommen Sie daher?«

»Ich komme aus Südafrika.«

Die Antwort kam schnell und bestimmt. Fast hart.

Wallander war schlecht informiert darüber, was eigentlich in Südafrika vor sich ging. Er wußte nicht viel mehr, als daß das Apartheidsystem und seine Rassengesetze härter denn je angewendet wurden. Aber auch, daß der Widerstand gewachsen war. Er hatte in den Zeitungen von Bombenexplosionen in Johannesburg und Kapstadt gelesen.

Er wußte, daß eine Reihe von Südafrikanern in Schweden eine Zuflucht gefunden hatten. Vor allem solche, die sich offen am schwarzen Widerstand beteiligt hatten und die zu Hause riskierten, zum Tode verurteilt und gehängt zu werden.

Im Kopf zog er ein schnelles Resümee. Ein junger Südafrikaner, der Oliver hieß, hatte Elma Hagman getötet. Soviel wußte er. Nicht mehr und nicht weniger.

Niemand würde mir glauben, dachte Wallander. So etwas geschieht einfach nicht. Nicht in Schweden und nicht am Heiligen Abend.

»Sie fing an zu rufen«, sagte Oliver.

»Sie hat wohl Angst bekommen. Ein vermummter Mann, der in einen Laden kommt, ist erschreckend«, sagte Wallander. »Besonders, wenn er eine Pistole oder ein Eisenrohr in der Hand hat.«

»Sie hätte nicht rufen sollen«, sagte Oliver.

»Sie hätten sie nicht erschlagen sollen«, erwiderte Wallander. »Sie hätte Ihnen das Geld auch so gegeben.«

Oliver zog die Pistole aus dem Gürtel. Es ging so schnell, daß Wallander überhaupt nicht reagieren konnte. Wieder sah er die Pistole auf sich gerichtet.

»Sie hätte nicht rufen sollen«, wiederholte Oliver, und jetzt war seine Stimme vor Angst und Erregung unsicher. »Ich kann dich töten«, fuhr er fort.

»Ja«, sagte Wallander, »das kannst du. Aber warum solltest du?«

»Sie hätte nicht rufen sollen.«

Wallander erkannte, daß er sich gründlich geirrt hatte. Der Südafrikaner war alles andere als kontrolliert und ruhig. Er befand sich an der Grenze eines Zusammenbruchs. Was es war, das da zerbrach, wußte Wallander nicht. Aber jetzt begann er ernsthaft zu fürchten, was geschehen würde, wenn Hemberg käme. Es könnte das reine Massaker werden.

Ich muß ihn entwaffnen, dachte Wallander. Das ist das wichtigste. Ich muß ihn vor allen Dingen dazu bringen, die Pistole wieder in den Gürtel zu stecken. Dieser Mann ist absolut fähig, wild um sich zu schießen. Hemberg ist sicher schon unterwegs, und er ahnt nichts. Selbst wenn er befürchtet, daß etwas passiert ist, erwartet er nicht das hier. Genausowenig, wie ich es erwartet habe. Es kann die reine Katastrophe werden.

»Wie lange sind Sie schon hier?« fragte er.

»Drei Monate.«

»Länger nicht?«

»Ich komme aus Westdeutschland«, sagte Oliver. »Aus Frankfurt. Da konnte ich nicht bleiben.«

»Warum nicht?«

Oliver antwortete nicht. Wallander ahnte, daß es vielleicht nicht das erstemal war, daß Oliver sich eine Mütze über den Kopf gezogen und einen einsam gelegenen Laden überfallen hatte. Er konnte auf der Flucht vor der westdeutschen Polizei sein.

Und das wiederum bedeutete, daß er sich illegal in Schweden aufhielt.

»Was ist denn passiert?« fragte Wallander. »Nicht in Frankfurt, sondern in Südafrika. Warum mußten Sie fliehen?«

Oliver machte einen Schritt auf Wallander zu. »Was wissen Sie von Südafrika?«

»Nicht viel. Eigentlich nur, daß die Schwarzen sehr schlecht behandelt werden.« Wallander biß sich auf die Zunge. Durfte man »Schwarze« sagen? War das diskriminierend?

»Mein Vater ist von der Polizei getötet worden. Sie haben ihn mit einem Hammer erschlagen und ihm seine eine Hand abgeschlagen. Sie ist irgendwo in einem Glas mit Alkohol. Vielleicht in Xanderten. Vielleicht irgendwo sonst in den weißen Vorstädten von Johannesburg, als Souvenir. Und das einzige, was er getan hat, war, dem ANC anzugehören. Das einzige, was er getan hat, war, mit seinen Arbeitskollegen zu reden. Über Widerstand und Freiheit.«

Wallander zweifelte nicht daran, daß Oliver die Wahrheit sagte. Seine Stimme war jetzt ruhig trotz der Dramatik der Situation. Es gab keinen Platz für Lügen.

»Die Polizei fing an, nach mir zu suchen«, fuhr Oliver fort. »Ich habe mich versteckt. Jede Nacht habe ich in einem anderen Bett geschlafen. Schließlich kam ich nach Namibia und von da nach Europa, bis Frankfurt. Und dann hierhin. Aber ich bin immer noch auf der Flucht. Eigentlich gibt es mich gar nicht.«

Oliver verstummte.

Wallander horchte, ob er schon Autos näher kommen hörte. »Sie brauchten Geld«, sagte er. »Sie haben diesen Laden hier gefunden. Die Frau hat um Hilfe gerufen, und Sie haben sie erschlagen.«

»Sie haben meinen Vater mit einem Hammer ermordet. Und seine eine Hand steckt in einem Glas mit Alkohol.«

Er ist verwirrt, dachte Wallander. Hilflos und außer sich. Er weiß nicht, was er tut.

»Ich bin Polizist«, sagte Wallander, »aber ich habe nie jemandem mit einem Hammer auf den Kopf geschlagen, wie Sie mich geschlagen haben.«

»Ich wußte nicht, daß Sie Polizist sind.«

»Im Moment ist das Ihr Glück. Man hat angefangen, nach mir zu suchen. Meine Kollegen wissen, daß ich hier bin. Zusammen müssen wir jetzt die Situation klären.«

Oliver schüttelte die Pistole. »Wenn jemand versucht, mich festzunehmen, schieße ich.«

»Davon wird nichts besser.«

»Es kann auch nicht schlimmer werden.«

Plötzlich hatte Wallander eine Idee, wie er das verkrampfte Gespräch fortführen konnte. »Was, glauben Sie, würde Ihr Vater zu dem sagen, was Sie getan haben?«

Es ging wie ein Zittern durch Olivers Körper. Wallander verstand, daß der junge Mann diesen Gedanken noch nicht gedacht hatte. Oder vielleicht hatte er ihn viel zu oft gedacht.

»Ich verspreche Ihnen, daß Sie nicht geschlagen werden«, sagte Wallander. »Das garantiere ich Ihnen. Aber Sie haben das schwerste Verbrechen begangen, das es gibt. Sie haben einen Menschen getötet. Das einzige, was Sie jetzt tun können, ist, aufzugeben.«

Oliver kam nicht dazu, zu antworten. Das Geräusch sich nähernder Autos wurde jetzt ganz deutlich. Bremsen quietschten. Autotüren wurden geöffnet und wieder zugeschlagen. Verdammt, dachte Wallander. Ich hätte mehr Zeit gebraucht.

Er streckte langsam die Hand aus.

»Geben Sie mir die Pistole«, sagte er. »Nichts wird passieren. Niemand wird Sie schlagen.«

Es klopfte an der Tür. Wallander hörte Hembergs Stimme. Oliver blickte verwirrt zwischen Wallander und der Tür hin und her.

»Die Pistole«, sagte Wallander, »geben Sie sie mir.«

Hemberg rief und fragte, ob Wallander da sei.

»Warte«, rief Wallander zurück. Dann wiederholte er es auf englisch.

»Ist alles in Ordnung?« Hembergs Stimme klang besorgt.

Nichts ist in Ordnung, dachte Wallander. Das hier ist ein Alptraum.

»Ja«, rief er. »Warte. Tu nichts.«

Auch diesmal wiederholte er seine Worte auf englisch.

»Geben Sie mir die Pistole. Geben Sie mir jetzt die Pistole!«

Oliver richtete sie plötzlich an die Decke und schoß. Der Knall war ohrenbetäubend.

Dann richtete er die Waffe auf die Tür. Wallander schrie Hemberg eine Warnung zu. Er solle sich von der Tür entfernen. Und warf sich im gleichen Augenblick auf Oliver. Beide fielen hin, rollten über den Fußboden und rissen einen Zeitungsständer um. Wallanders Denken war einzig darauf gerichtet, die Waffe zu fassen zu bekommen. Oliver zerkratzte ihm das Gesicht und brüllte Worte in einer Sprache, die Wallander nicht verstand. Als Wallander fühlte, daß Oliver im Begriff war, ihm ein Ohr abzureißen, wurde er rasend. Er bekam eine Hand frei und versuchte, Oliver die geballte Faust ins Gesicht zu schlagen. Die Pistole war zur Seite geglitten und lag zwischen den herabgefallenen Zeitungen. Wallander wollte danach greifen, als Oliver ihn mit einem Tritt direkt in den Bauch traf. Wallander blieb die Luft weg. Gleichzeitig sah er, wie Oliver sich auf die Waffe warf. Er konnte nichts machen. Der Tritt hatte ihn gelähmt. Oliver saß auf dem Fußboden zwischen den Zeitungen und richtete die Waffe auf ihn.

Zum zweiten Mal an diesem Abend schloß Wallander vor dem Unausweichlichen die Augen. Jetzt war es zu Ende. Er konnte nichts mehr tun. Draußen waren weitere Sirenen zu hören, die sich näherten, und aufgeregte Stimmen, die schrien, was eigentlich los sei.

Nichts, außer daß ich sterbe, dachte Wallander. Sonst nichts.

Der Schuß war ohrenbetäubend. Wallander prallte zurück. Ihm blieb wieder die Luft weg. Er rang nach Atem.

Dann wurde ihm klar, daß er nicht getroffen worden war. Er machte die Augen auf.

Vor ihm, ausgestreckt auf dem Fußboden, lag Oliver.

Er hatte sich in den Kopf geschossen. Neben ihm lag die Waffe.

Verdammt, dachte Wallander. Warum hat er das getan?

Im selben Augenblick wurde die Tür eingetreten. Wallander erkannte Hemberg. Dann sah er auf seine Hände. Sie zitterten. Er zitterte am ganzen Körper.

Wallander hatte eine Tasse Kaffee bekommen und war verbunden worden. Er hatte Hemberg eine kurze Darstellung des Geschehens gegeben.

»Wenn ich das geahnt hätte«, sagte Hemberg anschließend. »Und ich habe dich noch gebeten, auf dem Heimweg hier anzuhalten.«

»Wie hättest du es ahnen können? Wie hätte sich überhaupt jemand so etwas vorstellen können?«

Hemberg schien über Wallanders Worte nachzudenken.

»Eine neue Entwicklung«, sagte er schließlich. »Die Unruhe dringt über unsere Grenzen herein.«

»Wir schaffen sie genausosehr selbst«, entgegnete Wallander. »Auch wenn gerade Oliver hier ein unglücklicher und friedloser junger Mann aus Südafrika war.«

Hemberg fuhr zusammen, als habe Wallander etwas Unpassendes gesagt. »Unglücklich und friedlos«, wiederholte er dann. »Es gefällt mir nicht, daß ausländische Kriminelle unser Land überschwemmen.«

»Das stimmt ja so auch nicht«, erwiderte Wallander. Dann wurde es still. Weder Hemberg noch Wallander waren in der Lage, das Gespräch fortzusetzen. Sie wußten beide, daß sie sich nicht einigen würden.

Auch hier gibt es einen Riß, dachte Wallander. Eben saß ich noch in einem Riß eingeklemmt, und jetzt stecke ich mitten in einem anderen fest, der zwischen mir und Hemberg aufbricht.

»Warum ist er eigentlich hier im Laden geblieben?« fragte Hemberg.

»Wohin hätte er denn gehen sollen?«

Keiner von beiden hatte etwas hinzuzufügen.

»Deine Frau hat angerufen«, sagte Hemberg nach einer Weile. »Sie wollte wissen, warum du nicht nach Hause kommst. Du hattest offenbar angerufen und ihr gesagt, du wärst unterwegs.«

Wallander dachte an das Telefongespräch zurück. Den kurzen Streit. Aber er fühlte nichts als Erschöpfung und Leere. Er vertrieb diese Gedanken.

»Du solltest besser zu Hause anrufen«, sagte Hemberg.

Wallander sah ihn an. »Und was soll ich sagen?«

»Daß du aufgehalten wurdest. Aber wenn ich du wäre, würde ich nicht im Detail erzählen, was passiert ist. Damit würde ich warten, bis ich zu Hause bin.«

»Bist du nicht unverheiratet?«

Hemberg lächelte. »Ich kann mir doch trotzdem vorstellen, wie es ist, wenn man jemanden hat, der zu Hause auf einen wartet.«

Wallander nickte. Dann erhob er sich schwerfällig vom Stuhl. Sein ganzer Körper schmerzte. Die Übelkeit kam und ging in Wellen.

Er bahnte sich einen Weg zwischen Sjunnesson und den Kollegen von der Spurensicherung hindurch, die bereits bei der Arbeit waren.

Als er nach draußen kam, blieb er ganz still stehen und sog die kalte Luft tief in seine Lungen. Dann ging er weiter zu einem der Streifenwagen. Er setzte sich auf den Vordersitz, sah auf das Funkgerät und dann auf seine Armbanduhr. Zehn Minuten nach acht.

Heiligabend 1975.

Durch die nasse Frontscheibe entdeckte er eine Telefonzelle neben der Tankstelle. Er stieg aus und ging hinüber. Wahrscheinlich war sie kaputt, aber er wollte wenigstens einen Versuch machen.

Ein Mann mit einem Hund an der Leine stand im Regen und beobachtete die Streifenwagen und den erleuchteten Laden. »Was ist denn passiert?« fragte er. Stirnrunzelnd betrachtete er Wallanders zerkratztes Gesicht.

»Nichts«, sagte Wallander. »Ein Unglück.«

Der Mann mit dem Hund begriff, daß Wallander weiter nichts sagen konnte, und stellte keine weiteren Fragen.

»Frohe Weihnachten«, sagte er nur.

»Danke, gleichfalls«, erwiderte Wallander.

Dann rief er Mona an.

Der Regen nahm wieder zu.

Gleichzeitig setzte der Wind ein.

Ein böiger Wind aus Norden.

Der Mann am Strand

Am Nachmittag des 26. April 1987 saß Kriminalkommisar Kurt Wallander in seinem Dienstzimmer im Polizeipräsidium von Ystad und schnitt sich gedankenverloren Haare aus dem einen Nasenloch. Es war kurz nach fünf. Er hatte gerade eine Mappe zugeklappt, in der Material über die trostlose Fahndung nach einer Autoschieberbande gesammelt war, die gestohlene Luxusautos nach Polen schmuggelte. Die Ermittlung konnte sich inzwischen, gewisse Unterbrechungen eingerechnet, der zweifelhaften Ehre eines zehnjährigen Bestehens erfreuen. Sie war angelaufen, als Wallander gerade erst in Ystad zu arbeiten begonnen hatte. Insgeheim hatte er sich oft gefragt, ob sie auch an dem in ferner Zukunft liegenden Tag seiner Pensionierung noch weiterlaufen würde.

Auf seinem Schreibtisch war ausnahmsweise einmal vollkommene Ordnung. Längere Zeit hatte dort das Chaos geherrscht, und er hatte das schlechte Wetter zum Vorwand genommen, um zu arbeiten, denn er war Strohwitwer.

Einige Tage zuvor waren Mona und Linda auf die Kanarischen Inseln geflogen. Für Wallander war diese Reise eine totale Überraschung gewesen. Er hatte nichts davon gewußt, daß Mona das Geld dafür zusammengespart hatte, und auch Linda hatte nichts gesagt. Gegen den Widerstand ihrer Eltern hatte sie vor kurzem das Gymnasium geschmissen. Im Augenblick machte sie vor allem einen zornigen, müden und verwirrten Eindruck. Er hatte die beiden frühmorgens nach Sturup gefahren und auf dem Rückweg nach Ystad gedacht, daß er eigentlich nichts dagegen hatte, ein paar Wochen ganz für sich allein zu haben. Seine Ehe mit Mona knackte in allen Fugen. Woran es lag, wußte keiner von ihnen. Aber beiden war klar, daß in den letzten Jahren Linda ihre Beziehung zusammengehalten hatte. Was würde passieren, jetzt, wo sie die Schule aufgegeben und angefangen hatte, ihren eigenen Weg zu gehen?

Er stand auf und trat ans Fenster. Der Wind zerrte und rüttelte an den Bäumen auf der anderen Straßenseite. Es nieselte. Das Thermometer zeigte vier Grad über Null. Noch war der Frühling in weiter Ferne.

Er zog die Jacke an und verließ das Zimmer. An der Anmeldung nickte er der Wochenendvertretung zu, die am Telefon sprach. Er fuhr mit dem Wagen ins Zentrum. Während er überlegte, was er fürs Abendessen einkaufen sollte, schob er eine Kassette mit Maria Callas in den Kassettenspieler.

Sollte er überhaupt etwas einkaufen? Hatte er überhaupt Hunger? Seine Unentschlossenheit ärgerte ihn. Gleichzeitig hatte er keine Lust, wieder in seine alte Unart zu verfallen und an irgendeinem Imbißstand Hamburger zu essen. Mona hatte ihn immer öfter darauf hingewiesen, daß er dick würde. Und sie hatte recht. Vor ein paar Monaten hatte er plötzlich eines Morgens sein Gesicht im Badezimmerspiegel angestarrt und eingesehen, daß seine Jugend unwiderruflich vorbei war. Er würde bald vierzig sein, sah aber älter aus. Früher hatte er eher jünger ausgesehen, als er war.

Verstimmt fuhr er auf den Malmöväg und hielt bei einem der Supermärkte an. Er wollte gerade die Tür zuschlagen, als im Wageninneren sein Autotelefon zu summen begann. Einen Moment lang überlegte er, ob er es ignorieren sollte. Was es auch sein mochte, sollte sich doch ein anderer darum kümmern. Im Augenblick hatte er mit seinen eigenen Problemen genug zu tun. Aber er überlegte es sich doch, griff zum Hörer und meldete sich.

»Wallander?« hörte er seinen Kollegen Hansson fragen.

»Ja.«

»Wo bist du?«

»Ich wollte gerade einkaufen.«

»Mach das nachher. Komm statt dessen her. Ich bin im Krankenhaus. Ich warte draußen auf dich.«

»Was ist denn los?«

»Es ist ein bißchen schwer zu erklären. Es ist besser, wenn du gleich kommst.«

Das Gespräch war vorbei. Wallander wußte, daß Hansson nicht

angerufen hätte, wenn es nichts Ernstes wäre. Er brauchte nur ein paar Minuten zum Krankenhaus. Vor dem Eingang kam Hansson ihm schon entgegen. Er schien zu frieren. Wallander versuchte, von seinem Gesicht abzulesen, was passiert war.

»Was ist denn los?«

»Da drinnen sitzt ein Taxifahrer, der Stenberg heißt«, sagte Hansson. »Er trinkt Kaffee und ist völlig außer sich.«

Wallander folgte Hansson fragend durch die Glastüren.

Die Cafeteria lag rechts. Sie gingen an einem alten Mann vorbei, der im Rollstuhl saß und langsam einen Apfel kaute. Wallander erkannte Stenberg, der allein an einem Tisch saß. Er war ihm schon einmal begegnet, konnte sich aber nicht erinnern, in welchem Zusammenhang. Stenberg war um die Fünfzig, korpulent und fast kahl. Seine Nase war verbogen, als sei er in seiner Jugend Boxer gewesen.

»Sie kennen vielleicht Kommissar Wallander?« sagte Hansson.

Stenberg nickte und stand auf, um Wallander zu begrüßen.

»Bleiben Sie doch sitzen«, sagte Wallander. »Erzählen Sie lieber, was passiert ist.«

Stenbergs Blick flackerte. Wallander erkannte, daß der Mann entweder sehr beunruhigt war oder Angst hatte. Was von beidem zutraf, konnte er noch nicht sagen.

»Ich bekam eine Fahrt von Svarte«, sagte Stenberg. »Der Kunde wollte an der Hauptstraße warten. Er hieß Alexandersson. Als ich ankam, stand er da auch. Er setzte sich auf die Rückbank und sagte, er wolle in die Stadt. Ich sollte am Markt halten.

Ich sah im Rückspiegel, daß er die Augen zumachte. Ich dachte, er schliefe. Als wir in die Stadt kamen, hielt ich am Markt und sagte, daß wir da seien. Er reagierte überhaupt nicht. Ich stieg aus, öffnete die hintere Tür und faßte ihn ganz leicht an. Aber er reagierte nicht. Daher glaubte ich, er sei krank, und fuhr ihn hierher zur Notfallambulanz. Da sagten sie, er wäre tot.«

Wallander zog die Stirn kraus.

»Tot?«

»Sie haben Wiederbelebungsversuche gemacht«, sagte Hansson. »Aber es half nicht. Er war tot.«

Wallander überlegte.

»Sie brauchen fünfzehn Minuten von Svarte in die Stadt«, sagte er zu Stenberg. »Er machte nicht den Eindruck, als ginge es ihm nicht gut, als er einstieg?«

»Wenn er krank gewesen wäre, hätte ich es gemerkt«, sagte Stenberg. »Außerdem hätte er sich dann wohl zum Krankenhaus fahren lassen.«

»Und soweit Sie sehen konnten, war er nicht verletzt?«

»Nein. Er trug einen Anzug und einen hellblauen Mantel.«

»Hatte er etwas in den Händen? Eine Tasche oder sonst etwas?«

»Nichts. Ich dachte, es wäre am besten, die Polizei anzurufen. Obwohl das Krankenhaus das wohl auch muß, nehme ich an.«

Stenbergs Antworten kamen prompt und ohne Zögern. Wallander wandte sich an Hansson.

»Wissen wir, wer er ist?«

Hansson holte seinen Notizblock hervor.

»Göran Alexandersson«, sagte er. »Neunundvierzig Jahre alt. Selbständiger Unternehmer in der Elektronikbranche. Wohnhaft in Stockholm. Er hatte eine Menge Geld in der Brieftasche. Und viele Kreditkarten.«

»Komisch«, meinte Wallander. »Aber ich nehme an, er hatte einen Herzinfarkt. Was sagen denn die Ärzte?«

»Daß nur eine Obduktion eine eindeutige Klärung der Todesursache ergeben kann.«

Wallander nickte und stand auf.

»Sie müssen die Bezahlung für die Fahrt aus der Hinterlassenschaft beantragen«, sagte er zu Stenberg. »Wir melden uns, wenn wir noch Fragen haben.«

»Es war zwar unangenehm«, sagte Stenberg mit Nachdruck. »Aber ich werde den Teufel tun und mir von den Hinterbliebenen einen Leichentransport bezahlen lassen.«

Dann ging er.

»Ich würde ihn mir gern ansehen«, sagte Wallander. »Du brauchst nicht mitzukommen, wenn du nicht willst.«

»Lieber nicht«, gab Hansson zurück. »Ich versuche in der Zwischenzeit, seine Angehörigen zu erreichen.«

»Was hat er in Ystad gemacht?« fragte Wallander nachdenklich. »Das sollten wir vielleicht auch herausfinden.«

Wallander blieb nur einen kurzen Augenblick an der Bahre, die in einem Raum in der Notfallambulanz stand. Vom Gesicht des Toten konnte er nichts ablesen. Er untersuchte seine Kleidung. Sie war wie die Schuhe von bester Qualität. Sollte sich zeigen, daß ein Verbrechen vorlag, müßten die Techniker die Kleidung genauer unter die Lupe nehmen. In der Brieftasche fand Wallander nichts außer dem, was Hansson schon genannt hatte. Anschließend sprach er mit einem der Ärzte in der Notfallambulanz.

»Es sieht ganz nach einem natürlichen Tod aus«, meinte der Arzt. »Keine Anzeichen von Gewalt, keine Verletzungen.«

»Und wer hätte ihn auf dem Rücksitz eines Taxis erschlagen sollen?« sagte Wallander. »Aber ich möchte trotzdem so schnell wie möglich das Resultat der Obduktion haben.«

»Wir lassen ihn jetzt in die Gerichtsmedizin nach Lund bringen«, sagte derArzt. »Falls die Polizei nichts dagegen hat.«

»Nein«, erwiderte Wallander. »Warum sollten wir?«

Er fuhr zurück ins Polizeipräsidium und ging zu Hansson, der gerade ein Telefonat beendete. Während Wallander wartete, befühlte er mißmutig seinen Bauch, der oberhalb des Gürtels hervorzuquellen begann.

»Ich habe gerade mit Alexanderssons Büro in Stockholm gesprochen«, sagte Hansson, nachdem er aufgelegt hatte. »Sowohl mit seiner Sekretärin als auch mit seinem engsten Mitarbeiter. Sie sind natürlich geschockt. Aber sie konnten mir wenigstens sagen, daß Göran Alexandersson seit sechs Jahren geschieden war.«

»Hatte er Kinder?«

»Einen Sohn.«

»Dann müssen wir den ausfindig machen.«

»Das geht nicht«, antwortete Hansson.

»Warum nicht?«

»Weil er tot ist.«

Wallander konnte sich oft über Hanssons umständliche Art, etwas auf den Punkt zu bringen, aufregen. Dies war ein solcher Fall.

»Tot? Wieso tot? Muß man dir alles aus der Nase ziehen?«

Hansson versuchte, seine Notizen zu entziffern.

»Sein einziges Kind, ein Sohn, starb vor fast sieben Jahren. Anscheinend war es irgendein Unglücksfall. Ich habe das Ganze noch nicht durchschaut.«

»Hatte dieser Sohn möglicherweise einen Namen?«

»Bengt.«

»Hast du gefragt, was Göran Alexandersson in Ystad wollte? Oder in Svarte?«

»Er hat gesagt, er wolle eine Woche Urlaub machen. Er wollte im Hotel Kung Karl wohnen. Er kam vor vier Tagen her.«

»Dann fahren wir jetzt dahin«, sagte Wallander.

Sie durchsuchten Alexanderssons Hotelzimmer über eine Stunde, ohne irgend etwas von Interesse zu finden. Der Koffer war leer. Die Kleider waren ordentlich in den Schrank gehängt. Ein Extrapaar Schuhe.

»Kein Stück Papier«, sagte Wallander nachdenklich. »Nicht ein Buch. Nichts.«

Dann nahm er den Telefonhörer ab und fragte in der Rezeption nach, ob Göran Alexandersson selbst telefoniert oder Telefongespräche empfangen oder Besuch gehabt habe. Die Antwort war eindeutig. Niemand hatte Zimmer 211 angerufen. Niemand war zu Besuch gekommen.

»Er hat ein Zimmer hier in Ystad«, sagte Wallander. »Aber er ruft aus Svarte ein Taxi an. Fragt sich, wie er dahin kam.«

»Ich frage bei den Taxiunternehmen nach«, sagte Hansson.

Sie fuhren ins Präsidium zurück. Wallander blieb am Fenster stehen und betrachtete abwesend den Wasserturm auf der anderen Straßenseite. Er dachte an Mona und Linda. Vermutlich saßen sie in irgendeinem Straßenrestaurant und aßen zu Abend. Aber worüber sprachen sie? Bestimmt darüber, was Linda jetzt anfangen wollte. Er versuchte sich ihr Gespräch vorzustellen. Aber alles, was er hörte, war das Rauschen des Heizkörpers. Er setzte sich an den Schreibtisch, um einen vorläufigen Bericht abzufassen, während Hansson mit den Taxiunternehmen in Ystad telefonierte. Bevor er anfing, ging er jedoch noch einmal in den Eßraum und raffte ein paar Stücke Gebäck an sich, die verloren auf einem Teller lagen. Es war fast acht, als Hansson an seine Tür klopfte und eintrat.

»Er ist in den vier Tagen, die er schon hier in Ystad war, dreimal nach Svarte gefahren«, sagte Hansson. »Er hat sich am Ortsrand absetzen lassen. Am frühen Morgen ist er rausgefahren, und am Nachmittag hat er ein Taxi gerufen.«

Wallander nickte abwesend.

»Das ist ja nicht verboten«, sagte er. »Vielleicht hatte er da draußen eine Geliebte?«

Wallander stand auf und trat ans Fenster. Der Wind hatte an Stärke zugenommen.

»Wir lassen ihn durch unsere Register laufen«, sagte er nach einer Weile. »Mein Gefühl sagt mir, daß es nichts bringt. Aber auf jeden Fall. Und dann können wir nur die Obduktion abwarten.«

»Es war bestimmt ein Herzinfarkt«, sagte Hansson und stand auf.

»Bestimmt«, sagte Wallander.

Anschließend fuhr er nach Hause und machte eine Dose Pyttipanna auf. Er hatte schon angefangen, Göran Alexandersson zu vergessen. Nachdem er sein kärgliches Mahl verzehrt hatte, schlief er vor dem Fernseher ein.

Am Tag danach ließ Wallanders Kollege Martinsson den Namen Göran Alexandersson durch alle zugänglichen Register laufen. Ohne Ergebnis. Martinsson war der Jüngste in der Kriminalabteilung und derjenige von ihnen, der für die neue Technik am aufgeschlossensten war.

Wallander widmete den Tag den gestohlenen Luxuswagen, die in Polen herumfuhren. Am Abend besuchte er seinen Vater in Löderup und spielte ein paar Stunden Karten. Es endete damit, daß sie sich darüber stritten, wer wem wieviel schuldig war. Auf dem Heimweg im Auto fragte Wallander sich, ob er, wenn er alt wurde, auch so werden würde wie sein Vater. Oder hatte er schon angefangen, zu werden wie er? Boshaft, griesgrämig und unfreundlich. Er sollte einmal jemanden fragen. Vielleicht nicht gerade Mona.

Am Morgen des 28. April klingelte Wallanders Telefon. Es war die Gerichtsmedizin in Lund.

»Ich rufe an wegen einer Person namens Göran Alexandersson«, sagte der Arzt. Er hieß Jörne, und Wallander kannte ihn aus seiner Malmöer Zeit.

»Was ist es denn?« fragte Wallander. »Gehirnblutung oder Schlaganfall?«

»Keins von beiden«, erwiderte Jörne. »Entweder hat er Selbstmord begangen oder er ist ermordet worden.«

Wallander fuhr zusammen.

»Ermordet? Was meinst du damit?«

»Genau das, was ich sage.«

»Aber das ist undenkbar. Er kann nicht im Fond eines Taxis ermordet worden sein. Stenberg, der ihn gefahren hat, bringt keine Leute um. Aber er kann ja wohl auch kaum Selbstmord begangen haben?«

»Wie es zugegangen ist, kann ich nicht beurteilen«, sagte Jörne ungerührt. »Dagegen kann ich mit Sicherheit sagen, daß er an einem Gift starb, das er mit einem Getränk oder mit etwas zu essen zu sich genommen hat. Und für mich deutet das auf Mord. Aber das rauszufinden ist natürlich euer Job.«

Wallander sagte nichts.

»Ich faxe euch die Papiere rüber«, sagte Jörne. »Bist du noch da?«

»Ja«, sagte Wallander. »Ich bin noch da.«

Er bedankte sich bei Jörne, legte auf und dachte nach über das, was er gerade gehört hatte. Dann drückte er das Haustelefon und bat Hansson, zu ihm herüberzukommen. Er zog einen seiner Notizblöcke heran und schrieb zwei Wörter.

Göran Alexandersson.

Draußen hatte der Wind weiter zugenommen. In den Böen erreichte er schon Sturmstärke.

Der böige Wind wehte weiter über Schonen. Wallander saß zurückgezogen in seinem Zimmer und mußte sich eingestehen, daß er noch immer nicht wußte, was mit dem Mann passiert war, der vor zwei Tagen auf der Rückbank eines Taxis gestorben war. Um zehn Uhr am Vormittag begab er sich zu einem der Sitzungszimmer des Präsidiums und schloß die Tür hinter sich. Hansson und Rydberg saßen schon am Tisch. Wallander war überrascht, als er

Rydberg sah. Er war wegen Rückenschmerzen krank geschrieben und hatte seine Rückkehr nicht angekündigt.

»Wie geht es dir denn?« fragte Wallander.

»Ich sitze hier«, sagte Rydberg abweisend. »Was ist denn das für ein Quatsch von einem Mann, der im Fond eines Taxis ermordet worden ist?«

»Laß uns vorne anfangen«, entgegnete Wallander.

Dann blickte er in die Runde. Einer fehlte.

»Wo ist Martinsson?«

»Er hat angerufen und sich entschuldigt, er hat einen geschwollenen Hals«, antwortete Rydberg. »Aber vielleicht kann Svedberg dazukommen?«

»Wir warten ab, ob es nötig wird«, sagte Wallander und sortierte seine Papiere. Das Fax aus Lund war gekommen.

Dann sah er seine Kollegen an.

»Die Geschichte, die anfänglich so simpel zu sein schien, könnte sich als bedeutend schwieriger erweisen, als ich geglaubt habe. Ein Mann stirbt auf dem Rücksitz eines Taxis. Der Gerichtsmediziner in Lund hat festgestellt, daß er an einem Gift gestorben ist. Was wir immer noch nicht wissen, ist, wieviel Zeit zwischen der Einnahme des Giftes und dem Augenblick des Todes vergangen ist. Aber Lund hat versprochen, uns in ein paar Tagen Bescheid zu geben.«

»Mord oder Selbstmord?« wollte Rydberg wissen.

»Mord«, antwortete Wallander entschieden. »Ich kann mir nur schwer einen Selbstmörder vorstellen, der erst Gift schluckt und dann nach einem Taxi telefoniert.«

»Könnte er das Gift vielleicht durch einen Irrtum genommen haben?« fragte Hansson.

»Unwahrscheinlich«, sagte Wallander. »Den Ärzten zufolge ist es eine Giftmischung, die es eigentlich gar nicht gibt.«

»Was heißt das?« fragte Hansson.

»Daß nur ein Spezialist sie mischen kann, ein Arzt zum Beispiel, ein Chemiker oder ein Biologe.«

Es wurde still.

»Also sollten wir es als Mord betrachten«, sagte Wallander. »Was wissen wir eigentlich über diesen Göran Alexandersson?«

Hansson blätterte in seinen Aufzeichnungen.

»Er war Geschäftsmann«, begann er. »Er hatte zwei Elektronikläden in Stockholm, einen in Västberga, den anderen am Norrtull. Er wohnte allein in einer Wohnung in der Äsögata. Familie scheint er nicht gehabt zu haben. Seine geschiedene Frau soll in Frankreich wohnen. Sein Sohn starb vor sieben Jahren. Und die Angestellten von ihm, mit denen ich geredet habe, charakterisierten ihn wortwörtlich gleich.«

»Und wie?« unterbrach ihn Wallander.

»Er galt als nett.«

»Nett?«

»Das war das Wort, das sie benutzten: nett.«

Wallander nickte. »Sonst noch etwas?«

»Er scheint ein ziemlich eintöniges Leben geführt zu haben. Seine Sekretärin vermutete, daß er Briefmarken sammelte. Es kamen regelmäßig Kataloge ins Büro. Enge Freunde scheint er keine gehabt zu haben. Jedenfalls keine, die seine Mitarbeiter kannten.«

Es wurde still.

»Wir müssen Stockholm wegen seiner Wohnung um Hilfe bitten«, sagte Wallander, als das Schweigen allzu drückend wurde. »Und wir müssen Kontakt mit seiner Frau aufnehmen. Ich selbst werde versuchen herauszufinden, was er hier unten gemacht hat, in Ystad und Svarte. Wen hat er getroffen? Wir treffen uns heute nachmittag wieder und stimmen unsere Ergebnisse miteinander ab.«

»Eins frage ich mich«, sagte Rydberg. »Kann ein Mensch ermordet werden, ohne selbst davon zu wissen?«

Wallander nickte.

»Es ist ein interessanter Gedanke«, sagte er. »Jemand gibt Göran Alexandersson unbemerkt ein Gift, das erst eine Stunde später wirkt. Ich werde Jörne danach fragen.«

»Wenn er es weiß«, murmelte Rydberg. »Da wäre ich nicht so sicher.«

Die Sitzung war beendet. Sie gingen auseinander, nachdem sie die Arbeit unter sich verteilt hatten. Wallander stellte sich mit einer Kaffeetasse in der Hand ans Fenster und versuchte zu entscheiden, womit er anfangen sollte.

Eine halbe Stunde später setzte er sich in sein Auto und fuhr nach Svarte hinaus. Der Wind hatte langsam abgenommen. Die Sonne schien durch die aufreißenden Wolken. Wallander hatte zum erstenmal in diesem Jahr das Gefühl, daß der Frühling endlich auf dem Weg war. Als er an den Ortsrand von Svarte kam, hielt er an und stieg aus.

Hierher kam Göran Alexandersson, dachte er. Er kam am Morgen und fuhr am Nachmittag nach Ystad zurück. Beim vierten Mal wurde er vergiftet und starb auf dem Rücksitz eines Taxis.

Er ging in Richtung Ortsmitte. Viele der Häuser auf der Strandseite der Straße waren Sommerhäuser und jetzt verbarrikadiert.

Auf seinem Gang durch den Ort begegnete Wallander nur zwei Menschen. Die Verlassenheit des Ortes bedrückte ihn plötzlich. Er machte kehrt und ging schnell zurück zum Auto.

Als er schon den Motor angelassen hatte, entdeckte er eine ältere Frau, die sich an einem Blumenbeet in einem Garten neben dem Wagen zu schaffen machte. Er stellte den Motor wieder ab und stieg aus. Als er die Wagentür zuschlug, schaute die Frau in seine Richtung. Wallander ging zum Zaun und hob die Hand zum Gruß.

»Ich hoffe, ich störe Sie nicht«, sagte er.

»Hier stört niemand«, sagte die Frau und sah ihn neugierig an.

»Ich heiße Kurt Wallander und bin Kriminalbeamter in Ystad«, sagte er.

»Ich kenne Sie«, sagte die Frau. »Habe ich Sie nicht in einem Diskussionsprogramm im Fernsehen gesehen?«

»Ich glaube kaum«, erwiderte er. »Aber leider hat es dann und wann Bilder von mir in der Zeitung gegeben.«

»Agnes Ehn«, sagte die Frau und reichte ihm die Hand.

»Wohnen Sie das ganze Jahr über hier?« fragte Wallander.

»Nur im Sommerhalbjahr. Ich komme Anfang April hier heraus. Und bleibe bis Oktober. Im Winter wohne ich in Halmstad. Ich bin pensionierte Lehrerin. Mein Mann ist vor ein paar Jahren gestorben.«

»Es ist schön hier«, sagte Wallander. »Schön und still. Jeder kennt jeden.«

»Ich weiß nicht«, sagte sie. »Es kann auch so sein, daß man seinen eigenen Nachbarn nicht kennt.«

»Ihnen ist nicht zufällig ein Mann aufgefallen, der in der vergangenen Woche ein paarmal mit dem Taxi nach Svarte gekommen ist? Und der am Nachmittag wieder von einem Taxi abgeholt worden ist?«

Ihre Antwort überraschte ihn.

»Er hat mein Telefon benutzt, um das Taxi zu bestellen«, sagte sie. »An vier Tagen hintereinander. Wenn es wirklich der gleiche Mann war.«

»Hat er gesagt, wie er heißt?«

»Er war sehr höflich.«

»Und hat sich vorgestellt?«

»Man kann höflich sein, auch ohne seinen Namen zu sagen.«

»Und er bat Sie darum, ihr Telefon benutzen zu dürfen?«

»Ja.«

»Hat er sonst noch etwas gesagt?«

»Ist denn etwas passiert?«

Wallander fand, daß es keinen Grund gab, ihr nicht zu sagen, was passiert war.

»Er ist tot.«

»Das ist ja schrecklich. Und was ist geschehen?«

»Das wissen wir nicht. Im Moment wissen wir nur, daß er tot ist. Wissen Sie, was er hier in Svarte gemacht hat? Hat er gesagt, wen er besuchte? Und in welche Richtung ging er? War er in Begleitung? Alles, woran Sie sich erinnern können, ist wichtig.«

Wieder überraschte sie ihn mit ihrer klaren Antwort.

»Er ging unten am Strand spazieren«, sagte sie. »Hinter meinem Haus führt ein Pfad hinunter zum Strand. Dem folgte er. Dann ging er in westlicher Richtung. Und er kam erst am Nachmittag zurück.«

»Er ging am Strand spazieren? War er allein?«

»Das kann ich doch nicht wissen. Der Strand macht eine Biegung. Er kann da hinten jemanden getroffen haben, wo ich es nicht mehr sehen kann.«

»Hatte er irgend etwas bei sich? Eine Tasche oder ein Paket?«

Sie schüttelte den Kopf.

»Machte er irgendwie einen beunruhigten Eindruck?«

»Nicht, soweit ich sehen konnte.«

»Er benutzte also gestern Ihr Telefon?«

»Ja.«

»Und Sie haben nichts Auffälliges an ihm bemerkt?«

»Er machte den Eindruck eines netten und freundlichen Mannes. Er bestand darauf, die Telefongespräche zu bezahlen.«

Wallander nickte.

»Sie haben mir sehr geholfen«, sagte er und gab ihr eine Karte mit seiner Telefonnummer. »Wenn Ihnen noch etwas einfällt, möchte ich Sie bitten, mich anzurufen.«

»Das ist tragisch«, sagte sie. »Ein so angenehmer Mann.«

Wallander nickte und ging hinter das Haus, wo ein Weg zum Strand hinunterführte. Er ging bis ganz an die Wasserkante. Der Strand war verlassen. Als Wallander sich umdrehte, sah er Agnes Ehn dastehen und ihm nachschauen.

Er muß jemanden getroffen haben, dachte er. Etwas anderes ist undenkbar. Die Frage ist nur, wen.

Er fuhr zurück ins Präsidium. Rydberg hielt ihn auf dem Flur an und sagte, es sei ihm gelungen, Alexanderssons Exfrau an ihrem Wohnort an der Riviera ausfindig zu machen.

»Aber es nimmt niemand ab«, sagte er. »Ich versuche es weiter.«

»Gut«, sagte Wallander. »Sag mir Bescheid, wenn du sie erreicht hast.«

»Martinsson war hier«, fuhr Rydberg fort. »Man konnte kaum hören, was er sagte. Ich habe ihm gesagt, er soll wieder nach Hause gehen.«

»Das hätte ich wohl auch getan«, sagte Wallander.

Er ging in sein Zimmer, schloß die Tür und zog den Kollegblock an sich, auf dem er zuvor den Namen Göran Alexandersson aufgeschrieben hatte. Wen hast du am Strand getroffen? dachte er. Wen? Das muß ich wissen.

Um ein Uhr war Wallander hungrig. Er hatte schon die Jacke an und wollte gerade gehen, als Hansson an seine Tür klopfte.

Es war ihm sofort anzusehen, daß er etwas Wichtiges zu sagen hatte.

»Ich habe da etwas, was sich möglicherweise als bedeutsam herausstellen könnte.«

»Was denn?«

»Wie du dich erinnerst, hatte Göran Alexandersson einen Sohn, der vor sieben Jahren starb. Er wurde erschlagen. Und soweit ich sehen kann, wurde nie ein Täter gefaßt und verurteilt.«

Wallander sah Hansson lange an.

»Gut«, sagte er schließlich. »Jetzt haben wir einen Anhaltspunkt. Obwohl ich nicht richtig sagen kann, worin er eigentlich besteht.«

Der Hunger, den er eben noch verspürt hatte, war verschwunden.

Kurz nach zwei Uhr am Nachmittag des 28. April klopfte Rydberg an Wallanders halbgeöffnete Tür.

»Ich habe Alexanderssons Frau erreicht«, sagte er und kam herein. Als er sich auf Wallanders Besucherstuhl setzte, verzog er das Gesicht.

»Was ist mit deinem Rücken?« fragte Wallander.

»Ich weiß nicht«, erwiderte Rydberg. »Aber irgend etwas stimmt nicht.«

»Du hast vielleicht zu früh wieder angefangen zu arbeiten?«

»Es wird nichts besser davon, daß ich zu Hause liege und an die Decke starre.«

Damit war das Gespräch über Rydbergs Rücken beendet. Wallander wußte, daß es keinen Sinn hatte, ihn dazu überreden zu wollen, wieder nach Hause zu gehen und sich auszuruhen.

»Was hat sie gesagt?« fragte er statt dessen.

»Sie war natürlich geschockt. Ich glaube, es dauerte eine Minute, bis sie etwas sagte.«

»Das wird teuer für die Staatskasse«, sagte Wallander. »Aber dann? Nachdem die Minute vorbei war?«

»Sie wollte natürlich wissen, was passiert ist. Ich sagte es ihr, wie es war. Sie hatte Schwierigkeiten zu verstehen, wovon ich redete.«

»Kein Wunder.«

»Ich habe auf jeden Fall erfahren, daß sie keinen Kontakt hatten. Der Ehefrau zufolge haben sie sich scheiden lassen, weil sie es zusammen so langweilig hatten.«

Wallander zog die Stirn in Falten.

»Was meinte sie denn damit?«

»Ich glaube, das ist eine häufigere Ursache für Scheidungen, als man ahnt«, sagte Rydberg. »Ich glaube, es muß gräßlich sein, mit einem langweiligen Menschen zusammenzuleben.«

Wallander nickte gedankenverloren. Er fragte sich, ob Mona wohl ebenso dachte. Und was dachte er selbst?

»Ich habe sie gefragt, ob sie sich jemanden vorstellen könnte, der ihn würde umbringen wollen. Aber das konnte sie nicht. Dann fragte ich sie, ob sie erklären könnte, was er hier unten in Schonen getan hätte. Das konnte sie auch nicht. Das war alles.«

»Du hast nicht nach ihrem verstorbenen Sohn gefragt? Von dem Hansson sagt, er sei ermordet worden?«

»Doch, natürlich. Aber sie wollte nicht darüber sprechen.«

»Ist das nicht ein bißchen sonderbar?«

Rydberg nickte.

»Genau, was ich dachte.«

»Ich glaube, du mußt sie noch einmal anrufen«, sagte Wallander.

Rydberg nickte und verließ das Zimmer. Wallander dachte, daß er bei Gelegenheit Mona fragen müßte, ob Langeweile das größte Problem in ihrer Ehe sei. Das Klingeln des Telefons riß ihn aus seinen Gedanken. Ebba von der Vermittlung teilte ihm mit, die Polizei in Stockholm wolle mit ihm sprechen. Wallander zog seinen Block heran und hörte zu. Es war ein Polizist namens Rendal, mit dem Wallander noch nie zu tun gehabt hatte.

»Wir haben uns diese Wohnung in der Äsögata angesehen«, sagte Rendal.

»Und, habt ihr etwas gefunden?«

»Wie sollten wir etwas finden können, wenn wir nicht wissen, wonach wir suchen sollen?«

Wallander konnte hören, daß Rendal gestreßt war.

»Wie sah sie denn aus?« fragte Wallander, so freundlich er konnte.

»Sauber und ordentlich«, sagte Rendal. »Geputzt. Ein bißchen pedantisch. Ich fand, es war eine typische Junggesellenwohnung.«

»Ist es ja auch«, sagte Wallander.

»Wir haben uns seine Post angesehen«, fuhr Rendal fort. »Er scheint höchstens eine Woche weg gewesen zu sein.«

»Das stimmt«, sagte Wallander.

»Er hatte einen Anrufbeantworter. Aber der war leer. Keiner hatte ihn angerufen.«

»Was hatte er selbst für eine Ansage?« fragte Wallander.

»Nur die übliche.«

»Dann wissen wir das«, sagte Wallander. »Danke für die Hilfe. Wir melden uns wieder, wenn es noch mehr gibt.«

Wallander legte auf und sah, daß es Zeit war für das Nachmittagstreffen der Ermittlungsgruppe. Als er das Sitzungszimmer betrat, waren Hansson und Rydberg schon da.

»Ich habe gerade mit Stockholm gesprochen«, sagte Wallander. »Die Wohnung in der Äsögata hat nichts ergeben.«

»Ich habe die Frau noch einmal angerufen«, sagte Rydberg. »Sie wollte immer noch nicht über den Sohn sprechen. Aber als ich ihr erzählte, daß wir notfalls von ihr verlangen könnten, nach Hause zu kommen und uns bei der Ermittlung zu helfen, ging es etwas leichter. Ihr Sohn wurde auf offener Straße mitten in Stockholm niedergeschlagen. Es muß ein total sinnloser Überfall gewesen sein. Er ist nicht einmal beraubt worden.«

»Ich habe ein paar Unterlagen über diesen Überfall kommen lassen«, sagte Hansson. »So lange ist es ja noch nicht her, daß der Fall ad acta gelegt worden ist. Aber seit mehr als fünf Jahren hat keiner etwas in der Sache unternommen.«

»Gab es keine Tatverdächtigen?« wollte Wallander wissen.

Hansson schüttelte den Kopf.

»Überhaupt keine. Es gab absolut nichts. Keine Zeugen, gar nichts.«

Wallander schob seinen Kollegblock von sich.

»Genauso wenig, wie wir jetzt in der Hand haben«, sagte er.

Es wurde still am Tisch. Wallander sah ein, daß er etwas sagen mußte.

»Ihr müßt mit dem Personal in seinen Läden reden«, sagte er. »Wendet euch an einen Kollegen namens Rendal bei der Stockholmer Polizei und bittet ihn, euch zu helfen. Wir sehen uns morgen wieder.«

Sie verteilten die Arbeit unter sich, und Wallander ging zurück in sein Zimmer. Er hatte vor, seinen Vater in Löderup anzurufen und sich bei ihm für den Streit am Abend zuvor zu entschuldigen.

Aber er nahm den Hörer nicht auf. Die Geschichte mit Göran Alexandersson ließ ihm keine Ruhe. Die ganze Situation war dermaßen absurd, daß sie allein deshalb geklärt werden mußte. Seine Erfahrung sagte ihm, daß die meisten Morde, auch die meisten sonstigen Verbrechen, irgendwo einen logischen Kern hatten. Es galt nur, die richtigen Puzzlestücke in der richtigen Reihenfolge umzudrehen und nach denkbaren Zusammenhängen zwischen den verschiedenen Zeichen zu suchen, die sichtbar wurden.

Um kurz vor fünf verließ er das Präsidium und fuhr auf der Küstenstraße nach Svarte. Diesmal parkte er seinen Wagen weiter im Ort. Er nahm ein Paar Gummistiefel aus dem Kofferraum und ging hinunter zum Strand. In der Ferne sah er ein Frachtschiff nach Westen ziehen. Er begann am Strand entlangzugehen und betrachtete die Häuser, die auf seiner Rechten lagen. In ungefähr jedem dritten Haus schienen Menschen zu sein. Er folgte dem Strand, bis er Svarte hinter sich gelassen hatte. Dann kehrte er um. Plötzlich hatte er das Gefühl, daß er hier ging und hoffte, Mona käme ihm entgegen. Er dachte zurück an damals, als sie in Skagen gewesen waren. Es war ihre beste gemeinsame Zeit gewesen. Sie hatten soviel zu reden, daß die Zeit nie ausreichte.

Er schüttelte die unerfreulichen Gedanken ab und konzentrierte sich wieder auf Göran Alexandersson. Während er weiter den Strand entlangging, versuchte er, für sich selbst eine Zusammenfassung zu machen.

Was wußten sie? Daß Alexandersson alleinstehend war, daß er zwei Elektronikläden besaß, daß er neunundvierzig Jahre alt war und nach Ystad gereist und im Kung Karl abgestiegen war. Er hatte gesagt, er wolle Urlaub machen. Im Hotel hatte er weder Besuch noch Telefongespräche bekommen. Er selbst hatte auch nicht telefoniert.

Jeden Morgen war er mit dem Taxi nach Svarte gefahren, wo er seine Tage damit verbracht hatte, am Strand entlangzulaufen. Spät am Nachmittag war er zurückgekehrt, nachdem er bei Agnes Ehn das Telefon benutzt hatte. Beim vierten Besuch hatte er sich in das Taxi gesetzt, in dem er gestorben war.

Wallander blieb stehen und sah sich um. Der Strand lag noch immer verlassen da. Fast die ganze Zeit ist Göran Andersson sichtbar, dachte er. Aber irgendwo hier am Strand verschwindet er. Dann taucht er wieder auf, und ein paar Minuten später ist er tot.

Er muß hier jemanden getroffen haben, dachte Wallander. Oder richtiger gesagt: Er muß sich mit jemandem verabredet haben. Man trifft nicht aus purem Zufall einen Giftmörder.

Wallander ging weiter. Er schaute sich die Villen an, die am Strand lagen. Am nächsten Tag würde er hier Klinken putzen gehen. Jemand muß ihn dort haben gehen sehen, vielleicht hatte jemand ihn einen anderen Menschen treffen sehen.

Wallander entdeckte plötzlich, daß er nicht mehr allein am Strand war. Ein älterer Mann kam ihm entgegen. Ein schwarzer Labrador lief gehorsam an seiner Seite. Wallander blieb stehen und sah den Hund an. In der letzten Zeit hatte er mehrfach daran gedacht, ob er Mona nicht vorschlagen sollte, daß sie sich einen Hund anschafften. Aber er hatte davon abgesehen, weil er zu so unregelmäßigen Zeiten arbeitete. Ein Hund würde mit größter Wahrscheinlichkeit mehr schlechtes Gewissen bedeuten als Gesellschaft.

Der Mann lüpfte sein Käppi, als er Wallander erreichte.

»Ob es wohl noch Frühling wird?« fragte er. Wallander fiel auf, daß er kein Schonisch sprach.

»Er kommt sicher auch dieses Jahr«, gab Wallander zurück.

Der Mann nickte und wollte weitergehen, als Wallander ihn zurückhielt.

»Ich nehme an, Sie gehen hier jeden Tag?« sagte Wallander.

Der Mann zeigte auf eins der Häuser.

»Ich wohne hier, seit ich pensioniert bin«, antwortete er.

»Ich heiße Wallander und bin Kriminalbeamter in Ystad. Sie haben nicht zufällig einen Mann um die Fünfzig gesehen, der hier in den letzten Tagen allein am Strand spazierengegangen ist?«

Die Augen des Mannes waren blau und klar. Unter dem Käppi ragte das weiße Haar hervor.

»Nein«, sagte er und lächelte. »Wer hätte das sein sollen? Hier geht niemand außer mir. Aber im Mai, wenn es wärmer wird, dann sieht es anders aus.«

»Sind Sie ganz sicher?« fragte Wallander.

»Ich gehe dreimal täglich mit dem Hund«, erwiderte der Mann. »Und ich habe hier keinen Mann allein entlanglaufen sehen. Bis jetzt. Bis Sie kamen.«

Wallander nickte.

»Dann will ich Sie nicht weiter stören«, sagte er.

Wallander ging weiter. Als er stehenblieb und zurückschaute, war der Mann mit dem Hund verschwunden.

Woher der Gedanke oder, genauer gesagt, das Gefühl kam, konnte er sich später nie klarmachen. Und doch war er von dem Augenblick an ganz sicher. Etwas war im Gesicht des alten Mannes aufgeblitzt, eine schwache, fast nicht wahrnehmbare Änderung in seinem Blick, als Wallander gefragt hatte, ob er einen Mann allein am Strand gesehen habe.

Er weiß etwas, dachte Wallander. Fragt sich nur, was.

Wallander blickte sich noch einmal um.

Der Strand war jetzt leer.

Er stand einige Minuten da, ohne sich zu bewegen.

Dann kehrte er zu seinem Wagen zurück und fuhr nach Hause.

Mittwoch, der 29. April, wurde in diesem Jahr der erste Frühlingstag in Schonen. Wallander wachte wie üblich früh auf. Er war verschwitzt und wußte, daß er einen Alptraum gehabt hatte, ohne sich erinnern zu können, wovon er gehandelt hatte. Vielleicht hatten ihn wieder einmal die Stiere verfolgt? Oder Mona hatte ihn verlassen? Er duschte, trank Kaffee und blätterte zerstreut *Ystads Allehanda* durch.

Schon um halb sieben saß er in seinem Zimmer im Polizeipräsidium. Die Sonne schien von einem klarblauen Himmel. Wallander hoffte, daß Martinsson wieder gesund wäre, damit er Hansson die Computerarbeit mit den Registern abnehmen konnte. Er pflegte schnellere und bessere Resultate zu erreichen. Wenn Martinsson gesund war, könnte er Hansson mit hinaus nach Svarte nehmen, um Klinken zu putzen. Aber das wichtigste war im Moment vielleicht, ein so klares Bild von Alexandersson zu bekommen wie möglich. Martinsson war entschieden gründlicher, wenn es darum ging, Menschen zu befragen, die Auskünfte geben konnten. Wallander beschloß auch, daß sie ernsthaft untersuchen müßten, was eigentlich geschehen war, als Alexanderssons Sohn erschlagen wurde.

Sobald es sieben geworden war, versuchte Wallander Jörne zu erreichen, der die Obduktion von Göran Alexandersson durchgeführt hatte, aber vergebens. Er merkte, daß er ungeduldig war. Der Fall des toten Mannes auf der Rückbank von Stenbergs Taxi machte ihm Sorgen.

Um zwei Minuten vor acht trafen sie sich im Konferenzraum. Rydberg konnte ihm mitteilen, daß Martinsson immer noch Halsschmerzen und Fieber hatte. Wallander fand es typisch, daß es ausgerechnet Martinsson mit seiner Bazillenphobie so erwischt hatte.

»Dann müssen du und ich heute in Svarte die Häuser abklappern«, sagte er. »Und du, Hansson, gräbst hier zu Hause weiter. Ich würde gern mehr über Alexanderssons Sohn Bengt und seinen Tod wissen. Bitte Rendal um Hilfe.«

»Wissen wir mehr über dieses Gift?« fragte Rydberg.

»Ich habe es heute morgen schon versucht, aber ich erreiche niemanden«, antwortete Wallander.

Ihre Sitzung wurde sehr kurz. Wallander bat um eine Vergrößerung des Paßfotos von Alexanderssons Führerschein und Kopien davon. Dann ging er zu Björk, ihrem Polizeipräsidenten. Er fand, daß Björk im großen und ganzen ein guter Chef war, der jeden machen ließ und keinem hineinredete. Doch manchmal raffte Björk sich auf und wollte sich einen raschen Überblick über die Lage an der Ermittlungsfront verschaffen.

»Wie geht es mit dieser Bande, die Autos exportiert?« fragte Björk und ließ die Handflächen auf die Tischplatte fallen zum Zeichen dafür, daß er eine kurze und präzise Antwort wünsche.

»Schlecht«, antwortete Wallander wahrheitsgemäß.

»Sind irgendwelche Festnahmen aktuell?«

»Überhaupt keine«, antwortete Wallander. »Wenn ich mit dem, was ich habe, zu einem Staatsanwalt ginge und einen Haftbefehl beantragte, würde er mich rauswerfen.«

»Wir dürfen nur nicht aufgeben«, sagte Björk.

»Wo denkst du hin«, antwortete Wallander. »Ich mache weiter. Wenn wir nur erst diese Geschichte mit dem Mann, der in einem Taxi gestorben ist, aufgeklärt haben.«

»Hansson hat mich informiert«, sagte Björk. »Das klingt alles sehr sonderbar.«

»Es *ist* sonderbar«, sagte Wallander.

»Kann der Mann wirklich ermordet worden sein?«

»Die Ärzte behaupten es«, sagte Wallander. »Wir werden heute in Svarte Klinken putzen gehen. Irgend jemand muß ihn gesehen haben.«

»Halte mich auf dem laufenden«, sagte Björk und stand auf zum Zeichen dafür, daß das Gespräch beendet war.

Sie fuhren in Wallanders Wagen nach Svarte.

»Schonen ist wirklich schön«, sagte Rydberg plötzlich.

»Auf jeden Fall an einem Tag wie heute«, gab Wallander zurück. »Aber im Herbst kann es hier verdammt ekelhaft sein. Wenn der Schlamm über die Türschwellen schwappt.«

»Wer will denn jetzt an den Herbst denken?« sagte Rydberg. »Warum soll man einen Vorschuß auf die Unwetter nehmen? Sie kommen schon früh genug.«

Wallander antwortete nicht. Er konzentrierte sich darauf, einen Traktor zu überholen.

»Wir fangen mit den Häusern am Strand am westlichen Ortsrand an«, sagte er. »Wir nehmen jeder eine Seite und treffen uns nachher in der Mitte. Versuche auch herauszubekommen, wer in den Häusern wohnt, die jetzt leerstehen.«

»Was hoffst du eigentlich zu finden?« fragte Rydberg.

»Die Lösung«, antwortete Wallander ganz einfach. »Jemand muß ihn da draußen am Strand gesehen haben. Jemand muß gesehen haben, daß er dort einen anderen Menschen getroffen hat.«

Wallander parkte. Er ließ Rydberg mit dem Haus anfangen, in dem Agnes Ehn wohnte. Rydberg machte sich auf den Weg, während Wallander von seinem Autotelefon aus Jörne zu erreichen suchte. Aber auch diesmal bekam er keine Antwort. Er fuhr ein Stück nach Westen, stellte den Wagen ab und ging dann in östlicher Richtung. Das erste Haus war ein altes und gutgepflegtes schonisches Landhaus. Er ging durch die Pforte und klingelte an der Tür. Als niemand aufmachte, klingelte er noch einmal.

Er wollte gerade gehen, als die Tür von einer Frau um die Dreißig in einem fleckigen Overall geöffnet wurde.

»Ich mag es nicht, wenn man mich stört«, sagte sie und blickte Wallander irritiert an.

»Es ist aber manchmal notwendig«, entgegnete Wallander und zeigte ihr seinen Polizeiausweis.

»Und was wollen Sie?«

»Meine Frage ist vielleicht ein bißchen seltsam«, begann Wallander. »Aber ich möchte gern wissen, ob Sie in den letzten Tagen einen Mann um die Fünfzig in einem hellblauen Mantel am Strand gesehen haben.«

Sie zog die Augenbrauen hoch und betrachtete Wallander amüsiert.

»Ich male bei vorgezogenen Gardinen«, sagte sie. »Ich habe nichts gesehen.«

»Sie sind Malerin«, sagte Wallander. »Ich dachte, Sie wollen Licht?«

»Ich nicht. Aber das ist ja wohl kaum strafbar?«

»Und Sie haben nichts gesehen?«

»Nein, nichts, wie schon gesagt.«

»Gibt es sonst jemand in diesem Haus, der etwas gesehen haben kann?«

»Ich habe eine Katze, die immer auf einer Fensterbank hinter den Gardinen liegt. Sie können ja mit der sprechen.«

Wallander merkte, daß er wütend wurde.

»Manchmal ist es nicht zu vermeiden, daß die Polizei Fragen stellen muß«, sagte er. »Glauben Sie nicht, daß ich das hier zu meinem Vergnügen mache. Und jetzt werde ich nicht weiter stören.«

Die Frau machte die Tür zu. Sie verschloß sie mit mehreren Schlössern. Er ging weiter zum nächsten Grundstück. Das eingeschossige Haus darauf war relativ neu erbaut. Im Garten stand ein kleiner Springbrunnen. Als Wallander klingelte, begann im Inneren des Hauses ein Hund zu bellen. Er wartete.

Der Hund hörte auf zu bellen, und die Tür wurde geöffnet. Es war der alte Mann, den Wallander am Vortag unten am Strand getroffen hatte. Wallander hatte sogleich das Gefühl, daß der Mann nicht erstaunt war, ihn zu sehen. Er hatte ihn erwartet und war auf der Hut.

»Sie wieder«, sagte der Mann.

»Ja«, gab Wallander zurück. »Ich gehe herum und klingele bei allen, die am Strand wohnen.«

»Ich sagte ja schon gestern, daß ich nichts gesehen habe.«

Wallander nickte.

»Manchmal fällt einem nachher etwas ein«, sagte er.

Der Mann trat zur Seite und ließ Wallander eintreten. Der Hund beschnüffelte ihn neugierig.

»Wohnen Sie das ganze Jahr hier?« fragte Wallander.

»Ja«, sagte der Mann. »Ich war zweiundzwanzig Jahre Amtsarzt in Nynäshamn. Als ich pensioniert wurde, sind wir hierher gezogen, meine Frau und ich.«

»Vielleicht hat sie etwas gesehen?« fragte Wallander. »Ist sie hier?«

»Sie ist krank«, sagte der Mann. »Sie hat nichts gesehen.«

Wallander zog einen Notizblock aus der Tasche.

»Darf ich fragen, wie Sie heißen?« sagte er.

»Ich heiße Martin Stenholm«, sagte der Mann. »Meine Frau heißt Kajsa.«

Nachdem er die beiden Namen notiert hatte, steckte Wallander den Block wieder ein.

»Dann will ich nicht weiter stören«, sagte er.

»Aber ich bitte Sie«, sagte Martin Stenholm.

»Vielleicht kann ich in ein paar Tagen wiederkommen und mit Ihrer Frau sprechen«, sagte Wallander. »Manchmal ist es besser, wenn die Leute selbst erzählen, was sie gesehen oder nicht gesehen haben.«

»Ich glaube, das ist keine gute Idee«, sagte Stenholm. »Meine Frau ist schwer krank. Sie hat Krebs und wird bald sterben.«

»Ich verstehe«, sagte Wallander. »Dann werde ich nicht zurückkommen und stören.«

Martin Stenholm öffnete ihm die Tür.

»Ist Ihre Frau auch Ärztin?« fragte Wallander.

»Nein«, antwortete der Mann. »Sie ist Juristin.«

Wallander ging zurück auf die Straße. Dann besuchte er noch drei Häuser, ohne etwas zu erfahren, bevor er auf Rydberg stieß.

Beide machten sogleich kehrt. Wallander holte sein Auto und wartete vor Agnes Ehns Haus auf Rydberg. Als dieser kam, hatte er nur Negatives zu berichten. Niemand hatte Göran Alexandersson am Strand gesehen.

»Und ich habe immer gehört, die Menschen seien so neugierig«, sagte Rydberg. »Besonders auf dem Land, und besonders bei Fremden.«

Sie fuhren nach Ystad zurück. Wallander saß schweigend am Steuer. Als sie im Polizeipräsidium ankamen, bat er Rydberg, Hansson zu suchen und mit in sein Zimmer zu bringen. Er rief bei der Gerichtsmedizin an und erreichte Jörne endlich. Als er das Gespräch mit diesem beendete, waren Rydberg und Hansson schon gekommen. Wallander schaute Hansson fragend an.

»Etwas Neues?«

»Nichts, was unser bisheriges Bild von Alexandersson veränderte«, antwortete Hansson.

»Ich habe gerade mit Jörne telefoniert«, sagte Wallander. »Das Gift, das ihn getötet hat, kann er sehr wohl zu sich genommen haben, ohne es zu bemerken. Man kann nicht genau sagen, wie es wirkt. Jörne vermutete, daß es mindestens eine halbe Stunde dauern könnte. Wenn der Tod dann kommt, tritt er sehr schnell ein.«

»Soweit haben wir also recht«, sagte Hansson. »Hat dieses Gift einen Namen?«

Wallander las die komplizierte chemische Bezeichnung vor, die er auf seinem Block notiert hatte.

Dann berichtete er von seinem Gespräch mit Martin Stenholm in Svarte.

»Ich weiß nicht, was es ist«, sagte er. »Aber ich werde das Gefühl nicht los, daß wir die Lösung im Haus dieses Arztes finden werden.«

»Ein Arzt kennt sich mit Gift aus«, sagte Rydberg. »Das ist schon mal ein Anfang.«

»Da hast du natürlich recht«, erwiderte Wallander. »Aber es ist noch etwas anderes. Ich komme nur nicht darauf, was es ist.«

»Soll ich die Register durchgehen?« fragte Hansson. »Schade, daß Martinsson krank ist. Er kann das am besten.«

Wallander nickte. Dann kam ihm plötzlich ein Gedanke.

»Suche auch nach seiner Frau, Kajsa Stenholm.«

Während des Walpurgisfestes und Wochenendes ruhte die Ermittlung. Wallander verbrachte einen großen Teil der freien Zeit draußen bei seinem Vater. Einen Nachmittag benutzte er, um seine Küche neu zu streichen. Er rief auch Rydberg an und sprach mit ihm. Er hatte keinen anderen Anlaß gehabt, als daß Rydberg genauso allein war wie er selbst. Doch als Wallander anrief, war Rydberg betrunken gewesen, und ihr Gespräch war schnell beendet.

Am Montag, dem 4. Mai, war Wallander früh im Präsidium. Während er darauf wartete, zu erfahren, was Hansson eventuell in seinen Registern gefunden haben konnte, beschäftigte er sich mit der Autoschmugglerbande. Erst am Tag danach, kurz nach elf Uhr, kam Hansson in sein Zimmer.

»Ich finde nichts über Martin Stenholm«, sagte er. »Er hat vermutlich während seines ganzen Lebens nie etwas Verbotenes getan.«

Wallander war nicht verwundert. Er war sich die ganze Zeit bewußt gewesen, daß sie vielleicht auf dem Weg in eine Sackgasse waren.

»Und die Frau?« fragte er.

Hansson schüttelte den Kopf.

»Noch weniger«, sagte Hansson. »Sie war viele Jahre Staatsanwältin in Nynäshamn.«

Hansson legte einen Aktenordner mit Papieren auf Wallanders Schreibtisch.

»Ich rede noch einmal mit den Taxifahrern«, sagte er. »Vielleicht haben sie trotz allem irgend etwas gesehen.«

Als Wallander allein war, zog er den Aktenordner an sich, den Hansson ihm auf den Schreibtisch gelegt hatte. Er brauchte eine Stunde, um den Inhalt genau durchzusehen. Hansson hatte ausnahmsweise einmal nichts übersehen. Trotzdem wußte Wallander, daß Göran Alexanderssons Tod mit dem alten Arzt zu tun hatte. Er wußte es, ohne zu wissen, wie so häufig zuvor. Zwar mißtraute er seiner eigenen Intuition, aber er konnte nicht abstreiten, daß sie ihn trotz allem häufig richtig geleitet hatte. Er rief Rydberg an, der sofort zu ihm herüberkam. Wallander gab ihm den Aktenordner.

»Lies das mal durch«, sagte er. »Weder Hansson noch ich können irgend etwas Auffälliges entdecken. Aber ich bin sicher, daß wir etwas übersehen.«

»Hansson können wir uns schenken«, meinte Rydberg und machte kein Hehl daraus, daß sein Respekt vor dem Kollegen sich in Grenzen hielt.

Am späten Nachmittag reichte Rydberg Wallander den Ordner wieder herein und schüttelte den Kopf. Auch er hatte nichts gefunden.

»Wir müssen wieder von vorn anfangen«, sagte Wallander. »Wir treffen uns hier morgen früh und entscheiden, wie wir weiter vorgehen wollen.«

Kurz danach verließ Wallander das Präsidium und fuhr nach Svarte. Wieder machte er einen langen Spaziergang am Strand. Er traf niemanden. Danach saß er im Auto und las den Ordner, den er von Hansson bekommen hatte, noch einmal durch. Was sehe ich nicht? dachte er. Es gibt einen Zusammenhang zwischen diesem Arzt und Göran Alexandersson. Nur ich sehe ihn nicht.

Er fuhr nach Ystad zurück und nahm den Ordner mit nach Hause in die Mariagata. Seit sie vor vierzehn Jahren nach Ystad gezogen waren, wohnten sie in derselben Dreizimmerwohnung.

Er versuchte, sich zu entspannen, aber der Ordner ließ ihm keine Ruhe. Spät am Abend, als es schon auf Mitternacht zuging, setzte er sich an den Küchentisch und ging das Ganze noch einmal durch.

Obwohl er inzwischen sehr müde war, fiel ihm jetzt plötzlich ein Detail auf. Er war sich dessen bewußt, daß es bedeutungslos sein konnte. Doch er beschloß, es gleich am nächsten Morgen zu untersuchen.

In dieser Nacht schlief er schlecht.

Kurz vor sieben war er wieder im Präsidium. Über Ystad fiel ein leichter Nieselregen. Wallander wußte, daß der Mann, den er jetzt aufsuchen wollte, ein ebenso früher Vogel war wie er selbst. Er ging hinüber in den Flügel des Gebäudes, in dem die Staatsanwaltschaft untergebracht war, und klopfte an Per Åkesons Tür. Wie üblich herrschte dort drinnen große Unordnung. Åkeson und Wallander arbeiteten seit vielen Jahren zusammen und hatten großes Vertrauen in das Urteilsvermögen des anderen. Åkeson schob die Brille in die Stirn und betrachtete Wallander.

»Du hier?« sagte er. »So früh? Das bedeutet, daß du mir etwas Wichtiges zu sagen hast.«

»Ob es wichtig ist, weiß ich nicht«, entgegnete Wallander. »Aber ich brauche deine Hilfe.«

Er nahm einen Aktenstapel vom Besucherstuhl und legte ihn auf den Fußboden. Dann setzte er sich und berichtete Åkeson in knappen Worten von Alexanderssons Tod.

»Hört sich reichlich seltsam an«, sagte Åkeson, nachdem Wallander geendet hatte.

»Manchmal passieren seltsame Dinge«, sagte Wallander. »Das weißt du ebensogut wie ich.«

»Aber du bist doch kaum um sieben Uhr in der Frühe hergekommen, um mir das Ganze zu erzählen? Ich nehme an, du möchtest vorschlagen, daß wir diesen Arzt festnehmen?«

»Ich brauche deine Hilfe wegen seiner Frau, Kajsa Stenholm«, sagte Wallander. »Sie ist deine Kollegin gewesen. Sie hat viele Jahre in Nynäshamn gearbeitet. Aber ein paarmal war sie beurlaubt. In diesen Perioden hat sie manchmal kurzzeitige Vertretungen übernommen. Vor sieben Jahren hatte sie eine Vertretung in Stockholm. Diese Vertretung fällt in die Zeit, als Göran Alexanderssons Sohn überfallen und getötet wurde. Und ich brauche deine Hilfe, um herauszufinden, ob zwischen diesen beiden Ereignissen eine Verbindung besteht.«

Wallander blätterte in seinen Papieren, bevor er fortfuhr.

»Der Sohn hieß Bengt. Bengt Alexandersson. Er war achtzehn Jahre alt, als er starb.«

Per Åkeson balancierte auf zwei Beinen seines Stuhls und betrachtete Wallander stirnrunzelnd.

»Was stellst du dir eigentlich vor?« fragte er.

»Ich weiß nicht«, antwortete Wallander. »Aber ich will trotzdem untersuchen, ob es eine Verbindung gibt. Ob Kajsa Stenholm in irgendeiner Weise mit der Ermittlung von Bengt Alexanderssons Tod befaßt war.«

»Und ich nehme an, du möchtest die Antwort so schnell wie möglich?«

Wallander nickte.

»Du kennst mich doch inzwischen gut genug, um zu wissen, daß Geduld für mich ein Fremdwort ist«, sagte er und stand auf.

»Ich will sehen, was ich tun kann«, sagte Åkeson. »Aber erwarte nicht zuviel.«

Als Wallander kurz darauf an der Anmeldung vorüberkam, sagte er zu Ebba, daß sie Rydberg und Hansson in sein Zimmer schicken sollte, sobald sie kämen.

»Wie geht es dir eigentlich?« fragte Ebba. »Bekommst du nachts genug Schlaf?«

»Manchmal habe ich das Gefühl, ich schlafe zuviel«, sagte Wallander ausweichend. Ebba war in der Anmeldung sozusagen ein Fels in der Brandung und hatte ein wachsames Auge auf das Wohlbefinden aller. Wallander mußte sich dann und wann in aller Freundlichkeit ihrer Fürsorge erwehren.

Um Viertel nach acht kam Hansson, kurz darauf Rydberg. In knappen Worten referierte Wallander, was er in »Hanssons Papieren«, wie er sie inzwischen nannte, entdeckt hatte.

»Wir müssen abwarten, was Per Åkeson herausfindet«, schloß er. »Vielleicht ist es eine sinnlose Vermutung meinerseits. Aber wenn es sich auf der anderen Seite zeigt, daß Kajsa Stenholm zur gleichen Zeit, als Bengt Alexandersson getötet wurde, eine Vertretung hatte, und wenn sie mit der Ermittlung befaßt war, dann haben wir wirklich einen Zusammenhang hergestellt.«

»Hast du nicht gesagt, daß sie auf den Tod liegt?« fragte Rydberg.

»Das behauptet ihr Mann«, antwortete Wallander. »Sie selbst habe ich nicht gesehen.«

»Mit allem Respekt vor deiner Fähigkeit, dich durch komplizierte Verbrechensermittlungen zu manövrieren, kommt mir dies alles doch sehr vage vor«, sagte Hansson. »Nehmen wir an, du hast recht. Daß Kajsa Stenholm als Leiterin der Voruntersuchung im Fall des gewaltsamen Todes von Bengt Alexandersson tätig war. Was bedeutet das heute? Sollte eine krebskranke Frau einen Mann ermordet haben, der von irgendwoher aus ihrer Vergangenheit auftaucht?«

»Es *ist* sehr vage«, räumte Wallander ein. »Laßt uns einfach abwarten, was Åkeson eventuell herausbekommt.«

Nachdem die beiden anderen gegangen waren, saß Wallander lange unschlüssig da. Er fragte sich, was Mona und Linda wohl gerade machten. Und worüber sie redeten. Um kurz vor halb zehn holte er sich eine Tasse Kaffee, um halb elf noch eine. Er kam gerade in sein Zimmer zurück, als das Telefon klingelte.

Es war Per Åkeson.

»Es ging schneller, als ich dachte«, sagte er. »Hast du was zum Schreiben?«

»Ich schreibe«, antwortete Wallander.

»Zwischen dem 10. März und dem 9. Oktober 1980 hatte Kajsa Stenholm eine Vertretung als Staatsanwältin in Stockholm. Mit Hilfe eines tüchtigen Archivars beim Landgericht bekam ich auch eine Antwort auf deine zweite Frage, inwieweit sie mit der Ermittlung im Fall des Todes von Bengt Alexandersson befaßt war.«

Er verstummte. Wallander wartete gespannt.

»Du hattest tatsächlich recht«, sagte Åkeson. »Sie leitete die Voruntersuchung, und sie war es auch, die die Ermittlung schließlich auf Eis legte. Ein Täter wurde nie gefaßt.«

»Danke für die Hilfe«, sagte Wallander. »Ich laß mir das alles durch den Kopf gehen. Ich melde mich später wieder.«

Als er aufgelegt hatte, stand er auf und trat ans Fenster. Die Scheibe war beschlagen. Es regnete jetzt stärker als am frühen Morgen. Es gibt nur eins, dachte er. Hingehen und herausfinden, was eigentlich passiert ist. Er beschloß, nur Rydberg mitzunehmen. Über das Haustelefon rief er ihn und Hansson zu sich. Er erzählte ihnen, was Åkeson gesagt hatte.

»Donnerwetter!« sagte Hansson.

»Ich dachte, du und ich fahren hin«, sagte Wallander zu Rydberg. »Drei ist einer zuviel.«

Hansson nickte. Er verstand.

Sie fuhren schweigend in Wallanders Wagen nach Svarte. Wallander parkte hundert Meter hinter Stenholms Haus.

»Was erwartest du von mir?« fragte Rydberg, als sie durch den Regen gingen.

»Daß du dabei bist. Sonst nichts.«

Plötzlich wurde es Wallander bewußt, daß Rydberg zum erstenmal ihm assistierte und nicht umgekehrt. Rydberg hatte sich nie formell als sein Vorgesetzter verhalten, es paßte nicht zu seinem Temperament, Chef zu sein, sondern sie hatten immer Seite an Seite gearbeitet. Aber seit Wallander in Ystad war, hatte er Rydberg als seinen Lehrer betrachtet. Das berufliche Können, über das Wallander heute verfügte, verdankte er hauptsächlich Rydberg.

Sie traten durch die Gartenpforte und gingen zum Haus.

Wallander klingelte. Als habe er sie erwartet, öffnete der alte Arzt ihnen fast auf der Stelle die Tür. Wallander schoß der Gedanke durch den Kopf, wie merkwürdig es war, daß der Labrador sich nicht zeigte.

»Ich hoffe, ich störe nicht«, sagte Wallander. »Aber ich habe noch einige Fragen, die leider nicht warten können.«

»Was für Fragen?«

Wallander merkte, daß jede Freundlichkeit bei dem Mann jetzt verschwunden war. Er wirkte verängstigt und zugleich gereizt.

»Nach dem Mann, der am Strand spazierenging«, sagte Wallander.

»Ich habe Ihnen doch schon gesagt, daß ich ihn nicht gesehen habe.«

»Wir würden auch gern mit Ihrer Frau sprechen.«

»Ich habe Ihnen schon gesagt, daß sie todkrank ist. Was hätte sie denn sehen sollen? Sie liegt im Bett. Ich begreife nicht, warum Sie uns nicht in Frieden lassen können!«

Wallander nickte.

»Dann werden wir nicht mehr stören«, sagte er. »Jedenfalls im Moment nicht. Aber ich bin ziemlich sicher, daß wir wiederkommen werden. Und dann werden Sie uns hereinlassen müssen.«

Er nahm Rydberg am Arm und ging mit ihm zur Gartenpforte. Hinter ihnen wurde die Tür zugeschlagen.

»Warum hast du so schnell nachgegeben?« fragte Rydberg.

»Das hast du mir doch beigebracht«, antwortete Wallander. »Daß es nicht schadet, die Leute zum Nachdenken zu bringen. Außerdem brauche ich von Åkeson einen Durchsuchungsbefehl.«

»Hat wirklich er Alexandersson getötet?« sagte Rydberg.

»Ja«, sagte Wallander. »Ich bin mir sicher. Er war es. Aber wie das Ganze zusammenhängt, weiß ich noch immer nicht.«

Am gleichen Nachmittag bekam Wallander seinen Durchsuchungsbefehl. Er beschloß, bis zum nächsten Morgen damit zu warten. Um sich abzusichern, ließ er sich von Björk die Zustimmung dazu geben, das Haus solange zu bewachen.

Als Wallander in der Morgendämmerung des folgenden Tages, es war der 7. Mai, aufwachte und das Rollo hochschnappen ließ, war die Stadt in Nebel getaucht. Bevor er duschte, tat er etwas, was er am Abend zuvor vergessen hatte. Er schlug den Namen Stenholm im Telefonbuch nach. Es gab darin weder eine Kajsa noch einen Martin Stenholm. Als er die Auskunft anrief, wurde ihm mitgeteilt, die Nummer sei geheim. Er nickte stumm, als habe er genau das erwartet.

Während er Kaffee trank, überlegte er, ob er Rydberg mitnehmen oder allein nach Svarte fahren sollte. Erst als er sich ins Auto setzte, entschied er sich dafür, allein zu fahren. Über der Küste lag dichter Nebel.

Wallander fuhr sehr langsam. Kurz vor acht Uhr hielt er unmittelbar vor Stenholms Haus. Er ging durch die Gartenpforte und klingelte. Erst beim dritten Klingeln wurde aufgemacht. Als Martin Stenholm sah, daß es Wallander war, versuchte er, die Tür zuzuschlagen. Wallander konnte jedoch einen Fuß dazwischenschieben und drückte die Tür auf.

»Was gibt Ihnen das Recht, hier einzudringen?« rief der alte Mann mit gellender Stimme.

»Ich dringe nicht ein«, sagte Wallander. »Ich habe einen Hausdurchsuchungsbefehl. Es ist das beste, Sie akzeptieren es sofort. Können wir uns irgendwo setzen?«

Stenholm schien plötzlich zu resignieren. Wallander folgte ihm in ein Zimmer, dessen Wände voller Bücher waren. Wallander setzte sich in einen Ledersessel, der alte Mann ihm gegenüber.

»Haben Sie mir wirklich nichts zu sagen?« fragte Wallander.

»Ich habe keinen Mann hier am Strand spazierengehen sehen. Und meine Frau, die schwer krank ist, auch nicht. Sie liegt oben.«

Wallander beschloß, ohne Umschweife zur Sache zu kommen. Es gab keinen Grund mehr zu zweifeln.

»Ihre Frau ist Staatsanwältin gewesen«, begann er. »Den größeren Teil des Jahres 1980 hatte sie eine Vertretung in Stockholm.

Sie leitete unter anderem die Voruntersuchung der Umstände, die zum Tod des damals achtzehnjährigen Bengt Alexandersson geführt hatten. Und sie war es auch, die nach einigen Monaten das Verfahren einstellte. Erinnern Sie sich an dieses Ereignis?«

»Natürlich nicht«, sagte Stenholm. »Wir hatten es uns zur Gewohnheit gemacht, zu Hause Gespräche über unsere Arbeit zu vermeiden. Weder sprach sie von Angeklagten noch ich von Patienten.«

»Der Mann, der hier am Strand spazierenging, war der Vater des toten Bengt Alexandersson«, fuhr Wallander fort. »Er wurde außerdem vergiftet und starb auf der Rückbank eines Taxis. Finden Sie, daß dies nach Zufall aussieht?«

Stenholm antwortete nicht. Wallander meinte plötzlich, den gesamten Verlauf des Geschehens vor sich sehen zu können.

»Nach Ihrer Pensionierung ziehen Sie von Nynäshamn hier herunter nach Schonen«, sagte er langsam. »In eine kleine, anonyme Gemeinde mit Namen Svarte. Sie stehen nicht einmal im Telefonbuch, denn Ihre Nummer ist geheim. Natürlich kann der Grund dafür sein, daß Sie im Alter ungestört und anonym sein wollen. Aber vielleicht kann man sich auch eine andere Möglichkeit denken. Daß Sie in aller Heimlichkeit wegziehen, um etwas oder jemanden loszuwerden. Vielleicht einen Mann, der es nicht versteht, warum eine Staatsanwältin nicht mehr Mühe darauf verwendet, den sinnlosen Mord an seinem einzigen Kind aufzuklären. Sie ziehen fort, doch er findet Sie. Wie ihm das gelingt, werden wir wohl nie erfahren. Plötzlich steht er hier draußen am Strand. Sie begegnen ihm eines Tages, als Sie mit dem Hund gehen. Es ist natürlich ein schwerer Schock. Er wiederholt seine Anklagen. Vielleicht stößt er sogar Drohungen aus. Im Obergeschoß liegt Ihre schwerkranke Frau. Ich bezweifle nicht, daß es so ist. Der Mann am Strand kommt Tag auf Tag wieder. Er läßt nicht locker. Sie sehen keine Möglichkeit, ihn loszuwerden. Sie sehen überhaupt keinen Ausweg. Da bitten Sie ihn ins Haus. Wahrscheinlich versprechen Sie ihm, daß er mit Ihrer Frau sprechen kann. Sie geben ihm ein Gift, vielleicht in einer Tasse Kaffee. Dann bitten Sie ihn plötzlich, am nächsten Tag wiederzukommen. Ihre Frau hat starke Schmerzen, oder vielleicht schläft sie. Aber Sie wissen, er wird nie wiederkommen. Das Problem ist gelöst. Göran Alexandersson wird an etwas sterben, das aussieht wie ein Herzinfarkt. Niemand hat Sie zusammen gesehen, niemand kennt die Verbindung zwischen Ihnen. War es nicht so?«

Stenholm saß unbeweglich da.

Wallander wartete. Durchs Fenster konnte er sehen, daß der Nebel noch immer sehr dicht war. Dann hob der Mann den Kopf.

»Meine Frau hat keine Fehler gemacht«, sagte er. »Aber die Zeiten änderten sich, die Verbrechen nahmen zu und wurden schlimmer. Polizei und Staatsanwaltschaft und Gerichte waren überfordert und kämpften einen aussichtslosen Kampf. Das sollten Sie als Polizeibeamter wissen. Deshalb war es zutiefst ungerecht, daß Göran Alexandersson meiner Frau zum Vorwurf machte, daß der Mord an seinem Sohn nie aufgeklärt wurde. Er hat uns sieben Jahre lang verfolgt und bedroht und terrorisiert. Und er tat das auf eine Art und Weise, daß ihm nie beizukommen war.«

Stenholm verstummte. Dann stand er vom Stuhl auf.

»Gehen wir hinauf zu meiner Frau. Sie kann es selbst erzählen.«

»Das ist nicht mehr nötig«, sagte Wallander.

»Für mich ist es nötig«, sagte der Mann.

Sie stiegen die Treppe ins Obergeschoß hinauf. In einem großen und hellen Raum lag Kajsa Stenholm in einem Krankenbett. Auf dem Boden daneben lag der Labrador.

»Sie schläft nicht«, sagte der Mann. »Gehen Sie zu ihr und fragen sie, was Sie wollen.«

Wallander trat ans Bett. Ihr Gesicht war so abgemagert, daß die Haut sich über dem Schädel spannte.

Im gleichen Augenblick sah Wallander, daß sie tot war. Er wandte sich heftig um. Der alte Mann war in der Türöffnung stehengeblieben. Er richtete eine Pistole auf Wallander.

»Ich wußte, daß Sie kommen würden«, sagte er. »Deshalb konnte sie ebensogut sterben.«

»Legen Sie die Pistole fort«, sagte Wallander.

Stenholm schüttelte den Kopf. Wallander spürte, wie die Angst ihn lähmte.

Dann ging alles sehr schnell. Stenholm richtete plötzlich die Waffe auf seine eigene Schläfe und drückte ab. Der Knall hallte im

Raum wider. Von der Wucht des Schusses wurde der Mann fast durch die Tür hinausgeschleudert. Das Blut war über die Wände gespritzt. Wallander war nahe daran, in Ohnmacht zu fallen. Dann stürzte er durch die Tür und die Treppe hinunter. Er wählte die Nummer des Polizeipräsidiums. Ebba nahm ab.

»Hansson oder Rydberg«, sagte er. »Und zwar verdammt schnell.«

Rydberg nahm ab.

»Es ist vorbei«, sagte Wallander. »Kleine Besetzung in das Haus in Svarte. Ich habe zwei Tote hier.«

»Hast du sie getötet? Was ist passiert?« fragte Rydberg. »Bist du verletzt? Warum bist du allein da hinausgefahren, verdammt noch mal?«

»Ich weiß nicht«, sagte Wallander. »Macht schnell. Ich bin unverletzt.«

Wallander ging aus dem Haus, während er wartete. Der Strand war nebelverhangen. Er dachte an das, was der alte Arzt gesagt hatte, über die Verbrechen, die mehr wurden und immer gröber. Wallander hatte ähnliche Überlegungen angestellt. Er kam sich mehr und mehr wie ein Polizeibeamter vor, der eigentlich einer anderen Zeit angehörte. Und das, obwohl er gerade mal vierzig war. Vielleicht brauchte die Gegenwart eine andere Sorte Polizisten?

Er wartete im Nebel, daß die Kollegen aus Ystad kamen. Er fühlte sich elend. Wieder einmal war er gegen seinen Willen gezwungen gewesen, in einer Tragödie mitzuspielen. Er fragte sich, wie lange er das noch aushalten würde.

Als die Kollegen kamen und Rydberg aus dem Wagen stieg, entdeckte er Wallander als schwarzen Schatten in dem weißen Nebel.

»Was ist passiert?« fragte Rydberg.

»Wir haben den Fall des Mannes gelöst, der im Fond von Stenbergs Taxi gestorben ist«, sagte Wallander einfach.

Er sah, daß Rydberg auf eine Fortsetzung wartete, die nicht kommen würde.

»Das ist alles«, sagte er. »Das ist alles, was wir getan haben.«

Dann drehte Wallander sich um und ging hinunter zum Strand. Nach kurzer Zeit hatte der Nebel ihn verschluckt.

Der Tod des Fotografen

Immer wenn es Frühjahr wurde, hatte er den gleichen Traum: daß er fliegen konnte. Der Traum lief stets auf dieselbe Weise ab. Er ging eine Treppe hinauf, die schwach beleuchtet war. Plötzlich öffnete sich die Decke, und er merkte, daß die Treppe ihn in eine Baumkrone geführt hatte. Zu seinen Füßen breitete sich die Landschaft aus. Er hob die Arme – und ließ sich fallen. Er herrschte über die Welt.

In diesem Augenblick erwachte er. Der Traum verließ ihn jedesmal an genau diesem Punkt. Er hatte den gleichen Traum seit vielen Jahren, hatte aber noch nie geträumt, daß er wirklich von der Spitze des Baumes fortgeschwebt wäre.

Der Traum kehrte zurück und narrte ihn immer wieder.

Er dachte daran, als er durch die Straßen von Ystad ging. In der Woche zuvor war eines Nachts der Traum zu ihm gekommen. Wie immer war er gerade in dem Augenblick abgebrochen, als er davonfliegen wollte. Jetzt würde er lange Zeit nicht wiederkehren.

Es war ein Abend Mitte April 1988. Die Frühjahrswärme ließ noch auf sich warten. Er bereute, keinen dickeren Pullover angezogen zu haben. Noch immer laborierte er an einer hartnäckigen Erkältung.

Es war kurz nach acht. Die Straßen waren menschenleer. In einiger Entfernung hörte er einen Wagen mit quietschenden Reifen anfahren. Dann verebbte das Motorgeräusch. Er ging immer denselben Weg. Vom Lavendelväg, wo er wohnte, folgte er der Tennisgata. Beim Magaretapark hielt er sich links und ging durch die Skottegata bis ins Zentrum. Dort bog er erneut links ab, kreuzte den Kristianstadsväg und war kurz darauf am Sankta Gertruds Torg, wo er sein Fotoatelier hatte. Wäre er ein junger Fotograf und gerade im Begriff, sich in Ystad zu etablieren, wäre die Lage nicht die beste. Aber er hatte sein Atelier seit mehr als fünfundzwanzig Jahren. Sein Kundenkreis war stabil. Sie wußten, wo sie ihn finden konnten. Sie kamen zu ihm, wenn sie Hochzeitsfotos machen lassen wollten. Dann kamen sie mit dem ersten Kind wieder. Oder anläßlich verschiedener Festlichkeiten, an die sie sich später erinnern wollten. Inzwischen hatte er auch schon Hochzeitsfotos von jungen Leuten gemacht, deren Eltern er bereits von ihrer Hochzeit her kannte. Als es zum ersten Mal geschah, war ihm klargeworden, daß er langsam alt wurde. Früher hatte er nicht soviel darüber nachgedacht, aber plötzlich war er fünfzig gewesen. Und das war jetzt auch schon sechs Jahre her.

Er blieb vor einem Schaufenster stehen und betrachtete sein Gesicht, das sich in der Scheibe spiegelte. Das Leben war, wie es war. Eigentlich konnte er nicht klagen. Wenn er noch zehn oder fünfzehn Jahre gesund bliebe, dann ...

Er schüttelte die Gedanken über den Lauf des Lebens ab und ging weiter. Ein böiger Wind wehte, und er zog die Jacke fester um sich. Er ging weder schnell noch langsam. Er hatte es nicht eilig. An zwei Abenden in der Woche kam er hierher in sein Atelier. Das waren die heiligen Stunden in seinem Leben. Zwei Abende, die er vollkommen ungestört mit seinen eigenen Bildern im Raum hinter dem Atelier verbringen konnte.

Er war am Ziel. Bevor er die Ladentür aufschloß, betrachtete er sein Schaufenster mit einer Mischung aus Mißmut und lrritation. Er hätte schon längst neu dekorieren sollen. Selbst wenn er kaum neue Kunden anlocken würde, müßte er an der Regel festhalten, die er sich vor mehr als zwanzig Jahren selbst gegeben hatte. Einmal im Monat sollte er die ausgestellten Fotografien auswechseln. Jetzt waren fast zwei Monate vergangen. Früher, als er noch einen Verkäufer beschäftigt hatte, war mehr Zeit gewesen, sich dem Fenster zur Straße zu widmen. Dem letzten Verkäufer hatte er vor fast vier Jahren gekündigt. Es war zu teuer geworden. Außerdem konnte er die anfallende Arbeit auch alleine bewältigen.

Er schloß auf und betrat den Laden. Das Atelier lag im Dunkeln. Er hatte eine Putzfrau, die dreimal in der Woche kam. Sie hatte einen eigenen Schlüssel und pflegte schon um fünf Uhr morgens sauberzumachen. Weil es während des Vormittags geregnet hatte, war der Fußboden schmutzig. Er mochte keinen Schmutz. Also machte er das Licht nicht an, sondern ging direkt in sein Atelier und weiter in den hintersten Raum, in dem er seine Bilder entwickelte. Er schloß die Tür und machte das Licht an. Hängte seine Jacke auf. Stellte das Radio an, das auf einem kleinen Wandregal stand. Er hatte immer einen Sender eingestellt, auf dem er klassische Musik hören konnte. Dann stellte er die Kaffeemaschine an und wusch eine Tasse ab. Ein Wohlgefühl begann sich in ihm auszubreiten. Das Zimmer hinter dem Atelier war seine Kathedrale, sein heiliger Raum. Niemand durfte ihn betreten außer seiner Putzhilfe. Hier befand er sich im Mittelpunkt der Welt. Hier war er allein. Alleinherrscher.

Während er darauf wartete, daß der Kaffee durchlief, dachte er an das, was ihn erwartete. Er bestimmte immer im voraus, mit welcher Arbeit er den Abend verbringen wollte. Er war ein methodischer Mensch, der nichts dem Zufall überließ.

An diesem Abend war der schwedische Ministerpräsident an der Reihe. Es war seltsam, daß er ihm bisher noch keinen Abend gewidmet hatte. Aber heute hatte er sich auf ihn vorbereitet. Seit mehr als einer Woche hatte er die Tageszeitungen sorgfältig nach einem Bild durchsucht, das er benutzen konnte. In einer der Abendzeitungen hatte er es entdeckt und sofort gewußt, daß es das richtige war. Es erfüllte alle seine Wünsche. Er hatte es vor ein paar Tagen abfotografiert. Jetzt lag es in einer Schreibtischschublade. Er goß sich Kaffee ein und summte die Musik mit. Gerade wurde eine Klaviersonate von Beethoven gespielt. Er hörte lieber Bach als Beethoven. Am liebsten Mozart. Doch er konnte nicht leugnen, daß die Klaviersonate schön war.

Er setzte sich an den Schreibtisch, richtete die Lampe aus und schloß die linke obere Schublade auf. Dort lag das Foto des Ministerpräsidenten. Er hatte das Bild vergrößert, wie immer. Ein bißchen größer als ein A4-Bogen. Er legte es vor sich auf den Tisch, trank einen Schluck Kaffee und betrachtete das Gesicht. Wo sollte er anfangen? Wo sollte er mit dem Schrumpfen beginnen? Der Mann auf dem Bild lächelte und schaute nach links. In seinem Blick lag eine Spur von Beunruhigung oder Unsicherheit. Er beschloß, sich als erstes die Augen vorzunehmen. Sie würden schielen und kleiner werden. Wenn er den Vergrößerungsapparat schräg stellte, würde das Gesicht außerdem in die Länge gezogen. Er konnte auch versuchen, das Papier mit einer Wölbung in den Vergrößerungsapparat zu bringen, und sehen, welcher Effekt sich dabei ergab. Dann würde er schneiden und kleben und auf diese Weise den Mund verschwinden lassen. Oder ihn vielleicht zunähen. Politiker redeten immer zuviel.

Er trank seinen Kaffee aus. Die Uhr an der Wand zeigte Viertel vor neun. Ein paar lärmende Jugendliche gingen draußen auf der Straße vorbei und störten für einen Augenblick die Musik.

Er stellte die Kaffeetasse ab. Dann begann er mit der mühsamen, aber befriedigenden Arbeit des Retuschierens. Langsam veränderte sich das Gesicht.

Er brauchte mehr als zwei Stunden.

Daß es das Gesicht des Ministerpräsidenten war, konnte man noch erkennen. Doch was war mit ihm geschehen? Er stand auf und hängte das Bild an die Wand. Richtete eine Lampe darauf. Im Radio lief Strawinskys *Sacre du printemps*. Die dramatische Musik paßte gut, fand er, als er sein Werk in Augenschein nahm. Das Gesicht war nicht mehr dasselbe.

Jetzt blieb noch das Wichtigste. Der befriedigendste Teil seiner Arbeit. Nun würde er das Bild schrumpfen lassen. Es klein und unbedeutend machen.

Er legte es auf die Glasplatte und richtete das Licht aus. Machte das Bild kleiner und kleiner. Die Details wurden zusammengezogen, blieben aber scharf. Erst als das Gesicht undeutlich zu werden begann, hörte er auf.

Er war endlich am Ziel.

Es war fast zwölf Uhr, als das fertige Bild vor ihm auf dem Schreibtisch lag. Das verzerrte Gesicht des Ministerpräsidenten war jetzt nicht größer als ein Paßfoto. Wieder einmal hatte er einen dieser machtbesessenen Menschen auf Proportionen zurechtgestutzt, die angemessener waren. Aus großen Männern machte er kleine. In seiner Welt war niemand größer als er selbst. Er veränderte ihre Gesichter. Machte sie klein und lächerlich. Durch ihn wurden sie zu bedeutungslosen Insekten.

Er nahm das Album hervor, das er im Schreibtisch aufbewahrte. Blätterte darin bis zur ersten leeren Seite. Dort klebte er das von ihm manipulierte Bild ein. Mit einem Füller schrieb er das Datum darunter.

Er lehnte sich im Stuhl zurück. Wieder hatte er ein Bild fertiggestellt und eingeklebt. Es war ein gelungener Abend. Das Resultat war gut. Und nichts hatte ihn gestört. Keine unruhigen Gedanken waren in seinem Kopf umhergewirbelt. Es war ein Abend in der Kathedrale, an dem alles Ruhe und Frieden geatmet hatte.

Er legte das Album zurück und verschloß die Schublade. Auf Strawinskys *Sacre du printemps* war Händel gefolgt. Manchmal ärgerte ihn die Unfähigkeit der Programmgestalter, weiche Übergänge zu schaffen.

Er stand auf und schaltete das Radio ab. Es war Zeit, nach Hause zu gehen.

Im gleichen Augenblick hatte er das Gefühl, daß etwas nicht stimmte. Er bewegte sich nicht. Alles war still. Schließlich schaltete er die Kaffeemaschine aus und begann die Lampen auszumachen. Dann hielt er erneut inne. Etwas war nicht in Ordnung. Er hatte ein Geräusch aus dem Atelier gehört. Plötzlich bekam er Angst. War jemand in den Laden eingebrochen? Er ging auf Zehenspitzen zur Tür und lauschte. Alles war still. Ich bilde mir etwas ein, dachte er ärgerlich. Wer sollte in ein Fotoatelier einbrechen, in dem nicht einmal Fotoapparate verkauft wurden? Kameras, die zu stehlen sich lohnen würde?

Er lauschte wieder. Nichts. Er nahm die Jacke vom Haken und zog sie an. Die Uhr an der Wand zeigte neunzehn Minuten vor zwölf. Um diese Zeit pflegte er seine Kathedrale abzuschließen und nach Hause zu gehen. Er blickte sich noch einmal um, bevor er die letzte Lampe löschte. Anschließend öffnete er die Tür. Das Atelier lag im Dunkeln. Er drückte auf den Lichtschalter. Es war, wie er gedacht hatte. Da war niemand. Er machte das Licht wieder aus und wendete sich zur Tür.

Dann ging alles sehr schnell.

Plötzlich trat jemand aus der Dunkelheit auf ihn zu. Jemand, der hinter einem der heruntergerollten Hintergründe gestanden hatte, die er für seine Atelierfotos benutzte. Er konnte nicht erkennen, wer es war. Weil der Schatten den Ausgang blockierte, konnte er nur eins tun. Zurück ins Hinterzimmer flüchten und die Tür abschließen. Dort war auch ein Telefon, und er konnte um Hilfe telefonieren.

Er machte kehrt, aber er kam nicht bis zur Tür. Der Schatten bewegte sich schneller. Etwas traf ihn am Hinterkopf. Und bewirkte, daß die Welt zuerst in einem weißen Licht explodierte und dann vollkommen weiß wurde.

Er war tot, bevor sein Körper auf dem Fußboden aufschlug.

Es war genau siebzehn Minuten vor Mitternacht.

Die Putzhilfe hieß Hilda Waldén. Kurz nach fünf Uhr kam sie zu Simon Lambergs Fotoatelier, wo sie ihre Morgenschicht begann. Sie stellte ihr Fahrrad vor dem Laden ab und schloß es sorgfältig mit einer Kette an. Es nieselte, und es war kälter geworden. Sie fröstelte, als sie den richtigen Schlüssel heraussuchte. Der Frühling ließ auf sich warten. Sie öffnete und trat ein. Der Fußboden war nach dem Regenwetter der letzten Tage schmutzig. Sie stellte ihre Handtasche neben die Kasse auf die Theke und legte ihren Mantel auf einen Stuhl neben dem kleinen Zeitungstisch. Im hinteren Teil des Ateliers befand sich ein Putzschrank. Dort verwahrte sie ihren Putzkittel und ihre Arbeitsgeräte. Lamberg muß bald einen neuen Staubsauger kaufen, dachte sie. Der alte taugt nicht mehr viel.

Sie betrat das Atelier und entdeckte ihn im selben Augenblick. Ihr war sofort klar, daß er tot war. Das Blut hatte sich um seinen ganzen Körper ausgebreitet.

Dann floh sie hinaus auf die Straße. Ein pensionierter Bankdirektor, dem sein Arzt regelmäßige Spaziergänge verordnet hatte, fragte sich entsetzt, was passiert war, nachdem es ihm mit Mühe und Not gelungen war, die schreiende Frau zu beruhigen.

Sie stand da und zitterte am ganzen Körper, während er zu einer Telefonzelle an der nächsten Straßenecke lief und den Notruf wählte.

Es war zehn Minuten nach fünf.

Nieselregen.

Böiger Wind aus Südwest.

Es war Martinsson, der anrief und Wallander um drei Minuten nach sechs weckte. Wallander wußte aus langer Erfahrung, daß etwas Ernstes geschehen war, wenn das Telefon so früh klingelte. Normalerweise stand er bereits vor sechs Uhr auf, aber an diesem Morgen hatte er noch geschlafen. Er hatte sich am Abend zuvor ein Stück von einem Zahn abgebissen und während der Nacht Zahnschmerzen gehabt. Erst gegen vier Uhr war es ihm gelungen, ein wenig Schlaf zu finden, nachdem er mehrfach aufgestanden war und Schmerztabletten genommen hatte. Deshalb war er noch völlig verschlafen, als er zum Hörer griff. Er merkte, wie der Schmerz zurückkam.

»Habe ich dich geweckt?« fragte Martinsson.

»Ja«, antwortete Wallander und wunderte sich darüber, daß er ausnahmsweise einmal die Wahrheit sagte. »Das hast du tatsächlich. Was ist denn passiert?«

»Ich bin von der Nachtschicht angerufen worden. Gegen halb sechs haben sie einen ziemlich merkwürdigen Notruf bekommen. Wegen eines angeblichen Mordes am Sankta Gertruds Torg. Eine Streife ist hingefahren.«

»Und?«

»Leider stimmt es.«

Wallander hatte sich im Bett aufgesetzt. Der Notruf war also vor einer halben Stunde eingegangen.

»Bist du selber dort gewesen?«

»Wie sollte ich das denn geschafft haben? Ich war gerade beim Anziehen, als das Telefon klingelte. Ich dachte, es sei am besten, mich direkt bei dir zu melden.«

Wallander nickte stumm in den Hörer. »Und wissen wir, wer es ist?« fragte er.

»Es scheint der Fotograf zu sein, der da unten am Marktplatz sein Atelier hat. Ich habe seinen Namen vergessen.«

»Lamberg?« fragte Wallander mit gerunzelter Stirn.

»Ja, so heißt er. Simon Lamberg. Wenn ich es richtig verstanden habe, hat die Putzhilfe ihn gefunden.«

»Wo?«

»Was meinst du damit?«

»Wo sie ihn gefunden hat. Im Laden oder draußen?«

»Im Laden.«

Wallander dachte nach. Der Wecker neben seinem Bett zeigte sieben Minuten nach sechs.

»Sagen wir, in einer Viertelstunde?« fragte er dann.

»Ja«, antwortete Martinsson. »Die Streife sagte, es wäre kein angenehmer Anblick.«

»Das haben Mordplätze so an sich«, sagte Wallander. »Ich glaube, ich bin noch nie in meinem Leben an einem gewesen, den man als angenehm hätte beschreiben können.«

Sie beendeten das Gespräch.

Wallander blieb im Bett sitzen. Die von Martinsson übermittelte Nachricht berührte ihn unangenehm. Wenn es stimmte, wußte Wallander ziemlich genau, wer der Tote war. Simon Lamberg hatte Wallander häufig fotografiert. Die Erinnerungen an verschiedene Gelegenheiten, bei denen er das Fotoatelier besucht hatte, gingen ihm durch den Kopf. Als Mona und er Ende Mai 1970 geheiratet hatten, waren sie von Lamberg fotografiert worden. Er hatte die Aufnahmen jedoch nicht im Atelier gemacht, sondern unten am Strand, neben dem Hotel Saltsjöbaden. Mona hatte es so gewollt. Wallander konnte sich noch erinnern, daß er selber das Ganze für unnötig gehalten hatte. Daß sie ihre Hochzeit überhaupt in Ystad gefeiert hatten, hatte damit zusammengehangen, daß Monas alter Konfirmationspastor damals dort tätig gewesen war. Wallander hätte am liebsten in Malmö geheiratet, und zwar nur standesamtlich. Aber da hatte Mona nicht mitgemacht. Daß sie außerdem an einem kalten und windigen Strand stehen und sich fotografieren lassen mußten, hatte seine Laune ebenfalls nicht gerade gehoben. Wallander erschien es unnötig viel Aufwand für eine romantische Fotografie zu sein, die dann nicht einmal gelungen war.

Auch Linda war als Kind ab und zu von Lamberg fotografiert worden.

Wallander stand auf und zog sich gleich an. Das Duschen würde er heute einmal überspringen. Anschließend ging er ins Badezimmer und sperrte den Mund auf. Wie oft er das im Laufe der vergangenen Nacht getan hatte, wußte er nicht. Jedesmal hatte er gehofft, daß der Zahn wieder ganz wäre.

Es war ein Zahn links im Unterkiefer. Als er mit einem Finger den Mundwinkel zurückzog, konnte er deutlich sehen, daß der halbe Zahn weg war. Vorsichtig putzte er sich die Zähne. Als er an den kaputten Zahn kam, spürte er einen jähen Schmerz.

Er verließ das Bad und ging in die Küche. Schmutziges Geschirr stapelte sich. Er warf einen Blick durchs Küchenfenster nach draußen. Es war windig und regnete. Die Straßenlaterne schwankte im Wind. Das Thermometer zeigte vier Grad über Null. Er schnitt eine Grimasse der Verärgerung. Der Frühling ließ weiter auf sich warten. Bevor er die Wohnung verließ, ging er noch einmal ins Wohnzimmer. Im Bücherregal stand ihr Hochzeitsfoto. Er nahm es herunter.

Als wir uns getrennt haben, hat Lamberg nicht fotografiert, dachte Wallander. In Gedanken ging er das Geschehene noch einmal durch. Eines Tages, vor ein paar Monaten, hatte Mona ihm eröffnet, sie fände es gut, wenn sie sich für eine Weile trennten. Sie müsse sich einmal gründlich Gedanken darüber machen, was sie eigentlich wolle. Wallander hatte es die Sprache verschlagen. Auch, wenn es ihn im Innersten nicht wirklich überraschte. Sie hatten sich auseinandergelebt. Hatten weniger und weniger, worüber sie miteinander reden konnten, und immer weniger Freude am Sex. Am Ende hatte nur noch Linda ihre Ehe zusammengehalten.

Wallander hatte dagegen angekämpft. Er hatte gefleht und gedroht, aber Mona hatte sich nicht umstimmen lassen. Sie war zurück nach Malmö gezogen. Linda war mit ihr gegangen. Die Großstadt hatte gelockt. Immer noch hoffte Wallander, daß sie eines Tages noch einmal eine Chance bekämen. Aber inwieweit diese Hoffnung begründet war, wußte er nicht.

Er schüttelte die Gedanken ab und stellte das Foto zurück ins Regal. Dann verließ er die Wohnung.

Er fragte sich, was passiert war. Wer war Lamberg? Obwohl er bestimmt vier- oder fünfmal von ihm fotografiert worden war, hatte er keine deutliche Erinnerung an ihn. Lamberg war auf sonderbare Weise anonym geblieben. Wallander hatte sogar Schwierigkeiten, sich sein Gesicht vorzustellen.

Er brauchte nur ein paar Minuten, um zum Sankta Gertruds Torg zu fahren. Zwei Streifenwagen standen vor dem Laden. Eine

Menschenmenge hatte sich versammelt. Einige Polizisten waren dabei, die Straße vor dem Eingang abzusperren. Martinsson traf ein. Wallander merkte, daß er ausnahmsweise einmal unrasiert war.

Sie traten an das Absperrband. Nickten dem Polizisten von der Nachtschicht zu.

»Es sieht nicht schön aus«, sagte er. »Der Tote liegt vornüber auf dem Fußboden. Viel Blut.«

Wallander unterbrach ihn. »Und ist es sicher, daß es der Fotograf ist? Lamberg?«

»Die Putzfrau ist der Meinung.«

»Ihr geht es sicher ziemlich schlecht«, meinte Wallander. »Bring sie hoch ins Präsidium. Biete ihr Kaffee an. Wir kommen so schnell wie möglich nach.«

Sie gingen zur Tür, die offenstand.

»Ich habe Nyberg angerufen«, sagte Martinsson. »Die Spurensicherung ist unterwegs.«

Sie betraten den Laden. Alles war sehr still. Wallander ging voraus, Martinsson folgte unmittelbar hinter ihm. Sie kamen an der Theke vorbei und erreichten das Atelier. Es sah entsetzlich aus.

Der Mann, der dort auf dem Bauch lag, war auf einem ausgerollten Fußbodenpapier gelandet, wie Fotografen es benutzen, wenn sie ihre Bilder machen. Das Papier war weiß. Es bildete einen scharfen Kontrast zum Rot des Blutes.

Wallander trat vorsichtig näher. Er hatte die Schuhe ausgezogen und ging auf Strümpfen. Dann beugte er sich nieder.

Die Putzfrau hatte recht. Es war Simon Lamberg. Wallander erkannte ihn. Der Kopf war so verdreht, daß die eine Gesichtshälfte nach oben zeigte. Die Augen standen offen.

Wallander versuchte ihren Ausdruck zu deuten. War dort noch etwas anderes als Schmerz und Verwunderung? Er konnte es nicht mit Sicherheit sagen.

»Es besteht kaum ein Zweifel an der Todesursache«, sagte er und zeigte auf die Schlagverletzung am Hinterkopf.

Martinsson war neben Wallander in die Hocke gegangen. »Der ganze Hinterkopf ist zertrümmert«, sagte er mit deutlicher Betroffenheit.

Wallander warf ihm einen Blick zu. Es war bei verschiedenen Gelegenheiten vorgekommen, daß Martinsson beim Anblick eines Mordopfers schlecht geworden war. Aber im Moment schien er sich beherrschen zu können.

Sie erhoben sich wieder. Wallander blickte sich um. Keinerlei Anzeichen dafür, daß dem Mord ein Kampf vorausgegangen war. Er sah auch nichts, was die Mordwaffe hätte sein können. Er ging an dem Toten vorbei und öffnete die hintere Tür. Machte Licht. Hier war offenbar Lambergs Büro gewesen, und hier hatte er seine Bilder entwickelt.

Auch in diesem Raum herrschte Ordnung. Die Schreibtischschubladen waren verschlossen, die Schlösser schienen unangetastet.

»Nach Einbruch sieht das nicht aus«, meinte Martinsson.

»Das wissen wir noch nicht«, antwortete Wallander. »War Lamberg eigentlich verheiratet?«

»Seine Putzfrau hat es behauptet. Sie wohnen im Lavendelväg.«

Wallander kannte die Straße. »Ist seine Frau benachrichtigt worden?«

»Das bezweifle ich.«

»Dann müssen wir damit anfangen. Das kann Svedberg übernehmen.«

Martinsson sah Wallander verwundert an. »Solltest du das nicht tun?«

»Das kann Svedberg genausogut wie ich. Ruf ihn an. Sag ihm, er soll nicht vergessen, einen Pastor mitzunehmen.«

Es war inzwischen Viertel vor sieben. Martinsson ging zurück in den Laden und telefonierte mit Svedberg. Wallander blieb in der Tür zum Hinterzimmer stehen und schaute sich um. Er versuchte sich vorzustellen, was eigentlich passiert war. Es wurde dadurch erschwert, daß er keine Zeitabfolge hatte. Er dachte, daß er als allererstes mit der Frau sprechen mußte, die Lamberg gefunden hatte. Vorher konnte er keine Schlüsse ziehen.

Martinsson kam zurück. »Svedberg ist auf dem Weg ins Präsidium«, berichtete er.

»Das sind wir auch«, sagte Wallander. »Ich möchte mit der Putzfrau sprechen. Gibt es schon irgendwelche Zeitangaben?«

»Die Nachtschicht meinte, es wäre schwierig gewesen, mit ihr zu reden. Sie stand wohl unter Schock.«

Nyberg tauchte hinter Martinsson auf. Sie nickten einander zu. Nyberg war ein erfahrener und tüchtiger, wenn auch oft sehr unwirscher Kriminaltechniker. Wallander hatte bei vielen Gelegenheiten festgestellt, daß sie nur dank seiner Arbeit komplizierte Verbrechen hatten aufklären können.

Nyberg verzog das Gesicht, als er den Toten sah. »Der Fotograf persönlich«, bemerkte er.

»Simon Lamberg«, sagte Wallander.

»Ich habe vor ein paar Jahren Paßbilder bei ihm machen lassen«, erzählte Nyberg. »Dabei hätte ich mir verdammt nicht träumen lassen, daß mal jemand hingehen und ihn erschlagen würde.«

Er hatte sich seine Jacke ausgezogen. »Was wissen wir?«

»Daß er irgendwann nach fünf von der Putzfrau entdeckt worden ist. Das ist praktisch alles.«

»Dann wissen wir also nichts«, stellte Nyberg fest und machte sich an die Arbeit.

Martinsson und Wallander verließen das Atelier. Nyberg sollte in Ruhe arbeiten können. Wallander wußte, daß er gründlich vorgehen würde.

Sie fuhren ins Präsidium. Wallander blieb in der Anmeldung stehen und bat Ebba, die gerade gekommen war, bei seinem Zahnarzt anzurufen und einen Termin für ihn zu vereinbaren. Er nannte ihr den Namen.

»Hast du Schmerzen?« fragte sie.

»Ja«, sagte Wallander. »Ich muß erst noch mit der Putzfrau sprechen, die den Fotografen Lamberg tot aufgefunden hat. Das dauert vielleicht eine Stunde. Und dann möchte ich gern so schnell wie möglich zum Zahnarzt.«

»Lamberg?« fragte Ebba erstaunt. »Was ist denn passiert?«

»Er ist ermordet worden.«

Ebba sank auf ihren Stuhl. »Bei dem bin ich so oft gewesen«, sagte sie betroffen. »Er hat alle meine Enkelkinder fotografiert. Eines nach dem anderen.«

Wallander nickte, aber er sagte nichts.

Dann ging er durch den Korridor zu seinem Zimmer. Alle

scheinen beim Fotografen Lamberg gewesen zu sein, dachte er. Alle haben wir vor seiner Kamera gestanden. Ich frage mich, ob alle einen ähnlich vagen Eindruck von ihm hatten wie ich.

Es war inzwischen fünf nach sieben.

Ein paar Minuten später betrat Hilda Waldén das Zimmer. Sie hatte sehr wenig zu sagen. Wallander merkte, daß es nicht nur an ihrer Aufregung oder am Schock lag. Der eigentliche Grund war, daß sie Lamberg überhaupt nicht gekannt hatte, obwohl sie seit über zehn Jahren in seinem Fotoatelier geputzt hatte.

Als sie, von Hansson begleitet, in Wallanders Zimmer gekommen war, hatte er ihr die Hand gegeben und sie freundlich gebeten, Platz zu nehmen. Sie war ungefähr sechzig Jahre alt und hatte ein mageres Gesicht. Wallander dachte, daß sie sicher ihr ganzes Leben lang hart gearbeitet hatte. Hansson verließ das Zimmer, und Wallander suchte sich aus den Kollegblöcken, die stapelweise in seinen Schubläden lagen, einen aus. Er begann damit, seinem Bedauern über das Geschehene Ausdruck zu verleihen. Er verstehe, daß sie aufgewühlt sei. Dennoch könne er mit seinen Fragen nicht warten. Es sei ein schweres Verbrechen begangen worden. Jetzt gelte es, so schnell wie möglich den Täter und das Motiv zu identifizieren.

»Fangen wir ganz vorn an«, sagte er. »Sie haben in Simon Lambergs Fotoatelier geputzt?«

Sie antwortete sehr leise. Wallander mußte sich vorbeugen, um sie zu verstehen.

»Ich habe zwölf Jahre und sieben Monate bei ihm geputzt. Dreimal in der Woche. Montags, mittwochs und freitags.«

»Wann sind Sie heute morgen in den Laden gekommen?«

»Um kurz nach fünf. Ich putze in allen Geschäften morgens. Und Lambergs war immer das erste.«

»Ich nehme an, Sie haben einen eigenen Schlüssel?«

Sie sah ihn erstaunt an. »Wie sollte ich sonst hineinkommen? Lamberg hat nie vor zehn Uhr aufgemacht.«

Wallander nickte und fuhr fort. »Sind Sie von der Straße aus hineingegangen?«

»Es gibt keinen Hintereingang.«

Wallander notierte.

»Und die Tür war verschlossen?«

»Ja.«

»Das Schloß war nicht aufgebrochen?«

»Ich habe jedenfalls nichts bemerkt.«

»Was geschah dann?«

»Ich ging hinein, stellte meine Handtasche ab und zog meinen Mantel aus.«

»Ist Ihnen etwas Ungewöhnliches aufgefallen?«

Er merkte, daß sie wirklich nachdachte und versuchte, sich zu erinnern.

»Es war alles wie immer. Gestern morgen hat es geregnet. Der Fußboden war ungewöhnlich schmutzig. Ich wollte meine Eimer und Putzlappen holen.«

Sie brach plötzlich ab.

»Und da haben Sie ihn entdeckt?«

Sie nickte stumm.

Einen Moment lang fürchtete Wallander, sie könnte zusammenbrechen, aber sie holte tief Luft und faßte sich.

»Um wieviel Uhr haben Sie ihn entdeckt?«

»Um neun Minuten nach fünf.«

Er sah sie erstaunt an. »Wieso wissen Sie das so genau?«

»An der Wand im Atelier hängt eine Uhr. Ich habe sofort darauf geguckt. Vielleicht, um ihn nicht tot daliegen sehen zu müssen. Vielleicht auch, weil ich den exakten Zeitpunkt des schrecklichsten Anblicks in meinem ganzen Leben wissen wollte.«

Wallander nickte. Er glaubte zu verstehen. »Und was taten Sie dann?«

»Ich bin auf die Straße hinausgelaufen. Ich weiß nicht mehr, ob ich geschrien habe. Aber es kam ein Mann. Er rief von einer Telefonzelle in der Nähe die Polizei an.«

Wallander legte für einen Moment den Bleistift fort. Jetzt hatte er Hilda Waldéns Zeitplan bekommen. Er zweifelte nicht an seiner Richtigkeit.

»Können Sie mir erklären, warum Lamberg sich so früh am Morgen im Laden aufgehalten hat?«

Ihre Antwort kam schnell und entschieden. Wallander sagte sich, daß sie über die Frage nachgedacht haben mußte, bevor er sie gestellt hatte.

»Manchmal ging er abends noch ins Atelier. Er blieb aber nie länger als bis Mitternacht. Es muß vorher passiert sein.«

»Woher wissen Sie das alles? Wenn Sie doch morgens saubermachen?«

»Vor einigen Jahren habe ich mal mein Portemonnaie im Putzkittel vergessen. Als ich es bemerkt habe, bin ich losgegangen, um es zu holen. Da war er im Laden. Er erzählte mir, daß er an zwei Abenden in der Woche ins Atelier käme.«

»Um zu arbeiten?«

»Er saß wohl meistens im Hinterzimmer und pusselte mit seinen Papieren. An dem Abend, an dem ich dort war, hatte er das Radio an.«

Wallander nickte nachdenklich. Vermutlich hatte sie recht. Der Mord war nicht erst am Morgen, sondern bereits am Abend zuvor geschehen. Er sah sie an. »Haben Sie eine Ahnung, wer es gewesen sein kann?«

»Nein.«

»Hatte er irgendwelche Feinde?«

»Ich weiß es nicht. Ich kannte ihn nicht gut genug. Ich habe dort nur saubergemacht.«

Wallander ließ nicht locker. »Sie haben mehr als zwölf Jahre bei ihm saubergemacht. Sie müssen ihn doch kennengelernt haben. Seine Gewohnheiten. Marotten. Etwas in der Art.«

»Ich kannte ihn überhaupt nicht. Er war sehr reserviert.«

»Können Sie ihn denn beschreiben?«

Ihre Antwort irritierte ihn.

»Wie beschreibt man einen Menschen, der so anonym ist, daß er fast eins wird mit der Wand?«

Er schob seinen Kollegblock zur Seite. »Haben Sie in der letzten Zeit etwas Ungewöhnliches an ihm bemerkt?«

»Ich habe ihn nur einmal im Monat getroffen, um meinen Lohn abzuholen.«

»Wann war das zuletzt?«

»Vor zwei Wochen.«

»Und da war er wie immer?«

»Ja.«

»Er wirkte nicht beunruhigt? Nicht nervös?«

»Nein.«

»Sie haben auch im Laden nichts bemerkt? Irgend etwas, was sich verändert hatte?«

»Nichts.«

Sie ist eine ausgezeichnete Zeugin, dachte Wallander. Ihre Antworten sind bestimmt. Sie hat eine gute Beobachtungsgabe. Ich brauche nicht zu bezweifeln, daß sie sich richtig erinnert.

Er hatte keine Fragen mehr. Das Gespräch hatte weniger als zwanzig Minuten gedauert. Er rief Martinsson an, der versprach, dafür zu sorgen, daß Hilda Waldén nach Hause gebracht wurde.

Als er wieder allein war, trat er ans Fenster und blickte in den Regen hinaus. Er fragte sich zerstreut, wann wohl der Frühling käme. Und wie es sein würde, ihn ohne Mona zu erleben. Dann meldeten sich seine Zahnschmerzen wieder. Er sah auf die Uhr. Noch war es zu früh. Sein Zahnarzt war noch nicht in der Praxis. Gleichzeitig fragte er sich, wie Svedberg wohl zurechtkam. Eine Todesnachricht zu überbringen war eine der gefürchtetsten Aufgaben für einen Polizisten. Besonders, wenn es sich um einen unerwarteten und brutalen Mordfall handelte. Aber er zweifelte nicht daran, daß Svedberg seine Aufgabe bewältigen würde. Er war ein guter Polizist. Vielleicht nicht besonders begabt, aber eifrig, und sein Schreibtisch war stets pedantisch aufgeräumt. Das machte ihn zu einem der besten, mit denen Wallander je zusammengearbeitet hatte.

Er wandte sich vom Fenster ab, ging hinaus in den Eßraum und holte eine Tasse Kaffee. Was konnte wohl passiert sein? Simon Lamberg ist ein Fotograf, der auf die Sechzig zugeht, dachte er. Ein Mann mit festen Gewohnheiten, der sein Fotoatelier tadellos führt. Der Konfirmanden, Hochzeitspaare und Kinder aller Altersstufen fotografiert. Seiner Putzfrau zufolge pflegt er zwei Abende in der Woche in seinem Atelier zu verbringen. Dann sitzt er im Hinterzimmer und kramt in seinen Papieren und hört Musik.

Wallander war wieder in seinem Zimmer angelangt. Er stellte sich mit der Kaffeetasse in der Hand ans Fenster und starrte erneut in den Regen hinaus.

Warum saß Lamberg dort im Atelier? Etwas daran hatte Wallanders Neugier geweckt.

Er schaute auf die Uhr.

Im gleichen Augenblick rief Ebba an. Sie hatte seinen Zahnarzt erreicht. Wallander konnte sofort kommen.

Er beschloß, nicht länger zu warten. Wenn er die Ermittlung in einem Mordfall leiten wollte, konnte er nicht mit Zahnschmerzen herumlaufen. Er ging zu Martinsson hinein.

»Ich habe mir gestern einen Zahn abgebissen«, sagte er. »Ich gehe jetzt zum Zahnarzt. Ich nehme an, daß ich in einer Stunde wieder hier bin. Dann halten wir eine Besprechung ab. Ist Svedberg schon zurück?«

»Nicht, soweit ich weiß.«

»Sieh zu, ob Nyberg eine Weile dabeisein kann. Damit wir seine ersten Eindrücke hören können.«

Martinsson gähnte und streckte sich auf seinem Stuhl. »Wem kann es Spaß gemacht haben, einen alten Fotografen zu erschlagen?« fragte er. »Ein Einbruch scheint es ja nicht gewesen zu sein.«

»Was heißt schon alt«, sagte Wallander. »Sechsundfünfzig. Aber ansonsten bin ich deiner Meinung.«

»Er ist also im Laden überfallen worden. Wie ist der Täter hereingekommen?«

»Entweder mit Schlüsseln, oder Lamberg hat ihn hereingelassen.«

»Lamberg wurde von hinten erschlagen.«

»Was viele verschiedene Erklärungen haben kann. Und keine davon haben wir.«

Wallander verließ das Präsidium und ging zu seinem Zahnarzt, der seine Praxis am Stortorg hatte. Unmittelbar neben dem Radiogeschäft. Als Kind hatte Wallander vor den Zahnarztbesuchen Angst gehabt, zu denen er regelrecht mitgeschleppt werden mußte. Im Erwachsenenalter war seine Angst plötzlich verflogen. Jetzt wollte er nur so schnell wie möglich die Schmerzen loswerden. Er sagte sich auch, daß der kaputte Zahn ein erstes Anzeichen für sein zunehmendes Alter war. Der Verfall kam auf leisen Sohlen.

Wallander durfte sofort ins Behandlungszimmer und setzte sich auf den Stuhl. Der Zahnarzt war jung und arbeitete schnell und routiniert. Nach einer guten halben Stunde war er fertig. Der Schmerz war in ein dumpfes Pochen übergegangen.

»Das vergeht bald«, sagte der Zahnarzt. »Aber Sie sollten noch einmal wiederkommen, damit ich Ihren Zahnstein entfernen kann. Ich glaube nicht, daß Sie Ihre Zähne so gut putzen, wie Sie sollten.«

»Bestimmt nicht«, gab Wallander zu.

Er machte einen Termin in zwei Wochen aus und kehrte ins Präsidium zurück. Um zehn Uhr hatte er seine Mitarbeiter im Sitzungszimmer versammelt. Svedberg war zurückgekommen, Nyberg war auch da. Wallander setzte sich an seinen üblichen Platz am Kopfende des Tisches. Dann blickte er sich um. Wie oft hatte er schon so gesessen und sich gesammelt, um eine Mordermittlung in Gang zu bringen? Er hatte beobachtet, daß es mit den Jahren immer langsamer ging. Aber er wußte auch, daß ihm nichts anderes übrigblieb. Sie hatten einen brutalen Mord aufzuklären.

»Weiß jemand, wo Rydberg ist?« fragte er.

»Rückenschmerzen«, antwortete Martinsson.

»Schade«, sagte Wallander. »Wir könnten ihn brauchen.«

Er wandte sich an Nyberg und nickte ihm zu, anzufangen.

»Es ist natürlich noch zu früh«, begann dieser, »aber es hat nicht den Anschein, als hätten wir es mit einem Einbruch zu tun. An den Türen finden sich keine Spuren von Gewaltanwendung. Es scheint auch nichts gestohlen worden zu sein. Jedenfalls nichts, was auf den ersten Blick zu sehen wäre. Das Ganze ist wirklich eigenartig.«

Wallander hatte nicht erwartet, daß Nyberg so früh schon entscheidende Beobachtungen mitteilen könnte. Aber er wollte ihn trotzdem dabeihaben.

Er wandte sich an Svedberg. »Frau Lamberg hat einen schweren Schock erlitten. Offenbar hatten sie getrennte Schlafzimmer. Sie merkte also nicht, ob und wann ihr Mann nach Hause kam, wenn er abends noch unterwegs war. Sie hatten gegen halb sieben zusammen zu Abend gegessen. Kurz vor acht war er zum Atelier hinuntergegangen. Sie selbst war um kurz nach elf ins Bett gegangen und sofort eingeschlafen. Sie kann sich nicht vorstellen, wer ihren Mann ermordet haben könnte. Daß er irgendwelche Feinde hatte, wies sie weit von sich.«

Wallander nickte.

»Dann wissen wir das«, sagte er. »Wir haben einen toten Fotografen, aber das ist auch alles.«

Alle wußten, was das bedeutete. Jetzt würden mühselige Nachforschungen in Gang gesetzt werden.

Wohin sie führen würden, ahnte niemand.

Das Treffen der Ermittlungsgrupppe an diesem Morgen, das erste auf der Jagd nach dem Täter oder den Tätern, die aus bisher ungeklärten Gründen den Fotografen Simon Lamberg erschlagen hatten, war nur kurz. Es gab eine Unzahl routinemäßiger Verfahrensweisen, denen sie jedesmal folgen mußten. Sie mußten auch auf die Ergebnisse der gerichtsmedizinischen Untersuchung in Lund warten und auf die der Spurensicherung am Tatort, mit der Nyberg und seine Männer noch beschäftigt waren. Sie selbst mußten sich zunächst ein Bild von Simon Lamberg und dem Leben, das er geführt hatte, machen. Sie würden Nachbarn vernehmen und nach Zeugen suchen, die eventuell irgendwelche Beobachtungen gemacht hatten. Sie hofften natürlich, daß schon zu diesem frühen Zeitpunkt Hinweise eingehen würden, die dazu führten, daß der Mord im Laufe weniger Tage aufgeklärt werden konnte. Aber Wallander hatte schon jetzt instinktiv das Gefühl, daß sie vor einer komplizierten Ermittlung standen. Sie hatten so gut wie nichts, von dem sie ausgehen konnten.

Als er dort im Sitzungszimmer saß, spürte er, wie er unruhig wurde. Seine Zahnschmerzen waren abgeklungen. Dagegen lag ihm jetzt diese Unruhe im Magen.

Björk kam herein und setzte sich, um Wallanders Versuch, eine vorläufige Darstellung des Geschehens und des zeitlichen Ablaufs zu geben, zuzuhören. Keiner hatte nachher irgendwelche Fragen. Sie verteilten die wichtigsten Aufgaben und trennten sich. Wallander wollte später am Tag mit Lambergs Witwe sprechen, aber zuerst wollte er eine gründlichere Besichtigung des Tatorts vornehmen. Nyberg meinte, daß er Wallander in einigen Stunden in das Atelier und das Hinterzimmer lassen könnte.

Björk und Wallander blieben im Sitzungszimmer zurück, nachdem die anderen gegangen waren.

»Du glaubst also nicht, daß es ein Einbrecher war, der auf frischer Tat ertappt wurde und die Kontrolle verloren hat?« fragte Björk.

»Nein«, antwortete Wallander, »aber ich kann mich natürlich irren. Wir müssen alle Möglichkeiten in Betracht ziehen. Aber ich frage mich, was ein Einbrecher in Lambergs Fotoatelier zu finden gehofft hätte.«

»Kameras?«

»Er hat keine Fotoausrüstungen verkauft. Er hat nur fotografiert. Das einzige, was er verkauft hat, waren Rahmen und Alben. Und ich glaube kaum, daß sich ein Einbrecher deswegen die Mühe macht.«

»Was bleibt dann? Irgendein privates Motiv?«

»Ich weiß es nicht. Die Witwe, Elisabeth Lamberg, war Svedberg zufolge ziemlich sicher, daß er keine Feinde hatte.«

»Aber es deutet doch ebenfalls nichts auf einen Geistesgestörten hin.«

Wallander schüttelte den Kopf.

»Es deutet auf alles und nichts hin«, sagte er. »Aber drei Überlegungen kann man jetzt schon anstellen. Erstens, wie kam der Täter ins Atelier? Die Tür und die Fenster weisen keine Spuren von Gewaltanwendung auf. Dabei hat Lamberg die Tür sicherlich nicht unverschlossen gelassen. Elisabeth Lamberg zufolge war er immer sehr darauf bedacht, hinter sich abzuschließen.«

»Das läßt uns also zwei Möglichkeiten. Entweder der Täter hatte einen Schlüssel, oder Simon Lamberg hat ihn hereingelassen.«

Wallander nickte. Björk hatte verstanden. Er fuhr fort.

»Die zweite Beobachtung ist, daß der Schlag, der Lamberg tötete, mit großer Kraft gegen seinen Hinterkopf geführt wurde. Das kann auf Zielgerichtetheit hindeuten. Oder Raserei. Oder enorme Körperkraft. Oder beides in Kombination. Simon Lamberg hat im Augenblick seines Todes dem Mörder den Rücken zugekehrt. Das kann einerseits bedeuten, daß er nichts Böses erwartet hat. Oder anderseits, daß er versucht hat zu fliehen.«

»Wenn er selbst seinen Mörder hereingelassen hat, würde das auch erklären, warum er ihm den Rücken zugewandt hat.«

»Man kann sogar noch einen Schritt weitergehen«, sagte Wallander. »Würde er überhaupt jemanden so spät am Abend hereinlassen, zu dem er kein gutes Verhältnis hatte?«

»Und weiter?«

»Der Putzfrau zufolge pflegte Lamberg an zwei Abenden in der Woche ins Atelier zu gehen. Nicht immer an denselben Tagen, aber man kann davon ausgehen, daß der Täter darüber Bescheid wußte. Wir müßten also nach jemandem suchen, der zumindest teilweise mit Lambergs Gewohnheiten vertraut war.«

Sie verließen das Sitzungszimmer und blieben im Korridor stehen.

»Das bedeutet zumindest, daß es mehrere denkbare Ausgangspunkte gibt«, sagte Björk. »Ihr steht nicht mit völlig leeren Händen da.«

Wallander verzog das Gesicht. »Aber fast«, meinte er. »Noch weniger ist auch kaum vorstellbar. Rydberg fehlt uns jetzt.«

»Ich mache mir Sorgen wegen seiner Rückenprobleme«, sagte Björk. »Manchmal habe ich das Gefühl, daß es noch etwas anderes ist.«

Wallander betrachtete ihn verwundert. »Was sollte das sein?«

»Vielleicht hat er eine andere Krankheit. Rückenschmerzen können auch von etwas anderem ausgehen als von Muskeln oder Wirbeln.«

Wallander wußte, daß Björk einen Schwager hatte, der Arzt war. Und weil Björk hin und wieder der Meinung war, unter diversen schweren Krankheiten zu leiden, ging Wallander davon aus, daß er seine eigenen Sorgen jetzt auf Rydberg übertrug.

»Rydberg ist nach einer Woche immer wieder in Ordnung«, sagte er.

Sie gingen auseinander. Wallander kehrte in sein Zimmer zurück. Die Nachricht von dem Mord hatte sich mittlerweile herumgesprochen, und Ebba teilte ihnen mit, daß mehrere Journalisten angerufen hatten und wissen wollten, ob es irgendwelche Informationen gebe. Ohne sich mit jemandem zu beratschlagen, gab Wallander ihr Bescheid, daß er um drei Uhr bereit sei, Fragen zu beantworten.

Danach verwandte er eine Stunde darauf, für sich selbst eine Zusammenfassung zu schreiben. Er war gerade fertig damit, als

Nyberg sich am Telefon meldete und ihm mitteilte, er könne jetzt zumindest das Hinterzimmer durchsuchen. Nyberg hatte immer noch keine aufsehenerregenden Erkenntnisse gewonnen. Auch der Gerichtsmediziner hatte nichts anderes feststellen können, als daß Lamberg durch einen kräftigen Schlag auf den Hinterkopf getötet worden war. Wallander fragte, ob er jetzt schon sagen könne, welcher Typ von Mordwaffe verwendet worden war. Aber für eine Antwort darauf war es noch zu früh.

Wallander beendete das Gespräch und blieb sitzen und dachte an Rydberg. Seinen Lehrer und Mentor. Den besten Kriminalbeamten, den er je getroffen hatte. Er hatte Wallander gelehrt, wie wichtig es war, die Argumente zu drehen und zu wenden und sich auf diese Weise einem Problem aus unterschiedlichen Richtungen zu nähern.

Gerade jetzt fehlt er mir, dachte Wallander. Vielleicht sollte ich ihn heute abend anrufen. Er ging in den Eßraum und trank noch eine Tasse Kaffee. Vorsichtig kaute er an einem Zwieback. Die Zahnschmerzen kamen nicht wieder.

Weil er sich nach dem unruhigen Schlaf der vergangenen Nacht noch erschöpft fühlte, machte er einen Spaziergang hinunter zum Sankta Gertruds Torg. Der Nieselregen hielt an. Wieder fragte er sich, wann endlich der Frühling käme. Alle Schweden sind im April voller Ungeduld, dachte er. Nie setzt der Frühling pünktlich ein. Immer kommt der Winter zu früh und der Frühling zu spät.

Die Menschenmenge vor Lambergs Atelier war größer geworden. Wallander kannte einige der Leute, zumindest hatte er ihre Gesichter schon einmal gesehen. Er nickte und grüßte. Aber er beantwortete keine Fragen. Er stieg über das Absperrband und betrat den Laden. Nyberg stand mit einem Thermoskannenbecher in der Hand da und schimpfte mit einem seiner Techniker. Er unterbrach sich nicht, als Wallander eintrat. Erst, als er zu Ende gemeckert und alles gesagt hatte, was er wollte, wandte er sich Wallander zu. Er zeigte ins Innere des Ateliers. Die Leiche war inzwischen fortgebracht worden. Es war nur noch der große Blutfleck auf dem weißen Hintergrundpapier zu sehen. Man hatte einen künstlichen Pfad aus Plastikfolie ausgelegt.

»Geh darauf«, sagte Nyberg. »Wir haben ziemlich viele Fußabdrücke gefunden.«

Wallander zog einen Plastikschutz über seine Schuhe, steckte ein Paar Plastikhandschuhe in die Tasche und ging vorsichtig in das Hinterzimmer, das als Büro und als Dunkelkammer fungiert hatte.

Wallander erinnerte sich, daß er, als er vielleicht vierzehn oder fünfzehn Jahre alt war, den leidenschaftlichen Wunsch hatte, Fotograf zu werden. Aber er wollte kein Atelier unterhalten. Er wollte Pressefotograf werden. Bei allen großen Ereignissen würde er in der ersten Reihe stehen und seine Bilder machen, während andere ihn fotografierten.

Als er das Hinterzimmer betrat, fragte er sich, wieso dieser Wunsch sich eigentlich verflüchtigt hatte. Plötzlich war er nicht mehr dagewesen. Heute besaß Wallander nur eine einfache Instamatik, die er selten benutzte. Ein paar Jahre später hatte er Opernsänger werden wollen. Doch auch daraus war nichts geworden.

Er zog die Jacke aus und blickte sich um. Aus dem Atelier hörte er, daß Nyberg wieder angefangen hatte zu meckern. Wallander bekam nur ungefähr mit, daß es sich um die nachlässige Messung eines Abstands zwischen zwei Fußabdrücken handelte. Er schaltete das Radio ein. Klassische Musik. Lamberg ging manchmal abends ins Atelier, hatte Hilda Waldén gesagt, um zu arbeiten und um Musik zu hören. Klassische Musik. Soweit stimmten ihre Angaben.

Wallander setzte sich an den Schreibtisch. Alle Dinge darauf lagen in vorbildlicher Ordnung. Er hob die grüne Schreibunterlage an. Nichts. Dann stand er auf, ging zu Nyberg hinaus und fragte ihn, ob sie ein Schlüsselbund gefunden hätten. Das war der Fall. Wallander zog die Plastikhandschuhe über und ging zurück. Er suchte den passenden Schlüssel, um die Schreibtischschubladen aufzuschließen. In der oberen lagen verschiedene Steuerformulare und die Korrespondenz mit dem Steuerberater des Ateliers. Wallander blätterte die Papiere vorsichtig durch. Er suchte nach nichts Bestimmtem, es konnte alles wichtig sein.

Methodisch ging er Schublade um Schublade durch. Nichts von dem, was er fand, ließ ihn aufmerken. Simon Lambergs Leben schien ein gut organisiertes Leben gewesen zu sein, ohne Geheimnisse, ohne Überraschungen. Aber noch kratzte er nur an der Oberfläche. Er beugte sich hinunter und zog die unterste Schublade heraus. Darin lag ein Fotoalbum. Der Einband war aus feinstem Leder. Wallander legte es vor sich auf den Tisch und schlug die erste Seite auf. Mit gerunzelter Stirn betrachtete er eine einzelne Fotografie, die mitten auf der Seite eingeklebt war. Sie war nicht größer als ein Paßbild. In einer der Schubladen, die er vorher durchgesehen hatte, war Wallander ein Vergrößerungsglas aufgefallen. Er holte es hervor, machte eine der beiden Schreibtischlampen an und studierte das Bild genauer.

Es stellte den Präsidenten der USA dar. Ronald Reagan. Doch das Bild war deformiert. Das Gesicht war verzerrt worden. Es war Ronald Reagan, aber auch wieder nicht. Der faltige alte Mann war zu einem widerwärtigen Monster geworden. Unmittelbar neben dem Bild stand mit Tinte ein Datum geschrieben: Zehnter August 1984.

Neugierig geworden, blätterte Wallander um. Wieder ein einzelnes Bild in der Mitte der Seite. Diesmal war es das Bild eines früheren Ministerpräsidenten Schwedens. Wieder ein entstelltes, deformiertes Gesicht. Ein Datum mit Tinte geschrieben.

Ohne jedes Bild im Detail zu studieren, blätterte Wallander langsam weiter. Überall nur eine einzige Fotografie pro Seite. Entstellt, deformiert. Männer, denn es waren ausschließlich Männer, die zu ekelerregenden Monstern mutiert waren. Schweden und Ausländer. Vorwiegend Politiker. Aber auch ein paar Geschäftsleute. Ein Schriftsteller. Und außerdem einige, die Wallander nicht kannte.

Er versuchte zu begreifen, was die Bilder erzählten. Warum besaß Simon Lamberg dieses sonderbare Fotoalbum? Warum hatte er die Fotos entstellt? Hatte er die Abende in der Einsamkeit des Ateliers verbracht, um an diesem Album zu arbeiten? Wallanders Aufmerksamkeit hatte sich geschärft. Hinter Simon Lambergs wohlorganisierter Fassade gab es offenbar noch etwas anderes.

Einen Menschen, der sich die Mühe machte, die Gesichter bekannter Männer zu zerstören.

Wallander blätterte erneut um. Zuckte zusammen. Ein heftiges Unbehagen breitete sich in ihm aus.

Er konnte nicht glauben, was er sah.

Im selben Augenblick kam Svedberg herein.

»Sieh dir das mal an«, sagte Wallander langsam. Dann zeigte er auf das Foto.

Svedberg beugte sich über seine Schulter. »Das bist ja du«, sagte er erstaunt.

»Ja. Das bin ich. Oder zumindest war ich es mal.«

Er blickte wieder auf das Bild. Es handelte sich um ein Foto aus irgendeiner Zeitung. Es zeigte ihn, und auch wieder nicht.

Er sah aus wie ein ungewöhnlich widerwärtiger Mensch.

Wallander konnte sich nicht erinnern, wann er zuletzt so unangenehm berührt gewesen war. Das verzerrte und entstellte Bild seines Gesichts bereitete ihm Übelkeit. Er war einigermaßen daran gewöhnt, daß Verbrecher, an deren Ergreifung er beteiligt war, ihn in spontanen Ausbrüchen ihren Haß und ihre Wut spüren ließen. Aber der Gedanke, daß jemand Stunden darauf verwendet hatte, ein Haßbild von ihm herzustellen, war erschreckend. Svedberg bemerkte Wallanders Reaktion und holte Nyberg. Gemeinsam gingen sie das Fotoalbum durch. Das letzte Bild war vom Tag zuvor. Diesmal war das Gesicht des amtierenden schwedischen Ministerpräsidenten zerstört worden. Daneben stand mit Tinte das Datum.

»Wer so etwas macht, muß doch krank sein«, sagte Nyberg.

»Zweifellos hat Simon Lamberg seine einsamen Abende diesen Fotos hier gewidmet«, sagte Wallander. »Aber ich würde gern wissen, warum ich Teil dieser makabren Versammlung bin. Außerdem die einzige Person aus Ystad. Unter Staatsmännern und Präsidenten. Ich kann nicht verhehlen, daß ich sehr unangenehm berührt bin.«

»Was soll das Ganze überhaupt?« fragte Svedberg.

Niemand wußte eine sinnvolle Antwort.

Wallander hatte das Bedürfnis, den Laden zu verlassen. Er bat Svedberg, mit der Durchsicht des Raumes fortzufahren. Er selbst würde bald der Presse die Informationen geben müssen, auf die sie wartete.

Als er auf die Straße hinauskam, ließ seine Übelkeit nach. Er stieg über das Absperrband und ging auf direktem Wege zum

Polizeipräsidium. Immer noch nieselte es. Seine Übelkeit war vergangen, aber er fühlte sich noch genauso unangenehm berührt.

Simon Lamberg sitzt abends in seinem Atelier und hört klassische Musik. Dabei entstellt er Bilder diverser prominenter Persönlichkeiten. Sowie das eines Kriminalbeamten aus Ystad. Wallander versuchte fieberhaft, eine Erklärung dafür zu finden, aber vergeblich. Daß ein Mann ein Doppelleben führte und sich unter einer vollkommen normalen Oberfläche Wahnsinn verbarg, war nichts Ungewöhnliches. Aus den Annalen des Verbrechens konnten gerade dafür zahlreiche Beispiele angeführt werden. Aber warum war er selbst mit in dem Album? Was verband ihn mit den anderen dort abgebildeten Menschen? Warum war gerade er die Ausnahme?

Er ging auf direktem Weg in sein Zimmer und schloß die Tür. Erst jetzt wurde ihm bewußt, wie besorgt er war. Simon Lamberg war tot. Jemand hatte ihm mit außerordentlicher Kraft den Hinterkopf zerschmettert. Und in seinem Schreibtisch gab es ein exklusives Fotoalbum mit makabrem Inhalt.

Wallander wurde durch ein Klopfen an der Tür aus seinen Gedanken gerissen.

Es war Hansson. »Lamberg ist tot«, sagte er, als verkünde er eine Neuigkeit. »Er hat mich fotografiert, als ich vor vielen Jahren konfirmiert wurde.«

»Du bist konfirmiert?« fragte Wallander erstaunt. »Ich dachte, daß ausgerechnet du dir aus irgendwelchen höheren Mächten nun wirklich nichts machst.«

»Das tue ich auch nicht«, antwortete Hansson locker, während er gründlich in einem seiner Ohren pulte. »Aber ich wollte damals schrecklich gern eine eigene Uhr haben und meinen ersten richtigen Anzug.«

Er deutete über die Schulter auf den Korridor hinaus. »Journalisten«, sagte er. »Ich wollte dabeisein und zuhören, damit ich weiß, was passiert ist.«

»Das kann ich dir schon jetzt erzählen«, meinte Wallander. »Jemand hat Lamberg den Hinterkopf zerschmettert. Und zwar gestern abend zwischen acht Uhr und Mitternacht. Es dürfte kaum ein Einbrecher gewesen sein. Das ist im großen und ganzen alles, was wir wissen.«

»Nicht viel«, sagte Hansson.

»Nein«, erwiderte Wallander und erhob sich.

Die Begegnung mit den Journalisten war improvisiert und kurz. Wallander berichtete, was passiert war, und gab karge Antworten auf die Fragen der Journalisten. Das Ganze war in weniger als einer halben Stunde vorbei. Es war halb vier geworden. Wallander merkte, daß er hungrig war. Aber das Bild in Simon Lambergs Album ließ ihm keine Ruhe. Die Frage nagte an ihm: Warum war gerade er ausgewählt worden, das Gesicht entstellt und verzerrt zu bekommen? Irgendwie ahnte er, daß dies nur das Werk eines Wahnsinnigen sein konnte. Aber trotzdem: Warum gerade er?

Um Viertel vor vier beschloß er, in den Lavendelväg zu fahren, wo Lambergs wohnten. Als er das Präsidium verließ, hatte zwar der Regen aufgehört, der böige Wind jedoch war stärker geworden. Wallander überlegte, ob er versuchen sollte, Svedberg zu erreichen und mitzunehmen. Aber er ließ den Gedanken fallen. Am liebsten wollte er Elisabeth Lamberg allein begegnen. Er hatte vieles, worüber er mit ihr sprechen wollte. Aber eine seiner Fragen war wichtiger als alle übrigen.

Er suchte den Weg hinauf zum Lavendelväg und stieg aus dem Wagen. Das Haus lag in einem Garten, der gut gepflegt wirkte, obwohl die Beete noch nackt waren. Er klingelte an der Tür. Sie wurde fast sofort von einer Frau um die Fünfzig geöffnet. Wallander streckte ihr die Hand entgegen und begrüßte sie.

Die Frau wirkte scheu. »Ich bin nicht Elisabeth Lamberg«, sagte sie. »Ich bin ihre Freundin. Ich heiße Karin Fahlman.«

Sie bat ihn in den Flur.

»Elisabeth hat sich hingelegt, um sich auszuruhen«, sagte sie. »Kann dieses Gespräch wirklich nicht warten?«

»Leider nicht. Es geht darum, denjenigen zu ergreifen, der das Verbrechen begangen hat. Und da ist es wichtig, keine Zeit zu verlieren.«

Karin Fahlman nickte und führte ihn ins Wohnzimmer. Dann verschwand sie lautlos.

Wallander blickte sich im Zimmer um. Das erste, was ihm auffiel, war die Stille. Keine Uhren, keine Geräusche von der Straße. Durch ein Fenster sah er ein paar spielende Kinder, aber er hörte sie nicht, obwohl man sehen konnte, daß sie laut redeten und lachten. Er trat ans Fenster und betrachtete es. Es war doppelt verglast, und zwar von einer Art, die offensichtlich extrem geräuschisolierend war. Er ging im Zimmer auf und ab. Es war geschmackvoll möbliert, weder protzig noch übertrieben. Eine Mischung aus Alt und Neu. Kopien alter Holzschnitte, eine ganze Wand voller Bücher.

Er hörte nicht, als sie ins Zimmer trat. Plötzlich war sie einfach da, direkt hinter ihm. Unwillkürlich fuhr er zusammen. Sie war sehr bleich, fast als sei ihr Gesicht mit einer dünnen Schicht weißer Schminke überzogen. Sie hatte dunkles, glattes, kurzgeschnittenes Haar.

Wallander dachte, daß sie einmal sehr schön gewesen sein mußte. »Es tut mir leid, daß ich herkommen und Sie stören muß«, entschuldigte er sich und reichte ihr die Hand.

»Ich weiß, wer Sie sind«, erwiderte sie, »und ich verstehe schon, daß sie herkommen müssen.«

»Zunächst möchte ich Ihnen mein Beileid aussprechen.«

»Danke.«

Wallander registrierte, daß sie sich sehr anstrengen mußte, um gefaßt zu wirken. Er fragte sich, wie lange sie das wohl durchhalten würde.

Sie setzten sich.

Wallander bemerkte Karin Fahlman in einem der angrenzenden Zimmer. Er nahm an, daß sie dort saß, um ihr Gespräch zu verfolgen. Einen Moment lang wußte er nicht, wie er fortfahren sollte.

Seine Überlegungen wurden von Elisabeth Lamberg unterbrochen. »Wissen Sie etwas darüber, wer meinen Mann getötet hat?«

»Wir haben keine direkte Spur, die wir verfolgen können. Aber es spricht einiges dagegen, daß es ein Einbruch war. Das bedeutet, daß Ihr Mann entweder jemandem die Tür aufgemacht hat oder daß die unbekannte Person einen eigenen Schlüssel hatte.«

Sie schüttelte energisch den Kopf, als wolle sie dem, was Wallander gesagt hatte, heftig widersprechen.

»Simon war immer sehr vorsichtig. Er hätte nie einem Fremden geöffnet, und schon gar nicht am Abend.«

»Aber vielleicht jemandem, den er kannte?«

»Aber wer hätte das sein sollen?«

»Ich weiß es nicht. Jeder Mensch hat Freunde.«

»Simon ist einmal im Monat nach Lund gefahren. Dort gibt es eine Gesellschaft für Amateurastronomen. Er gehörte dem Vorstand an. Das war, soweit ich weiß, sein einziger Umgang.«

Wallander fiel plötzlich ein, daß sowohl er selbst als auch Svedberg eine sehr wichtige Frage übersehen hatten.

»Haben Sie Kinder?«

»Eine Tochter, Matilda.«

Etwas an ihrer Art zu antworten ließ Wallander sofort auf der Hut sein. Die kaum wahrnehmbare Veränderung des Tonfalls war ihm nicht entgangen. Als habe die Frage sie beunruhigt.

Er ging vorsichtig weiter. »Wie alt ist sie?«

»Vierundzwanzig.«

»Wohnt Sie noch bei Ihnen zu Hause?«

Elisabeth Lamberg blickte ihm starr in die Augen. »Matilda ist von Geburt an schwerbehindert. Wir haben sie vier Jahre lang zu Hause gehabt. Dann war es nicht mehr möglich. Jetzt lebt sie in einem Heim. Sie braucht praktisch bei allem Hilfe.«

Wallander verlor den Faden. Was er erwartet hatte, wußte er nicht. Aber jedenfalls nicht die Antwort, die er erhalten hatte.

»Es muß eine schwere Entscheidung für Sie gewesen sein«, sagte er und bemühte sich, verständnisvoll zu klingen. Ein unmöglicher Entschluß, sie in ein Heim zu stecken, dachte er.

Sie schaute ihm weiter direkt in die Augen. »Es war nicht mein Entschluß. Simon wollte es so. Also wurde es so gemacht.«

Für einen Augenblick kam es Wallander vor, als blicke er direkt in einen Abgrund hinein. Ihr Schmerz war überwältigend, als sie ihm erzählte, was passiert war.

Wallander schwieg lange, bevor er fortfuhr. »Können Sie sich jemanden denken, der einen Grund hatte, Ihren Mann zu töten?«

Ihre Antwort überraschte ihn von neuem.

»Nach dem, was damals geschehen ist, habe ich ihn nicht mehr gekannt.«

»Obwohl es zwanzig Jahre her ist?«

»Manche Dinge vergehen nie.«

»Aber Sie blieben weiterhin verheiratet?«

»Wir wohnten unter dem gleichen Dach.«

Wallander dachte nach. »Sie können sich also nicht vorstellen, wer der Mörder ist?«

»Nein.«

»Und ein Motiv fällt Ihnen auch nicht ein?«

»Nein.«

Wallander ging nun direkt zur wichtigsten Frage über. »Als ich hierherkam, sagten Sie, daß Sie mich kennen. Können Sie sich erinnern, ob Ihr Mann jemals von mir gesprochen hat?«

Sie hob verwundert die Augenbrauen. »Warum sollte er?«

»Das weiß ich nicht. Bitte beantworten Sie meine Frage.«

»Wir haben nicht viel miteinander gesprochen. Und ich kann mich nicht daran erinnern, daß wir jemals über Sie gesprochen hätten.«

Wallander ging weiter. »In seinem Atelier haben wir ein Album gefunden. Darin befinden sich Fotografien von Staatsmännern und anderen bekannten Persönlichkeiten. Aus irgendeinem Grund ist auch mein Bild dabei. Kennen Sie das Album?«

»Nein.«

»Sind Sie sich sicher?«

»Ja.«

»Die Bilder sind entstellt worden. Alle diese Menschen, ich selbst inbegriffen, sehen aus wie Monster. Ihr Mann muß viele Stunden damit verbracht haben, unsere Gesichter so zu verunstalten. Davon wissen Sie nichts?«

»Nein, das hört sich eigenartig an. Unbegreiflich.«

Wallander sah, daß sie die Wahrheit sagte. Sie wußte wirklich nichts mehr über ihren Mann, nachdem sie vor zwanzig Jahren beschlossen hatte, nichts mehr von ihm wissen zu wollen.

Wallander erhob sich. Er wußte, daß er mit vielen neuen Fragen wiederkommen würde, aber im Moment hatte er nichts mehr zu sagen.

Sie begleitete ihn zur Haustür. »Mein Mann hatte wohl viele Geheimnisse«, sagte sie plötzlich. »Aber ich kannte sie nicht.«

»Wenn Sie sie nicht kannten, wer wußte dann davon?«

»Ich weiß es nicht«, sagte sie fast flehend, »aber jemand muß es getan haben.«

»Und was für Geheimnisse könnten das gewesen sein?«

»Ich habe Ihnen schon gesagt, daß ich es nicht weiß. Aber Simon war voller geheimer Räume. Ich konnte und wollte nicht hineinschauen.«

Wallander nickte.

Im Auto blieb er eine Zeitlang sitzen. Es hatte wieder angefangen zu regnen.

Was hatte sie eigentlich gemeint? Simon war ein Mann voller geheimer Räume? Als ob das Hinterzimmer des Ateliers nur einer davon gewesen war. Als ob es weitere gab, die sie noch nicht gefunden hatten. Er fuhr langsam zurück ins Polizeipräsidium. Die Unruhe, die er schon vorher empfunden hatte, war stärker geworden.

Bis in den Abend hinein beschäftigten sie sich damit, das wenige Material, das sie hatten, zu bearbeiten. Gegen neun Uhr ging Wallander nach Hause. Die Ermittlungsgruppe wollte sich am nächsten Morgen um acht Uhr treffen.

Als er in die Wohnung hinaufkam, machte er sich eine Dose Bohnen warm, das einzig Eßbare, was er finden konnte. Kurz nach elf war er eingeschlafen.

Der Anruf kam um vier Minuten vor Mitternacht. Wallander nahm noch halb im Schlaf den Hörer ab. Am anderen Ende war ein Mann, der behauptete, einen Nachtspaziergang zu machen. Er stellte sich als derjenige vor, der sich am Morgen um Hilda Waldén gekümmert hatte.

»Ich habe gerade jemanden in Lambergs Fotoladen verschwinden sehen«, flüsterte er.

Wallander setzte sich im Bett auf. »Sind Sie sicher? Und es war kein Polizist?«

»Ein Schatten ist durch die Tür geglitten«, berichtete der Mann. »Ich habe zwar ein schwaches Herz, aber meine Augen lassen noch nichts zu wünschen übrig.«

Das Gespräch wurde unterbrochen. Die Verbindung war gestört. Wallander blieb mit dem Hörer in der Hand sitzen. Es war ungewöhnlich, daß er so spät noch von jemand anderem als von Polizeikollegen angerufen wurde. Außerdem stand er nicht im Telefonbuch. Jemand mußte dem Mann in dem Chaos am Morgen seine Nummer gegeben haben.

Er stand hastig auf und zog sich an.

Es war kurz nach Mitternacht.

Wallander erreichte den Platz, an dem das Fotoatelier lag, einige Minuten später. Er war zu Fuß gegangen, halb gelaufen, weil es ein kurzer Weg von seiner Wohnung in der Mariagata war. Dennoch war er außer Atem. Als er ankam, entdeckte er sogleich einen Mann, der ein Stück weit entfernt stand. Er eilte zu ihm, grüßte und nahm ihn mit zu einer Stelle in der Nähe, von wo aus sie den Eingang des Fotoladens im Auge behalten konnten, aber selbst nicht so leicht zu entdecken waren. Der Mann war an die Siebzig und hatte sich als Lars Backman vorgestellt. Er war pensionierter Direktor der Handelsbank. Er benutzte immer noch den alten Namen. Svenska Handelsbanken.

»Ich wohne hier nebenan in der Ågata. Ich mache immer früh am Morgen und spät am Abend meine Runde. Das hat mir der Arzt verordnet.«

»Beschreiben Sie, was Sie gesehen haben.«

»Ich habe einen Mann beobachtet, der durch die Tür des Fotoateliers verschwunden ist.«

»Einen Mann. Am Telefon sagten Sie, einen Schatten.«

»Man denkt sich wohl automatisch, daß es ein Mann ist. Aber es kann natürlich auch eine Frau gewesen sein.«

»Und Sie haben niemanden aus dem Laden herauskommen sehen?«

»Ich habe aufgepaßt. Es ist keiner herausgekommen.«

Wallander nickte. Er lief zur Telefonzelle und rief Nyberg an, der nach dem dritten Klingeln abnahm. Wallander hatte den Eindruck, daß er geschlafen hatte. Aber er fragte nicht weiter, sondern erklärte nur kurz, was passiert war. Er erfuhr, daß Nyberg die Schlüssel zum Laden bei sich zu Hause hatte. Früh am nächsten Tag wollte er in das Fotoatelier zurückkehren, um die Spurensicherung abzuschließen. Wallander bat ihn zu kommen, so schnell er konnte, und beendete das Gespräch. Überlegte, ob er schon jetzt Hansson oder einen der anderen anrufen sollte. Allzuoft verstieß er gegen die Regel, daß ein Polizist nie allein agieren soll, wenn er sich in einer Situation befindet, die er nicht vollständig kontrollieren kann. Aber Wallander unterließ es. Nyberg war schließlich auch Polizist. Erst wenn er vor Ort war, würden sie entscheiden, wie sie weiter vorgehen wollten. Lars Backman war abwartend stehengeblieben. Wallander bat ihn freundlich, den Platz zu verlassen. Es würde ein weiterer Polizist erscheinen, und dann mußten sie alleine sein. Backman schien nicht unzufrieden damit zu sein, fortgeschickt zu werden. Er nickte nur und ging davon.

Wallander merkte, daß er fror. Er trug nur ein Hemd unter der Jacke. Der Wind hatte zugenommen. Die Wolkendecke war aufgerissen. Es waren sicher nur ein paar Grad über Null. Er betrachtete den Eingang des Fotoladens. Konnte Backman sich geirrt haben? Er glaubte es nicht. Er versuchte zu erkennen, ob im Laden Licht brannte. Aber es war unmöglich auszumachen. Ein Auto fuhr vorüber. Kurz darauf noch eins. Dann entdeckte er Nyberg auf der anderen Seite des Platzes und ging ihm entgegen. Sie stellten sich an eine Hauswand, um sich gegen den Wind zu schützen. Die ganze Zeit über behielt Wallander die Tür des Fotoateliers im Auge. Er berichtete Nyberg in aller Kürze, was geschehen war.

Nyberg betrachtete ihn fragend. »Hast du gedacht, daß wir alleine da reingehen sollen?«

»Zuallererst wollte ich dich hier haben, weil du die Schlüssel hast.«

»Und einen Hintereingang gibt es nicht?«

»Nein.«

»Die einzige Möglichkeit, rein- oder rauszukommen, ist mit anderen Worten die Tür zur Straße?«

»Ja.«

»Dann rufen wir eine Nachtstreife«, entschied Nyberg. »Anschließend öffnen wir die Tür und beordern den großen Unbekannten hinaus.«

Ohne die Tür aus den Augen zu lassen, ging Wallander zur Telefonzelle und rief im Präsidium an. Eine Nachtstreife würde in wenigen Minuten eintreffen. Sie gingen hinüber zum Laden. Es war inzwischen fünf nach halb eins. Die Straßen waren menschenleer.

Da öffnete sich die Tür des Ateliers.

Ein Mann kam heraus.

Sein Gesicht war im Schatten verborgen.

Alle drei entdeckten einander gleichzeitig und blieben abrupt stehen. Wallander wollte dem Mann gerade zurufen, stehenzubleiben und sich nicht zu bewegen, als dieser sich umdrehte und die Norra Änggata hinunterlief. Wallander rief Nyberg zu, auf die Nachtstreife zu warten, und verfolgte selbst den Fliehenden, der ein hohes Tempo anschlug. Obwohl Wallander lief, so schnell er konnte, kam er ihm nicht näher. Bei der Vassgata bog der Mann nach rechts ab und lief in Richtung Folkpark. Wallander fragte sich, wo die Nachtstreife blieb. Es bestand die Gefahr, daß er den Mann aus den Augen verlor. Dieser wandte sich nach rechts und verschwand in der Aulingata. Wallander rutschte auf ein paar losen Steinen aus, die auf dem Bürgersteig lagen, und stürzte. Er schlug mit einem Knie hart auf dem Pflaster auf und riß sich ein Loch in die Hose. Der Schmerz durchzuckte ihn, als er sich aufrappelte und weiterlief. Der Abstand zu dem Mann vergrößerte sich zunehmend. Wo blieben Nyberg und die Nachtstreife? Das Herz hämmerte in seiner Brust. Der Mann verschwand in der Giöddesgränd. Wallander verlor ihn aus den Augen. Als er die Straßenecke ereichte, schoß es ihm durch den Kopf, daß er nun stehenbleiben müsse, um auf Nyberg zu warten. Aber er blieb nicht stehen, sondern lief weiter.

Der Mann wartete hinter der Straßenecke. Ein wuchtiger Schlag traf Wallander ins Gesicht. Alles wurde dunkel.

Als Wallander wieder zu sich kam, wußte er nicht, wo er sich befand. Er starrte hinauf in den Sternenhimmel. Der Boden unter ihm war kalt. Als er mit den Händen an den Seiten tastete, spürte er Asphalt. Dann erinnerte er sich an das, was geschehen war. Er setzte sich auf. Seine linke Gesichtshälfte schmerzte. Mit der Zunge konnte er fühlen, daß ihm ein Zahn ausgeschlagen worden war. Ausgerechnet der Zahn, der gerade erst behandelt worden war. Er stand mühsam auf. Ein Knie tat weh. Der Kopf dröhnte. Dann sah er sich um. Der Mann war natürlich verschwunden. Wallander humpelte durch die Aulingata zurück zum Surbrunnsväg. Alles war so schnell gegangen, daß er das Gesicht des Mannes nicht hatte erkennen können. Er war um die Straßenecke gebogen, und die Welt war explodiert.

Der Streifenwagen kam aus der Ågata. Wallander ging mitten auf der Straße, damit sie ihn sahen. Er kannte den Polizisten am Steuer. Er hieß Peters und war genauso lange in Ystad wie er. Nyberg sprang aus dem Wagen.

»Was ist passiert?«

»Er ist in die Giöddesgränd verschwunden. Dann hat er mich niedergeschlagen. Wir holen ihn bestimmt nicht mehr ein, aber wir können es ja versuchen.«

»Du mußt ins Krankenhaus«, sagte Nyberg. »Und zwar sofort.«

Wallander befühlte seine Backe. Die Hand wurde naß von Blut. Plötzlich wurde ihm schwindelig. Nyberg packte seinen Arm und half ihm in den Wagen.

Um vier Uhr am Morgen konnte Wallander das Krankenhaus wieder verlassen. Svedberg und Hansson holten ihn ab. Mehrere Nachtstreifen hatten die Stadt auf der Jagd nach dem Mann, der Wallander niedergeschlagen hatte, durchkämmt. Aber weil es nur eine vage Personenbeschreibung gab, dazu die Beschreibung einer halblangen Jacke, vielleicht schwarz oder dunkelblau, war die Mühe vergeblich. Wallander selbst war verbunden worden. Der ausgeschlagene Zahn mußte vorerst warten. Wallanders Backe war geschwollen. Das Blut stammte aus einer Wunde am Haaransatz.

Als sie das Krankenhaus verließen, bestand Wallander darauf, den Besuch im Atelier nicht weiter aufzuschieben. Sowohl Hansson als auch Svedberg protestierten und meinten, er müsse sich erst einmal erholen. Aber Wallander akzeptierte keine Einwände. Nyberg erwartete sie schon, als sie eintrafen. Sie schalteten alle Lampen an und versammelten sich im Atelier.

»Ich habe nicht entdecken können, daß etwas fehlt oder verändert ist«, sagte Nyberg.

Wallander wußte, daß Nyberg ein einzigartiges Erinnerungsvermögen für Details hatte. Aber er sagte sich gleichzeitig, daß der Mann auf etwas aus gewesen sein konnte, was einem überhaupt nicht ins Auge fiel.

»Was ist mit Fingerabdrücken?« fragte Wallander. »Fußabdrücken?«

Nyberg wies auf den Boden, auf dem er einige Stellen markiert hatte, die nicht betreten werden durften. »Ich habe die Türklinken kontrolliert, aber ich vermute, daß der Mann Handschuhe getragen hat.«

»Und die äußere Tür?«

»Nichts. Keine Gewaltanwendung. Wir können mit Sicherheit davon ausgehen, daß er über einen Schlüssel verfügt. Ich habe selbst gestern abend hier abgeschlossen.«

Wallander sah seine Kollegen an.

»Hätte hier nicht eigentlich irgendeine Form von Bewachung sein müssen?«

»Die Entscheidung darüber lag bei mir«, antwortete Hansson. »Ich war der Meinung, daß es dafür keinen einleuchtenden Grund gab. Vor allem, wenn man unsere gegenwärtige Personalsituation berücksichtigt.«

Wallander sah ein, daß Hansson recht hatte. Er hätte auch keine Bewachung angeordnet, wenn er den Beschluß hätte fassen müssen. »Wir können nur spekulieren, wer der Mann war«, sagte er, »und was er hier drinnen wollte. Auch wenn es keine sichtbare Polizeibewachung gab, muß er sich darüber im klaren gewesen sein, daß wir das Atelier möglicherweise unter Aufsicht hielten. Ich möchte, daß jemand mit Lars Backman spricht. Der nicht nur mich um Mitternacht angerufen, sondern sich gestern früh auch um Hilda Waldén gekümmert hat. Er macht auf mich einen sehr besonnenen Eindruck. Er kann etwas gesehen haben, an das er sich nicht gleich erinnert hat.«

»Es ist erst vier Uhr«, gab Svedberg zu bedenken. »Soll ich ihn jetzt anrufen?«

»Er ist bestimmt wach«, sagte Wallander. »Gestern morgen war er schon um fünf Uhr auf der Straße. Er ist nicht nur ein Frühaufsteher, sondern auch eine Nachteule.«

Svedberg nickte und verließ das Atelier.

»Wir müssen das hier später gründlich durchgehen«, fuhr Wallander fort. »Am besten schlaft ihr jetzt ein paar Stunden. Ich bleibe noch eine Weile hier.«

»Ist das denn klug?« fragte Hansson. »Wenn man bedenkt, was du hinter dir hast?«

»Ob klug oder nicht, ich tu es trotzdem.«

Nyberg gab ihm die Schlüssel. Als Hansson und Nyberg gegangen waren, verschloß Wallander die Tür. Obwohl er sehr müde war und seine Backe schmerzte, war seine Aufmerksamkeit geschärft. Er lauschte in die Stille hinein. Nichts schien verändert zu sein. Er ging ins Hinterzimmer und sah sich mit forschenden Augen um. Nichts Auffälliges, dachte er. Aber der Mann ist aus einem speziellen Grund hierhergekommen. Und er hatte es eilig. Er konnte nicht warten. Dafür muß es eine Erklärung geben. Es befindet oder befand sich etwas in diesen Räumen, das er holen wollte.

Wallander setzte sich an den Schreibtisch. Die Schlösser waren unversehrt. Er öffnete die Schubladen, eine nach der anderen. Das Album lag genauso da, wie er es hinterlassen hatte. Nichts schien zu fehlen. Wallander versuchte auszurechnen, wie lange sich der Mann im Laden aufgehalten hatte. Das Telefongespräch von Backman war um vier Minuten vor Mitternacht gekommen. Um zehn nach zwölf war Wallander eingetroffen. Sein Gespräch mit Backman und das Telefongespräch mit Nyberg hatten nicht mehr als ein paar Minuten gedauert. Vielleicht bis Viertel nach zwölf. Nyberg war um halb eins gekommen. Ein paar Minuten später hatte der Unbekannte den Laden verlassen. Demnach hatte er sich etwa vierzig Minuten darin aufgehalten. Als er ihn verließ, wurde er überrascht. Das bedeutete, daß er nicht geflohen war. Er hatte den Laden verlassen, weil er fertig war.

Fertig womit?

Wallander blickte sich im Raum um. Diesmal systematischer. Irgendwo mußte es eine Veränderung geben. Etwas war fort. Oder zurückgebracht worden.

Er ging ins Atelier hinüber und wiederholte seine Untersuchung. Schließlich auch im eigentlichen Laden.

Nichts.

Er kehrte ins Hinterzimmer zurück. Etwas sagte ihm, daß er dort suchen mußte. In Simon Lambergs geheimem Zimmer. Er setzte sich. Ließ den Blick über die Wände wandern. Über den Schreibtisch und die Bücherregale. Dann stand er auf und ging in die Dunkelkammer. Machte die rote Lampe an. Alles war so wie in seiner Erinnerung. Der schwache Geruch von Chemikalien. Die leeren Plastikwannen. Der Vergrößerungsapparat.

Nachdenklich ging er zurück zum Schreibtisch. Blieb stehen. Woher der Impuls gekommen war, konnte er nicht sagen, aber er ging hinüber zur Bücherwand, wo das Radio stand, und schaltete es ein.

Die Musik war ohrenbetäubend.

Er starrte das Radio an. Die Lautstärke war dieselbe.

Aber es war keine klassische Musik. Sondern wilde Rockmusik.

Wallander war überzeugt davon, daß weder Nyberg noch er selbst noch einer der Kollegen von der Spurensuche den Sender verstellt hatten. Sie rührten nie etwas an, solange es nicht aus arbeitstechnischen Gründen sein mußte. Sie würden nicht einmal im Traum daran denken, das Radio anzumachen, um bei der Arbeit Musik zu haben.

Wallander zog ein Taschentuch aus der Tasche und schaltete das Radio aus. Es gab nur eine Möglichkeit.

Der Unbekannte hatte die Sendereinstellung geändert.

Die Frage war nur, warum?

Um zehn Uhr am Vormittag konnte die Besprechung der Ermittlungsgruppe endlich beginnen. Die Verspätung hing damit zusammen, daß Wallander nicht früher vom Zahnarzt zurückgekommen war. Jetzt eilte er mit einer provisorischen Krone, einer geschwollenen Backe und einem großen Pflaster an der Schläfe in die Besprechung. Er spürte allmählich ernsthaft seinen Mangel an Schlaf. Aber noch ernsthafter war die Unruhe, die in ihm nagte.

Es waren jetzt gut vierundzwanzig Stunden vergangen, seit Hilda Waldén den toten Fotografen entdeckt hatte. Wallander gab zu Beginn der Sitzung einen Überblick über die Ermittlungslage.

Anschließend berichtete er ausführlich über die Ereignisse der vergangenen Nacht.

»Wer der Unbekannte war und was er im Laden gewollt hat, muß natürlich geklärt werden«, schloß er. »Aber ich glaube, wir können mit ziemlicher Sicherheit die Möglichkeit ausschließen, daß es sich bei dem Mord an Simon Lamberg um einen gewöhnlichen Einbruch gehandelt hat, bei dem der Dieb die Kontrolle verloren hat.«

»Die veränderte Sendereinstellung des Radios ist sonderbar«, meinte Svedberg. »Kann etwas im Inneren des Geräts versteckt gewesen sein?«

»Das haben wir untersucht«, antwortete Nyberg. »Um die äußere Hülle abzunehmen, muß man acht Schrauben lösen. Das ist nicht geschehen. Das Radio ist noch nie geöffnet worden. Die Schraubenköpfe sind noch immer dünn mit demselben Lack überzogen, der damals in der Fabrik verwendet wurde.«

»Es gibt vieles, was sonderbar ist«, sagte Wallander. »Nicht zu vergessen das Album mit den entstellten Bildern. Der Witwe zufolge war Simon Lamberg ein Mann, der viele Geheimnisse mit sich herumtrug. Ich glaube, daß wir jetzt versuchen müssen, uns ein Bild davon zu machen, wer er eigentlich gewesen ist. Ganz offenbar stimmt die Fassade nicht mit dem überein, was sich dahinter befindet. Der höfliche, schweigsame und pedantische Fotograf scheint im Grunde genommen ein ganz anderer gewesen zu sein.«

»Die Frage ist nur, wer mehr über ihn wissen könnte«, überlegte Martinsson. »Wenn er doch keine Freunde gehabt hat. Niemand scheint ihn gekannt zu haben.«

»Wir haben die Amateurastronomen in Lund«, sagte Wallander. »An die müssen wir uns wenden. Ebenso an frühere Angestellte. Man kann nicht ein ganzes Leben in einer Stadt wie Ystad verbringen, ohne daß jemand einen kennt. Außerdem hat Elisabeth Lamberg uns bestimmt noch das eine oder andere zu sagen.«

»Ich habe mit Backman gesprochen«, berichtete Svedberg. »Du hattest recht, er war wach. Als ich in seine Wohnung kam, war auch seine Frau schon auf und fix und fertig angezogen. Die beiden machten den Eindruck, als ob es mitten am Tag wäre und nicht erst vier Uhr früh. Leider konnte er keine Personenbeschreibung des Mannes geben, der dich niedergeschlagen hat. Außer daß er eine halblange, vermutlich dunkelblaue Jacke getragen hat.«

»Konnte er nicht einmal sagen, ob er groß oder klein war? Und was für eine Haarfarbe hatte er?«

»Es ist zu schnell gegangen. Backman wollte nur Dinge sagen, deren er sich auch sicher ist.«

»Eines wissen wir auf jeden Fall über denjenigen, der mich niedergeschlagen hat«, sagte Wallander. »Er kann entschieden schneller laufen als ich. Und seine Kondition ist bestens. Meiner Ansicht nach ist er von mittlerer Größe, ziemlich kräftig und ungefähr in meinem Alter. Aber diese Auskünfte müssen natürlich mit Vorsicht behandelt werden.«

Sie warteten immer noch auf den ersten vorläufigen Bericht aus der Gerichtsmedizin in Lund. Nyberg und das kriminaltechnische Laboratorium in Linköping würden Kontakt miteinander aufnehmen. Es gab eine große Anzahl von Fingerabdrücken, die kontrolliert und mit den Registern abgeglichen werden mußten.

Sie hatten alle Hände voll zu tun, und Wallander wollte die Besprechung so schnell wie möglich beenden. Um elf Uhr standen sie auf und gingen ihren jeweiligen Aufgaben nach. Wallander war eben in seinem Zimmer angelangt, als das Telefon klingelte.

Es war Ebba. »Du hast Besuch«, sagte sie. »Ein Mann namens Gunnar Larsson. Er will mit dir über Lamberg sprechen.«

Wallander hatte gerade beschlossen, einen weiteren Besuch bei Elisabeth Lamberg zu machen. »Kann das nicht jemand anders übernehmen?«

»Er möchte aber ausdrücklich mit dir sprechen.«

»Wer ist es denn?«

»Er hat früher einmal für Lamberg gearbeitet.«

Wallander änderte seine Meinung sofort. Das Gespräch mit der Witwe mußte warten.

Gunnar Larsson war ein Mann in den Dreißigern. Sie setzten sich in Wallanders Zimmer. Eine Tasse Kaffee lehnte er ab.

»Es ist gut, daß Sie selber die Initiative ergriffen haben und hergekommen sind«, begann Wallander. »Früher oder später wäre Ihr Name sowieso aufgetaucht, aber auf diese Weise sparen wir Zeit.«

Wallander hatte einen seiner Kollegblöcke aufgeschlagen.

»Ich habe sechs Jahre für Lamberg gearbeitet«, sagte Gunnar Larsson. »Vor ungefähr vier Jahren hat er mir gekündigt. Ich glaube nicht, daß er danach noch einen Angestellten hatte.«

»Warum wurde Ihnen gekündigt?«

»Er behauptete, er könne es sich nicht mehr leisten, einen Angestellten zu haben. Ich glaube auch, daß das zutraf. Eigentlich hatte ich sogar darauf gewartet. Lambergs Laden war nicht so groß, daß er nicht alles hätte allein schaffen können. Und weil er keine Kameras und kein Zubehör verkaufte, war das Einkommen nicht gerade hoch. In schlechten Zeiten gehen die Menschen nicht eben häufig zum Fotografen.«

»Aber Sie haben sechs Jahre dort gearbeitet. Das bedeutet, daß Sie ihn ziemlich gut kennengelernt haben müssen.«

»Ja und nein.«

»Dann fangen wir mit dem ersten an.«

»Er war immer höflich und freundlich. Zu allen. Zu mir und zu den Kunden. Er hatte zum Beispiel eine fast grenzenlose Geduld mit Kindern. Und er war sehr ordentlich.«

Wallander war plötzlich etwas eingefallen. »Würden Sie sagen, daß Simon Lamberg ein guter Fotograf war?«

»Die Bilder, die er machte, waren recht konventionell. Unter anderem deshalb, weil die Menschen solche Bilder haben wollen. Bilder, die allen anderen gleichen. Das hat er gut gemacht. Er hat nie gepfuscht. Er war nicht originell, weil er nicht das Bedürfnis hatte, es zu sein. Ich bezweifle, daß er irgendwelche künstlerischen Ambitionen mit seiner Arbeit verfolgte. Auf jeden Fall habe ich nie etwas davon bemerkt.«

Wallander nickte.

»Was Sie sagen, vermittelt mir die Vorstellung einer freundlichen, aber ziemlich farblosen Person. Ist das richtig?«

»Ja.«

»Und warum meinen Sie, ihn nicht gut kennengelernt zu haben?«

»Er war wohl der reservierteste Mensch, den ich je in meinem Leben getroffen habe.«

»Auf welche Weise?«

»Er redete nie über sich oder seine Gefühle. Ich kann mich nicht erinnern, daß er jemals ein eigenes Erlebnis geschildert hat. Anfangs habe ich noch versucht, normale Gespräche mit ihm zu führen.«

»Worüber denn?«

»Na ja, über das Wetter und den Wind. Aber damit habe ich bald aufgehört.«

»Hat er nie die Dinge kommentiert, die in der Welt passierten?«

»Ich glaube, er war sehr konservativ.«

»Warum glauben Sie das?«

Gunnar Larsson zuckte mit den Schultern. »Ich glaube es einfach. Aber ich bezweifle anderseits, daß er jemals Zeitungen gelesen hat.«

Da irrst du dich, dachte Wallander. Er hat Zeitungen gelesen. Und er wußte vermutlich eine ganze Menge über verschiedene internationale Politiker. Seine Ansichten dazu verwahrte er in einem Fotoalbum, von einer Art, wie es die Welt bisher noch nicht gesehen hat.

»Etwas anderes ist ebenfalls auffällig«, fuhr Gunnar Larsson fort. »Während der sechs Jahre, die ich für ihn gearbeitet habe, bin ich nie seiner Frau begegnet. Ich war auch nie bei ihnen zu Hause zu Besuch. Um überhaupt zu wissen, wo sie wohnten, bin ich eines Sonntags dort vorbeigegangen.«

»Sie haben also auch die Tochter nie getroffen?«

Gunnar Larsson blickte Wallander fragend an. »Hatten sie Kinder?«

»Das wußten Sie nicht?«

»Nein.«

»Sie haben eine Tochter. Matilda.«

Wallander beschloß, nicht zu erwähnen, daß sie schwerbehindert war. Ganz offensichtlich wußte Gunnar Larsson nicht, daß sie überhaupt existierte.

Wallander legte den Stift auf den Tisch. »Was dachten Sie, als Sie erfuhren, was geschehen war?«

»Es war vollkommen unbegreiflich.«

»Hätten Sie sich vorstellen können, daß ihm so etwas passiert?«

»Das kann ich immer noch nicht. Wer soll einen Grund gehabt haben, ihn zu ermorden?«

»Genau das versuchen wir herauszufinden.«

Wallander bemerkte plötzlich, daß Gunnar Larsson sich unwohl fühlte. Es war, als könne er sich nicht entscheiden, was er sagen wollte.

»Sie denken an etwas?« fragte Wallander vorsichtig. »Habe ich recht?«

»Es gab eine Reihe von Gerüchten«, sagte Gunnar Larsson zögernd. »Gerüchte, daß Simon Lamberg spielte.«

»Wie, spielte?«

»Um Geld spielte. Jemand hatte ihn in Jägersro gesehen.«

»Nach Jägersro zu gehen ist doch nichts Besonderes.«

»Das nicht, aber außerdem wurde behauptet, daß er regelmäßig in illegalen Spielklubs verkehrte. In Malmö und in Kopenhagen.«

Wallander runzelte die Stirn. »Wo haben Sie das gehört?«

»Es kursieren viele Gerüchte in einer kleinen Stadt wie Ystad.«

Wallander wußte nur allzu gut, wie zutreffend diese Feststellung war.

»Es hieß, er habe große Schulden.«

»Und, hatte er?«

»Nicht in der Zeit, als ich dort gearbeitet habe. Das konnte ich anhand der Buchführung erkennen.«

»Er könnte hohe private Kredite aufgenommen haben. Oder Wucherern in die Hände gefallen sein.«

»Davon habe ich, falls es so war, nichts mitbekommen.«

Wallander überlegte. »Gerüchte entstehen nie ohne Grund«, sagte er.

»Das ist jetzt so lange her«, antwortete Gunnar Larsson. »Wo oder wann ich diese Gerüchte gehört habe, weiß ich nicht mehr.«

»Kannten Sie das Fotoalbum, das er im Schreibtisch verschlossen hatte?«

»Ich habe nie gesehen, was er in seinem Schreibtisch hatte.«

Wallander war sicher, daß der Mann ihm gegenüber die Wahrheit sagte. »Hatten Sie eigene Schlüssel, als Sie bei Lamberg gearbeitet haben?«

»Ja.«

»Und was haben Sie damit gemacht, als Sie aufgehört haben?«

»Ich habe die Schlüssel natürlich zurückgegeben.«

Wallander nickte. Weiter würde er nicht kommen. Simon Lamberg schien ihm in all seiner Farblosigkeit immer rätselhafter zu werden, je mehr Menschen er befragte. Er notierte sich Gunnar Larssons Telefonnummer und Adresse. Das Gespräch war vorüber, und Wallander begleitete ihn hinaus zur Anmeldung. Dann ging er in den Eßraum, holte sich eine Tasse Kaffee und kehrte in sein Zimmer zurück. Er nahm den Hörer vom Telefon und legte ihn daneben. Er konnte sich nicht erinnern, wann er zuletzt so ratlos gewesen war. In welche Richtung sollten sie sich eigentlich wenden, um nach einer Lösung zu suchen? Alles schien aus losen Enden zu bestehen. Obwohl er versuchte, es zu vermeiden, drängte sich ihm die Erinnerung an sein eigenes entstelltes und in ein Fotoalbum eingeklebtes Gesicht immer wieder auf.

Die losen Enden hingen nirgendwo zusammen.

Er schaute auf die Uhr. Bald zwölf. Er war hungrig. Der Wind draußen schien weiter zuzunehmen. Er legte den Hörer wieder auf die Gabel. Sofort klingelte es. Es war Nyberg, der ihm mitteilte, daß die technische Untersuchung abgeschlossen war und daß sie nichts Unerwartetes gefunden hatten.

Jetzt konnte Wallander auch die anderen Räume untersuchen.

Er setzte sich an den Schreibtisch und versuchte, eine Zusammenfassung zu schreiben. In Gedanken führte er ein Gespräch mit Rydberg und verfluchte den Umstand, daß dieser nicht da war. Was tue ich jetzt? Wie komme ich weiter? Wir tasten herum, als drehten wir uns im Kreis.

Er las durch, was er geschrieben hatte. Versuchte, ein verborgenes Geheimnis aus der Zusammenfassung herauszulocken. Aber er fand keins. Irritiert schob er den Kollegblock fort. Es war Viertel vor eins. Am besten würde er erst einmal etwas essen. Später am Nachmittag würde er ein weiteres Gespräch mit Elisabeth Lamberg führen. Er sah ein, daß er zu ungeduldig war. Immerhin waren erst vierundzwanzig Stunden vergangen, seit Simon Lamberg ermordet worden war.

Er stellte sich vor, daß Rydberg ihm zustimmen würde. Wallander wußte, daß er viel zu wenig Geduld hatte.

Er zog die Jacke an und wollte gehen.

Im gleichen Augenblick öffnete sich die Tür. Es war Martinsson.

Man sah ihm an, daß etwas Wichtiges geschehen war. Er blieb in der Türöffnung stehen. Wallander sah ihn gespannt an.

»Wir haben den Mann, der dich heute nacht niedergeschlagen hat, zwar nicht gefunden«, sagte Martinsson, »aber er wurde beobachtet.«

Martinsson zeigte auf eine Karte von Ystad, die an Wallanders Wand hing.

»Er hat dich an der Ecke Aulingatan und Giöddesgränd niedergeschlagen. Dann flüchtete er wahrscheinlich die Herrestadsgata entlang und bog nach Norden ab. Kurz darauf wurde er in einem Garten in der Timmermansgata beobachtet, die unmittelbar in der Nähe liegt.«

»Wieso beobachtet?«

Wallander holte seinen Block aus der Tasche und blätterte in seinen Aufzeichnungen.

»Da lebt eine junge Familie, sie heißen Simovic. Die Frau war wach, weil sie ihr drei Monate altes Baby stillte. Bei der Gelegenheit schaute sie aus dem Fenster und entdeckte einen Schatten draußen in der Dunkelheit. Sie weckte sofort ihren Mann, aber als er ans Fenster kam, war der Schatten bereits verschwunden. Ihr Mann sagte, sie habe sich etwas eingebildet. Sie ließ sich anscheinend überzeugen und ging wieder ins Bett, nachdem das Kind eingeschlafen war. Erst heute, als sie im Garten war, ist ihr das Ganze wieder eingefallen. Sie ist zu der Stelle gegangen, an der sie in der Nacht jemanden gesehen zu haben meinte. Dazu muß man sagen, daß sie inzwischen davon gehört hatte, daß Lamberg ermordet worden ist. Ystad ist ja so klein, daß auch die Familie Simovic ein Familienfoto in seinem Atelier hatte anfertigen lassen.«

»Aber sie kann doch unmöglich von der nächtlichen Verfolgungsjagd gehört haben«, wandte Wallander ein. »Darüber haben wir nichts verlauten lassen.«

»Das stimmt«, fuhr Martinsson fort, »deswegen können wir auch froh sein, daß sie sich überhaupt gemeldet hat.«

»Kann sie uns eine brauchbare Personenbeschreibung geben?«

»Sie hat nur einen Schatten gesehen.«

Wallander betrachtete Martinsson fragend. »Dann helfen uns diese Beobachtungen nicht besonders viel.«

»Im Prinzip hast du recht«, sagte Martinsson, »wenn sie nicht im Garten etwas auf der Erde gefunden hätte, das sie vor einer Weile hergebracht und abgegeben hat. Und das jetzt auf meinem Tisch liegt.«

Wallander folgte Martinsson über den Korridor zu dessen Zimmer. Auf dem Schreibtisch lag ein Gesangbuch. Wallander sah Martinsson argwöhnisch an. »Das? Das hat sie gefunden?«

»Ja. Ein Gesangbuch. Eigentum der schwedischen Kirche.«

Wallander überlegte. Warum war Frau Simovic überhaupt damit hergekommen? Es war ein Mord geschehen. Sie hatte jemanden entdeckt, der sich während der Nacht in ihrem Garten aufgehalten hatte. Zuerst hatte sie sich von ihrem Mann überzeugen lassen, daß es nur eine Einbildung gewesen sei, dann hatte sie dieses Gesangbuch gefunden.

Er schüttelte langsam den Kopf.

»Es muß nicht unbedingt derselbe Mann gewesen sein«, meinte Martinsson. »Auch wenn ich behaupten würde, daß vieles dafür spricht. Wie viele Menschen schleichen schon nachts in fremden Gärten herum? Noch dazu in Ystad? Außerdem haben die Nachtstreifen die Gegend abgesucht. Ich habe mit einem von ihnen gesprochen, der heute nacht mit draußen war. Mehrmals sind sie auch in der Timmermansgata gewesen. Ein Garten war also ein guter Platz, um sich zu verstecken.«

Wallander sah ein, daß Martinsson recht hatte. »Ein Gesangbuch«, sagte er. »Wer zum Teufel trägt mitten in der Nacht ein Gesangbuch durch die Gegend?«

»Und verliert es in einem Garten, nachdem er einen Polizisten niedergeschlagen hat«, fügte Martinsson hinzu.

»Laß Nyberg das Buch untersuchen und danke der Familie Simovic für ihre Hilfe.«

Als Wallander auf dem Weg aus Martinssons Zimmer war, fiel ihm noch etwas ein.

»Wer nimmt denn die eingehenden Hinweise entgegen?«

»Das macht Hansson. Aber es scheint noch nicht richtig in Gang gekommen zu sein.«

»Wenn es das überhaupt je tut«, sagte Wallander skeptisch.

Anschließend fuhr er in die Konditorei am Busbahnhof und aß

ein paar belegte Brote. Das Gesangbuch war ein rätselhafter Fund, der ebensowenig wie irgend etwas anderes auf eine logische Weise in die Ermittlung über den Tod des Fotografen eingeordnet werden konnte. Wallander war ratlos.

Sie tappten im dunkeln.

Nach dem Besuch in der Konditorei fuhr Wallander hinauf in den Lavendelväg. Wieder machte Karin Fahlman ihm auf. Aber diesmal hatte Elisabeth Lamberg sich nicht hingelegt. Sie saß im Wohnzimmer und wartete, als Wallander eintrat. Auch diesmal überraschte ihn ihre Blässe. Er hatte das Gefühl, daß sie irgendwie von innen kam und weit zurückreichende Ursachen hatte. Daß sie nicht nur eine Reaktion darauf war, daß ihr Mann ermordet worden war.

Wallander setzte sich ihr gegenüber. Sie sah ihn forschend an.

»Wir sind einer Lösung noch nicht nähergekommen«, sagte er.

»Ich gehe davon aus, daß Sie tun, was Sie können«, erwiderte sie.

Wallander fragte sich im stillen, was sie damit hatte sagen wollen. War es eine versteckte Kritik an der Arbeit der Polizei? Oder meinte sie es ehrlich?

»Das ist mein zweiter Besuch bei Ihnen«, begann er, »aber wir müssen davon ausgehen, daß es nicht der letzte sein wird. Es tauchen ständig neue Fragen auf.«

»Ich werde antworten, so gut ich kann.«

»Diesmal bin ich nicht gekommen, um Fragen zu stellen«, fuhr Wallander fort. »Diesmal würde ich gern die persönlichen Dinge Ihres Mannes in Augenschein nehmen.«

Sie nickte, sagte aber nichts.

Wallander hatte sich entschlossen, direkt zur Sache zu kommen.

»Hatte Ihr Mann Schulden?«

»Nicht, soweit ich weiß. Das Haus ist bezahlt. Er hat im Atelier nie in etwas investiert, ohne sicher zu sein, die Kredite innerhalb kurzer Zeit zurückzahlen zu können.«

»Kann er Kredite aufgenommen haben, von denen Sie nichts gewußt haben?«

»Natürlich. Das habe ich schon erklärt. Wir lebten unter dem gleichen Dach, aber getrennte Leben. Und er war sehr geheimnisvoll.«

Wallander griff den letzten Satz noch einmal auf.

»Auf welche Weise war er geheimnisvoll? Das habe ich immer noch nicht wirklich verstanden.«

Sie sah ihn eindringlich an. »Was ist ein geheimnisvoller Mensch? Vielleicht sollte man lieber sagen, daß er ein verschlossener Mensch war. Man wußte nie, ob er wirklich meinte, was er sagte, oder etwas ganz anderes dachte. Ich konnte direkt neben ihm stehen und trotzdem das Gefühl haben, daß er sich irgendwo weit weg befand. Ich konnte nie sagen, ob es wirklich echt war, wenn er lächelte. Ich konnte nie sicher sein, wer er eigentlich war.«

»Es muß eine schwierige Situation gewesen sein«, sagte Wallander. »Aber es kann doch nicht immer so gewesen sein.«

»Er hatte sich sehr verändert. Das begann schon, als Matilda geboren wurde.«

»Vor vierundzwanzig Jahren?«

»Vielleicht nicht unmittelbar. Sagen wir, vor zwanzig Jahren. Ich begann zu glauben, daß es die Trauer über Matildas Schicksal war. Bis es schlimmer wurde.«

»Schlimmer? Wann war das?«

»Vor ungefähr sieben Jahren.«

»Was passierte da?«

»Ich kann es nicht genau sagen.«

Wallander hielt inne und ging dann noch einmal zurück. »Wenn ich richtig verstanden habe, passierte vor sieben Jahren etwas, was ihn dramatisch veränderte.«

»Ja.«

»Haben Sie überhaupt keine Vorstellung, was es gewesen sein könnte?«

»Vielleicht doch. In jedem Frühjahr überließ er dem Angestellten vierzehn Tage das Geschäft. Dann unternahm er eine Busreise hinunter nach Europa.«

»Und Sie fuhren nicht mit?«

»Er wollte allein sein. Ich hatte auch keine Lust. Wenn ich fort wollte, bin ich mit meinen Freundinnen verreist. Ganz woandershin.«

»Was geschah damals?«

»Damals ging die Reise nach Österreich, und als er zurückkam, war er völlig verändert. Wirkte ausgelassen und traurig zur gleichen Zeit. Als ich nachfragte, bekam er einen der wenigen Wutanfälle, die ich bei ihm erlebt habe.«

Wallander hatte begonnen, sich Notizen zu machen.

»Wann genau war das?«

»1981, im Februar oder März. Die Busreise wurde von Stockholm aus organisiert. Aber Simon ist in Malmö zugestiegen.«

»Sie erinnern sich nicht zufällig daran, wie das Reisebüro hieß?«

»Ich glaube, es war Mark-Reisen. Er fuhr fast immer mit denen.«

Wallander steckte den Notizblock in die Tasche, nachdem er den Namen notiert hatte.

»Jetzt würde ich mich gern umsehen«, sagte er. »Vor allem natürlich in seinem Zimmer.«

»Er hatte zwei. Ein Schlafzimmer und ein Arbeitszimmer.«

Beide lagen im Souterrain. Wallander warf einen schnellen Blick ins Schlafzimmer und öffnete die Kleiderschranktür. Elisabeth Lamberg stand hinter ihm und sah ihm zu. Dann gingen sie in das geräumige Arbeitszimmer.

An den Wänden standen Bücherregale. Es gab eine umfangreiche Plattensammlung, einen durchgesessenen Lesesessel und einen großen Schreibtisch.

Plötzlich hatte Wallander eine Idee. »War Ihr Mann eigentlich religiös?« fragte er.

»Nein«, antwortete sie erstaunt. »Das kann ich mir nicht denken.«

Wallanders Blick glitt über die Buchrücken. Es gab Belletristik in verschiedenen Sprachen, aber auch Sachbücher über verschiedene Themen. Mehrere Regalmeter enthielten ausschließlich Literatur über Astronomie. Wallander setzte sich an den Schreibtisch. Er hatte von Nyberg das Schlüsselbund bekommen. Er schloß die oberste Schublade auf.

Lambergs Witwe hatte sich in den Lesesessel gesetzt. »Wenn Sie lieber allein sein möchten, gehe ich gern«, sagte sie.

»Das ist nicht nötig«, erwiderte Wallander.

Es dauerte ein paar Stunden, das Arbeitszimmer durchzusehen. Die ganze Zeit saß sie im Sessel und folgte ihm mit ihren Blicken. Er fand nichts, was ihn oder die Ermittlung weitergebracht hätte.

Etwas ist vor sieben Jahren auf einer Reise nach Österreich geschehen, dachte er. Die Frage ist nur, was.

Erst gegen halb sechs gab er auf. Simon Lambergs Leben schien hermetisch verschlossen zu sein. Wie sehr er auch suchte, er fand nichts. Sie gingen wieder ins Erdgeschoß hinauf. Karin Fahlman bewegte sich im Hintergrund. Alles war sehr still. Wie vorher.

»Haben Sie gefunden, wonach Sie suchen?« fragte Elisabeth Lamberg.

»Ich weiß nicht, wonach ich suche. Außer daß es etwas sein müßte, was uns einen Hinweis auf das Motiv und den Täter geben kann. Aber das habe ich noch nicht gefunden.«

Wallander verabschiedete sich und fuhr zurück ins Präsidium. Der Wind war immer noch böig. Er fröstelte und fragte sich, zum wievielten Mal, wußte er nicht, wann es wohl Frühling würde.

Vor dem Polizeipräsidium traf er Staatsanwalt Per Åkeson. Sie betraten gemeinsam die Anmeldung. Wallander gab Åkeson eine Zusammenfassung des Ermittlungsstandes.

»Ihr habt also noch keine direkte Spur, die ihr verfolgt«, stellte Åkeson fest.

»Nein«, erwiderte Wallander. »Noch zeigt nichts in eine bestimmte Richtung. Die Kompaßnadel dreht sich wie wild.«

Åkeson verschwand durch die Schwingtür.

Im Korridor stieß Wallander auf Svedberg. Ihn hatte er gerade aufsuchen wollen. Sie gingen zusammen in Wallanders Zimmer, und Svedberg setzte sich auf den wackligen Besucherstuhl. Eine Armstütze drohte abzufallen.

»Du solltest dir mal einen neuen Stuhl anschaffen«, sagte Svedberg.

»Glaubst du, dafür ist Geld da?«

Wallander legte seinen Notizblock vor sich auf den Tisch.

»Ich möchte dich um zwei Dinge bitten«, sagte er. »Erstens, daß du versuchst, herauszufinden, ob es in Stockholm ein Reiseunternehmen gibt, das Mark-Reisen heißt. Simon Lamberg ist mit ihnen im Februar oder März 1981 nach Österreich gefahren. Versuche, soviel wie möglich über diese Busreise herauszufinden. Wenn du nach all den Jahren eine Teilnehmerliste auftreiben könntest, wäre es natürlich das Beste, was uns passieren könnte.«

»Warum ist das wichtig?«

»Irgend etwas ist auf dieser Reise passiert. Die Witwe war in dem Punkt sehr deutlich. Simon Lamberg war nicht mehr derselbe, als er von der Reise zurückkam.«

Svedberg machte sich eine Notiz.

»Zweitens«, fuhr Wallander fort, »sollten wir herausfinden, wo sich die Tochter, Matilda, aufhält. Sie lebt in einem Heim für Schwerbehinderte, aber wir wissen nicht, wo.«

»Hast du nicht danach gefragt?«

»Ich habe nicht daran gedacht. Der Schlag heute nacht hat mir doch stärker zugesetzt, als ich angenommen habe.«

»Ich werde mich darum kümmern«, versprach Svedberg und stand auf.

In der Tür prallte er beinah mit Hansson zusammen.

»Ich glaube, ich bin da auf etwas gestoßen«, sagte Hansson. »Ich habe mal in meiner Erinnerung gekramt. Simon Lamberg hatte nie irgendwelche Probleme mit der Justiz. Aber trotzdem meinte ich mich in irgendeinem Zusammenhang an ihn zu erinnern.«

Wallander und Svedberg warteten gespannt. Sie wußten beide, daß Hansson dann und wann ein ausgezeichnetes Gedächtnis unter Beweis stellen konnte.

»Eben bin ich darauf gekommen, was es war«, fuhr er fort. »Und zwar hat Lamberg vor einigen Jahren eine Reihe von Beschwerdebriefen geschrieben. Er hat sie an Björk gerichtet, obwohl es fast nichts mit der Polizei von Ystad zu tun hatte. Er war unter anderem unzufrieden damit, wie schlecht wir seiner Meinung nach verschiedene Gewaltverbrechen aufklärten. In einem der Briefe ging es um Kajsa Stenholm, der es nicht gelungen war, diesen Fall in Stockholm aufzuklären, als Bengt Alexandersson ermordet wurde, der erst im vorigen Jahr seine Aufklärung gefunden hat. Das hast du doch damals in der Hand gehabt. Ich dachte, das könnte vielleicht erklären, warum dein Gesicht in seinem komischen Fotoalbum vertreten ist.«

Wallander nickte. Hansson mochte recht haben. Aber es brachte sie trotzdem nicht weiter.

Das Gefühl von Ratlosigkeit war jetzt sehr stark.

Sie hatten ganz einfach nichts in der Hand.

Der Täter war noch immer ein flüchtiger Schatten.

Am dritten Tag der Mordermittlung war das Wetter umgeschlagen. Als Wallander gegen halb sechs ausgeruht erwachte, schien die Sonne in sein Schlafzimmer. Das Thermometer vor dem Küchenfenster zeigte sieben Grad über Null. Vielleicht war der Frühling nun endlich im Anzug.

Wallander betrachtete sein Gesicht im Badezimmerspiegel. Die linke Backe war geschwollen und wies blaue Stellen auf. Als er vorsichtig das Pflaster an der Schläfe löste, begann es sofort wieder zu bluten. Er suchte ein neues Pflaster und klebte es über die Wunde. Dann tastete er mit der Zunge nach dem provisorisch behandelten Zahn. Er hatte sich noch immer nicht daran gewöhnt. Er duschte und zog sich an. Der Berg von Schmutzwäsche bewirkte, daß er verärgert hinunter in die Waschküche ging und sich für eine Zeit eintrug, während oben der Kaffee durchlief. Er begriff nicht, wie sich in so kurzer Zeit so viel schmutzige Wäsche ansammeln konnte. Früher war es Mona gewesen, die sich um die Wäsche kümmerte. Es versetzte ihm einen Stich, als er an sie dachte. Dann setzte er sich an den Küchentisch und las die Zeitung. Der Mord an Lamberg nahm viel Raum ein. Björk hatte mit den Journalisten gesprochen, und Wallander nickte beifällig. Er konnte sich gut ausdrücken. Nannte die Dinge beim Namen und hielt sich nicht mit Spekulationen auf.

Kurz nach sechs verließ Wallander die Wohnung und fuhr hinauf ins Präsidium. Weil alle in der Ermittlungsgrupppe viel zu tun hatten, wollten sie sich erst am Abend zusammensetzen. Die systematische Erfassung des Lebens von Simon Lamberg, seiner Gewohnheiten, seiner Finanzen, seines Umgangs, seiner Vergangenheit erforderte Zeit. Wallander selbst wollte nachforschen, ob etwas an den Gerüchten wahr sein konnte, die Gunnar Larsson erwähnt hatte. Daß Simon Lamberg sich in der illegalen Welt des Glücksspiels bewegt hatte. Er wollte zu diesem Zweck einen seiner alten

Kontakte nutzen. Er würde nach Malmö fahren und mit einem Mann sprechen, den er fast vier Jahre nicht gesehen hatte. Aber er wußte, wo er ihn mit größter Wahrscheinlichkeit antreffen würde. Er ging in die Anmeldung, blätterte die Telefonnotizen durch und stellte fest, daß nichts Wichtiges dabei war. Dann ging er weiter zu Martinsson, der wie immer früh bei der Arbeit war. Er saß vor seinem Computer und war mit einer Suchaktion beschäftigt.

»Wie kommst du voran?« fragte Wallander.

Martinsson schüttelte den Kopf. »Simon Lamberg muß das absolute Ideal des unbescholtenen Bürgers gewesen sein«, meinte er. »Kein dunkler Fleck, nicht einmal ein Bußgeld wegen Falschparkens. Nichts.«

»Aber das Gerücht besagt, daß er gespielt hat«, sagte Wallander. »Illegal. Außerdem soll er Schulden gehabt haben. Ich werde den Vormittag nutzen, um mehr darüber herauszufinden. Ich fahre jetzt nach Malmö.«

»Was für ein Wetter wir gekriegt haben«, sagte Martinsson, ohne den Blick vom Monitor zu heben.

»Ja«, antwortete Wallander. »Man fängt tatsächlich wieder an zu hoffen.«

Wallander fuhr nach Malmö. Die Temperatur war weiter gestiegen. Er genoß den Gedanken an die Verwandlung, die die Landschaft jetzt bald durchmachen würde. Aber es dauerte nicht lange, bis seine Gedanken wieder zu der Mordermittlung zurückkehrten, für die er die Verantwortung trug. Immer noch fehlte ihnen eine Richtung, in die sie gehen konnten. Sie hatten kein offensichtliches Motiv. Simon Lambergs Tod war unbegreiflich. Ein Fotograf, der ein stilles Leben geführt hatte. Der das tragische Schicksal erfahren hatte, eine schwerbehinderte Tochter zu bekommen. Der seit längerer Zeit praktisch von seiner Ehefrau getrennt lebte. Nichts von alldem sprach jedoch dafür, daß jemand das Bedürfnis gehabt haben könnte, mit wahnsinniger Wucht seinen Schädel zu zertrümmern.

Außerdem war vor sieben Jahren etwas auf einer Busreise nach Österreich geschehen. Etwas, was Lamberg entscheidend verändert hatte.

Während der Fahrt blickte Wallander über die Landschaft. Er

fragte sich, was an dem Bild von Lamberg er nicht durchschaute. Die ganze Gestalt hatte etwas Unscharfes. Sein Leben und sein Charakter waren seltsam flüchtig.

Wallander kam kurz vor acht in Malmö an. Er fuhr direkt in das Parkhaus hinter dem Hotel Savoy. Dann ging er durch den Haupteingang hinein. Er steuerte den Speisesaal an.

Der Mann, den er suchte, saß allein an einem Tisch im hinteren Teil des Raumes. Er war in eine Morgenzeitung vertieft. Wallander trat an den Tisch. Der Mann fuhr zusammen und blickte auf. »Kurt Wallander«, sagte er. »Bist du so hungrig, daß du nach Malmö fahren mußt, um zu frühstücken?«

»Deine Logik ist wie üblich sonderbar«, erwiderte Wallander und setzte sich. Er goß sich eine Tasse Kaffee ein. Gleichzeitig dachte er daran, wie er Peter Linder kennengelernt hatte, den Mann, dem er jetzt gegenübersaß. Es war vor mehr als zehn Jahren gewesen, Mitte der siebziger Jahre. Wallander hatte damals gerade in Ystad angefangen. Sie hatten einen illegalen Spielklub ausgehoben, der auf einem einsam gelegenen Hof in der Nähe von Hedeskoga eingerichtet worden war. Es war für alle offensichtlich gewesen, daß Peter Linder die Fäden des Unternehmens in der Hand hielt. Die großen Gewinne waren bei ihm gelandet. Aber im Prozeß war Linder freigesprochen worden. Eine ganze Meute von Verteidigern hatte es geschafft, die vom Staatsanwalt erhobene Anklage zu durchlöchern, und Linder hatte den Gerichtssaal als freier Mann verlassen.

Einige Tage nach dem Freispruch war er überraschend ins Polizeipräsidium gekommen und wollte mit Wallander sprechen. Er hatte sich über die Behandlung beklagt, die ihm seitens des schwedischen Rechtswesens zuteil geworden war. Wallander war aus der Haut gefahren. »Alle wissen, daß du dahintersteckst«, hatte er gesagt.

»Natürlich tu ich das«, hatte Peter Linder geantwortet. »Aber der Staatsanwalt konnte es mir nicht nachweisen. Und das alles bedeutet nicht, daß ich mein Recht verwirkt habe, mich über schlechte Behandlung zu beschweren.«

Peter Linders Frechheit machte Wallander sprachlos. Für ein paar Jahre war Linder aus Wallanders Leben verschwunden. Aber eines Tages war ein anonymer Brief an Wallander eingegangen, der Tips über einen anderen Spielklub in Ystad enthielt. Diesmal hatten sie die Hintermänner verurteilen können. Wallander hatte die ganze Zeit über gewußt, daß Peter Linder der Verfasser des anonymen Briefs war. Weil er bei seinem damaligen Besuch aus irgendeinem Grund hatte verlauten lassen, daß er »immer im Savoy frühstücke«, hatte Wallander ihn hier aufgesucht.

»Ich lese in den Zeitungen davon, daß Fotografen in Ystad gefährlich leben«, sagte Peter Linder.

»Nicht gefährlicher als sonstwo.«

»Und die Spielklubs?«

»Ich gehe davon aus, daß wir davon gegenwärtig befreit sind.«

Peter Linder lächelte. Seine Augen waren sehr blau.

»Ich sollte vielleicht überlegen, ob ich mich wieder in der Gegend von Ystad etabliere. Was hältst du davon?«

»Was ich davon halte, kannst du dir denken«, erwiderte Wallander. »Und wenn du einmal zurückkommen solltest, lochen wir dich ein.«

Peter Linder schüttelte den Kopf. Er lächelte erneut.

Es ärgerte Wallander, aber er ließ es sich nicht anmerken. »Ich bin tatsächlich hier, um mit dir über den ermordeten Fotografen zu sprechen.«

»Ich gehe ausschließlich zu einem Fotografen hier in Malmö. Er machte schon Bilder in der Zeit des alten Königs. Ein ausgezeichneter Mann.«

»Du brauchst lediglich meine Fragen zu beantworten«, unterbrach Wallander.

»Ist das ein Verhör?«

»Nein, aber ich bin dumm genug, zu glauben, daß du mir vielleicht helfen kannst. Und noch dümmer, indem ich sogar davon ausgehe, daß du es tun wirst.«

Peter Linder breitete einladend die Arme aus.

»Simon Lamberg«, fuhr Wallander fort. »Der Fotograf. Es ist das Gerücht in Umlauf, er sei ein Spieler gewesen. Der große Summen setzen würde. Illegal natürlich. Hier wie in Kopenhagen. Außerdem soll er Kredite aufgenommen haben, die er nicht zurückzahlen konnte. Ein Mann tief in der Schuldenfalle.«

»Damit ein Gerücht interessant wird, muß es zu mindestens fünfzig Prozent aus Wahrheit bestehen«, sagte Peter Linder philosophisch. »Tut es das?«

»Ich habe gehofft, darauf könntest du mir antworten. Hast du von ihm reden hören?«

Peter Linder dachte nach.

»Nein«, sagte er dann. »Aber wenn nur das geringste bißchen an diesen Gerüchten dran ist, dann würde ich wissen, wer der Mann war.«

»Wäre es denkbar, daß du aus irgendeinem Grund nichts von ihm weißt?«

»Nein«, erwiderte Peter Linder. »Das ist absolut undenkbar.«

»Du bist mit anderen Worten allwissend?«

»Über das, was sich in der illegalen Spielwelt in Südschweden abspielt, weiß ich alles. Außerdem kenne ich mich ein wenig in der klassischen Philosophie und mit maurischer Architektur aus. Aber darüber hinaus weiß ich von nichts.«

Wallander protestierte nicht. Er wußte, daß Peter Linder einst eine erstaunlich steile Karriere an der Universität gemacht hatte. Dann, eines Tages, hatte er ohne Vorwarnung dem akademischen Leben den Rücken gekehrt und sich innerhalb kürzester Zeit als Spielklubbesitzer etabliert.

Wallander trank seinen Kaffee aus. »Wenn du etwas hören solltest, wäre ich dankbar für einen deiner anonymen Briefe«, sagte er.

»Ich höre mich mal in Kopenhagen um«, meinte Peter Linder. »Aber ich bezweifle, daß ich etwas finde, was ich dir anbieten könnte.«

Wallander nickte. Er stand schnell auf. Peter Linder die Hand zu geben, war mehr, als er sich vorstellen konnte.

Gegen zehn Uhr war Wallander zurück im Polizeipräsidium. Ein paar Polizisten tranken in der Frühlingswärme vor dem Gebäude Kaffee. Wallander schaute zu Svedberg hinein. Er war nicht da. Hansson ebenfalls nicht.

Nur Martinsson saß unverdrossen vor seinem Bildschirm.

»Wie lief es in Malmö?« fragte er.

»Die Gerüchte haben sich leider nicht bestätigt«, antwortete Wallander.

»Leider?«

»Sie hätten uns ein Motiv geliefert. Spielschulden. Geldeintreiber. Alles, was wir brauchen.«

»Svedberg hat über das Handelsregister herausgefunden, daß Mark-Reisen nicht mehr existieren. Die Firma hat vor fünf Jahren mit einem anderen Unternehmen fusioniert. Vor ein oder zwei Jahren mußte dieses dann Konkurs anmelden. Er meint, es wäre unmöglich, alte Teilnehmerlisten aufzutreiben. Aber er hält es für denkbar, den damaligen Busfahrer zu finden. Falls er noch lebt.«

»Womit beschäftigen sich Hansson und er zur Zeit?«

»Svedberg gräbt in Lambergs Finanzen. Hansson redet mit den Nachbarn. Und Nyberg macht einen Techniker zur Schnecke, dem ein Fußabdruck abhanden gekommen ist.«

»Wie kann einem denn ein Fußabdruck abhanden kommen?«

»Man kann doch auch ein Gesangbuch in einem Garten verlieren.«

Martinsson hat recht, dachte Wallander. Verlieren kann man alles.

»Sind irgendwelche Hinweise eingegangen?« fragte er dann.

»Nichts außer der Familie Simovic mit dem Gesangbuch. Und eine Reihe von Hinweisen, die wir sofort abschreiben konnten. Aber vielleicht kommen ja noch mehr. Die Leute brauchen immer ein bißchen Zeit.«

»Bankdirektor Backman?«

»Zuverlässig. Aber er hat nicht mehr gesehen, als wir schon wußten.«

»Und die Putzhilfe? Hilda Waldén?«

»Auch von ihr haben wir nichts Neues erfahren.«

Wallander lehnte sich an den Türrahmen. »Wer zum Teufel hat ihn umgebracht? Was kann er für ein Motiv gehabt haben?«

»Wer stellt im Radio einen anderen Sender ein?« fragte Martinsson. »Und wer läuft mitten in der Nacht mit einem Gesangbuch in der Tasche in der Stadt herum?«

Die Fragen blieben bis auf weiteres unbeantwortet. Wallander ging in sein Zimmer. Er fühlte sich rastlos und unzufrieden. Die

Begegnung mit Peter Linder hatte zu nichts weiter geführt, als daß sie die Hoffnung aufgeben konnten, irgendwo in der illegalen Welt der Zocker eine Lösung zu finden. Was blieb dann noch?

Wallander setzte sich an den Schreibtisch und versuchte, eine neue Zusammenfassung zu erstellen. Er brauchte über eine Stunde. Dann las er durch, was er geschrieben hatte. Mehr und mehr neigte er zu der Auffassung, daß der Mann, der Lamberg getötet hatte, in den Laden hereingelassen worden war. Mit Sicherheit war es jemand gewesen, den Lamberg gekannt und zu dem er Vertrauen gehabt hatte. Jemand, von dem wahrscheinlich nicht einmal Elisabeth Lamberg wußte.

Er wurde in seinen Gedanken dadurch unterbrochen, daß Svedberg an die Tür klopfte. »Rate mal, wo ich gewesen bin«, sagte er.

Wallander schüttelte den Kopf. Er war nicht in der Stimmung für Ratespiele.

»Matilda Lamberg lebt in einem Pflegeheim außerhalb von Rydsgård«, sagte Svedberg. »Und weil es so nah war, dachte ich, daß ich ebensogut gleich hinfahren könnte.«

»Du hast Matilda also getroffen?«

Svedberg wurde ernst. »Es ist grauenhaft«, sagte er. »Sie ist nicht in der Lage, irgend etwas selbständig zu tun.«

»Du brauchst es nicht genauer zu beschreiben. Ich kann es mir auch so vorstellen.«

»Aber ich habe etwas Eigenartiges erfahren«, fuhr Svedberg fort. »Ich habe mit der Leiterin gesprochen, einer freundlichen Frau. Eine von diesen stillen Heldinnen, die es in unserer Welt gibt. Ich fragte sie, wie oft Simon Lamberg zu Besuch gekommen ist.«

»Und was hat sie geantwortet?«

»Er ist kein einziges Mal dagewesen. Nie. In all den Jahren nicht.«

Wallander sagte nichts.

»Elisabeth Lamberg pflegt einmal in der Woche zu kommen. Meistens samstags. Aber das war nicht das Sonderbare.«

»Sondern?«

»Die Leiterin sagte, daß auch eine andere Frau zu Besuch käme. Unregelmäßig, aber sie taucht manchmal auf. Niemand weiß, wie sie heißt oder wer sie ist.«

Wallander runzelte die Stirn.

Eine unbekannte Frau.

Plötzlich war das Gefühl sehr stark. Er wußte nicht, woher es kam, aber er war dennoch überzeugt. Hier war endlich eine Spur.

»Gut«, sagte er. »Sehr gut. Versuche, alle zu einer Besprechung zusammenzutrommeln.«

Um halb zwölf hatte Wallander die Ermittlungsgruppe um sich versammelt. Sie kamen aus verschiedenen Richtungen und schienen dank des schönen Wetters voller neuer Energie. Wallander hatte unmittelbar vor der Sitzung eine vorläufige Stellungnahme des Gerichtsmediziners erhalten. Simon Lamberg war vermutlich vor Mitternacht getötet worden. Der Schlag auf den Hinterkopf war mit großer Kraft geführt worden und unmittelbar tödlich gewesen. Weil man in der Wunde Metallspuren gefunden hatte, die leicht als eine Messinglegierung identifiziert werden konnten, fing man jetzt an, sich versuchsweise Gedanken über die Mordwaffe zu machen. Es konnte eine Messingstatue gewesen sein oder etwas in der Richtung. Wallander hatte sofort Hilda Waldén angerufen und sie gefragt, ob es im Atelier irgendeinen Messinggegenstand gegeben habe. Ihre Antwort war negativ gewesen. Wallander hatte den Bescheid bekommen, den er sich gewünscht hatte. Der Mann, der gekommen war, um Simon Lamberg zu töten, hatte die Mordwaffe bei sich gehabt. Dies wiederum bedeutete, daß der Mord geplant gewesen war. Nichts, was aus einem Streit oder einem sonstigen Impuls hervorgegangen war.

Für die Ermittlungsgruppe war dies eine wichtige Feststellung. Sie wußten jetzt, daß sie nach einem Täter suchten, der vorsätzlich gehandelt hatte. Warum er wiedergekommen war, wußten sie jedoch nicht. Am wahrscheinlichsten war, daß er etwas vergessen hatte. Aber Wallander konnte den Gedanken nicht loswerden, daß es einen anderen Grund gab, den sie noch nicht entdeckt hatten.

Sie gingen langsam und methodisch noch einmal alles durch, was sie bisher zusammengetragen hatten. Das meiste war jedoch noch unklar. Sie konnten die verschiedenen Informationen nicht miteinander in Verbindung bringen. Aber Wallander wollte schon jetzt alles auf dem Tisch haben. Er wußte aus Erfahrung, daß in einer Ermittlungsgruppe jeder einzelne Zugang zu sämtlichen Informationen benötigte. Eine seiner schlimmsten polizeilichen Sünden war es, daß er oft Dinge für sich behielt. Mit den Jahren war es ihm jedoch gelungen, sich ein wenig zu bessern.

»Finger- und Fußabdrücke gibt es ziemlich viele«, sagte Nyberg, als Wallander wie gewöhnlich dazu übergegangen war, ihnen das Wort zu erteilen. »Wir haben außerdem einen guten Daumenabdruck im Gesangbuch gefunden. Ob er mit einem der Abdrücke, die wir im Fotoladen abnehmen konnten, identisch ist, weiß ich noch nicht.«

»Läßt sich noch mehr über das Gesangbuch sagen?« fragte Wallander.

»Es macht den Eindruck, recht fleißig benutzt worden zu sein, aber es steht kein Name darin. Auch kein Stempel einer bestimmten Kirche oder Gemeinde.«

Wallander blickte Hansson an.

»Wir sind noch nicht ganz fertig mit den Nachbarn. Aber keiner von denen, mit denen wir bisher gesprochen haben, hat etwas Ungewöhnliches gesehen oder gehört. Keinen nächtlichen Tumult im Atelier. Nichts draußen auf der Straße. Es kann sich auch niemand daran erinnern, jemanden gesehen zu haben, der sich vor dem Laden auffällig benommen hätte. Weder am Tatabend noch vorher. Alle beteuern außerdem, daß Simon Lamberg ein liebenswerter Mensch gewesen sei. Allerdings etwas reserviert.«

»Sind noch andere Hinweise eingegangen?«

»Es kommen die ganze Zeit neue per Telefon. Aber nichts, was unmittelbar von Interesse wäre.«

Wallander fragte nach den Briefen, die Lamberg geschrieben hatte, um sich über die Polizei zu beschweren.

»Sie werden an einer zentralen Stelle irgendwo in Stockholm archiviert. Unser Distrikt ist ja nur in einem von ihnen am Rande erwähnt worden. Man ist dabei, sie herauszusuchen.«

»Es fällt mir schwer, dieses Album zu bewerten«, sagte Wallander. »Ob es wichtig ist oder nicht. Es kann natürlich damit zusammenhängen, daß ich selbst darin abgebildet bin.«

»Andere sitzen zu Hause am Küchentisch und verfassen Haßtiraden auf verschiedene Machthaber«, überlegte Martinsson. »Simon Lamberg war Fotograf. Er schrieb nicht. Die Dunkelkammer war sein symbolischer Küchentisch.«

»Damit kannst du recht haben. Wir müssen darauf zurückkommen, wenn wir hoffentlich bald mehr wissen.«

»Lamberg war eine komplizierte Persönlichkeit«, meinte Svedberg. »Freundlich und zurückgezogen, aber auch noch etwas anderes. Es ist nur so, daß wir nicht formulieren können, was dieses andere eigentlich beinhaltet.«

»Noch nicht«, sagte Wallander. »Aber das Bild wird sich klären. Das tut es immer.«

Wallander erzählte dann von seinem Besuch in Malmö und von dem Gespräch mit Peter Linder. »Ich glaube, wir können die Gerüchte über Lambergs Spielleidenschaft abschreiben«, endete er. »Es scheint nichts anderes gewesen zu sein als eben gerade ein Gerücht.«

»Ich verstehe nicht, wie du etwas glauben kannst, was dir dieser Mann erzählt«, wandte Martinsson ein.

»Er ist klug genug zu wissen, wann er die Wahrheit sagen muß«, sagte Wallander. »Er ist klug genug, nicht unnötig zu lügen.«

Dann war Svedberg an der Reihe. Er berichtete davon, daß es das Reisebüro in Stockholm nicht mehr gab, er aber davon ausgehe, daß es möglich sein würde, den Busfahrer ausfindig zu machen, der auf der Reise nach Österreich im März 1981 gefahren war.

»Mark-Reisen haben immer mit einer Busgesellschaft in Alvesta zusammengearbeitet«, schloß er. »Und das Unternehmen gibt es noch. Das habe ich bereits geklärt.«

»Kann das wirklich wichtig sein?« fragte Hansson.

»Vielleicht«, antwortete Wallander, »oder vielleicht auch nicht. Aber Elisabeth Lamberg war sich sicher, daß ihr Mann sehr verändert war, als er damals nach Hause kam.«

»Vielleicht hatte er sich verliebt«, schlug Hansson vor. »Ist das nicht etwas, was auf Charterreisen passiert?«

»Ja, zum Beispiel«, stimmte Wallander zu und fragte sich schnell, ob Mona so etwas im Vorjahr auf den Kanarischen Inseln passiert war.

Dann wandte er sich wieder an Svedberg.

»Sieh zu, daß du den Fahrer zu fassen bekommst. Vielleicht bringt es was.«

Svedberg berichtete dann von seinem Besuch bei Matilda Lamberg. Ein Gefühl von Beklemmung verbreitete sich im Raum, als sie erfuhren, daß Simon Lamberg seine behinderte Tochter nie besucht hatte. Daß eine unbekannte Frau dann und wann zu ihr zu Besuch kam, erweckte nur geringes Interesse. Wallander war jedoch nach wie vor davon überzeugt, daß dies eine Spur sein konnte. Er hatte sich noch keine Gedanken darüber gemacht, auf welche Weise sie ins Bild paßte, aber er hatte nicht die Absicht, die Spur fallenzulassen, bis er wußte, wer die Frau war.

Schließlich gingen sie das allgemeine Bild von Simon Lamberg durch. Mit jedem Schritt, den sie taten, verstärkte sich der Eindruck von einem Mann, der ein geordnetes Leben gelebt hatte. Es gab keine dunklen Flecken, weder in seinen Finanzen noch anderswo in seiner bürgerlichen Existenz. Wallander erinnerte daran, daß jemand so bald wie möglich einen Besuch bei der Vereinigung der Amateurastronomen in Lund machen sollte, in der Lamberg Mitglied gewesen war. Hansson würde das übernehmen.

Anschließend ergriff Martinsson das Wort, um die Ergebnisse seiner Computersuche mitzuteilen. Er konnte nur bekräftigen, was er früher schon beobachtet hatte. Simon Lamberg war nie mit der Polizei in Konflikt geraten.

Es war inzwischen nach eins. Wallander beendete die Sitzung. »Wir haben immer noch kein Motiv oder einen Hinweis darauf, wer der Täter sein kann. Das Wichtigste ist jedoch, daß wir jetzt sicher sein können, daß der Mord geplant war. Der Mörder hatte die Waffe bei sich. Was bedeutet, daß wir alle früheren Überlegungen aufgeben können, wonach es ein Einbruch war, bei dem der Täter überrascht wurde.«

Alle gingen wieder an ihre Arbeit. Wallander hatte beschlossen, zum Pflegeheim hinauszufahren, in dem Matilda Lamberg lebte. Es graute ihn schon vor dem, was ihm begegnen würde. Krankheit, Leiden und lebenslange Behinderung waren etwas, womit Wallander noch nie besonders gut hatte umgehen können. Aber er wollte mehr über die unbekannte Frau in Erfahrung bringen.

Er verließ Ystad und fuhr über Svartevägen nach Rydsgård. Das

Meer lockte zu seiner Linken. Er kurbelte das Fenster herunter und fuhr langsamer.

Plötzlich dachte er an Linda, seine achtzehnjährige Tochter. Zur Zeit hielt sie sich in Stockholm auf. Sie schwankte zwischen verschiedenen Vorstellungen, was sie einmal werden wollte. Möbelpolsterin oder Krankengymnastin, manchmal sogar Schauspielerin. Sie teilte sich mit einer Freundin eine Wohnung auf Kungsholmen zur Untermiete. Wovon sie eigentlich lebte, war Wallander nicht ganz klar. Aber er wußte, daß sie dann und wann in Restaurants kellnerte. Wenn sie sich nicht in Stockholm aufhielt, wohnte sie bei Mona in Malmö, und dann kam sie oft, aber unregelmäßig, nach Ystad und besuchte ihn.

Er machte sich Sorgen um sie. Doch gleichzeitig sah er so viele Charaktereigenschaften bei ihr, die er von sich selbst nicht kannte. Im Innersten zweifelte er jedoch nicht daran, daß sie es schaffen würde, ihren Platz im Leben zu finden. Aber die Sorge war trotzdem da. Gegen die war er machtlos.

Wallander hielt in Rydsgård und aß ein spätes Mittagessen im Gasthof. Schweinekoteletts. Am Tisch hinter ihm führten einige Bauern eine lautstarke Diskussion über Vor- und Nachteile eines neuen Typs von Miststreuer. Wallander versuchte sich ganz aufs Essen zu konzentrieren. Das hatte Rydberg ihn gelehrt. Wenn er aß, sollte er nur an das denken, was vor ihm auf dem Teller lag. Hinterher würde er sich vorkommen, als sei sein Kopf gelüftet worden. Wie ein Haus, dessen Fenster man geöffnet hatte, nachdem es lange Zeit leergestanden hatte.

Das Pflegeheim lag in der Nähe von Rynge. Wallander folgte Svedbergs Wegbeschreibung und hatte keine Schwierigkeiten, den richtigen Weg zu finden. Er bog auf den Vorplatz ein und stieg aus. Die Anlage bestand aus einer Mischung alter und neuer Häuser. Er ging durch den Haupteingang hinein. Von irgendwoher hörte er ein gellendes Lachen. Eine Frau war dabei, Blumen zu gießen. Wallander ging zu ihr und bat sie, mit der Leiterin sprechen zu dürfen.

»Das bin ich«, sagte die Frau und lächelte. »Ich heiße Margareta Johansson. Und ich weiß schon, wer Sie sind. So oft, wie man Sie in den Zeitungen sieht!«

Sie goß weiter ihre Blumen. Wallander versuchte, ihren letzten Kommentar zu ignorieren.

»Manchmal muß es schrecklich sein, Polizist zu sein«, sagte sie plötzlich.

»Das kann ich nur bestätigen«, antwortete Wallander. »Aber ich würde anderseits nicht in diesem Land leben wollen, wenn es keine Polizei gäbe.«

»Das ist sicher richtig«, stimmte sie zu und stellte die Gießkanne ab. »Ich nehme an, Sie sind wegen Matilda Lamberg gekommen?«

»Eigentlich nicht direkt ihretwegen. Eher wegen der Frau, die sie manchmal besucht und die nicht ihre Mutter ist.«

Margareta Johansson sah ihn an. Ein Anflug von Beunruhigung huschte über ihr Gesicht.

»Hat sie etwas mit dem Mord an Matildas Vater zu tun?«

»Das ist kaum wahrscheinlich, aber ich möchte doch wissen, wer sie ist.«

Margareta Johansson zeigte auf eine halboffene Tür, die zu einem Büroraum führte. »Wir können uns dort drinnen hinsetzen.«

Sie bot Wallander Kaffee an. Er lehnte ab.

»Matilda bekommt nicht viel Besuch«, sagte sie. »Als ich vor vierzehn Jahren hierherkam, war sie schon seit sechs Jahren da. Nur ihre Mutter besucht sie. Und dann und wann, bei seltenen Gelegenheiten, eine Verwandte. Matilda merkt kaum, wenn sie Besuch bekommt. Sie ist blind und hört schlecht. Und sie reagiert kaum auf das, was um sie her vorgeht. Aber wir wollen trotzdem, daß diejenigen, die viele Jahre bei uns verbringen, vielleicht sogar ihr ganzes Leben, Kontakt zur Außenwelt behalten. Vielleicht geht es um ein Gefühl, daß sie trotz allem dazugehören, zur großen Gemeinschaft.«

»Wann begann diese Frau zu Besuch zu kommen?«

Margareta Johansson dachte nach. »Vor sieben oder acht Jahren.«

»Wie oft kommt sie hierher?«

»Ganz unregelmäßig. Manchmal vergeht ein halbes Jahr, bis sie wiederkommt.«

»Und sie nennt nie ihren Namen?«

»Nie. Sie sagt nur, daß sie komme, um Matilda zu besuchen.«
»Ich nehme an, Sie haben es auch Elisabeth Lamberg erzählt?«
»Ja.«
»Und wie hat sie reagiert?«
»Mit Verwunderung. Sie hat ebenfalls gefragt, wer die Frau sei. Uns gebeten, anzurufen und ihr Bescheid zu sagen, sobald sie herkommen würde. Das Problem ist nur, daß die Besuche dieser Frau immer sehr kurz sind. Elisabeth Lamberg hat es noch nie geschafft, schnell genug hier zu sein. Die Frau war jedesmal schon wieder gegangen.«
»Und wie kommt sie für gewöhnlich her?«
»Mit dem Auto.«
»Das sie selbst fährt?«
»Darüber habe ich mir nie Gedanken gemacht. Vielleicht sitzt noch jemand im Wagen, auf den bisher niemand geachtet hat.«
»Wahrscheinlich hat ebenfalls niemand darauf geachtet, was es für ein Wagen ist, vom polizeilichen Kennzeichen ganz zu schweigen?«
Margareta Johansson schüttelte den Kopf.
»Können Sie mir die Frau beschreiben?«
»Sie ist zwischen vierzig und fünfzig Jahre alt, schmal, nicht besonders groß. Einfach, aber geschmackvoll gekleidet. Blondes, kurzgeschnittenes Haar. Ungeschminktes Gesicht.«
Wallander notierte. »Ist Ihnen noch etwas anderes an ihr aufgefallen?«
»Nein.«
Wallander erhob sich.
»Wollen Sie Matilda nicht sehen?« fragte sie.
»Leider habe ich dafür keine Zeit«, erwiderte Wallander ausweichend, »aber ich komme wahrscheinlich noch einmal wieder. Ich möchte Sie bitten, sofort bei der Polizei in Ystad anzurufen, falls diese Frau wieder auftaucht. Wann war sie zuletzt hier?«
»Vor ein paar Monaten.«
Sie begleitete ihn hinaus auf den Vorplatz. Eine Pflegerin kam mit einem Rollstuhl vorbei. Darin erkannte Wallander einen verkrüppelten Jungen unter einer Wolldecke.
»Allen geht es besser, wenn der Frühling kommt«, sagte Marga-

reta Johansson. »Das merkt man sogar an unseren Patienten, die oft ganz in ihre eigene Welt eingeschlossen sind.«

Wallander verabschiedete sich und ging zu seinem Auto. Er hatte gerade den Motor angelassen, als das Telefon in Margareta Johanssons Büro klingelte. Sie rief durchs Fenster, es sei Svedberg.

Wallander ging hinein und nahm den Hörer.

»Ich habe den Busfahrer gefunden«, berichtete Svedberg. »Es war leichter, als ich zu hoffen gewagt habe. Er heißt Anton Eklund.«

»Gut«, sagte Wallander.

»Es wird noch besser. Rate mal, was er gemacht hat. Er hat die Teilnehmerlisten von seinen Reisen aufgehoben. Und er besitzt Fotografien von der Reise damals.«

»Von Simon Lamberg aufgenommen?«

»Wie konntest du das wissen?«

»Ich habe genau das getan, worum du mich gebeten hast. Ich habe geraten.«

»Er wohnt in Trelleborg. Er ist Rentner, und wir sind eingeladen, ihn zu besuchen.«

»Das werden wir tun. Und zwar so bald wie möglich.«

Doch zuvor hatte sich Wallander noch einen anderen Besuch vorgenommen. Einen, der nicht aufgeschoben werden konnte.

Von Rynge wollte er direkt zu Elisabeth Lamberg fahren.

Er hatte eine Frage, auf die er sofort eine Antwort haben wollte.

Sie war draußen im Garten, als er kam. Sie stand über eines der Beete gebeugt, und als er über den Zaun hinweg lauschte, meinte er zu hören, daß sie vor sich hin summte. Tief schien die Trauer über den Verlust ihres Mannes nicht zu sein. Als Wallander das Gartentor öffnete, hörte sie ihn und richtete sich auf. Sie hatte einen kleinen Spaten in der Hand. Sie blinzelte gegen das Sonnenlicht.

»Es tut mir leid, daß ich schon jetzt zurückkommen und Sie stören muß«, sagte Wallander. »Aber ich habe eine Frage, die nicht warten kann.«

Sie legte den Spaten in einen Korb, der neben ihr stand.

»Wollen wir hineingehen?«

»Das ist nicht nötig.«

Sie zeigte auf ein paar Gartenstühle, die in der Nähe standen, und sie setzten sich.

»Ich habe mit der Leiterin des Pflegeheims gesprochen, in dem Matilda lebt«, begann Wallander. »Ich komme gerade von dort.«

»Haben Sie Matilda getroffen?«

»Ich hatte leider zu wenig Zeit.«

Er wollte nicht sagen, wie es war. Daß es für ihn ein fast unüberwindliches Problem darstellte, mit schwerbehinderten Menschen konfrontiert zu sein.

»Wir haben über die unbekannte Frau gesprochen, die Matilda manchmal besucht.«

Elisabeth Lamberg hatte eine dunkle Sonnenbrille aufgesetzt. Er konnte ihre Augen nicht erkennen.

»Als wir das letztemal über Matilda sprachen, haben Sie diese Frau nicht erwähnt. Das erstaunt mich. Und es macht mich neugierig. Es kommt mir außerdem sonderbar vor.«

»Ich dachte nicht, daß es wichtig wäre.«

Wallander war im Zweifel, wie hart und direkt er vorgehen konnte. Immerhin war ihr Mann erst vor zwei Tagen ermordet worden.

»Ist es nicht so, daß Sie wissen, wer diese Frau ist? Aber daß Sie aus irgendeinem Grund nicht über sie sprechen wollen?«

Sie nahm die Sonnenbrille ab und blickte ihn an. »Ich weiß nicht, wer sie ist. Ich habe versucht, etwas herauszubekommen, aber es ist mir nicht gelungen.«

»Was haben Sie getan, um es herauszubekommen?«

»Das einzige, was ich tun konnte. Das Personal gebeten, mich anzurufen, sobald sie auftaucht. Und das haben sie auch getan. Aber ich bin bisher nie schnell genug gewesen.«

»Sie hätten das Personal doch auch bitten können, sie nicht hineinzulassen. Oder ihr Bescheid zu geben, daß sie Matilda nicht besuchen dürfe, ohne ihren Namen zu nennen.«

Elisabeth Lamberg sah ihn fragend an.

»Sie hat ihren Namen gesagt. Beim erstenmal, als sie da war. Hat Frau Johansson das nicht erzählt?«

»Nein.«

»Sie hat sich als Siv Stigberg vorgestellt und gesagt, sie wohne in Lund. Aber es gibt dort keine Person dieses Namens. Das habe ich geprüft. Ich bin die Telefonbücher des ganzen Landes durchgegangen. Es gibt eine Siv Stigberg in Kramfors und eine in Motala. Ich bin sogar mit beiden in Kontakt getreten, aber keine hatte eine Ahnung, wovon ich redete.«

»Sie hat also einen falschen Namen angegeben. Vielleicht hat Margareta Johansson deshalb nichts gesagt.«

»Ja. Anders kann ich es mir nicht erklären.«

Wallander überlegte. Er glaubte jetzt, daß sie die Wahrheit sagte. »Das Ganze ist sehr merkwürdig. Ich verstehe immer noch nicht, warum Sie es nicht schon beim letztenmal erzählt haben.«

»Mittlerweile denke ich auch, daß ich es hätte tun sollen.«

»Sie müssen sich darüber Gedanken gemacht haben, wer diese Frau ist. Warum sie diese Besuche macht.«

»Natürlich habe ich das. Und deshalb habe ich auch der Leiterin gesagt, daß sie Matilda weiterhin besuchen dürfe. Eines Tages werde ich es schaffen, rechtzeitig hinzukommen.«

»Und was tut sie, wenn sie dort ist?«

»Sie bleibt nur ganz kurz. Sie sieht Matilda an, aber sie sagt nie etwas. Obwohl Matilda es mitbekommt, wenn man mit ihr spricht.«

»Haben Sie Ihren Mann nie nach dieser Frau gefragt?«

Ihre Stimme war voll Bitterkeit, als sie antwortete. »Warum hätte ich das tun sollen? Er interessierte sich nicht für Matilda. Sie war ein Mensch, der für ihn nicht existierte.«

Wallander erhob sich von dem Gartenstuhl.

»Ich habe trotzdem Antwort auf meine Frage erhalten«, sagte er.

Er fuhr auf direktem Weg ins Polizeipräsidium zurück. Das Gefühl, daß es eilte, war plötzlich sehr stark. Es war schon später Nachmittag geworden. Svedberg war in seinem Zimmer.

»Dann fahren wir nach Trelleborg«, sagte Wallander in der Tür. »Hast du die Adresse von diesem Fahrer?«

»Anton Eklund wohnt im Stadtzentrum.«

»Vielleicht ist es besser, du rufst an und fragst, ob er zu Hause ist.«

Svedberg suchte die Telefonnummer heraus. Eklund meldete sich fast sofort.

»Wir sind willkommen«, sagte Svedberg, als er aufgelegt hatte. Sie fuhren in seinem Wagen, der besser war als Wallanders. Svedberg fuhr schnell und sicher. Zum zweitenmal an diesem Tag fuhr Wallander auf dem Strandväg nach Westen. Er erzählte von seinen Besuchen im Pflegeheim und bei Elisabeth Lamberg.

»Ich werde das Gefühl nicht los, daß diese Frau eine wichtige Rolle spielt«, sagte er, »und daß sie eindeutig etwas mit Simon Lamberg zu tun hatte.«

Sie fuhren schweigend weiter. Wallander nahm die Landschaft abwesend zur Kenntnis. Für einen Moment nickte er sogar ein. Seine Backe tat kaum noch weh. Die Zungenspitze hatte sich an die provisorische Krone gewöhnt.

Svedberg brauchte nur einmal zu fragen, um zu Anton Eklunds Adresse in Trelleborg zu gelangen. Es war ein rotes mehrgeschossiges Ziegelhaus in der Stadtmitte. Eklund wohnte im Parterre. Er hatte sie kommen sehen und wartete in der geöffneten Tür. Er war ein großgewachsener Mann mit grauer Haarpracht. Als er Wallander die Hand gab, drückte er so fest zu, daß es fast weh tat. Er bat sie einzutreten. Die Wohnung war klein. Es war für Kaffee gedeckt. Wallander bekam sofort den Eindruck, daß Eklund allein lebte. Die Wohnung war ordentlich geputzt, gab ihm aber trotzdem das Gefühl, daß hier ein einsamer Mann wohnte.

Seine Vermutung wurde bestätigt, sobald sie sich gesetzt hatten.

»Ich lebe allein«, sagte Eklund. »Meine Frau ist vor drei Jahren gestorben. Da bin ich hierher gezogen. Ein einziges Jahr hatten wir als Rentner noch zusammen, dann lag sie eines Morgens tot im Bett.«

Keiner erwiderte etwas. Es gab auch nichts zu sagen. Eklund reichte ihnen einen Teller mit Gebäck.

Wallander nahm ein Stück Kuchen. »Im März 1981 haben Sie eine Busreise nach Österreich gemacht«, begann er. »Mark-Reisen war der Veranstalter. Sie fuhren vom Norra Bantorget in Stockholm ab.«

»Wir wollten nach Salzburg und anschließend nach Wien. Zweiunddreißig Teilnehmer, der Reiseleiter und ich. Der Bus war ein Skania. Vollkommen neu.«

»Ich dachte, Busreisen auf den Kontinent hätten Ende der sechziger Jahre aufgehört«, sagte Svedberg.

»Das stimmt auch«, bestätigte Eklund. »Aber sie sind wieder in. Mark-Reisen hatte das richtige Konzept. Es gibt eine Menge Menschen, die absolut nicht in die Luft wollen, um sich kurz darauf an einem entlegenen Ferienziel ausspucken zu lassen. Sie wollen wirklich reisen, und dafür muß man schön auf dem Boden bleiben.«

»Ich habe gehört, daß Sie die Teilnehmerlisten aufgehoben haben«, sagte Wallander.

»Das war geradezu eine Manie von mir. Ich blättere manchmal darin. An viele der Passagiere erinnert man sich überhaupt nicht. Andere Namen rufen Erinnerungen wach. Meistens gute, aber einige würde man am liebsten vergessen.«

Er stand auf und holte eine Plastikhülle aus einem Regal. Er reichte sie Wallander. Darin befand sich eine Liste mit zweiunddreißig Namen. Fast sofort entdeckte Wallander Lamberg. Er ging langsam die übrigen Namen durch. Keiner von ihnen war bisher in der Ermittlung aufgetaucht. Von den zweiunddreißig Passagieren kam mehr als die Hälfte aus Mittelschweden. Dann waren da noch ein Paar aus Härnösand, eine Frau aus Luleå und sieben Personen aus Südschweden. Aus Halmstad, Eslöv und Lund. Wallander gab Svedberg die Liste.

»Und haben Sie auch Fotos von der Reise, an der Lamberg teilgenommen hat?«

»Weil er Fotograf war, wurde er zum Hoffotografen für diese Reise ernannt. Er machte fast alle Bilder. Diejenigen, die Abzüge haben wollten, schrieben ihre Namen auf eine Liste. Alle bekamen, was sie bestellt hatten. Er hat gehalten, was er versprochen hat.«

Eklund hob eine Zeitung an. Darunter lag ein Umschlag mit Fotos.

»Ich habe diesen Packen Bilder umsonst bekommen. Lamberg hat sie selber zusammengestellt. Ich habe sie nicht ausgesucht.«

Wallander schaute langsam den Stapel durch. Es waren insgesamt neunzehn Bilder. Er ahnte bereits, daß Lamberg nicht zu sehen sein würde, weil er die Bilder gemacht hatte. Aber auf dem vorletzten Bild war er auf einem Gruppenfoto dabei. Auf der

Rückseite stand, daß das Bild auf einem Rastplatz zwischen Salzburg und Wien aufgenommen worden war. Auch Eklund war darauf. Wallander nahm an, daß Lamberg den Selbstauslöser betätigt hatte.

Er ging die Bilder noch einmal durch. Studierte Details und Gesichter. Plötzlich bemerkte er, daß auf allen Bildern das Gesicht einer Frau zu sehen war. Sie sah immer direkt in die Kamera. Und sie lächelte. Als Wallander sie betrachtete, hatte er das Gefühl, etwas an ihr käme ihm bekannt vor. Ohne daß er sagen konnte, was es war. Er bat Svedberg, sich die Bilder anzusehen.

»Haben Sie eine Erinnerung an Lamberg von dieser Reise?«

»Anfangs habe ich ihn nicht besonders beachtet. Aber dann wurde es ja bedeutend dramatischer.«

Svedberg blickte hastig von den Bildern auf.

»Wieso?« fragte Wallander.

»Man sollte vielleicht nicht über so etwas reden«, meinte Eklund zögernd. »Jetzt, wo er tot ist. Aber er hatte ein Verhältnis mit einer der Damen aus der Reisegesellschaft. Und kein besonders einfaches.«

»Inwiefern?«

»Sie war verheiratet. Und ihr Mann fuhr ebenfalls mit.«

Wallander ließ die Antwort langsam auf sich einwirken.

»Da war noch etwas, was die Sache nicht besser machte.«

»Und was war das?«

»Sie war eine Pastorenfrau. Ihr Mann war Pastor.«

Eklund zeigte ihn auf einem der Bilder. Das Gesangbuch flimmerte durch Wallanders Kopf. Er fühlte, wie ihm der Schweiß ausbrach. Er warf Svedberg einen Blick zu und hatte den Eindruck, daß dieser die gleiche Überlegung anstellte wie er selbst.

Wallander griff nach dem Bilderstapel. Er nahm eins heraus, auf dem die unbekannte Frau in die Kamera lachte. »Ist sie das?« fragte er.

Eklund sah auf das Bild und nickte. »Das ist sie. Eine Pastorenfrau aus einer Gemeinde in der Nähe von Lund.«

Wallander wechselte einen weiteren Blick mit Svedberg. »Und wie endete das Ganze?«

»Das weiß ich nicht. Ich bin nicht einmal sicher, ob der Pastor überhaupt bemerkt hat, was hinter seinem Rücken vorging. Auf mich machte er einen leicht weltfremden Eindruck. Aber die Situation während der Reise war ziemlich unangenehm.«

Wallander sah sich das Bild der Frau noch einmal genauer an. Plötzlich wußte er, wer sie war. »Wie hieß diese Pastorenfamilie?«

»Wislander. Er hieß Anders und sie Louise.«

Svedberg studierte die Teilnehmerliste und schrieb sich die Adresse auf.

Wir würden uns gern einige der Bilder ausleihen«, sagte Wallander. »Sie bekommen sie selbstverständlich zurück.«

Eklund nickte.

»Ich hoffe, ich habe nichts Falsches gesagt.«

»Im Gegenteil. Sie haben uns sehr geholfen.«

Sie bedankten sich für den Kaffee und verabschiedeten sich.

»Diese Frau paßt auf die Beschreibung der Frau, die Matilda Lamberg besucht«, sagte Wallander. »Ich brauche sofort die Bestätigung, daß es wirklich so ist. Warum sie Matilda besucht, weiß ich nicht. Aber das ist eine Frage für später.«

Sie hasteten zum Auto. Bevor sie losfuhren, rief Wallander in Ystad an und bekam mit einiger Mühe Martinsson an den Apparat. Er erklärte kurz, was geschehen war, und bat ihn herauszufinden, ob Anders Wislander noch Pastor in einer Gemeinde außerhalb von Lund war. Nachdem sie in Rynge fertig wären, würden sie so schnell wie möglich ins Präsidium kommen.

»Glaubst du, daß sie es gewesen ist?« fragte Svedberg, als sie Trelleborg verließen.

Wallander schwieg lange, bevor er antwortete.

»Nein«, sagte er dann. »Aber er könnte es gewesen sein.«

Svedberg warf ihm einen Blick zu.

»Ein Pastor?«

Wallander nickte.

»Warum nicht? Pastoren sind Pastoren, aber sie sind auch nur Menschen. Natürlich kann es ein Pastor gewesen sein. Gibt es im übrigen nicht viele Messinggegenstände in einer Kirche?«

Sie hielten kurz in Rynge. Die Leiterin konnte die Frau auf dem Bild, das Wallander ihr zeigte, sofort als die Unbekannte identifizieren, die Matilda hin und wieder besuchte.

Dann fuhren sie ins Polizeipräsidium nach Ystad und gingen sofort zu Martinsson. Hansson war auch im Zimmer.

»Anders Wislander ist noch Pastor in der Nähe von Lund«, berichtete Martinsson. »Aber im Moment ist er krank geschrieben.«

»Warum das?« fragte Wallander.

»Aufgrund einer persönlichen Tragödie.«

Wallander sah ihn an.

»Was ist denn passiert?«

»Seine Frau ist vor gut einem Monat gestorben.«

Es wurde still im Raum.

Wallander hielt den Atem an. Er wußte nichts mit Bestimmtheit, dennoch fühlte er sich jetzt sicher. Sie würden die Lösung, oder zumindest einen Teil der Lösung, bei Pastor Anders Wislander in Lund finden. Er ahnte den Zusammenhang.

Wallander nahm seine Kollegen mit ins Sitzungszimmer. Von irgendwoher war auch Nyberg zu ihnen gestoßen.

Wallander legte ihnen seine Auffassung sehr entschieden dar. Bis auf weiteres würde alles übrige liegenbleiben. Jetzt galt es, sich ganz auf Anders Wislander und seine verstorbene Frau zu konzentrieren. Im Verlauf des Abends versuchten sie, soviel wie möglich über die beiden herauszufinden. Wallander hatte verlangt, daß sie vorsichtig vorgingen und so diskret wie möglich. Als Hansson vorgeschlagen hatte, Wislander noch am selben Abend aufzusuchen, hatte Wallander entschieden abgewinkt. Das hatte Zeit bis zum nächsten Tag. Jetzt würden sie dafür sorgen, daß sie so viele Informationen wie möglich in die Hände bekamen.

Svedberg gelang es mit Hilfe eines befreundeten Journalisten, einen Nachruf auf Louise Wislander aus *Sydsvenska Dagbladet* zu bekommen. Daraus ging hervor, daß sie siebenundvierzig Jahre alt war, als sie starb. Nach langem und geduldig ertragenem Leiden, wie es in dem Nachruf hieß. Sie diskutierten hin und her, was das bedeuten konnte. Sie hatte wohl kaum Selbstmord begangen. Vielleicht war es Krebs gewesen. In der Todesanzeige waren zwei Kinder unter den Trauernden aufgeführt.

Sie überlegten, ob sie schon jetzt Kontakt mit den Kollegen in Lund aufnehmen sollten. Wallander zögerte zunächst, kam dann aber zu der Meinung, daß es dafür noch zu früh sei.

Es war nicht viel, was sie vollständig klären konnten. Eher handelte es sich darum, das, was sie schon wußten, durchzugehen und Anders und Louise Wislander als Raster über die bereits bekannten Umstände um Simon Lambergs Tod zu legen.

Kurz nach acht am Abend bat Wallander Nyberg, etwas zu tun, was normalerweise nicht in seinen Aufgabenbereich fiel. Er sollte herausfinden, ob Wislanders Privatadresse eine Villa oder eine Wohnung war. Nyberg verschwand. Jemand hatte Pizza bestellt. Während sie aßen, versuchte Wallander ein Bild zu zeichnen, in dem Anders Wislander der Täter war.

Es gab viele Einwände. Die angebliche Liebesgeschichte zwischen Simon Lamberg und Louise Wislander lag sieben Jahre zurück. Warum sollte Anders Wislander erst jetzt reagieren? Gab es überhaupt etwas, was dafür sprach, daß er der Mörder sein konnte? Wallander sagte sich, daß alle diese Einwände durchaus berechtigt waren. Er schwankte selbst, ohne von seiner Überzeugung abzurücken, daß sie trotz allem der Lösung nahe waren.

»Das einzige, was wir tun müssen, ist, mit Wislander zu sprechen«, sagte er. »Und das tun wir morgen. Dann sehen wir weiter.«

Nyberg kam zurück. Er konnte mitteilen, daß Wislander in einem Einfamilienhaus wohnte, das der schwedischen Kirche gehörte. Weil er krank geschrieben war, nahm Wallander an, daß sie ihn dort antreffen würden. Bevor sie auseinandergingen, beschloß er, am nächsten Tag Martinsson mitzunehmen. Es genügte, wenn sie zu zweit waren.

Gegen Mitternacht fuhr er durch die Frühlingsnacht nach Hause. Er nahm den Weg am Sankta Gertruds Torg vorbei. Alles war sehr still. Ein Gefühl von Trauer und Müdigkeit durchzog ihn. Die Welt schien für einen Augenblick nur aus Krankheit und Tod zu bestehen. Und aus der Leere, die Mona zurückgelassen hatte. Doch dann sagte er sich, daß der Frühling gekommen war, und schüttelte die Schwermut ab. Morgen würden sie Wislander treffen. Dann würde es sich zeigen, ob sie der Lösung näher gekommen waren.

Er saß noch lange wach. Dachte, daß er am liebsten Linda und Mona anrufen würde. Gegen ein Uhr kochte er ein paar Eier, die er an der Spüle stehend aß. Bevor er ins Bett ging, betrachtete er sein

Gesicht im Badezimmerspiegel. Seine Backe war immer noch verfärbt. Und er mußte sich die Haare schneiden lassen.

In dieser Nacht schlief er unruhig.

Er stand schon um fünf Uhr auf. Während er auf Martinsson wartete, sortierte er den Berg schmutziger Wäsche und saugte Staub. Er trank mehrere Tassen Kaffee, trat immer wieder ans Küchenfenster und durchdachte aufs neue alle Umstände, die zu Simon Lambergs Tod geführt hatten.

Um acht Uhr ging er auf die Straße hinunter und wartete. Es würde wieder ein schöner Frühlingstag werden.

Martinsson war wie üblich pünktlich. Wallander setzte sich ins Auto. Sie fuhren nach Lund.

»Ich habe ausnahmsweise schlecht geschlafen«, sagte Martinsson. »Das tue ich sonst nie. Aber mir war gestern abend, als hätte ich Vorahnungen.«

»Vorahnungen in bezug worauf?«

»Ich weiß es nicht genau.«

»Es waren sicher nur Frühlingsgefühle.«

Martinsson warf ihm einen Blick zu. »Was für Frühlingsgefühle?«

Wallander antwortete nicht. Er murmelte nur kaum hörbar etwas vor sich hin.

Sie erreichten Lund um kurz vor halb neun. Martinsson war wie gewöhnlich ruckhaft und unkonzentriert gefahren, aber er hatte offenbar die Wegbeschreibung im Kopf gehabt. Er fand direkt zu der Straße in dem Villenviertel, in dem Wislander wohnte. Sie fuhren am Haus mit der Nummer neunzehn vorbei und parkten den Wagen außer Sichtweite.

»Gehen wir«, sagte Wallander. »Überlaß mir das Reden.«

Das Haus war groß. Wallander nahm an, daß es Anfang des Jahrhunderts gebaut worden war. Als sie durch das Gartentor traten, registrierte er, daß der Garten ungepflegt war. Er sah, daß Martinsson es ebenfalls bernerkte. Wallander klingelte an der Haustür. Fragte sich, was sie wohl erwartete. Er klingelte noch einmal. Niemand öffnete. Erneutes Klingeln. Keine Reaktion. Nichts. Wallander entschied sich schnell.

»Warte hier. Nicht beim Haus, sondern draußen auf der Straße. Seine Kirche liegt nicht weit von hier entfernt. Ich nehme deinen Wagen.«

Wallander hatte sich den Namen der Kirche notiert. Auf einer Karte hatte Svedberg am Abend zuvor gezeigt, wo sie lag. Er brauchte fünf Minuten, um dorthin zu gelangen. Die Kirche schien verlassen. Vielleicht hatte er sich geirrt. Anders Wislander war nicht da. Aber als er die Kirchentür anfaßte, war sie unverschlossen. Er betrat den dunklen Vorraum und zog die Tür hinter sich zu. Alles war sehr still. Die Geräusche von draußen drangen nicht durch die dicken Mauern. Wallander ging ins Kirchenschiff. Dort war es heller. Sonnenlicht fiel durch die bunten Fenster.

Wallander sah, daß jemand in der ersten Reihe saß. Ganz nah am Altar. Er bewegte sich langsam durch den Mittelgang nach vorne. Ein Mann saß dort. Vorgebeugt, wie ins Gebet versunken. Erst als Wallander fast neben ihm stand, blickte er auf. Im gleichen Augenblick erkannte Wallander ihn. Es war Anders Wislander. Sein Gesicht war das gleiche wie auf dem einen von Eklunds Bildern. Er war unrasiert, und seine Augen glänzten unnatürlich. Wallander fühlte sich bedrückt. Er bereute es jetzt, daß er Martinsson nicht mitgenommen hatte.

»Anders Wislander?« fragte er.

Der Mann sah ihn ernst an. »Wer sind Sie?«

»Ich heiße Kurt Wallander und bin Kriminalbeamter. Ich möchte gern mit Ihnen sprechen.«

Wislanders Stimme war plötzlich schrill und ungeduldig, als er antwortete. »Ich bin in Trauer. Sie stören mich. Lassen Sie mich.«

Wallander fühlte sein Unbehagen wachsen. Der Mann dort in der Bank schien einem Zusammenbruch nahe.

»Ich weiß, daß Ihre Frau tot ist«, sagte Wallander, »und darüber möchte ich mit Ihnen reden.«

Wislander stand so abrupt auf, daß Wallander zurückwich. Jetzt war er sicher, daß Wislander völlig aus dem Gleichgewicht geraten war.

»Sie stören mich, und Sie gehen nicht, obwohl ich Sie darum gebeten habe. Also muß ich mir anhören, was Sie zu sagen haben. Wir können in die Sakristei gehen.«

Wislander ging vor. Beim Altar wandte er sich nach links. Wallander sah an seinem Rücken, daß er ungewöhnlich kräftig war. Er konnte der Mann gewesen sein, den er einzuholen versucht und der ihn niedergeschlagen hatte.

In der Sakristei standen ein kleiner Tisch und einige Stühle. Wislander setzte sich und wies auf einen weiteren Stuhl. Wallander zog ihn zu sich heran und fragte sich, wie er anfangen sollte. Wislander betrachtete ihn mit seinen glänzenden Augen. Wallander blickte sich rasch im Raum um. Auf einem anderen Tisch standen zwei große Leuchter. Wallander starrte sie an, ohne zunächst darauf zu kommen, was an ihnen seine Aufmerksamkeit erregt hatte. Dann sah er, daß einer von ihnen anders war. Einer der Arme fehlte. Die Leuchter waren aus Messing. Wallander sah Wislander an. Erkannte, daß dieser bereits wußte, was Wallander gesehen hatte. Dennoch traf ihn der Angriff vollkommen unvorbereitet. Mit einem Brüllen stürzte Wislander sich auf Wallander. Er umklammerte mit beiden Händen Wallanders Hals, und seine Kraft, oder sein Wahnsinn, waren enorm. Wallander wehrte sich. Die ganze Zeit schrie Wislander unzusammenhängendes Zeug. Doch Wallander bekam so viel mit, daß es sich um Simon Lamberg drehte, um den Fotografen, der sterben mußte. Dann ließ sich Wislander in seiner Verwirrung über die Apokalyptischen Reiter aus. Unterdessen kämpfte Wallander, um sich aus der Umklammerung zu befreien. Mit gewaltiger Anstrengung gelang es ihm schließlich. Aber Wislander warf sich sogleich wieder über ihn, wie ein Tier, das um sein Leben kämpft. Im Verlauf ihres Ringens hatten sie sich zum Tisch hinüberbewegt, auf dem die Leuchter standen. Wallander konnte einen davon greifen und schlug ihn Wislander ins Gesicht. Er sackte sofort zusammen. Im ersten Augenblick dachte Wallander, er hätte ihn erschlagen. So wie Lamberg erschlagen worden war. Doch dann merkte er, daß Wislander atmete.

Wallander sank keuchend auf einen Stuhl. Er fühlte, daß sein Gesicht zerkratzt war. Der provisorisch behandelte Zahn war jetzt zum drittenmal kaputt.

Wislander lag auf dem Fußboden. Langsam kam er wieder zu sich. Gleichzeitig hörte Wallander, wie die Kirchentür geöffnet wurde.

Er verließ die Sakristei, um Martinsson entgegenzugehen, der unruhig geworden war und von Wislanders Nachbarn aus ein Taxi gerufen hatte.

Alles war sehr schnell gegangen. Aber Wallander wußte, daß es jetzt vorbei war. Er hatte auch den Mann wiedererkannt, der ihn in Ystad niedergeschlagen hatte. Er hatte ihn erkannt, ohne eigentlich je sein Gesicht gesehen zu haben. Aber er war es. Daran bestand kein Zweifel.

Einige Tage später versammelte Wallander seine Kollegen im Sitzungsraum des Polizeipräsidiums um sich. Es war Nachmittag. Ein Fenster war geöffnet, und endlich war die Frühjahrswärme deutlich zu spüren. Wallander hatte seine Verhöre mit Anders Wislander vorerst beendet. Der Mann war jetzt in einer so schlechten psychischen Verfassung, daß ein Arzt Wallander von weiteren Verhören abgeraten hatte. Doch Wallander hatte ein klares Bild gewonnen und konnte seinen Kollegen eine Darstellung des Geschehens geben.

»Alles ist dunkel und finster und tragisch«, begann er. »Simon Lamberg und Louise Wislander haben sich nach jener Busreise weiter heimlich getroffen. Ihr Mann hat nichts davon gewußt. Bis neulich, kurz bevor Louise Wislander starb. Sie hatte Leberkrebs. In ihrer Todesstunde hat sie ihm ihre Untreue gestanden. Wislander geriet vollkommen aus dem Gleichgewicht und erlitt einen Anfall von Geistesgestörtheit. Anders läßt sich sein Zustand nicht bezeichnen. Teils aus Trauer über den Tod seiner Frau, teils aus Wut und Verzweiflung über ihren Verrat. Er begann Lamberg zu beschatten und gab ihm auch die Schuld am Tod seiner Frau. Wislander ließ sich krank schreiben und verbrachte fast seine gesamte Zeit hier in Ystad. Er beobachtete das Fotoatelier, wohnte in einem der kleinen Hotels hier in Ystad. Er folgte auch der Putzhilfe, Hilda Waldén. An einem Samstag brach er in ihre Wohnung ein, entwendete die Schlüssel und ließ Kopien davon anfertigen. Bevor sie zurückkam, hatte er die Schlüssel schon wieder an ihren Platz gelegt. Auf diese Weise verschaffte er sich Zugang zum Atelier und erschlug Lamberg mit einem Leuchter. In seiner Verwirrung glaubte er danach, Lamberg lebe noch. Also kam er tatsächlich zurück, um ihn noch einmal totzuschlagen. Das Gesangbuch verlor er, als er sich in dem Garten versteckte. Daß er das Radio anmachte und die Sendereinstellung veränderte, ist ein kurioses Detail. In seinem Kopf spukte die Vorstellung, er könne aus dem Radio die Stimme Gottes hören. Und daß Gott ihm die Schuld, die er mit seiner Tat auf sich geladen hatte, vergeben würde. Aber statt dessen erwischte er einen Kanal, auf dem Rockmusik gesendet wurde. Die Bilder waren einzig und allein Lambergs Werk. Sie hatten nichts mit dem Mord zu tun. Er hatte für Politiker und andere Machtmenschen wohl nur Verachtung übrig. Außerdem war er also unzufrieden mit der Polizei. Er war ein Querulant. Ein kleiner Mann, der die Welt dadurch beherrschte, daß er Gesichter deformierte. Aber dies ist jedenfalls die Lösung des ganzen Falles. Ich kann mir nicht helfen, aber Wislander tut mir leid. Seine Welt brach zusammen. Und er konnte dem nichts entgegensetzen.«

Es wurde still im Raum.

»Warum hat Louise Wislander Lambergs behinderte Tochter besucht?« fragte Hansson.

»Darüber habe ich auch nachgedacht«, antwortete Wallander. »Vielleicht hatten Simon Lamberg und sie sich auf dieser Busreise in einer Leidenschaft gefunden, die religiöse Züge hatte? Vielleicht hielten sie irgendeine Art von Fürbitte für Matilda? Fuhr Louise Wislander anschließend in das Heim, um nachzusehen, ob ihre Fürbitte erhört worden war? Vielleicht war sie der Meinung, Matilda sei ein Opfer des früheren sündigen Lebens ihrer Eltern? Wir werden es nie erfahren. Ebensowenig, wie wir je erfahren werden, was diese beiden ungleichen Personen miteinander verband. Es gibt immer geheime Räume, in die wir nicht einzudringen vermögen. Und das ist auch gut so.«

»Man kann noch einen Schritt weitergehen«, ergänzte Rydberg. »Wenn man an Wislander denkt. Vielleicht rührte seine eigentliche Wut daher, daß Lamberg seine Frau vor allem religiös verführt hatte. Nicht erotisch. Man kann sich fragen, ob es sich in diesem Fall nur um die ganz normale Eifersucht gehandelt hat.«

Erneut trat Stille ein. Dann kamen sie wieder auf Lambergs Bilder zu sprechen.

»Auf seine Art muß der doch auch verrückt gewesen sein«,

meinte Hansson. »Seine Freizeit damit zu verbringen, die Fotos bekannter Personen zu deformieren.«

»Vielleicht ist die Erklärung eine ganz andere?« schlug Rydberg vor. »Vielleicht gibt es heutzutage Menschen, die sich so ohnmächtig fühlen, daß sie sich nicht mehr an dem beteiligen, was wir das demokratische Gespräch zu nennen pflegen. Sondern sich statt dessen Riten zuwenden. Und wenn es so ist, dann ist es um unser Land wirklich schlecht bestellt.«

»An die Möglichkeit habe ich noch gar nicht gedacht«, sagte Wallander. »Aber du kannst natürlich recht haben. Und dann stimme ich dir zu. Dann ist wirklich etwas faul im Staate Schweden.«

Ihre Sitzung war vorüber. Wallander fühlte sich müde und niedergeschlagen. Trotz des schönen Wetters. Und Mona fehlte ihm.

Dann schaute er auf die Uhr. Viertel nach vier.

Er mußte wieder zum Zahnarzt.

Zum wievielten Mal, wußte er nicht mehr.

Die Pyramide

Prolog

Die Maschine trat westlich von Mossby Strand in geringer Höhe in den schwedischen Luftraum ein. Der Nebel vor der Küste war dicht, lichtete sich aber zum Festland hin. Die Konturen einer Strandlinie und die ersten Häuser kamen rasend schnell auf den Piloten zu. Aber er kannte diese Strecke so gut, daß er nach Uhr und Kompaß flog.

Sobald er über dem schwedischen Festland war und Mossby Strand und die Lichter an der Straße nach Trelleborg identifiziert hatte, machte er einen Schwenker nach Nordosten und dann noch einen nach Osten. Das Flugzeug, eine Piper Cherokee, gehorchte willig. Er folgte einer bis ins Detail berechneten Route, einer Linie, die sich wie eine unsichtbare Markscheide über ein wenig besiedeltes Gebiet von Schonen hinzog. Es war der 11. Dezember 1989, kurz vor fünf Uhr am Morgen. Um ihn herum herrschte fast undurchdringliche Dunkelheit. Jedesmal, wenn er nachts flog, dachte er an seine ersten Jahre als Pilot, in denen er als Navigator bei einer griechischen Gesellschaft beschäftigt war, die nachts heimlich Tabak aus dem damaligen Süd-Rhodesien ausflog, das von politischen Sanktionen betroffen war. Das war 1966 und 1967 gewesen. Damals hatte er gelernt, daß ein guter Pilot auch nachts fliegen kann, mit einem Minimum an Hilfsmitteln, bei totaler Funkstille.

Die Maschine flog jetzt so tief, daß der Pilot nicht wagte, sie noch weiter nach unten zu drücken. Er fragte sich, ob er eventuell umkehren müßte, ohne seinen Auftrag erledigt zu haben. Das kam vor. Die Sicherheit stand immer an erster Stelle, und die Sicht war nach wie vor schlecht. Aber plötzlich, kurz bevor er eine Entscheidung treffen mußte, lichtete sich der Nebel. Er sah auf die Uhr. In zwei Minuten würde er die Lichter sehen, die die Stelle markierten, an der er seine Fracht abwerfen sollte.

Er drehte sich um und rief dem Mann auf dem einzigen nicht herausmontierten Sitz in der Kabine zu: »Zwei Minuten.«

Der Mann im Dunkeln hinter ihm leuchtete sich mit einer Taschenlampe ins Gesicht und nickte.

Der Pilot spähte in die Dunkelheit. Eine Minute noch, dachte er. Und in dem Moment entdeckte er die Scheinwerfer, die ein Viereck von zweihundert Metern Seitenlänge bildeten. Er rief dem Mann hinter sich zu, er solle sich bereit machen. Dann legte er die Maschine in eine Linkskurve und näherte sich dem erleuchteten Viereck von Westen. Er spürte den kalten Luftzug und das leichte Zittern des Flugzeugrumpfs, als der Mann in der Dunkelheit hinter ihm die Kabinentür öffnete. Danach legte er die Hand an den Schalter der Signallampe, die den hinteren Teil der Kabine rot erleuchtete. Er hatte die Geschwindigkeit auf ein Minimum gedrosselt. Dann drückte er auf Grün und wußte, daß der Mann hinter ihm den gummiverkleideten Tank hinausschubste. Der kalte Luftzug verschwand, als die Tür geschlossen wurde. Er lächelte vor sich hin. Der Tank war jetzt gelandet, irgendwo zwischen den Scheinwerfern. Dort gab es jemanden, der ihn abholte. Man würde die Scheinwerfer ausschalten und in einem Wagen verstauen, und dann wäre die Dunkelheit wieder so undurchdringlich wie vorher. Eine perfekte Operation, dachte er. Seine neunzehnte.

Er sah auf die Uhr. In neun Minuten würden sie die Küste überfliegen und den schwedischen Luftraum wieder verlassen. Nach weiteren zehn Minuten würde er einige hundert Meter steigen. Neben seinem Sitz stand eine Thermoskanne mit Kaffee. Er würde ihn trinken, während sie über das Meer flogen. Um acht Uhr würde er die Maschine auf seiner privaten Landebahn in der Nähe von Kiel aufsetzen und schon kurz danach in seinem Auto auf dem Weg nach Hamburg sein, wo er wohnte.

Das Flugzeug schwankte. Dann gleich noch einmal. Der Pilot sah auf die Instrumententafel. Alles wirkte normal. Der Gegenwind war nicht besonders stark, und Turbulenzen gab es auch nicht. Da schwankte das Flugzeug wieder, dieses Mal heftiger. Der Pilot arbeitete mit dem Knüppel. Aber die Maschine hatte sich auf die linke Seite gelegt. Er versuchte vergeblich, das zu korrigieren. Noch immer zeigten die Instrumente normale Werte an. Als erfahrener Pilot wußte er jedoch, daß irgend etwas nicht stimmte. Die Maschine ließ sich nicht aufrichten. Obwohl er die Geschwindigkeit steigerte, hatte sie schon an Höhe verloren. Er versuchte, vollkommen ruhig zu denken. Was konnte passiert sein? Er überprüfte die Maschine immer vor dem Abflug. Als er gegen ein Uhr in der Nacht zur Flugzeughalle gekommen war, hatte er mehr als eine halbe Stunde darauf verwendet, die Maschine zu überprüfen, alle Listen durchzugehen, die der Mechaniker ihm gegeben hatte, und er hatte alle Vorschriften auf der Checkliste befolgt, bevor er gestartet war.

Er konnte die Maschine nicht aufrichten. Die Schieflage nahm zu. Jetzt wußte er, daß es ernst war. Er erhöhte die Geschwindigkeit noch mehr und arbeitete mit dem Steuerknüppel. Der Mann hinter ihm rief, was los sei. Der Pilot antwortete nicht. Er hatte keine Antwort. Wenn es ihm nicht gelänge, die Maschine wieder aufzurichten, würden sie in wenigen Minuten abstürzen. Kurz bevor sie das Meer erreichten. Er arbeitete jetzt mit heftig hämmerndem Herzen. Aber nichts half. Dann kam ein kurzer Augenblick der Wut und der Ohnmacht. Schließlich fuhr er fort, mit Händen und Füßen zu kämpfen, bis alles vorbei war.

Um neunzehn Minuten nach fünf am Morgen des 11. Dezember schlug das Flugzeug mit ungeheurer Wucht auf dem Boden auf und fing sofort Feuer. Aber die beiden Männer an Bord merkten nicht, wie ihre Körper zu brennen begannen. Sie waren schon beim Aufprall der Maschine auf den Boden in Stücke gerissen worden.

Der Nebel wallte inzwischen wieder vom Meer herein. Es war vier Grad über Null und fast windstill.

1

Am Morgen des 11. Dezember wachte Wallander kurz nach sechs Uhr auf. Als er die Augen aufschlug, fing der Wecker auf seinem Nachttisch an zu klingeln. Er schaltete ihn aus und blieb liegen und sah in die Dunkelheit. Streckte Beine und Arme, spreizte Zehen und Finger. Es war ihm zur Gewohnheit geworden, nachzuspüren, ob die Nacht ihm wieder Krämpfe beschert hatte. Er schluckte, um zu prüfen, ob sich eine Infektion in seine Luftröhre eingeschlichen hatte. Manchmal dachte er, daß er langsam, aber sicher zum Hypochonder wurde. Aber auch an diesem Morgen schien alles seine Ordnung zu haben. Außerdem fühlte er sich ausnahmsweise ausgeschlafen. Am Abend vorher war er schon um neun Uhr ins Bett gegangen und sofort eingeschlafen. Wenn er erst einschlief, dann schlief er auch. Wenn er aber noch länger wach lag, konnte es Stunden dauern, bis er endlich zur Ruhe kam.

Er stand auf und ging in die Küche. Das Thermometer vor dem Fenster zeigte sechs Grad über Null. Da er wußte, daß es nicht richtig anzeigte, zog er zwei Grad ab und wußte, daß dieser Tag der Welt mit vier Grad über Null begegnete. Wallander blickte zum Himmel. Nebelschwaden zogen über die Dächer. Noch war in diesem Winter in Schonen kein Schnee gefallen. Aber er wird kommen, dachte er. Früher oder später kommen die Schneekatastrophen.

Er kochte Kaffee und strich ein paar Brote. Wie gewöhnlich war sein Kühlschrank fast leer. Bevor er am Vorabend ins Bett gegangen war, hatte er eine Einkaufsliste geschrieben, die auf dem Küchentisch lag. Während der Kaffee durchlief, ging er auf die Toilette. Als er wieder in die Küche kam, schrieb er auf, daß er auch Toilettenpapier kaufen mußte. Und eine neue Toilettenbürste. Er frühstückte und blätterte dabei *Ystads Allehanda* durch, die er aus dem Flur geholt hatte. Er hielt erst inne, als er bei den letzten Seiten mit den Annoncen angelangt war. Irgendwo in seinem Hinterkopf existierte die vage Sehnsucht nach einem Haus auf dem Lande. Wo er morgens gleich nach draußen gehen und ins Gras pinkeln konnte, wo er einen Hund hätte und vielleicht sogar, auch wenn dieser Traum der entfernteste war, einen Taubenschlag. Es waren einige Häuser zu verkaufen. Aber keines erschien ihm interessant. Dann entdeckte er, daß in Rydsgård Labradorwelpen zu verkaufen waren. Ich darf nicht am falschen Ende anfangen, dachte er. Erst ein Haus, dann einen Hund. Nicht umgekehrt. Dann gibt es bei meinen eigenartigen Arbeitszeiten nur Probleme, solange ich nicht mit jemandem zusammenlebe, der mitmacht, ihn auszuführen. Es war jetzt zwei Monate her, daß Mona ihn endgültig verlassen hatte. Im Innersten weigerte er sich immer noch, zu akzeptieren, was geschehen war. Gleichzeitig wußte er nicht, was er tun sollte, um sie zur Rückkehr zu bewegen.

Um sieben Uhr war er startklar. Er nahm den Pullover, den er immer anzog, wenn es zwischen null und acht Grad plus waren. Er hatte Pullover für jede Temperatur und war genau mit seiner Auswahl, denn er haßte es, im feuchten schonischen Winter zu frieren, und ärgerte sich sofort, wenn er zu schwitzen begann. Er glaubte, daß es seine Fähigkeit beeinträchtigte, klar zu denken. Er beschloß, zu Fuß zum Polizeipräsidium zu gehen. Er brauchte Bewegung. Als er nach draußen kam, spürte er einen schwachen Wind, der vom Meer hereinwehte. Zu Fuß brauchte er von seiner Wohnung in der Mariagata zehn Minuten.

Unterwegs dachte er über den Tag nach, der vor ihm lag. Wenn in der Nacht nichts Außergewöhnliches vorgefallen war, worum er morgens ständig betete, sollte er einen Drogendealer verhören, der am Tag zuvor festgenommen worden war. Außerdem lagen ständig stapelweise Akten der laufenden Untersuchungen auf seinem Tisch, um die er sich eigentlich kümmern müßte. Der Export gestohlener Luxusautos nach Polen war einer seiner trostlosesten Dauerbrenner.

Er trat durch die Glastür des Polizeipräsidiums und nickte Ebba zu, die an der Anmeldung saß. Sie hatte eine neue Dauerwelle.

»Schön wie immer«, sagte er.

»Man tut, was man kann«, antwortete sie. »Aber du solltest

aufpassen, daß du nicht zunimmst. Geschiedene Männer neigen dazu.«

Wallander nickte. Er wußte, daß sie recht hatte. Seit der Scheidung von Mona aß er immer unregelmäßiger und achtloser. Jeden Tag nahm er sich vor, diesen schlechten Gewohnheiten ein Ende zu machen, aber ohne Erfolg. Er ging in sein Zimmer, hängte seine Jacke auf und setzte sich an den Schreibtisch.

Im selben Moment klingelte das Telefon. Er nahm den Hörer ab. Es war Martinsson. Wallander war nicht überrascht. Sie beide waren die Frühaufsteher unter den Kriminalpolizisten.

»Ich glaube, wir müssen nach Mossby rausfahren«, sagte Martinsson.

»Was ist passiert?«

»Ein Flugzeug ist abgestürzt.«

Wallander hatte das Gefühl, als setze sein Herz einen Moment aus. Sein erster Gedanke war, daß eine Maschine im Anflug auf Sturup gewesen oder gerade von dort gestartet war. Dann war es eine Katastrophe, vielleicht mit vielen Toten.

»Ein kleines Sportflugzeug«, fuhr Martinsson fort.

Wallander atmete auf und verwünschte Martinsson, weil er ihm nicht gleich klare Angaben gemacht hatte.

»Der Notruf ist eben erst eingegangen«, fuhr Martinsson fort. »Die Feuerwehr ist schon da. Offensichtlich hat die Maschine gebrannt.«

Wallander nickte in den Telefonhörer. »Ich komme«, sagte er. »Wer ist sonst noch im Haus?«

»Niemand, soweit ich weiß. Aber die Ordnungspolizei ist natürlich schon da.«

»Dann fahren erst einmal wir beide hin.«

Sie trafen sich in der Anmeldung. Als sie gehen wollten, kam Rydberg zur Tür herein. Er hatte Rheuma und sah blaß aus. Wallander berichtete in aller Kürze, was passiert war.

»Fahrt ihr vor«, antwortete Rydberg. »Ich muß auf die Toilette, bevor ich irgend etwas anderes tue.«

Martinsson und Wallander verließen das Polizeipräsidium und gingen zu Martinssons Wagen.

»Er sieht schlecht aus«, sagte Martinsson.

»Es geht ihm auch schlecht«, gab Wallander zurück. »Rheuma. Und dann ist da auch noch etwas anderes. Irgend etwas mit den Harnleitern, glaube ich.«

Sie fuhren die Küstenstraße entlang nach Westen.

»Gib mir die Details«, sagte Wallander, während er auf das Meer hinausblickte. Noch immer zogen Nebelschwaden über das Wasser.

»Es gibt keine Details«, antwortete Martinsson. »Die Maschine ist so gegen halb sechs abgestürzt. Ein Bauer hat angerufen. Offensichtlich liegt die Absturzstelle nördlich von Mossby, draußen auf einem Acker.«

»Wissen wir, wie viele in der Maschine saßen?«

»Nein.«

»Sturup muß einen Notruf rausgeschickt haben, daß ein Flugzeug vermißt wird. Wenn die Maschine in Mossby abgestürzt ist, muß der Pilot mit den Fluglotsen in Sturup Kontakt gehabt haben.«

»Das war auch mein Gedanke«, sagte Martinsson. »Deshalb habe ich, bevor ich dich angerufen habe, mit dem Tower in Sturup telefoniert.«

»Und was haben sie gesagt?«

»Sie vermissen kein Flugzeug.«

Wallander sah Martinsson erstaunt an. »Was bedeutet das?«

»Ich weiß es nicht«, sagte Martinsson. »Eigentlich sollte es unmöglich sein. In Schweden zu fliegen, ohne daß es einen Flugplan gibt und ständigen Kontakt mit der Flugüberwachung.«

»Aber daß Sturup keinen Notruf entgegengenommen hat. Der Pilot muß doch den Tower gerufen haben, wenn er Probleme hatte. Trotz allem dauert es doch ein paar Sekunden, bevor ein Flugzeug runterkommt, oder?«

»Ich weiß es nicht«, antwortete Martinsson. »Ich weiß nicht mehr, als ich dir gesagt habe.«

Wallander schüttelte den Kopf. Er fragte sich, was ihn wohl erwartete. Er hatte schon einmal mit einem Flugzeugabsturz zu tun gehabt, und auch damals hatte es sich um eine kleinere Maschine gehandelt. Der Pilot war allein gewesen. Die Maschine war nördlich von Ystad abgestürzt. Der Pilot war buchstäblich in Stücke gerissen worden. Aber das Flugzeug hatte nicht gebrannt.

Wallander sah dem, was ihn erwartete, mit Unbehagen entgegen. Sein Morgengebet war vergeblich gewesen.

Als sie Mossby Strand erreichten, bog Martinsson nach rechts ab. Er zeigte durch die Windschutzscheibe. Wallander hatte die Rauchsäule, die in den Himmel aufstieg, schon gesehen.

Wenige Minuten später waren sie am Ziel. Das Flugzeug war auf einem Acker aufgeschlagen, ungefähr hundert Meter von einem Bauernhof entfernt. Wallander nahm an, daß jemand von dort Alarm geschlagen hatte. Die Feuerwehr war noch dabei, Schaum auf das Flugzeug zu sprühen. Martinsson holte ein Paar Gummistiefel aus seinem Kofferraum. Wallander betrachtete mißmutig seine Schuhe, fast neue Stiefel. Dann stapften sie durch den Lehm. Der Mann, der die Löscharbeiten leitete, hieß Peter Edler. Wallander war ihm im Zusammenhang mit verschiedenen Bränden schon oft begegnet. Er mochte ihn. Sie arbeiteten gut zusammen. Außer den beiden Löschzügen und einem Krankenwagen war noch ein Polizeiwagen da.

Wallander nickte Peters, einem der Ordnungspolizisten, zu. Dann wandte er sich an Peter Edler. »Wie sieht's aus?« fragte er.

»Zwei Tote«, antwortete Edler. »Ich warne dich, es ist kein schöner Anblick. So sieht es aus, wenn Menschen in Benzin verbrennen.«

»Du brauchst mich nicht zu warnen«, antwortete Wallander. »Ich weiß, wie das aussieht.«

Wallander wandte sich zu Martinsson um.

»Erkundige dich mal, wer die Polizei angerufen hat. Vermutlich jemand von dem Hof da hinten. Sieh zu, was du an Zeitangaben herauskriegen kannst. Und dann muß jemand ein ernstes Wort mit dem Tower in Sturup reden.«

Martinsson nickte und stapfte in Richtung Bauernhof davon. Wallander trat näher an das Flugzeug heran. Es lag auf der linken Seite, tief in den Lehm eingegraben. Die linke Tragfläche war am Rumpf abgerissen und lag in Trümmern über den Acker verteilt. Die rechte Tragfläche saß noch am Rumpf fest, aber die äußerste Spitze war abgebrochen. Es handelte sich um eine einmotorige Maschine. Der Propeller hatte sich tief in den Lehm gebohrt. Langsam umrundete Wallander das ausgebrannte Wrack, das mit

Schaum bedeckt war. Er winkte Edler zu sich. »Kann man den Schaum entfernen?« fragte er. »Haben Flugzeuge nicht normalerweise eine Art Kennzeichen am Rumpf und unter den Tragflächen?«

»Ich glaube, wir lassen den Schaum noch eine Weile drauf«, sagte Edler. »Bei Benzin weiß man nie. Es können noch Reste im Tank sein.«

Wallander wußte, daß er sich nach Edler richten mußte. Er trat näher heran und sah in das Flugzeug hinein. Edler hatte recht. Die beiden Körper waren vollkommen verkohlt, Gesichtszüge waren nicht mehr zu erkennen. Er ging noch einmal um das Wrack herum. Dann stapfte er durch den Lehm zu der Stelle, wo das größte Trümmerteil der abgerissenen Tragfläche lag. Er ging in die Hocke. Ziffern oder Buchstabenkombinationen waren nicht zu erkennen. Es war immer noch sehr dunkel. Er rief Peters zu sich und bat ihn um eine Taschenlampe. Dann studierte er die Tragfläche genau. Schabte mit den Fingernägeln an der Unterseite. Die Tragfläche wirkte übermalt. Konnte das bedeuten, daß jemand die Identität der Maschine hatte verbergen wollen?

Er stand auf. Jetzt war er schon wieder zu schnell. Das herauszufinden war Aufgabe von Nyberg und den anderen Technikern. Gedankenverloren sah er Martinsson nach, der mit energischen Schritten auf den Hof am Rande des Ackers zuging. Ein paar Autos mit Schaulustigen hatten an einem Feldweg angehalten. Peters und seine Kollegen waren gerade dabei, sie zum Weiterfahren aufzufordern. Der nächste Polizeiwagen war angekommen, mit Hansson, Rydberg und Nyberg.

Wallander trat zu ihnen und begrüßte sie. Erklärte kurz, was passiert war, und bat Hansson, das Gelände abzusperren.

»Du hast zwei tote Körper im Flugzeug«, informierte Wallander Nyberg, der für die technische Untersuchung verantwortlich war.

Anschließend sollte eine Havariekommission gebildet werden, deren Aufgabe es sein würde, die Absturzursache zu klären. Aber damit hätte Wallander nichts zu tun.

»Ich finde, es sieht aus, als wäre die abgerissene Tragfläche übermalt«, sagte er. »Als hätte jemand verhindern wollen, daß das Flugzeug identifiziert wird.«

Nyberg nickte stumm. Er sagte nie ein überflüssiges Wort.

Rydberg war hinter Wallander aufgetaucht.

»Man sollte in meinem Alter nicht mehr im Lehm herumstapfen müssen«, sagte er. »Und dieses verdammte Rheuma.«

Wallander warf einen schnellen Blick auf Rydberg. »Du hättest nicht rauszukommen brauchen«, sagte er. »Das hier schaffen wir auch so. Und dann muß die Havariekommission übernehmen.«

»Noch bin ich nicht tot«, antwortete Rydberg irritiert. »Obwohl, weiß der Teufel ...«

Er beendete den Satz nicht. Statt dessen stapfte er auf das Flugzeug zu, beugte sich hinunter und sah hinein. »Das wird wohl auf die Zähne hinauslaufen«, sagte er. »An etwas anderem kann man sie nicht mehr identifizieren.«

Wallander gab Rydberg einen Überblick. Sie arbeiteten gut zusammen und brauchten einander nie umständliche Erklärungen zu geben. Außerdem war es Rydberg, der Wallander vieles von dem beigebracht hatte, was er heute über die Arbeit als Kriminalbeamter wußte, nachdem er sich die Grundlagen in den Jahren in Malmö mit Hemberg erarbeitet hatte, der im Jahr zuvor bei einem Autounfall tragisch ums Leben gekommen war. Wallander war entgegen seiner Gewohnheit, niemals auf Beerdigungen zu gehen, zur Trauerfeier nach Malmö gefahren. Aber nach Hemberg war Rydberg sein Vorbild geworden. Sie arbeiteten jetzt seit vielen Jahren zusammen. Wallander hatte oft gedacht, daß Rydberg wohl einer der integersten Kriminalbeamten in Schweden war. Nichts entging ihm, keine Hypothese war zu merkwürdig, um von Rydberg nicht überprüft zu werden. Seine Fähigkeit, die Zeichen an einem Tatort zu deuten, erstaunte Wallander immer wieder, und er saugte die ganze Zeit alles Wissen gierig in sich auf.

Rydberg war alleinstehend. Er hatte nicht viele private Kontakte und schien auch keine zu wollen. Wallander war nach all den Jahren noch immer unsicher, ob Rydberg neben seiner Arbeit eigentlich noch andere Interessen hatte.

Es kam vor, daß sie an warmen Frühsommerabenden auf Rydbergs Balkon saßen und Whisky tranken. Meistens in angenehmem Schweigen, das hier und da von ein paar Kommentaren über die Arbeit im Polizeipräsidium unterbrochen wurde.

»Martinsson versucht, die genaue Uhrzeit herauszufinden«, sagte Wallander. »Und dann, denke ich, müssen wir klarstellen, warum der Tower in Sturup nicht Alarm geschlagen hat.«

»Du meinst, warum der Pilot keinen Alarm geschlagen hat«, korrigierte Rydberg.

»Vielleicht hat er es nicht mehr geschafft.«

»Es dauert kaum zwei Sekunden, einen Notruf rauszuschicken«, sagte Rydberg. »Aber du hast natürlich recht. Das Flugzeug muß auf einer genehmigten Route geflogen sein. Wenn es nicht illegal unterwegs war, natürlich.«

»Illegal?«

Rydberg zuckte mit den Achseln. »Du kennst die Gerüchte«, sagte er. »Leute, die nachts Flugzeuglärm hören. Tieffliegende Flugzeuge mit abgeschalteten Scheinwerfern, die plötzlich hier im Grenzgebiet auftauchen. Jedenfalls war es zur Zeit des kalten Krieges so. Vielleicht ist er noch nicht ganz vorbei. Wir kriegen manchmal Berichte rein über Verdacht auf Spionagetätigkeit. Und dann kann man sich ja auch fragen, ob all das Rauschgift in Südschweden wirklich nur über den Sund kommt. Aber wir finden ja nie heraus, was für Flugzeuge das sind. Oder ob sie nur in der Einbildung der Leute existieren. Allerdings, wenn man nur tief genug fliegt, dann entgeht man den Radargeräten des Militärs. Und denen der Flugaufsicht.«

»Ich fahre los und rede mit Sturup«, sagte Wallander.

»Falsch«, sagte Rydberg. »Das mache ich. Mit dem Recht des Älteren überlasse ich diesen Lehm hier dir.«

Rydberg verschwand. Es wurde langsam hell. Einer der Techniker fotografierte das Flugzeugwrack von allen Seiten. Peter Edler hatte die Verantwortung für die Löscharbeiten abgegeben und war mit einem Löschzug zurück nach Ystad gefahren.

Wallander sah, daß Hansson unten am Feldweg mit ein paar Journalisten sprach. Er war froh, daß er das nicht tun mußte. Dann entdeckte er Martinsson, der durch den Lehm gestapft kam. Wallander ging ihm entgegen.

»Du hattest recht«, sagte Martinsson. »Es wohnt ein alter Mann auf dem Hof. Robert Haverberg. Mitte Siebzig, alleinstehend, mit neun Hunden. Es stank teuflisch da drinnen, gelinde ausgedrückt.«

»Was hat er gesagt?«

»Er hat Flugzeugmotoren gehört. Und dann wurde es still. Und dann kam das Motorengeräusch zurück. Aber dann hörte es sich eher wie ein Pfeifen an. Und dann knallte es.«

Wallander dachte, daß sich Martinsson manchmal sehr schwer damit tat, klare und eindeutige Angaben zu machen. »Also noch einmal«, sagte er. »Robert Haverberg hat Motorengeräusche gehört?«

»Ja.«

»Wann war das?«

»Er war gerade aufgewacht. Irgendwann gegen fünf.«

Wallander runzelte die Stirn. »Aber das Flugzeug ist doch erst eine halbe Stunde später abgestürzt.«

»Das habe ich auch gesagt. Aber er war sich seiner Sache sicher. Erst hat er Motorengeräusche von einem vorbeifliegenden Flugzeug gehört. Das tief flog. Dann wurde es still. Er hat Kaffee gekocht. Und dann kam das Geräusch zurück, und dann der Knall.«

Wallander dachte nach. Was Martinsson da sagte, war offensichtlich wichtig.

»Wieviel Zeit verging zwischen dem ersten Geräusch und dem Knall?«

»Wir haben uns schließlich auf ungefähr zwanzig Minuten geeinigt.«

Wallander betrachtete Martinsson. »Wie erklärst du dir das?«

»Ich weiß es nicht.«

»Wirkte der Alte klar im Kopf?«

»Ja. Außerdem hat er ein gutes Gehör.«

»Hast du eine Karte im Auto?« fragte Wallander.

Martinsson nickte. Sie gingen zu dem Feldweg, wo Hansson immer noch mit den Journalisten sprach. Einer von ihnen entdeckte Wallander und kam näher. Wallander winkte abwehrend.

»Ich habe nichts zu sagen«, rief er.

Sie setzten sich in Martinssons Auto und breiteten die Karte aus. Wallander betrachtete sie schweigend. Er dachte an das, was Rydberg gesagt hatte. Ober Flugzeuge, die illegal ins Land kamen, außerhalb der Flugrouten und ohne Wissen der Flugüberwachung.

»Also denkbar ist folgendes«, sagte Wallander. »Ein Flugzeug kommt in niedriger Höhe über die Küste herein, überfliegt diese Stelle hier und verschwindet. Um dann kurz danach zurückzufliegen. Und dann stürzt es ab.«

»Du meinst, daß es irgendwo etwas abgeworfen hat? Und dann umgekehrt ist?« fragte Martinsson.

»Ungefähr so.«

Wallander faltete die Karte wieder zusammen.

»Wir wissen zu wenig. Rydberg ist auf dem Weg nach Sturup. Und dann müssen wir die Insassen identifizieren. Und die Maschine selbst. Mehr können wir jetzt nicht tun.«

»Ich habe immer Flugangst gehabt«, sagte Martinsson. »Und von diesem Anblick wird es auch nicht besser. Aber noch schlimmer ist, daß Teres davon spricht, Pilotin zu werden.«

Teres war Martinssons Tochter. Er hatte auch noch einen Sohn. Martinsson war ein Familienmensch. Er machte sich ständig Sorgen, daß etwas passiert sein könnte, und rief mehrmals am Tag zu Hause an. Meistens fuhr er auch zum Mittagessen nach Hause. Manchmal war Wallander ein wenig neidisch auf den Kollegen und seine dem Anschein nach problemlose Ehe.

»Sag Nyberg, daß wir jetzt fahren«, sagte er zu Martinsson.

Wallander blieb im Wagen und wartete. Die Landschaft um ihn herum war grau und trostlos. Er erschauderte leicht. Das Leben geht seinen Gang, dachte er. Ich bin gerade zweiundvierzig geworden. Werde ich wie Rydberg enden? Als einsamer Alter mit Rheuma?

Wallander schüttelte die Gedanken ab.

Martinsson kam, und sie fuhren zurück nach Ystad.

Um elf Uhr stand Wallander auf, um ins Vernehmungszimmer zu gehen, wo ein mutmaßlicher Dealer namens Yngve Leonard Holm wartete. Im selben Moment ging die Tür auf, und Rydberg kam herein. Er machte sich nie die Mühe anzuklopfen. Wie immer setzte er sich in Wallanders Besucherstuhl und kam sofort zur Sache.

»Ich habe mit einem der Fluglotsen gesprochen; er heißt Lycke und behauptet, dich zu kennen.«

»Ich habe ein paarmal mit ihm zu tun gehabt. In welchem Zusammenhang, weiß ich nicht mehr.«

»Auf jeden Fall war er sich sehr sicher«, fuhr Rydberg fort. »Es hat heute morgen um fünf keine einmotorige Maschine Fluger-laubnis über Mossby erhalten. Und sie haben auch keinen Kontakt mit einem Piloten gehabt, der einen Notruf gesendet hätte. Die Radarschirme waren leer. Keine merkwürdigen Signale, die auf unangemeldete Maschinen hindeuteten. Lycke zufolge existiert die abgestürzte Maschine überhaupt nicht. Sie haben schon beim Militär und der Himmel weiß welchen anderen Behörden Mel-dung gemacht. Beim Zoll vermutlich auch.«

»Du hattest also recht«, sagte Wallander. »Irgend jemand war in illegaler Mission unterwegs.«

»Das wissen wir nicht«, wandte Rydberg ein. »Jemand flog un-erlaubt. Aber ob er außerdem in illegaler Mission unterwegs war, können wir nicht beantworten.«

»Wer fliegt in der Dunkelheit herum ohne besonderen Grund?«

»Es gibt so viele Idioten«, sagte Rydberg. »Das solltest du doch wissen.«

Wallander sah ihn forschend an.

»Das glaubst du doch selbst nicht, oder?«

»Natürlich nicht«, antwortete Rydberg. »Aber bis wir wissen, wer sie waren, oder bis wir die Identität des Flugzeugs kennen, können wir nichts tun. Das hier muß an Interpol weitergegeben werden. Ich wette einen ordentlichen Batzen darauf, daß das Flug-zeug aus dem Ausland kam.«

Rydberg verließ den Raum.

Wallander überdachte noch einmal, was er gesagt hatte.

Dann stand er auf, nahm seine Papiere und ging in das Zimmer, in dem Yngve Leonard Holm mit seinem Anwalt wartete.

Es war Viertel nach elf, als Wallander das Tonbandgerät ein-schaltete und sein Verhör begann.

2

Nach einer Stunde und zehn Minuten schaltete Wallander das Tonbandgerät ab. Er hatte genug von Yngve Leonard Holm. Sowohl von seiner Art als auch von der Tatsache, daß Wallander gezwungen sein würde, ihn wieder laufenzulassen. Wallander war überzeugt, daß der Mann, der ihm gegenübersaß, sich wiederholter und schwerer Drogendelikte schuldig gemacht hatte. Aber es gab keinen Staatsanwalt auf der Welt, der ihre Voruntersuchung vor Gericht als stichhaltig genug einschätzen würde. Am wenigsten Per Åkeson, bei dem Wallander jetzt seine Zusammenfassung abgeben sollte.

Yngve Leonard Holm war siebenunddreißig Jahre alt. Er war in Ronneby geboren, aber seit Mitte der achtziger Jahre in Ystad gemeldet. Er gab an, Straßenverkäufer von Taschenbüchern zu sein, vorzugsweise für die »Manhattan-Serie«, auf verschiedenen Sommermärkten. In den letzten Jahren hatte er nur unbedeutende Einkünfte versteuert. Gleichzeitig hatte er eine große Villa in einem Wohngebiet gleich neben dem Polizeipräsidium bauen lassen. Die Villa war Millionen wert. Holm behauptete, den Bau mit größeren Glücksspielgewinnen aus Jägersro und Solvalla sowie von Trabrennen in Deutschland und Frankreich finanziert zu haben. Quittungen für die Gewinne hatte er natürlich nicht. Sie waren leider bei einem Brand verschwunden, der praktischerweise in dem Wohnwagen ausbrach, in dem er seine private Buchhaltung aufbewahrt hatte. Die einzige Quittung, die er hatte vorweisen können, war über einen kleineren Gewinn von 4993 Kronen, den er vor ein paar Wochen gemacht hatte. Möglicherweise, dachte Wallander, könnte man dem entnehmen, daß Holm einiges von Pferden verstand. Aber mehr auch nicht. Eigentlich hätte Hansson hier an meiner Stelle sitzen sollen. Er interessiert sich auch für Trabrennen. Sie hätten sich über Pferde unterhalten können.

Nichts davon änderte etwas an Wallanders Überzeugung, daß Holm das letzte Glied in einer Kette war, die bedeutende Mengen Rauschgift nach Schonen einführte und verkaufte. Die Indizien waren überwältigend. Aber die Verhaftung Holms war äußerst schlecht organisiert gewesen. Man hätte an zwei Orten gleichzeitig zuschlagen sollen. Erstens in Holms Villa und zweitens in seinem Lagerraum in einem Industriegebiet in Malmö, wo er die Taschenbücher für die Sommermärkte aufbewahrte. Das wäre eine Gemeinschaftsaktion der Polizei in Ystad und der Kollegen in Malmö gewesen.

Aber etwas war von Anfang an schiefgelaufen. Das Lager war leer gewesen, bis auf eine einsame Kiste mit abgegriffenen »Manhattan«-Krimis. Holm hatte in seiner Villa gesessen und ferngesehen, als sie an der Tür klingelten. Eine junge Frau hatte zu seinen Füßen hingegossen dagelegen und ihm die Zehen massiert, während die Polizisten das Haus durchsuchten. Natürlich hatten sie nichts gefunden. Einer der Hunde von der Drogenfahndung hatte lange an einem Taschentuch geschnüffelt, das sie in einem Papierkorb fanden. Die chemische Analyse hatte nur erbracht, daß es möglicherweise mit einem Drogenpräparat in Kontakt gewesen war. Offensichtlich war Holm auf irgendeine Weise gewarnt worden.

Wallander zweifelte auch nicht daran, daß der Mann nicht nur intelligent war, sondern auch gewissenhaft im Vertuschen seiner Machenschaften. »Sie können wieder gehen«, sagte er. »Aber der Verdacht gegen Sie besteht weiter. Oder richtiger formuliert: Ich bin überzeugt, daß Sie in großem Umfang in Schonen Drogenhandel betreiben. Früher oder später kriegen wir Sie.«

Der Anwalt, der einem kleinen Wiesel ähnelte, streckte sich. »So etwas muß mein Klient sich nicht bieten lassen«, sagte er. »Das ist ein persönlicher Angriff ohne rechtliche Grundlage.«

»Sie haben vollkommen recht«, erwiderte Wallander. »Selbstverständlich können Sie Anzeige erstatten.«

Holm, unrasiert und der ganzen Situation offensichtlich überdrüssig, hinderte seinen Anwalt daran, fortzufahren. »Die Polizei macht nur ihren Job«, sagte er. »Leider haben Sie einen Fehler gemacht, indem Sie mich verdächtigt haben. Ich bin ein einfacher Bürger, der einiges von Trabern und Taschenbüchern versteht. Weiter nichts. Außerdem spende ich regelmäßig für das Kinderhilfswerk.«

Wallander verließ den Raum. Holm würde nach Hause gehen

und sich die Füße massieren lassen. Das Rauschgift würde weiterhin nach Schonen hereinströmen. Wir werden diesen Kampf niemals gewinnen, dachte Wallander, als er den Korridor entlangging. Unsere einzige Chance besteht darin, daß neue Generationen von Jugendlichen sich von dem Ganzen distanzieren.

Es war halb eins geworden. Er merkte, daß er Hunger hatte. Jetzt bedauerte er, am Morgen nicht das Auto genommen zu haben. Es hatte zu regnen begonnen, wie er durchs Fenster sehen konnte. Schneeregen. Der Gedanke, den Weg zum Zentrum und zurück zu laufen, um etwas zu essen, gefiel ihm gar nicht. Er zog eine Schreibtischschublade heraus und suchte nach der Karte einer Pizzeria, die ins Haus lieferte. Er überflog die Karte, konnte sich aber nicht entscheiden. Schließlich schloß er die Augen und tippte blind mit dem Zeigefinger. Er rief an und bestellte die Pizza, die das Schicksal ihm ausgewählt hatte. Dann stellte er sich ans Fenster und blickte hinüber zum Wasserturm auf der anderen Straßenseite.

Das Telefon klingelte. Er setzte sich an den Schreibtisch und nahm ab.

Es war sein Vater aus Löderup. »Ich dachte, wir hätten abgemacht, daß du gestern abend kommen wolltest?« sagte sein Vater.

Wallander seufzte stumm. »Wir haben gar nichts abgemacht.«

»Doch, das weiß ich genau«, sagte der Vater stur. »Du bist es, der vergeßlich wird. Ich dachte, Polizisten hätten einen Notizblock. Kannst du dir da nicht aufschreiben, daß du mich verhaften sollst? Dann vergißt du es vielleicht nicht.«

Wallander hatte keine Lust, wütend zu werden.

»Ich schau heute abend mal rein«, sagte er. »Aber wir hatten nicht abgemacht, daß ich gestern abend kommen sollte.«

»Schon möglich, daß ich mich irre«, antwortete sein Vater plötzlich erstaunlich milde.

»Ich komme gegen sieben«, sagte Wallander. »Ich habe gerade viel zu tun.«

Er legte auf. Mein Vater betreibt emotionale Erpressung erster Güte, dachte er. Und das schlimmste dabei ist, daß er immer wieder damit bei mir durchkommt.

Der Pizzabote kam. Wallander bezahlte und nahm seinen Karton mit in den Eßraum. Per Åkeson saß an einem Tisch und aß Haferbrei. Wallander setzte sich ihm gegenüber.

»Ich dachte, du würdest rüberkommen, um über Holm zu reden«, sagte Åkeson.

»Das werde ich auch. Aber erst mal durfte er wieder gehen.«

»Das wundert mich nicht. Die Razzia war unglaublich schlecht organisiert.«

»Darüber mußt du mit Björk reden«, sagte Wallander. »Ich hatte nichts damit zu tun.«

Zu Wallanders Verwunderung salzte Åkeson seinen Haferbrei.

»In drei Wochen fängt mein halbes Sabbatjahr an«, sagte er.

»Das hab ich nicht vergessen«, antwortete Wallander.

»Eine junge Frau wird mich vertreten. Anette Brolin heißt sie. Aus Stockholm.«

»Ich werde dich vermissen«, sagte Wallander. »Außerdem frage ich mich, wie es mit einem weiblichen Staatsanwalt wohl laufen wird.«

»Warum sollte das ein Problem sein?«

Wallander zuckte mit den Achseln. »Vorurteile, nehme ich an.«

»Ein halbes Jahr geht schnell vorbei. Außerdem muß ich zugeben, daß ich es mir schön vorstelle, einmal eine Zeitlang wegzukommen. Ich muß nachdenken.«

»Ich dachte, du wolltest dich weiterbilden?«

»Das werde ich auch. Aber das hindert mich ja nicht daran, mir Gedanken über die Zukunft zu machen. Soll ich mein Leben lang Staatsanwalt bleiben? Oder gibt es etwas anderes, mit dem ich mich lieber beschäftigen sollte?«

»Du kannst ja segeln lernen und Vagabund zur See werden.«

Åkeson schüttelte energisch den Kopf. »So was nicht. Aber ich überlege, ob ich mich im Ausland bewerben soll. Vielleicht für irgend etwas, bei dem man wirklich merkt, daß man etwas Nützliches tut. Vielleicht könnte ich dabei helfen, ein funktionierendes Rechtssystem aufzubauen, in einem Land, wo es das nicht gibt. In der Tschechoslowakei zum Beispiel.«

»Ich hoffe, du schreibst mir mal«, sagte Wallander. »Ich denke auch über die Zukunft nach. Ob ich bis zur Pensionierung Polizeibeamter bleibe oder etwas anderes mache.«

Die Pizza schmeckte nach nichts. Åkeson hingegen schien seinen Haferbrei mit Appetit zu essen.

»Was ist mit diesem Flugzeug?« fragte er.

Wallander erzählte, was er wußte.

»Klingt sonderbar«, sagte Åkeson, als Wallander fertig war. »Geht es eventuell um Drogen?«

»Kann schon sein«, antwortete Wallander und bereute, daß er Holm nicht gefragt hatte, ob er ein Flugzeug besaß. Wenn er es sich leisten konnte, eine Villa zu bauen, dann konnte er sich problemlos auch ein privates Flugzeug leisten. Die Einkünfte eines Drogenhändlers konnten schwindelerregend hoch sein.

Sie stellten sich gleichzeitig an die Spüle und wuschen ihre Teller ab. Wallander hatte die halbe Pizza übriggelassen. Seine Scheidung schlug ihm noch immer auf den Appetit.

»Holm ist ein Halunke«, sagte Wallander. »Früher oder später kriegen wir ihn.«

»Da wäre ich mir nicht so sicher«, antwortete Åkeson. »Aber ich hoffe natürlich, daß du recht hast.«

Gleich darauf war Wallander wieder in seinem Zimmer. Er überlegte, ob er Mona in Malmö anrufen sollte. Linda wohnte zur Zeit bei ihr. Mit ihr wollte Wallander reden. Es war fast eine Woche her, seit sie sich zuletzt gesprochen hatten. Sie war neunzehn Jahre alt und zur Zeit etwas orientierungslos. Ihre letzte Idee war, doch eine Lehre in einer Möbelpolsterei zu absolvieren. Wallander hegte den Verdacht, daß sie ihre Meinung noch mehrmals ändern würde.

Wallander rief statt dessen Martinsson an und bat ihn zu kommen. Gemeinsam gingen sie die Ereignisse des Morgens durch. Martinsson sollte den Bericht schreiben. »Es hat jemand aus Sturup und jemand vom Militär angerufen«, sagte er. »Es ist irgendwie merkwürdig mit diesem Flugzeug. Es scheint ganz einfach nicht existiert zu haben. Und du hast wahrscheinlich recht, daß die Registrierung auf Tragflächen und Rumpf übermalt wurde.«

»Mal sehen, was Nyberg herausfindet«, sagte Wallander.

»Die Leichen sind in Lund«, fuhr Martinsson fort. »Der einzige Anhaltspunkt für die Identifizierung sind die Zähne. Die Körper waren so verbrannt, daß sie auseinanderfielen, als man sie auf die Bahren legen wollte.«

»Mit anderen Worten: Wir müssen abwarten«, sagte Wallander.

»Ich wollte Björk vorschlagen, dich als Vertreter für die Untersuchungskommission zu benennen, die die Absturzursache klären soll. Hast du etwas dagegen?«

»Ich lerne immer noch was dazu«, antwortete Martinsson.

Als Wallander wieder allein war, dachte er darüber nach, was ihn und Martinsson unterschied. Es war immer Wallanders Ehrgeiz gewesen, ein guter Kriminalist zu sein. Das war ihm auch gelungen. Aber Martinsson hatte andere Ambitionen. Ihm schwebte wahrscheinlich in nicht allzu ferner Zukunft der Posten des Polizeipräsidenten vor. Gute Feldarbeit zu leisten war nur eine Stufe auf seiner Karriereleiter.

Wallander ließ den Gedanken an Martinsson fallen, gähnte und zog achtlos die Akte zu sich herüber, die ganz oben auf dem Stapel lag. Es wurmte ihn immer noch, daß er Holm nicht nach dem Flugzeug gefragt hatte. Zumindest um seine Reaktion zu sehen. Aber jetzt lag Holm wahrscheinlich zu Hause in seinem Whirlpool. Oder er saß mit seinem Anwalt bei einem ausführlichen Lunch im Continental.

Die Akte vor Wallander blieb ungeöffnet liegen. Er entschied, daß er ebensogut mit Björk über Martinsson und die Havariekommission sprechen konnte. Dann war das erledigt. Er ging den Korridor entlang bis zum anderen Ende, wo Björk sein Zimmer hatte. Die Tür stand offen. Björk wollte gerade gehen.

»Hast du einen Moment Zeit?« fragte Wallander.

»Ein paar Minuten. Ich muß zu einer Kirche und einen Vortrag halten.«

Wallander wußte, daß Björk ständig und zu den ungewöhnlichsten Anlässen Vorträge hielt. Offensichtlich liebte er es, vor Publikum aufzutreten, was Wallander selbst geradezu verabscheute. Pressekonferenzen waren ihm ein Greuel. Wallander berichtete von den Geschehnissen des Morgens, aber Björk war schon informiert. Er hatte nichts dagegen einzuwenden, daß Martinsson zum Polizeivertreter in der Havariekommission bestimmt wurde.

»Ich nehme an, das Flugzeug ist nicht abgeschossen worden«, sagte Björk.

»Bis jetzt spricht nichts dagegen, daß es ein Unfall war«, antwortete Wallander. »Aber es gibt definitiv Unklarheiten, was diesen Flug angeht.«

»Wir tun, was wir zu tun haben«, sagte Björk und gab zu verstehen, daß das Gespräch beendet war. »Aber wir stecken nicht mehr Mühe hinein als nötig. Wir haben auch so schon genug Arbeit.«

Björk verschwand in einer Wolke aus After-shave.

Wallander trottete zurück in sein Zimmer. Auf dem Weg schaute er bei Rydberg und Hansson vorbei. Keiner von beiden war da. Er holte Kaffee und verbrachte dann mehrere Stunden mit der Bearbeitung eines Falls von Körperverletzung, der sich in der vorigen Woche in Sturup ereignet hatte. Es gab neue Angaben, die dazu führen sollten, daß der Mann, der seine Schwägerin geschlagen hatte, wegen Körperverletzung angeklagt werden konnte. Wallander stellte das Material zusammen, um es am nächsten Tag an Åkeson weiterzugeben.

Mittlerweile war es Viertel vor fünf. Das Polizeigebäude wirkte an diesem Tag merkwürdig verlassen. Wallander beschloß, seinen Wagen zu holen und einkaufen zu fahren. Er wollte pünktlich um sieben Uhr bei seinem Vater sein. Wenn er nicht auf die Minute pünktlich käme, würde der Vater eine endlose Litanei anstimmen, wie schlecht sein Sohn ihn behandelte.

Wallander nahm seine Jacke und ging nach Hause. Der Schneeregen war dichter geworden. Er zog die Kapuze über den Kopf. Als er sich ins Auto setzte, fühlte er nach, ob er die Einkaufsliste in der Tasche hatte. Der Wagen ließ sich schwer starten, und er würde ihn bald austauschen müssen. Aber woher sollte er das Geld dafür nehmen? Schließlich sprang der Wagen an, und Wallander wollte gerade losfahren, als ihm ein Gedanke durch den Kopf schoß. Obwohl er wußte, daß sein Vorhaben sinnlos war, siegte die Neugierde. Er beschloß, mit dem Einkaufen zu warten. Statt dessen bog er in Österleden ein und fuhr in Richtung Löderup.

Der Gedanke war sehr einfach. In einem Haus gleich hinter Strandskogen wohnte ein pensionierter Fluglotse, den Wallander ein paar Jahre zuvor kennengelernt hatte. Linda war mit seiner jüngsten Tochter befreundet gewesen. Wallander dachte, daß der Mann vielleicht eine Frage beantworten könnte, die er mit sich herumtrug, seit er neben dem abgestürzten Flugzeug gestanden und Martinssons Bericht über das Gespräch mit Haverberg angehört hatte.

Wallander bog auf den Hof des Hauses ein, in dem Herbert Blomell wohnte. Als er aus dem Wagen stieg, sah er Blomell, der auf einer Leiter am Haus stand und ein Fallrohr anbrachte. Er nickte freundlich, als er Wallander erkannte, und stieg vorsichtig von der Leiter.

»In meinem Alter kann ein Oberschenkelhalsbruch verhängnisvoll sein«, sagte er. »Wie geht es Linda?«

»Gut«, antwortete Wallander. »Sie ist bei Mona in Malmö.«

Sie gingen ins Haus und setzten sich in die Küche.

»Bei Mossby ist heute morgen ein Flugzeug abgestürzt«, sagte Wallander.

Blomell nickte. Er zeigte auf das Radio, das im Fenster stand.

»Es war eine Piper Cherokee«, fuhr Wallander fort. »Eine einmotorige Maschine. Ich weiß, daß du zu deiner Zeit nicht nur Fluglotse warst. Du hattest auch einen Flugschein.«

»Ich bin sogar ein paarmal eine Cherokee geflogen«, antwortete Blomell. »Ein gutes Flugzeug.«

»Wenn ich mit meinem Finger auf einen Punkt auf der Karte zeigen würde«, sagte Wallander, »und dir dann eine Kompaßrichtung gäbe und 10 Minuten Zeit: Wie weit könntest du die Maschine dann fliegen?«

»Einfache Mathematik«, sagte Blomell. »Hast du eine Karte?«

Wallander schüttelte den Kopf. Blomell stand auf und verschwand. Ein paar Minuten später kam er mit einer Kartenrolle zurück. Sie breiteten sie auf dem Küchentisch aus. Wallander suchte den Acker, wo die Absturzstelle sein mußte.

»Wenn man sich vorstellt, daß die Maschine direkt von der Küste kam. Motorengeräusche wurden genau hier zu einem bestimmten Zeitpunkt gehört. Höchstens zwanzig Minuten später kommen sie zurück. Wir können natürlich nicht wissen, ob der Pilot die ganze Zeit denselben Kurs gehalten hat. Aber nehmen wir es mal an. Wie weit ist er dann in der Hälfte der Zeit gekommen? Bevor er umgekehrt ist?«

»Die Cherokee liegt bei ungefähr 250 Kilometern in der Stunde«, sagte Blomell. »Bei normaler Last.«

»Über die Ladung wissen wir nichts.«

»Dann gehen wir von maximaler Last und normalem Gegenwind aus.«

Blomell rechnete still im Kopf. Dann zeigte er auf einen Punkt nördlich von Mossby. Wallander sah, daß er in der Nähe von Sjöbo lag.

»Ungefähr so weit«, sagte Blomell. »Aber es gibt natürlich viele Unsicherheitsmomente bei dieser Berechnung.«

»Trotzdem weiß ich jetzt bedeutend mehr als vorher.«

Wallander trommelte nachdenklich mit den Fingern auf den Küchentisch. »Warum stürzt ein Flugzeug ab?«

Blomell sah ihn fragend an.

»Kein Absturz ist wie der andere«, sagte er. »Ich lese viel in amerikanischen Zeitschriften, die von verschiedenen Absturzuntersuchungen berichten. Es mag wiederkehrende Ursachen geben. Fehler im System. Oder etwas anderes. Aber am Ende gibt es trotzdem einen ganz besonderen Grund dafür, daß ein bestimmtes Unglück eintrifft. Und es ist fast immer eine Fehleinschätzung des Piloten, die den Ausschlag gibt.«

»Warum stürzt eine Cherokee ab?« fragte Wallander.

Blomell schüttelte den Kopf. »Der Motor kann defekt gewesen sein. Schlechte Wartung. Du mußt dich gedulden, bis die Untersuchungskommission ihr Ergebnis vorlegt.«

»Die Registrierung der Maschine war übermalt, sowohl auf dem Rumpf als auch unter den Tragflächen«, sagte Wallander. »Was bedeutet das?«

»Daß jemand keine Spuren hinterlassen wollte«, sagte Blomell. »Es gibt natürlich einen Schwarzmarkt für Flugzeuge wie für alles andere auch.«

»Ich dachte, der schwedische Luftraum sei wasserdicht«, sagte Wallander. »Aber es können also Flugzeuge unbemerkt einfliegen.«

»Nichts auf der Welt ist absolut sicher«, antwortete Blomell. »Das wird es auch niemals geben. Wer Geld genug hat und einen Grund, der kann immer über eine Grenze kommen und dann wieder spurlos verschwinden.«

Blomell wollte Kaffee kochen, aber Wallander wehrte dankend ab.

»Ich will meinen Vater in Löderup besuchen«, sagte er. »Wenn ich zu spät komme, ist die Hölle los.«

»Die Einsamkeit ist ein Fluch, wenn man alt wird«, sagte Blomell. »Ich sehne mich so sehr nach meinem Fluglotsentower, daß es weh tut. Ich träume ganze Nächte davon, wie ich Flugzeuge durch den Luftraum lotse. Und wenn ich aufwache, schneit es, und ich habe nichts anderes zu tun, als ein Fallrohr zu reparieren.«

Sie trennten sich draußen auf dem Hof. Wallander hielt bei einem Lebensmittelgeschäft in Herrestad und kaufte ein. Als er wieder losfuhr, fluchte er. Obwohl es auf der Liste stand, hatte er das Klopapier vergessen.

Er erreichte das Haus seines Vaters in Löderup um drei Minuten vor sieben. Es schneite nicht mehr. Aber die Wolken hingen schwer über der Landschaft. Wallander sah, daß in dem Schuppen, in dem der Vater sein Atelier hatte, Licht brannte. Er atmete die frische Luft ein, während er über den Hof ging. Die Tür war angelehnt, der Vater hatte das Auto kommen hören. Er saß an seiner Staffelei, einen alten Hut auf dem Kopf und die kurzsichtigen Augen dicht vor dem Bild, das er gerade begonnen hatte. Der Geruch von Verdünner verursachte Wallander immer wieder das Gefühl von Heimeligkeit. Das ist alles, was von meiner Kindheit übrig ist, dachte er oft. Der Geruch von Verdünner.

»Du bist pünktlich«, sagte der Vater, ohne ihn anzusehen.

»Ich komme immer rechtzeitig«, antwortete Wallander, räumte ein paar Zeitungen von einem Stuhl und setzte sich.

Der Vater saß an einem seiner Auerhahnbilder. Als Wallander ins Atelier trat, legte er gerade eine Schablone auf die Leinwand und malte ein gedämpftes Abendrot. Wallander betrachtete ihn mit einem plötzlichen Gefühl von Zärtlichkeit. Er ist der letzte aus der Generation vor mir, dachte er. Wenn Papa gegangen ist, bin ich als nächster an der Reihe.

Der Vater legte Pinsel und Schablone zur Seite und stand auf.

Sie gingen ins Haus. Der Vater kochte Kaffee und stellte Schnapsgläser hin. Wallander zögerte. Aber dann nickte er. Ein Glas konnte er trinken.

»Poker«, sagte Wallander. »Du schuldest mir noch vierzehn Kronen vom letztenmal.«

Der Vater betrachtete ihn genau. »Ich glaube, du spielst falsch«, sagte er. »Aber ich habe noch nicht rausgefunden, wie du es machst.«

Wallander war verblüfft. »Willst du damit sagen, daß ich meinen eigenen Vater beim Spielen bescheiße?«

Ausnahmsweise machte sein Vater einen Rückzieher.

»Nein«, sagte er. »Das glaube ich vielleicht doch nicht. Aber ich fand, daß du beim letztenmal ungewöhnlich viel gewonnen hast.«

Das Gespräch verebbte. Sie tranken Kaffee. Der Vater schlürfte wie immer. Wallander störte es wie immer.

»Ich werde verreisen«, sagte der Vater plötzlich. »Weit weg.«

Wallander wartete auf eine Fortsetzung, die nicht kam.

»Wohin denn?« fragte er schließlich.

»Nach Ägypten.«

»Ägypten? Was willst du denn da? Ich dachte, du wolltest nach Italien?«

»Ägypten und Italien. Du hörst mir nie richtig zu.«

»Was willst du denn in Ägypten?«

»Ich will die Sphinx sehen und die Pyramiden. Die Zeit wird langsam knapp. Niemand weiß, wie lange ich noch lebe. Aber ich will die Pyramiden und Rom sehen, bevor ich sterbe.«

Wallander schüttelte den Kopf. »Mit wem willst du fahren?«

»Ich fliege in ein paar Tagen mit Egypt Air. Direkt nach Kairo. Ich wohne in einem sehr feinen Hotel, das Mena House heißt.«

»Du willst wirklich allein reisen? Hast du eine Charterreise gebucht? Das kann doch nicht dein Ernst sein«, sagte Wallander ungläubig.

Der Vater streckte sich nach ein paar Tickets, die auf der Fensterbank lagen. Wallander überflog sie und sah ein, daß der Vater die Wahrheit sagte. Er würde am 14. Dezember mit einem Linienflug von Kopenhagen nach Kairo fliegen.

Wallander legte die Tickets auf den Tisch.

Ausnahmsweise einmal war er vollkommen sprachlos.

3

Um Viertel nach zehn fuhr Wallander von Löderup aus nach Hause. Die Wolkendecke war aufgerissen. Auf dem Weg zum Wagen hatte er gemerkt, daß es kälter geworden war. Was wiederum bedeutete, daß sein Peugeot noch schlechter anspringen würde als gewöhnlich. Aber es war eigentlich nicht das Auto, das seine Gedanken in Anspruch nahm, sondern die Tatsache, daß es ihm nicht gelungen war, seinen Vater zu überreden, die Reise nach Ägypten abzusagen. Oder zumindest auf eine Gelegenheit zu warten, wo entweder er oder seine Schwester ihn begleiten konnten.

»Du bist fast achtzig«, hatte Wallander ihm vorgehalten. »Da fährt man nicht einfach so in der Welt herum.«

Aber seine Argumente waren fadenscheinig. Die Gesundheit seines Vaters ließ offensichtlich nichts zu wünschen übrig. Obwohl er sich manchmal merkwürdig kleidete, hatte er die Fähigkeit, sich den unterschiedlichsten Situationen und Menschen anzupassen. Als Wallander sich außerdem vergewissert hatte, daß der Transfer vom Flugplatz zum Hotel, das direkt bei den Pyramiden lag, inbegriffen war, versiegten seine besorgten Einwände langsam. Was seinen Vater nach Ägypten zog, wußte er nicht. Aber er konnte auch nicht leugnen, daß ihm sein Vater tatsächlich vor vielen Jahren, als Wallander noch klein war, bei mehreren Gelegenheiten von den merkwürdigen Gebilden erzählt hatte, die in der Ebene von Gizeh vor den Toren von Kairo standen.

Danach hatten sie Poker gespielt. Da der Vater am Ende mit einem Plus dastand, war er ausgesprochen zufrieden, als Wallander sich verabschiedete.

Wallander blieb mit der Hand am Griff der Autotür stehen und sog die Nachtluft ein.

Ich habe einen merkwürdigen Vater, dachte er. Daran führt jedenfalls kein Weg vorbei.

Wallander hatte versprochen, ihn am Morgen des 14. Dezember nach Malmö zu fahren. Er hatte die Telefonnummer des Mena House notiert, in dem sein Vater wohnen sollte. Da sein Vater selbstverständlich nicht unnötig Geld zum Fenster hinauswarf, indem er eine Reiseversicherung abschloß, wollte Wallander Ebba am nächsten Tag bitten, das zu erledigen.

Der Wagen startete widerwillig, und er fuhr in Richtung Ystad. Das letzte, was Wallander sah, war das Licht im Küchenfenster. Der Vater saß gewöhnlich noch bis tief in die Nacht in der Küche, bevor er ins Bett ging. Wenn er nicht in sein Atelier zurückging und noch ein paar Pinselstriche auf einem seiner neuen Bilder anbrachte. Wallander dachte an das, was Blomell früher am Abend gesagt hatte: daß die Einsamkeit für alte Menschen ein Fluch ist. Sein Vater lebte jedenfalls nicht anders, seit er älter geworden war. Er fuhr fort, seine Bilder zu malen, als hätte sich eigentlich gar nichts verändert, weder um ihn herum noch mit ihm selbst.

Kurz nach elf war Wallander wieder in der Mariagata. Als er die Haustür aufschloß, bemerkte er, daß jemand einen Brief durch den Briefschlitz geworfen hatte. Er öffnete den Umschlag und wußte schon, von wem er war. Emma Lundin, Krankenschwester im Krankenhaus von Ystad. Wallander hatte ihr versprochen, am Tag zuvor anzurufen. Sie kam normalerweise auf dem Nachhauseweg in die Dragongata an seinem Haus vorbei. Jetzt wollte sie nur wissen, ob etwas geschehen war. Warum hatte er nicht angerufen? Wallander bekam ein schlechtes Gewissen. Er hatte sie vor einem Monat kennengelernt. Sie waren zufällig im Postamt in der Hamngata ins Gespräch gekommen. Ein paar Tage später waren sie in einem Lebensmittelgeschäft aufeinandergestoßen und hatten schon nach ein paar weiteren Tagen ein Verhältnis begonnen, das von keiner Seite sonderlich leidenschaftlich war. Emma war ein Jahr jünger als Wallander, sie war geschieden und hatte drei Kinder. Wallander hatte gemerkt, daß die Beziehung ihr mehr bedeutete als ihm. Halbherzig hatte er versucht, sich aus der Sache herauszuziehen. Wie er jetzt im Flur stand, wußte er sehr gut, warum er nicht angerufen hatte. Er hatte ganz einfach keine Lust, sie zu treffen. Er legte den Brief auf den Küchentisch und dachte, daß er die Sache beenden mußte. Es gab keine Zukunft, keine Basis. Sie hatten viel zuwenig Gesprächsstoff, viel zuwenig Zeit füreinander. Und Wallander wußte, daß er eigentlich nach etwas ganz anderem suchte, nach einer ganz anderen Frau. Einer, die Mona wirklich ersetzen konnte. Wenn es so eine Frau überhaupt gab. Aber vor allem träumte er davon, daß Mona zu ihm zurückkäme.

Er kleidete sich aus und zog seinen alten, verschlissenen Bademantel an. Stellte erneut fest, daß er vergessen hatte, Klopapier zu kaufen, und suchte nach einem alten Telefonbuch, das er dann in die Toilette legte. Er räumte die Lebensmittel, die er in Herrestad gekauft hatte, in den Kühlschrank. Das Telefon klingelte. Es war nach elf Uhr. Er hoffte, daß nichts Ernstes geschehen war, das ihn zwingen würde, sich wieder anzuziehen. Es war Linda. Er freute sich wie immer, ihre Stimme zu hören.

»Wo warst du?« fragte sie. »Ich hab es den ganzen Abend versucht.«

»Du hättest es erraten können«, antwortete er. »Und du hättest Großvater anrufen können. Ich war bei ihm.«

»Daran hab ich nicht gedacht«, sagte sie. »Du besuchst ihn doch sonst nie.«

»Ich besuche ihn nie?«

»Jedenfalls sagt er das.«

»Er sagt so viel. Übrigens wird er in ein paar Tagen nach Ägypten fliegen und sich die Pyramiden ansehen.«

»Wie schön. Schade, daß ich nicht mitkommen kann.«

Wallander sagte nichts. Dann lauschte er ihrem wortreichen Bericht über alles, was sie in den letzten Tagen gemacht hatte. Er freute sich, daß sie sich vor kurzem wieder für eine Lehre in einer Möbelpolsterei entschieden hatte. Er nahm an, daß Mona nicht zu Hause war, weil sie sich meistens aufregte, wenn Linda so viel und so lange telefonierte. Gleichzeitig fühlte er einen Stich von Eifersucht. Obwohl sie jetzt geschieden waren, konnte er sich nicht mit dem Gedanken anfreunden, daß Mona sich mit anderen Männern traf.

Das Gespräch endete damit, daß Linda versprach, ihn in Malmö zu treffen und dem Großvater bei seiner Abreise nach Ägypten zuzuwinken.

Inzwischen war es nach Mitternacht. Da Wallander noch Hunger hatte, ging er zurück in die Küche, um sich wenigstens einen Teller Haferbrei zu machen. Um halb eins kroch er ins Bett und schlief fast sofort ein.

Am Morgen des 12. Dezember war die Temperatur auf minus vier Grad gesunken. Wallander saß um kurz vor sieben in der Küche, als das Telefon klingelte.

Es war Blomell. »Ich hoffe, ich habe dich nicht geweckt«, sagte er.

»Ich bin schon aufgestanden«, antwortete Wallander mit der Kaffeetasse in der Hand.

»Mir kam plötzlich ein Gedanke, nachdem du weg warst«, fuhr Blomell fort. »Ich bin natürlich kein Polizist, aber ich dachte, ich könnte trotzdem anrufen.«

»Sag, was du gedacht hast!«

»Ich meine nur, daß das Flugzeug sehr tief geflogen sein muß, wenn man bei Mossby Motorenlärm gehört hat. Das muß ja bedeuten, daß es auch andere gehört haben. Auf die Art kannst du vielleicht herausbekommen, in welche Richtung es geflogen ist. Und vielleicht findest du sogar jemanden, der ein Flugzeug gehört hat, das in der Luft gedreht hat und in die Richtung zurückgeflogen ist, aus der es kam. Wenn zum Beispiel jemand es nur mit wenigen Minuten Abstand gehört hat, kann man vielleicht ausrechnen, in welchem Radius die Maschine kehrtgemacht hat.«

Wallander sagte sich, daß Blomell selbstverständlich recht hatte. Er hätte selbst auf die Idee kommen müssen. Aber das sagte er nicht.

»Wir sind dabei«, antwortete er statt dessen.

»Das ist gut«, sagte Blomell. »Wie geht es deinem Vater?«

»Er hat erzählt, daß er nach Ägypten fliegen will.«

»Klingt nach einer guten Idee.«

Wallander antwortete nicht.

»Es ist kälter geworden«, schloß Blomell. »Der Winter kommt.«

»Bald gibt es wieder Schneestürme«, antwortete Wallander.

Er ging zurück in die Küche. Dachte darüber nach, was Blomell gesagt hatte. Martinsson oder jemand anders könnte mit den Kollegen in Tomelilla und Sjöbo Kontakt aufnehmen. Vielleicht zur Sicherheit auch mit denen in Simrishamn. Möglicherweise konnte man den Kurs des Flugzeugs und sein Ziel bestimmen, indem man nach Menschen suchte, die Frühaufsteher waren und im besten

Falle zweimal Motorenlärm gehört hatten. Ein paar Milchbauern mußte es doch noch geben, die so früh am Tag auf den Beinen waren. Aber es blieb die Frage: Was hatten die beiden Männer in dem Flugzeug gemacht? Und warum hatte das Flugzeug keine Registrierung?

Wallander blätterte rasch die Zeitung durch. Die Labradorwelpen waren immer noch zu verkaufen. Aber es gab kein Haus, das seine Aufmerksamkeit erregt hätte.

Um kurz vor acht trat Wallander durch die Tür des Polizeipräsidiums. An diesem Tag trug er den Pullover, den er bis fünf Grad minus nahm. Er bat Ebba, eine Reiseversicherung für seinen Vater abzuschließen.

»Das war schon immer mein Traum«, sagte sie. »Nach Ägypten zu fahren und die Pyramiden zu sehen.«

Alle scheinen neidisch auf meinen Vater zu sein, dachte Wallander, als er Kaffee holte und in sein Zimmer ging. Und niemand wirkt sonderlich überrascht. Ich bin der einzige, der sich Sorgen macht, daß etwas passieren könnte, daß er sich in der Wüste verirrt, zum Beispiel.

Martinsson hatte ihm einen Bericht über den Absturz vom Vortag auf den Tisch gelegt. Wallander überflog ihn und dachte, daß Martinsson noch immer zu viele Worte machte. Die Hälfte hätte gereicht. Rydberg hatte ihm einmal gesagt, daß das, was sich nicht im Telegrammstil ausdrücken ließ, entweder schlecht gedacht oder völlig falsch war. Wallander hatte immer versucht, seine Untersuchungsberichte so klar und kurz wie möglich zu halten. Er rief Martinsson an und berichtete von seinem Gespräch mit Björk am Tag zuvor. Martinsson schien zufrieden. Dann schlug Wallander ihm vor, daß sie sich alle treffen sollten. Blomells Hinweis war bedenkenswert. Um halb neun war es Martinsson gelungen, Hansson und Svedberg zu erreichen. Aber Rydberg war noch immer nicht gekommen. Sie versammelten sich in einem der Besprechungszimmer.

»Hat jemand Nyberg gesehen?« fragte Wallander.

Im selben Moment kam er herein. Wie immer wirkte er übernächtigt. Seine Haare standen zu Berge. Er setzte sich auf seinen angestammten Platz, ein Stück von den anderen getrennt.

»Rydberg wirkt krank«, sagte Svedberg, während er sich mit einem Bleistift die Glatze kratzte.

»Er *ist* krank«, antwortete Hansson. »Er hat Ischias.«

»Rheuma«, berichtigte ihn Wallander. »Das ist ein verdammter Unterschied.«

Dann wandte er sich Nyberg zu.

»Wir haben die Tragflächen untersucht«, sagte dieser. »Und den Schaum von der Feuerwehr abgewaschen und versucht, die Rumpfteile zusammenzusetzen. Ziffern und Buchstaben waren nicht nur übermalt. Man hatte sie zur Sicherheit vorher auch noch abgekratzt. Aber das ist nur teilweise gelungen, und deshalb haben sie wohl zur Malerfarbe gegriffen. Die Leute in dieser Maschine wollten wirklich nicht, daß man sie identifizieren konnte.«

»Ich nehme an, daß es auf dem Motor eine Nummer gibt«, sagte Wallander. »Und es werden kaum so viele Flugzeuge wie Autos gebaut.«

»Wir sind dabei, Kontakt zur Piper-Fabrik in den USA aufzunehmen«, sagte Martinsson.

»Es sind noch immer ein paar Fragen offen«, fuhr Wallander fort. »Wie weit kann eine solche Maschine mit einer Tankfüllung fliegen? Haben sie Reservetanks? Gibt es eine Grenze dafür, wieviel Treibstoff eine Maschine des Typs tanken kann?«

Martinsson schrieb.

»Ich werde mich erkundigen«, sagte er.

Die Tür ging auf, und Rydberg kam herein.

»Ich war im Krankenhaus«, sagte er kurz. »Und das dauert immer endlos lange.«

Wallander sah, daß er Schmerzen hatte, sagte aber nichts.

Statt dessen brachte er seine Idee vor, Leute ausfindig zu machen, die das Motorengeräusch gehört hatten. Er schämte sich ein wenig dafür, daß er nicht Blomell die Ehre für die gute Idee zukommen ließ.

»Das wird wie während des Krieges«, kommentierte Rydberg. »Als alle in Schonen herumliefen und nach Flugzeugen horchten.«

»Es ist möglich, daß nichts dabei rauskommt«, sagte Wallander. »Aber wir können ja bei den Kollegen in den anderen Bezirken nachfragen. Ich persönlich kann mir kaum vorstellen, daß es sich um etwas anderes als einen Drogentransport gehandelt hat. Einen Abwurf irgendwo.«

»Wir sollten mit Malmö reden«, sagte Rydberg. »Wenn sie merken, daß der Umsatz dramatisch ansteigt, könnte es einen Zusammenhang geben. Ich kann sie anrufen.«

Niemand hatte etwas einzuwenden. Wallander beendete die Sitzung kurz nach neun.

Den Rest des Vormittags verbrachte er damit, die Arbeit an der Körperverletzungsgeschichte aus Skurup abzuschließen und das Material Per Åkeson vorzulegen. In der Mittagspause ging er in die Stadt, aß eine Bratwurst »Spezial« und kaufte Toilettenpapier. Er dachte sogar daran, im Weinmonopol vorbeizugehen und eine Flasche Whisky und zwei Flaschen Wein zu kaufen. Als er gerade wieder gehen wollte, stieß er mit Sten Widén zusammen, der eben hereinkam. Wallander merkte sofort, daß er nach Schnaps roch und mitgenommen aussah.

Sten Widén war einer von Wallanders ältesten Freunden. Sie hatten sich vor vielen Jahren kennengelernt und über das gemeinsame Operninteresse eine Freundschaft aufgebaut. Sten Widén arbeitete bei seinem Vater in Stjärnsund, wo sie ein Gestüt für Rennpferde besaßen. Während der letzten Jahre hatten sie sich immer seltener getroffen. Seit Wallander erkannt hatte, daß Widén immer unkontrollierter trank, hatte er sich zurückgezogen.

»Lange nicht gesehen«, sagte Sten Widén.

Wallander schrak vor seinem Atem zurück. Widén roch heftig nach vergangenen Saufgelagen.

»Du weißt, wie es ist«, sagte Wallander. »Es geht auf und ab.«

Dann wechselten sie ein paar nichtssagende Phrasen. Beide wollten so schnell wie möglich fort. Um sich weniger unvorbereitet, unter günstigeren Umständen wieder zu begegnen. Wallander versprach anzurufen.

»Ich trainiere gerade ein neues Pferd«, sagte Widén. »Sie hatte einen so schlechten Namen, daß ich eine Änderung durchgesetzt habe.«

»Wie heißt sie jetzt?«

»Traviata.«

Sten Widén lachte. Wallander nickte. Dann gingen sie beide ihres Wegs.

Wallander trug seine Tüten nach Hause in die Mariagata. Um Viertel nach zwei war er wieder im Präsidium. Es wirkte noch immer genauso verlassen. Wallander fuhr fort, seine Aktenberge abzuarbeiten. Nach der Körperverletzung in Skurup wartete ein Einbruch im Zentrum von Ystad, in der Pilgrimsgata. Jemand hatte mitten am Tag ein Fenster eingeschlagen und diverse Wertgegenstände aus dem Haus geholt. Wallander schüttelte den Kopf, als er Svedbergs Bericht durchlas. Es war unbegreiflich, daß keiner der Nachbarn irgend etwas gesehen hatte.

Beginnt die Angst sich auch in Schweden auszubreiten?, dachte er. Die Angst davor, der Polizei mit den einfachsten Beobachtungen zu helfen. Wenn das so ist, dann ist die Situation bedeutend schlimmer, als ich es bis jetzt habe glauben wollen.

Wallander kämpfte mit dem Material und machte Anmerkungen über notwendige Vernehmungen und Suchaktionen im Register. Aber er machte sich keine Illusionen. Ohne eine große Portion Glück oder zuverlässige Zeugenaussagen würden sie den Einbruch nicht aufklären.

Kurz vor fünf kam Martinsson ins Zimmer. Wallander bemerkte plötzlich, daß er sich einen Schnauzer stehenließ, äußerte sich aber nicht dazu.

»Sjöbo hatte tatsächlich etwas zu sagen«, begann Martinsson. »Ein alter Mann war die ganze Nacht draußen und hat nach einem entlaufenen Stierkalb gesucht. Der Himmel weiß, wie er auf die Idee kam, in der Dunkelheit etwas zu finden. Aber er hat die Polizei in Sjöbo angerufen und mitgeteilt, daß er um kurz nach fünf merkwürdige Lichter gesehen und Motorengeräusche gehört hätte.«

»Merkwürdige Lichter? Was meinte er damit?«

»Ich habe die Kollegen in Sjöbo gebeten, ausführlich mit dem Mann zu reden. Fridell heißt er übrigens.«

Wallander nickte. »Lichter und Motorenlärm. Das könnte die These von einem Abwurf bestätigen.«

Martinsson breitete auf Wallanders Schreibtisch eine Karte aus. Er zeigte mit dem Finger darauf. Wallander sah, daß der Ort innerhalb des Gebietes lag, das Blomell eingekreist hatte.

»Gute Arbeit«, sagte Wallander. »Mal sehen, ob uns das weiterbringt.«

Martinsson faltete die Karte zusammen. »Wenn das wahr ist, dann ist es schlimm«, sagte er. »Wenn wir wirklich so ungeschützt sind, daß jedes x-beliebige Flugzeug in unseren Luftraum eindringen und Rauschgift abwerfen kann, ohne entdeckt zu werden.«

»Wir müssen uns wohl daran gewöhnen«, antwortete Wallander. »Aber ich bin natürlich deiner Meinung.«

Martinsson ging. Nicht lange danach verließ Wallander das Präsidium. Zu Hause kochte er sich ausnahmsweise ein ordentliches Abendessen. Um halb acht hatte er sich mit einer Tasse Tee vor dem Fernseher niedergelassen, um die Nachrichten zu sehen. Als der Nachrichtensprecher zu lesen anfing, klingelte das Telefon. Es war Emma. Sie wollte jetzt das Krankenhaus verlassen. Wallander dachte, daß er im Grunde nicht wußte, was er wollte. Noch ein Abend allein. Oder mit Emma. Ohne davon überzeugt zu sein, daß er sie treffen wollte, fragte er sie, ob sie Lust habe vorbeizukommen. Sie sagte ja. Wallander wußte, daß sie bis nach Mitternacht bleiben würde. Dann würde sie sich anziehen und nach Hause gehen. Um sich vor ihrer Begegnung zu stärken, trank er zwei Glas Whisky. Er hatte geduscht, während er darauf wartete, daß die Kartoffeln gar wurden. In aller Hast wechselte er die Bettwäsche und warf die alte in den Schrank, in dem schon allerhand Schmutzwäsche durcheinanderlag.

Emma kam um kurz nach acht. Als Wallander sie im Treppenhaus hörte, bereute er seine Entscheidung. Warum gelang es ihm nicht, ihr Verhältnis zu beenden, wenn es keine Zukunft hatte?

Sie kam, sie lächelte, und Wallander bat sie herein. Sie war klein und hatte braunes Haar und schöne Augen. Er hatte Musik aufgelegt, die sie mochte. Sie tranken Wein, und kurz vor elf gingen sie ins Bett. Wallander dachte an Mona.

Hinterher schliefen sie beide ein, ohne daß einer von beiden etwas gesagt hätte. Kurz vor dem Einschlafen merkte Wallander, daß er Kopfschmerzen bekam. Er wachte auf, als sie sich anzog, tat aber so, als schliefe er. Als die Wohnungstür ins Schloß fiel, stand er auf und trank Wasser. Dann ging er wieder ins Bett, dachte noch eine Weile an Mona und schlief wieder ein.

Tief in seinen Träumen begann das Telefon zu klingeln. Er wachte sofort auf, lauschte. Das Klingeln hielt an. Er warf einen Blick auf die Uhr auf dem Nachttisch. Viertel nach zwei. Das bedeutete, daß etwas geschehen war. Er nahm den Hörer ab und setzte sich im Bett auf.

Es war Näslund, einer der Polizisten vom Nachtdienst.

»Es brennt in der Möllegata«, sagte Näslund. »An der Ecke zur Lilla Strandgata.«

Wallander versuchte, sich das Viertel vorzustellen.

»Was brennt?«

»Das Handarbeitsgeschäft der Schwestern Eberhardsson.«

»Dann müssen wohl in erster Linie die Feuerwehr und die Ordnungspolizei ausrücken, oder?«

»Die sind schon da. Es scheint so, als sei das Haus explodiert. Und die Schwestern wohnen ja im Obergeschoß.«

»Habt ihr sie rausholen können?«

»Sieht nicht so aus.«

Wallander brauchte nicht nachzudenken. Er wußte, daß es nur eines zu tun gab.

»Ich komme«, sagte er. »Wen hast du noch angerufen?«

»Rydberg.«

»Den hättest du ja wohl schlafen lassen können. Hol Svedberg und Hansson raus.«

Wallander legte den Hörer auf. Sah wieder auf die Uhr. Siebzehn Minuten nach zwei. Während er sich anzog, dachte er an das, was Näslund gesagt hatte. Ein Handarbeitsgeschäft, das in die Luft gesprengt worden war. Das klang unwahrscheinlich. Und wenn die beiden Besitzerinnen sich nicht hatten retten können, dann war es ernst.

Als Wallander auf die Straße kam, suchte er vergeblich nach seinen Autoschlüsseln. Er fluchte und lief die Treppen wieder hinauf. Er merkte, daß er nach Atem rang. Ich sollte wieder mit Svedberg Badminton spielen, dachte er. Ich schaffe keine vier Treppen, ohne daß mir die Puste ausgeht.

Um halb drei hielt Wallander in der Hamngata. Die ganze Umgebung war abgesperrt. Er spürte den Brandgeruch schon, bevor er die Wagentür aufgemacht hatte. Feuer und Rauch stiegen zum

Himmel auf. Die Feuerwehr war mit allen Löschzügen ausgerückt. Zum zweitenmal in zwei Tagen traf Wallander Peter Edler.

»Sieht schlimm aus«, rief Edler, um den Lärm zu übertönen.

Das Haus stand in hellen Flammen. Die Feuerwehrleute spritzten gerade Wasser auf die umliegenden Häuser, damit das Feuer sich nicht ausbreitete.

»Die Schwestern?« rief Wallander.

Edler schüttelte den Kopf. »Niemand ist da rausgekommen«, antwortete er. »Wenn sie zu Hause waren, dann liegen sie da drinnen. Wir haben einen Augenzeugen, der gesagt hat, das Haus sei einfach in die Luft geflogen. Es hat offensichtlich überall zur gleichen Zeit angefangen zu brennen.«

Edler verschwand, um die Löscharbeiten weiter zu dirigieren. Hansson tauchte an Wallanders Seite auf.

»Wer zum Teufel steckt ein Handarbeitsgeschäft in Brand?« fragte er.

Wallander schüttelte den Kopf. Er hatte keine Antwort.

Er dachte an die beiden Schwestern, die den Laden all die Jahre über geführt hatten, seit er in Ystad wohnte. Einmal hatten Mona und er einen Reißverschluß dort gekauft, für einen von Wallanders Anzügen.

Jetzt waren die Schwestern nicht mehr da.

Und wenn sich Peter Edler nicht völlig irrte, dann war der Brand gelegt worden, um die Schwestern zu töten.

4

In dieser Lucianacht 1989 wachte Wallander bei anderem Flammenschein als dem der Luciakerzen. Er blieb bis zur Dämmerung an der Brandstelle. Bis dahin hatte er nacheinander Svedberg und Hansson nach Hause geschickt. Als Rydberg auftauchte, hatte Wallander auch ihm gesagt, daß er nicht zu bleiben brauchte. Die nächtliche Kälte und die Hitze des Feuers waren nichts für sein Rheuma. Rydberg hatte ein paar Informationen bekommen, auch darüber, daß die beiden Schwestern, denen das Geschäft gehörte, mit großer Wahrscheinlichkeit verbrannt waren, und war dann nach Hause gegangen. Peter Edler hatte Wallander Kaffee angeboten. Wallander hatte im Führerhaus eines der Löschzüge gesessen und darüber nachgegrübelt, warum er nicht auch einfach nach Hause gegangen war und sich schlafen gelegt hatte, statt hierzubleiben und darauf zu warten, daß das Feuer gelöscht würde. Er fand keine Antwort. Mit einem Gefühl von Unbehagen dachte er an den Vorabend zurück. Die Erotik zwischen ihm und Emma Lundin war völlig leidenschaftslos. Kaum mehr als eine Verlängerung des nichtssagenden Gesprächs, das sie vorher geführt hatten.

Ich kann so nicht mehr weitermachen, dachte er plötzlich. Es muß etwas geschehen in meinem Leben. Bald, sehr bald. Die zwei Monate, die vergangen waren, seit Mona ihn endgültig verlassen hatte, kamen ihm vor wie zwei Jahre.

In der Morgendämmerung war der Brand gelöscht. Das Haus war bis auf die Grundmauern niedergebrannt. Nyberg war gekommen. Sie warteten darauf, daß Peter Edler das Startzeichen gab, damit Nyberg mit den Technikern von der Feuerwehr in die rauchenden Trümmer gehen konnte.

Plötzlich war Björk aufgetaucht, wie immer untadelig gekleidet, umgeben von einem Duft von Rasierwasser, der sogar durch den Brandgeruch drang. »Traurig, so ein Brand«, sagte er. »Ich höre, die Besitzerinnen sind tot.«

»Das wissen wir noch nicht«, antwortete Wallander. »Aber leider spricht alles dafür.«

Björk sah auf die Uhr.

»Ich kann nicht bleiben«, sagte er. »Ich habe eine Frühstücksverabredung mit den Rotariern.«

Björk verschwand.

»Er bringt sich noch um mit seinen Vorträgen«, sagte Wallander.

Nyberg sah ihn fragend an.

»Möchte wissen, was er über die Polizei und unsere Arbeit sagt«, meinte Nyberg. »Hast du schon mal einen Vortrag von ihm gehört?«

»Noch nie. Aber ich habe den Verdacht, daß er nicht von seiner Arbeit hinter dem Schreibtisch erzählt.«

Sie standen stumm und warteten. Wallander war verfroren und müde. Noch immer war das ganze Viertel abgesperrt, aber einem Journalisten von *Arbetet* war es gelungen, durch die Absperrung zu kommen. Wallander kannte ihn von früher. Er war einer von den Journalisten, die tatsächlich meistens schrieben, was Wallander sagte, deshalb erzählte er ihm das wenige, was er wußte. Daß sie nach wie vor nicht bestätigen konnten, daß jemand verbrannt war. Der Journalist gab sich damit zufrieden und verschwand.

Es verging eine weitere Stunde, bis Peter Edler das Startzeichen geben konnte. Als Wallander in der Nacht von zu Hause aufgebrochen war, war er umsichtig genug gewesen, Gummistiefel anzuziehen, und jetzt stiegen sie vorsichtig durch das Gewirr verbrannter Balken und eingestürzter Wände, die in einer schwarzbraunen Brühe lagen. Nyberg und einige der Feuerwehrleute suchten vorsichtig zwischen den Brandresten. Nach weniger als fünf Minuten hielten sie inne. Nyberg machte Wallander ein Zeichen, zu ihm zu kommen.

Die Körper von zwei Menschen lagen in einigen Metern Abstand voneinander. Sie waren bis zur Unkenntlichkeit verbrannt. Wallander dachte, daß er jetzt im Laufe von achtundvierzig Stunden zweimal den gleichen Anblick erlebte.

Er schüttelte den Kopf. »Die Schwestern Eberhardsson«, sagte er. »Wie hießen sie noch mit Vornamen?«

»Anna und Emilia«, antwortete Nyberg. »Aber wir wissen nicht, ob sie es wirklich sind.«

»Wer sollte es denn sonst sein?« sagte Wallander. »Sie waren die einzigen, die in dem Haus wohnten.«

»Wir werden es erfahren«, antwortete Nyberg. »Aber das dauert natürlich ein paar Tage.«

Wallander drehte sich um und ging auf die Straße zurück. Peter Edler stand da und rauchte.

»Rauchst du?« fragte Wallander. »Das wußte ich nicht.«

»Nicht besonders oft«, antwortete Edler. »Nur wenn ich sehr müde bin.«

»Dieser Brand muß gründlich untersucht werden«, sagte Wallander.

»Ich will natürlich den Untersuchungen nicht vorgreifen«, antwortete Edler. »Aber das hier war Brandstiftung. Nichts anderes. Obwohl man sich natürlich fragen kann, warum jemand zwei alte Jungfern umbringen will.«

Wallander nickte. Er wußte, daß Peter Edler ein äußerst kompetenter Feuerwehrhauptmann war.

»Zwei alte Damen, die Knöpfe und Reißverschlüsse verkauften.«

Jetzt gab es wirklich keinen Grund mehr zu bleiben. Wallander verließ die Brandstelle, stieg in seinen Wagen und fuhr nach Hause. Er frühstückte und beriet sich mit dem Thermometer, welchen Pullover er anziehen sollte. Es wurde derselbe wie am Vortag. Um zwanzig nach neun parkte er vor dem Polizeipräsidium. Martinsson kam gleichzeitig an. Ungewöhnlich spät für seine Verhältnisse, dachte Wallander. Martinsson gab ihm eine Erklärung, ohne daß er danach zu fragen brauchte.

»Meine fünfzehnjährige Nichte ist gestern nacht betrunken nach Hause gekommen«, sagte er düster. »Das ist noch nie passiert.«

»Einmal ist immer das erste Mal«, sagte Wallander.

Er sehnte sich nicht nach der Zeit bei der Ordnungspolizei zurück, als das Luciafest immer eine aufreibende Sache war, und er erinnerte sich, daß Mona vor ein paar Jahren angerufen und sich beklagt hatte, daß Linda von einer Luciafeier nach Hause gekommen war und sich übergeben hatte. Sie war sehr empört gewesen. Damals hatte Wallander das Ganze zu seiner eigenen Verwunderung viel ruhiger aufgenommen. Das versuchte er auch Martinsson zu sagen, während sie auf das Polizeipräsidium zugingen. Aber Martinsson wirkte unempfänglich. Wallander gab es auf und schwieg.

Sie blieben an der Anmeldung stehen. Ebba kam zu ihnen heraus.

»Stimmt es, was ich gehört habe? Daß die arme Anna und Emilia verbrannt sind?«

»Ich fürchte, ja«, antwortete Wallander.

Ebba schüttelte den Kopf.

»Ich habe seit 1951 Knöpfe und Nähgarn bei ihnen gekauft«, sagte sie. »Sie waren immer freundlich. Wenn man etwas Besonderes brauchte, haben sie es besorgt. Und es kostete deshalb nicht mehr. Wer in Gottes Namen kann zwei alte Damen umbringen wollen, die ein Handarbeitsgeschäft führen?«

Ebba ist die zweite, die das fragt, dachte Wallander. Erst Peter Edler. Jetzt Ebba.

»Ist da ein Pyromane am Werk?« fragte Martinsson. »In dem Fall hat er sich eine ungewöhnlich passende Nacht ausgesucht.«

»Wir müssen abwarten«, antwortete Wallander. »Gibt es etwas Neues von dem abgestürzten Flugzeug?«

»Ich habe nichts gehört. Aber Sjöbo wollte mit diesem Mann reden, der nach seinem entlaufenen Kalb gesucht hat.«

»Ruf sicherheitshalber auch die anderen Bezirke an«, erinnerte ihn Wallander. »Es kann sein, daß noch mehr Menschen den Motorenlärm gehört haben. So viele Flugzeuge, die nachts unterwegs sind, gibt es wohl kaum.«

Martinsson ging. Ebba gab Wallander ein Formular.

»Die Reiseversicherung für deinen Vater«, sagte sie. »Glücklicher Mensch, entkommt diesem Wetter und sieht die Pyramiden.«

Wallander nahm das Papier und ging in sein Zimmer. Als er seine Jacke aufgehängt hatte, rief er in Löderup an. Er bekam keine Antwort, obwohl er es mehr als fünfzehn Mal klingeln ließ. Sein Vater war wahrscheinlich draußen im Atelier. Wallander legte auf. Ob er sich wohl daran erinnert, daß er morgen abreisen soll? dachte er. Und daß ich ihn um halb sieben abhole?

Wallander freute sich darauf, ein paar Stunden mit Linda zu verbringen. Das versetzte ihn immer in gute Stimmung.

Wallander zog den Papierstapel über den Einbruch in der Pilgrimsgata zu sich herüber, den er am Tag zuvor liegengelassen hatte. Aber ihn beschäftigten ganz andere Gedanken. Wenn er nun einen neuen Pyromanen auf dem Hals hatte? In den letzten Jahren waren sie davon verschont geblieben.

Er zwang sich, an der Ermittlung über den Einbruch weiterzuarbeiten, aber schon um halb elf rief Nyberg an. »Ich glaube, du solltest herkommen«, sagte er. »An die Brandstelle.«

Wallander wußte, daß Nyberg nur anrief, wenn es wichtig war. Am Telefon Fragen zu stellen wäre Zeitvergeudung. »Ich komme«, sagte Wallander und legte auf.

Er nahm seine Jacke und verließ das Polizeigebäude. Mit dem Auto brauchte er ins Zentrum nur wenige Minuten. Das abgesperrte Gebiet war nur noch klein. Aber immer noch wurde ein Teil des Verkehrs weiträumig umgeleitet.

Nyberg stand wartend bei der Ruine, aus der immer noch Rauch aufstieg. Er kam schnell zur Sache.

»Das hier war nicht nur Brandstiftung«, sagte er, »sondern Mord.«

»Mord?«

Nyberg gab ihm ein Zeichen, ihm zu folgen. Die beiden Körper in der Ruine waren jetzt freigelegt worden. Sie hockten sich neben den einen nieder, und Nyberg zeigte mit einem Stift auf den Schädel.

»Einschußloch«, sagte Nyberg. »Sie ist erschossen worden. Wenn es denn eine von den Schwestern ist. Aber davon müssen wir wohl ausgehen.«

Sie standen auf und traten zu dem anderen Körper.

»Das gleiche hier«, sagte Nyberg und zeigte es ihm. »Ein Schuß in den Nacken.«

»Jemand soll sie erschossen haben?«

»Sieht leider so aus. Die reinste Hinrichtung. Zwei Genickschüsse.«

Es fiel Wallander schwer, zu akzeptieren, was Nyberg sagte. Es war zu wirklichkeitsfern, zu brutal. Gleichzeitig wußte er, daß Nyberg niemals etwas sagte, dessen er sich nicht sicher war.

Sie gingen auf die Straße zurück. Nyberg hielt eine kleine Plastiktüte vor Wallander auf. »Wir haben die eine Kugel gefunden«, sagte er. »Sie saß noch im Schädel. Die andere ist aus der Stirn ausgetreten und in der Hitze geschmolzen. Aber die Gerichtsmediziner müssen das hier natürlich richtig untersuchen.«

Wallander sah Nyberg an und versuchte zu denken. »Wir haben also einen Doppelmord, den jemand durch einen Brand vertuschen wollte«, sagte er.

Nyberg schüttelte den Kopf.

»Das stimmt nicht. Ein Mensch, der zwei Personen durch Genickschuß hinrichtet, weiß mit größter Sicherheit, daß Feuer immer die Skelette übrigläßt. Es ist trotz allem kein Krematoriumsofen.«

Wallander sagte sich, daß Nyberg auf etwas Wichtiges hinwies. »Was ist die Alternative?«

»Daß der Mörder etwas anderes vertuschen wollte.«

»Was kann man in einem Handarbeitsgeschäft vertuschen wollen?«

»Das herauszufinden ist dein Job«, antwortete Nyberg.

»Ich werde eine Ermittlungsgruppe zusammenrufen«, sagte Wallander. »Um ein Uhr fangen wir an.«

Er sah auf die Uhr. Es war elf. »Kannst du dazukommen?«

»Ich bin hier natürlich noch nicht fertig«, sagte Nyberg, »aber ich komme.«

Wallander ging zu seinem Wagen. Ein Gefühl von Unwirklichkeit erfüllte ihn. Wer konnte ein Motiv haben, zwei alte Damen hinzurichten, die Nadeln und Nähgarn und ab und zu einen Reißverschluß verkauften? Das übertraf alles, was er bisher erlebt hatte.

Als er zum Polizeipräsidium zurückkam, ging er direkt in Rydbergs Zimmer. Es war leer. Wallander fand ihn im Eßraum, wo er auf einem Zwieback kaute und Tee trank. Wallander setzte sich zu ihm an den Tisch und berichtete von Nybergs Entdeckung.

»Das ist nicht gut«, sagte Rydberg, als Wallander schwieg. »Überhaupt nicht gut.«

Wallander stand auf. »Wir sehen uns um eins«, sagte er. »Bis auf weiteres soll Martinsson sich auf das Flugzeug konzentrieren. Aber Hansson und Svedberg werden dasein. Und versuche, Åkeson mitzubringen. Haben wir jemals etwas Ähnliches erlebt?«

Rydberg dachte nach. »Nicht, soweit ich mich erinnern kann. Vor zwanzig Jahren hat mal ein Verrückter einem Kellner eine Axt in den Schädel gehauen. Das Motiv waren unbezahlte Schulden von dreißig Kronen. Aber sonst wüßte ich nichts.«

Wallander blieb zögernd am Tisch stehen. »Genickschüsse«, sagte er. »Das ist nicht besonders schwedisch.«

»Was ist denn schwedisch?« fragte Rydberg. »Es gibt keine Grenzen mehr. Weder für Flugzeuge noch für brutale Verbrecher. Früher einmal lag Ystad irgendwie am Rand. Was in Stockholm passierte, passierte hier nicht. Selbst Dinge, wie sie sich in Malmö ereigneten, waren in einer Kleinstadt wie Ystad eher die Ausnahme. Aber die Zeit ist wohl vorbei.«

»Und was geschieht nun?«

»Die neue Zeit wird andere Polizisten erfordern, besonders draußen bei der Feldarbeit«, sagte Rydberg. »Aber solche wie du und ich, die noch immer denken können, die werden immer gebraucht.«

Sie gingen zusammen den Korridor entlang. Rydberg ging mühsam. Vor seiner Tür trennten sie sich.

»Ein Uhr«, sagte Rydberg. »Doppelmord an zwei alten Mütterchen. Sollen wir es so nennen? Der Fall mit den Mütterchen?«

»Das hier gefällt mir nicht«, sagte Wallander. »Ich begreife nicht, warum jemand zwei ehrenwerte alte Damen erschießt.«

»Vielleicht müssen wir genau damit anfangen«, sagte Rydberg nachdenklich. »Herausfinden, ob sie wirklich so ehrenhaft waren, wie alle zu glauben scheinen.«

Wallander war erstaunt. »Was willst du damit andeuten?«

»Nichts«, sagte Rydberg und lächelte plötzlich. »Außer möglicherweise, daß du manchmal zu schnelle Schlüsse ziehst.«

In seinem Zimmer stellte Wallander sich ans Fenster und betrachtete gedankenverloren ein paar Tauben, die um den Wasserturm herumflatterten. Rydberg hat natürlich recht, dachte er. Wie immer. Wenn es keine Zeugen gibt, wenn keine Beobachtungen von Außenstehenden eingehen, müssen wir genau da anfangen: Wer waren sie eigentlich, Anna und Emilia?

Um ein Uhr waren sie im Sitzungszimmer versammelt. Hansson hatte versucht, Björk zu erreichen, aber vergeblich. Dagegen war Per Åkeson gekommen.

Wallander informierte sie über die Entdeckung, daß die beiden Frauen ermordet worden waren. Sofort breitete sich eine gedrückte Stimmung im Raum aus. Alle waren offensichtlich irgendwann einmal im Handarbeitsgeschäft gewesen. Dann gab Wallander Nyberg das Wort.

»Wir stochern im Matsch herum«, sagte Nyberg. »Aber bis jetzt haben wir nichts gefunden, was erwähnenswert wäre.«

»Die Brandursache?« sagte Wallander.

»Dafür ist es zu früh«, antwortete Nyberg. »Aber den Nachbarn zufolge hörte man einen heftigen Knall. Jemand hat es als gedämpfte Explosion beschrieben. Und dann stand das Haus im Laufe weniger Minuten lichterloh in Flammen.«

Wallander sah sich im Raum um. »Da kein unmittelbares Motiv erkennbar ist, müssen wir damit anfangen, soviel wie möglich über diese Schwestern herauszufinden. Stimmt es, was ich glaube, daß sie keine nahen Verwandten hatten? Beide waren alleinstehend. Waren sie auch nie verheiratet? Wie alt waren sie eigentlich? Ich habe sie als alte Tantchen in Erinnerung, seit ich hierher gezogen bin.«

Svedberg antwortete, er sei überzeugt, daß Anna und Emilia nie verheiratet waren und auch keine Kinder hatten. Aber er würde alles im Detail überprüfen.

»Das Bankkonto«, sagte Rydberg, der sich bis dahin nicht geäußert hatte. »Hatten sie Geld? Unter Matratzen versteckt oder auf der Bank? Es gibt Gerüchte über solche Dinge. Kann das die Ursache der Morde gewesen sein?«

»Das erklärt wohl kaum die Hinrichtungsmethode«, sagte Wallander. »Aber wir müssen es herausfinden. Wir müssen es wissen.«

Sie verteilten die routinemäßigen Arbeiten. Es waren immer die gleichen zeitraubenden, systematischen Arbeiten, die am Anfang einer Ermittlung durchgeführt werden mußten.

Um Viertel nach zwei hatte Wallander nur noch einen Punkt übrig. »Wir müssen mit der Presse reden«, sagte er. »Das hier wird die Massenmedien interessieren. Björk muß natürlich anwesend sein. Aber ich wäre froh, wenn es ohne mich ginge.«

Zur allgemeinen Verwunderung erbot sich Rydberg, mit den Journalisten zu sprechen. Normalerweise war er ebensowenig von solchen Auftritten begeistert wie Wallander.

Sie beendeten die Sitzung. Nyberg kehrte an die Brandstelle zurück. Wallander und Rydberg blieben noch im Sitzungszimmer.

»Ich glaube, wir müssen unsere Hoffnung auf Hinweise aus der Öffentlichkeit setzen«, sagte Rydberg. »Mehr als in normalen Fällen. Es ist vollkommen klar, daß es ein Motiv gegeben haben muß, diese Schwestern umzubringen. Und ich kann mir kaum etwas anderes vorstellen als Geld.«

»Das haben wir schon früher erlebt«, antwortete Wallander.

»Leute, die nicht eine Öre besaßen und trotzdem überfallen wurden, weil das Gerücht umging, sie hätten Geld.«

»Ich habe einige Bekannte«, sagte Rydberg. »Ich werde da nebenbei ein bißchen nachhaken.«

Sie verließen den Sitzungsraum. »Warum hast du die Pressekonferenz übernommen?« fragte Wallander.

»Damit du es ausnahmsweise nicht tun mußt«, antwortete Rydberg und ging in sein Zimmer.

Es gelang Wallander, Björk zu erreichen; er war zu Hause und hatte Migräne.

»Wir haben vor, um fünf Uhr eine Pressekonferenz abzuhalten«, sagte Wallander. »Es wäre natürlich gut, wenn du dabeisein könntest.«

»Ich komme«, antwortete Björk. »Migräne hin oder her.«

Die Ermittlungsmaschinerie kam langsam, aber methodisch in Fahrt. Wallander sah sich noch einmal die Brandstelle an und sprach mit Nyberg, der bis zu den Knien im schlammigen Schutt stand. Dann kehrte er ins Polizeipräsidium zurück. Aber als die Pressekonferenz begann, hielt er sich fern. Gegen sechs Uhr war er zu Hause. Diesmal ging sein Vater an den Apparat, als er anrief.

»Ich habe schon gepackt«, antwortete der Vater.

»Das will ich auch hoffen«, sagte Wallander. »Ich bin um halb sieben da. Vergiß nicht den Paß und die Tickets.«

Den Rest des Abends verbrachte Wallander damit, aufzuschreiben, was er über die Geschehnisse der Nacht wußte. Er rief Nyberg zu Hause an und fragte, wie die Arbeit gelaufen sei.

Nyberg konnte berichten, daß es langsam voranging. Sie würden am nächsten Tag weitermachen, sobald es hell wurde. Wallander rief auch im Polizeipräsidium an und fragte den Wachhabenden, ob irgendwelche Hinweise eingegangen wären. Aber es gab nichts, was ihm bemerkenswert erschien.

Gegen Mitternacht ging Wallander ins Bett. Um sicher zu sein, daß er am nächsten Morgen rechtzeitig wach wurde, beauftragte er den telefonischen Weckdienst.

Es fiel ihm schwer einzuschlafen, obwohl er sehr müde war.

Der Gedanke an die Hinrichtung der beiden Schwestern beunruhigte ihn.

Bevor er endlich einschlief, war es ihm gelungen, sich in die Vorstellung hineinzusteigern, daß es eine lange und schwierige Ermittlung werden würde. Falls sie nicht das Glück hatten, gleich am Anfang über die Lösung zu stolpern.

Am nächsten Tag stand er um fünf Uhr auf. Pünktlich um halb sieben bog er auf den Hof in Löderup ein.

Sein Vater saß auf seinem Koffer auf dem Hof und wartete.

5

Sie fuhren im Dunkeln nach Malmö. Der Verkehr aus dem übrigen Schonen in Richtung Malmö, wohin viele täglich pendelten, hatte noch nicht in voller Stärke eingesetzt. Wallanders Vater trug einen Anzug und auf dem Kopf einen merkwürdigen Tropenhelm, den Wallander noch nie gesehen hatte. Er ahnte, daß der Vater ihn auf irgendeinem Markt oder in einem Trödelladen gekauft hatte. Aber er sagte nichts. Er fragte nicht einmal, ob der Vater an die Tickets und den Paß gedacht hatte.

»Jetzt fährst du also«, war alles, was er sagte.

»Ja«, antwortete der Vater. »Endlich.«

Wallander merkte, daß sein Vater nicht reden wollte. Das gab ihm die Möglichkeit, sich auf das Fahren zu konzentrieren und seinen eigenen Gedanken nachzuhängen. Was in Ystad geschehen war, beunruhigte ihn, und er versuchte es zu begreifen. Warum jemand vorsätzlich zwei alte Frauen in den Nacken schoß. Aber er war ratlos. Es gab keinen Zusammenhang, keine Erklärungen. Nur diese brutale und unbegreifliche Hinrichtung.

Als sie auf den kleinen Parkplatz beim Flugbootterminal einbogen, wartete Linda schon auf sie. Es versetzte Wallander einen Stich, daß sie zunächst ihren Großvater umarmte und dann erst ihn. Sie machte dem Großvater ein Kompliment wegen des Tropenhelms und fand, daß er ihn kleidete.

»Ich wünschte, ich könnte auch so eine schicke Mütze vorweisen«, sagte Wallander, als er seine Tochter in den Arm nahm. Zu seiner Erleichterung war sie an diesem Morgen ungewöhnlich wenig aufsehenerregend gekleidet. Das war oft anders gewesen und hatte ihn immer gestört. Jetzt fiel ihm plötzlich ein, daß sie das vielleicht von ihrem Großvater geerbt hatte. Oder sich zumindest von ihm inspirieren ließ.

Sie begleiteten seinen Vater in das Terminal. Wallander bezahlte sein Ticket. Als er an Bord gegangen war, standen sie draußen in der Dunkelheit und sahen das Boot durch die Hafeneinfahrt verschwinden.

»Ich hoffe, ich werde wie er, wenn ich alt bin«, sagte Linda.

Wallander antwortete nicht. Wie sein Vater zu werden fürchtete er mehr als alles andere.

Sie frühstückten zusammen im Bahnhofsrestaurant. Wallander hatte wie gewöhnlich so früh am Morgen keinen Hunger. Aber damit Linda keine Diskussion darüber anfing, wie schlecht er mit sich selbst umging, füllte er einen Teller mit verschiedenen Sorten Aufschnitt und aß ein paar Scheiben Toast.

Er betrachtete seine Tochter, die fast ununterbrochen redete. Schön auf eine traditionelle und oberflächliche Weise war sie gewiß nicht. Aber sie hatte etwas Bestimmtes und Selbständiges in ihrer Art, sich zu geben. Sie gehörte nicht zu den jungen Frauen, die um jeden Preis allen Männern gefallen wollten, die ihnen über den Weg liefen. Von wem sie ihre Redseligkeit geerbt hatte, konnte er nicht beantworten. Sowohl er selbst als auch Mona waren eher still. Aber er hörte ihr gern zu. Es versetzte ihn immer in gute Laune. Sie sprach wieder davon, Möbelpolsterin zu werden. Erzählte, welche Möglichkeiten und welche Schwierigkeiten es gab, verfluchte die Tatsache, daß es fast keine Ausbildungsberufe mehr gab, und überraschte ihn schließlich mit der Zukunftsvision, sich irgendwann in Ystad eine eigene Werkstatt aufzubauen.

»Es ist schade, daß weder du noch Mama Geld haben«, sagte sie. »Dann hätte ich nach Frankreich gehen können, um es zu lernen.«

Wallander spürte, daß sie ihm in keiner Weise einen Vorwurf machte, weil er nicht vermögend war. Trotzdem nahm er es als solchen auf.

»Ich kann einen Kredit aufnehmen. Auch ein einfacher Polizist wird wohl kreditfähig sein.«

»Einen Kredit muß man zurückzahlen«, antwortete sie. »Und außerdem bist du immerhin Kriminalkommissar.«

Dann sprachen sie über Mona. Wallander hörte mit Genugtuung Lindas Klagen über Mona an, die ihre Tochter in allem, was sie tat, kontrollierte.

»Außerdem mag ich Johan nicht«, sagte sie schließlich.

Wallander sah sie fragend an. »Wer ist das?«

»Ihr neuer Typ!«

»Ich dachte, sie hat ein Verhältnis mit einem, der Sören heißt?«

»Das ist vorbei. Jetzt heißt er Johan und besitzt zwei Bagger.«

»Und den magst du nicht?«

Sie zuckte mit den Achseln. »Er ist so polterig. Außerdem hat er, glaube ich, in seinem ganzen Leben noch kein Buch gelesen. Samstags kommt er nach Hause und hat sich *Batman* gekauft. Ein erwachsener Mann. Stell dir das vor!«

Wallander spürte eine unmittelbare Erleichterung darüber, daß er nie Comics kaufte. Er wußte, daß Svedberg ab und zu *Superman* kaufte. Manchmal hatte er in einem der Hefte geblättert, um das Gefühl aus seiner Kindheit wiederzufinden, aber es stellte sich nicht mehr ein.

»Das klingt nicht gut«, sagte er. »Ich meine, daß du dich nicht mit Johan verstehst.«

»Es geht nicht so sehr um ihn und mich«, antwortete sie. »Das Problem ist eher, daß ich nicht begreife, was Mama an ihm findet.«

»Zieh doch zu mir«, sagte Wallander impulsiv. »Du hast immer noch dein Zimmer in der Mariagata. Das weißt du.«

»Ich habe tatsächlich schon dran gedacht«, sagte sie. »Aber ich glaube nicht, daß das so gut wäre.«

»Warum nicht?«

»Ystad ist zu klein. Ich würde verrückt, wenn ich dort wohnte. Später vielleicht, wenn ich älter bin. Es gibt Orte, wo man einfach nicht wohnen kann, wenn man jung ist.«

Wallander verstand, was sie meinte. Sogar geschiedenen Männern um die Vierzig konnte eine Stadt wie Ystad eng vorkommen.

»Und du?« fragte sie.

»Was meinst du?«

»Na, was glaubst du? Frauen natürlich.«

Wallander schnitt eine Grimasse. Er hatte nicht die geringste Lust, über Emma Lundin zu sprechen.

»Gib doch mal eine Annonce auf«, schlug Linda vor. »Mann in den besten Jahren sucht Frau. Du würdest viele Antworten bekommen.«

»Ganz bestimmt«, antwortete Wallander. »Und dann würde es fünf Minuten dauern, bis wir einander nur noch mit glasigem Blick anstarren und einsehen, daß wir uns absolut nichts zu sagen haben.«

Sie überraschte ihn wieder.

»Du brauchst doch eine, mit der du ins Bett gehen kannst«, sagte sie. »Es ist nicht gut, wenn du herumläufst und darbst.«

Wallander fuhr zusammen. So etwas hatte sie noch nie zu ihm gesagt. »Ich habe, was ich brauche«, antwortete er ausweichend.

»Kannst du es nicht erzählen?«

»Da gibt es nicht viel zu sagen. Eine Krankenschwester. Sie ist ein sehr netter Mensch. Das Problem ist nur, daß ich ihr mehr bedeute als sie mir.«

Linda fragte nicht weiter. Wallander registrierte, daß er sich sofort fragte, wie ihr Sexualleben wohl aussah. Aber allein der Gedanke erfüllte ihn mit so vielen widerstreitenden Gefühlen, daß er auf keinen Fall danach fragen würde.

Sie saßen bis nach zehn Uhr in dem Restaurant. Dann wollte er sie nach Hause fahren, aber sie hatte noch etwas zu erledigen. Sie trennten sich auf dem Parkplatz. Wallander gab ihr dreihundert Kronen.

»Das brauchst du nicht«, sagte sie.

»Das weiß ich. Aber nimm sie trotzdem.«

Dann sah er sie in Richtung Stadt verschwinden. Dachte, daß das seine Familie war. Eine Tochter, die ihren Weg ging. Und ein Vater, der gerade in einem Flugzeug saß, auf dem Weg ins heiße Ägypten. Zu beiden hatte er eine komplizierte Beziehung. Nicht nur sein Vater konnte schwierig sein, sondern auch Linda.

Um halb zwölf war er wieder in Ystad. Auf der Rückfahrt war es ihm leichter gefallen, an das zu denken, was ihn jetzt erwartete. Das Treffen mit Linda hatte ihm neue Energie gegeben. Auf so breiter Front wie möglich, sagte er zu sich selbst. Das ist der Weg, den wir gehen müssen. Er hielt an der Einfahrt nach Ystad und aß einen Hamburger. Gleichzeitig schwor er sich, daß es der letzte in diesem Jahr wäre.

Als er in die Anmeldung des Polizeipräsidiums kam, rief Ebba ihn zu sich. Sie sah etwas angespannt aus.

»Björk will mit dir sprechen«, sagte sie.

Wallander hängte zunächst in seinem Zimmer seine Jacke auf, ging dann zu Björk und wurde sofort vorgelassen.

Björk blieb hinter seinem Schreibtisch stehen. »Ich muß sagen, ich bin äußerst unangenehm berührt«, sagte er.

»Wovon?«

»Davon, daß du in einer privaten Angelegenheit nach Malmö fährst, während wir mitten in einer schwierigen Mordermittlung stecken. Für die außerdem doch wohl du die Verantwortung trägst.«

Wallander traute seinen Ohren nicht. Björk stand tatsächlich da und schimpfte ihn aus. Das war noch nie vorgekommen, auch wenn Björk oft viel bessere Gründe gehabt hätte als jetzt. Wallander dachte an all die Gelegenheiten, wo er bei einer Ermittlung viel zu eigenmächtig gehandelt hatte, ohne die anderen zu informieren.

»Das war sehr ungeschickt«, schloß Björk. »Es gibt natürlich keine offizielle Rüge. Aber es war wie gesagt rücksichtslos.«

Wallander starrte Björk an. Dann drehte er sich um und ging, ohne ein Wort zu sagen. Auf halbem Wege zu seinem Zimmer machte er kehrt und ging zurück, riß die Tür zu Björks Zimmer auf und sagte mit zusammengebissenen Zähnen:

»Ich laß mich von dir nicht anscheißen. Nur daß du es weißt. Gib mir gern eine offizielle Rüge, wenn du willst. Aber stell dich nicht hin und rede Scheiße. Nicht mit mir.«

Dann ging er. Er spürte, wie ihm der Schweiß ausbrach. Aber es tat ihm nicht leid. Der Ausbruch war nötig gewesen, und er machte sich nicht die geringsten Sorgen wegen eventueller Folgen. Seine Stellung im Polizeipräsidium war stark.

Er holte Kaffee aus dem Eßraum und setzte sich an seinen Schreibtisch. Er wußte, daß Björk in Stockholm irgendwelche Kurse für Führungskräfte besucht hatte. Vermutlich hatte er gelernt, daß man seine Mitarbeiter regelmäßig zusammenstauchen soll, um das Klima am Arbeitsplatz zu verbessern. Aber in dem Fall hatte er sich gleich zu Anfang den Falschen ausgesucht.

Außerdem fragte er sich, wer Björk gesteckt hatte, daß er den Vormittag damit verbracht hatte, seinen Vater nach Malmö zu fahren.

Es gab mehrere Möglichkeiten. Wallander konnte sich nicht mehr daran erinnern, wem er von der Ägyptenreise seines Vaters erzählt hatte.

Aber ganz sicher war es nicht Rydberg. Björk betrachtete Rydberg höchstens als notwendiges administratives Übel. Und Rydberg war immer loyal seinen Arbeitskollegen gegenüber. Obwohl seine Loyalität sich nicht korrumpieren ließ; er würde es niemals gedeckt haben, wenn einer seiner Kollegen sich eines Dienstvergehens schuldig machte. Dann wäre Rydberg der erste, der reagierte.

Wallander wurde in seinen Gedanken unterbrochen, als plötzlich Martinsson in der Tür stand.

»Hast du Zeit?«

Wallander nickte zu dem Stuhl auf der anderen Seite des Schreibtisches.

Sie sprachen zunächst über den Brand und den Mord an den Schwestern Eberhardsson. Aber Wallander merkte, daß Martinsson wegen etwas ganz anderem gekommen war.

»Es geht um das Flugzeug«, sagte er. »Die Kollegen in Sjöbo haben schnell gearbeitet. Sie haben eine Stelle direkt südwestlich von der Ortschaft ausgemacht, wo in der Nacht Licht gewesen sein soll. Soweit ich es verstanden haben, ist es eine Stelle, wo keine Häuser stehen. Das könnte also auf einen Abwurf hindeuten.«

»Du meinst, die Lichter waren Leitlichter?«

»Das wäre eine Möglichkeit. Außerdem zieht sich ein Netz von kleinen Straßen durch das Gebiet. Leicht hinzukommen, leicht zu verschwinden.«

»Das stützt unsere Theorie«, sagte Wallander.

»Ich habe noch mehr«, fuhr Martinsson fort. »Die Kollegen in Sjöbo sind sehr eifrig gewesen. Sie haben überprüft, wer dort in der Nähe wohnt. Die meisten sind natürlich Bauern. Aber sie sind auf eine Ausnahme gestoßen.«

Wallander spitzte die Ohren.

»Es gibt einen Hof, der Långelunda heißt«, fuhr Martinsson fort. »Seit mehreren Jahren haben sich dort immer wieder Menschen aufgehalten, die der Polizei in Sjöbo Probleme bereiten. Leute sind ein- und wieder ausgezogen, die Besitzverhältnisse waren unklar, und es wurde Rauschgift beschlagnahmt. Keine großen Mengen. Aber immerhin.«

Martinsson rieb sich die Stirn. »Der Kollege, mit dem ich gesprochen habe, Göran Brunberg, hat ein paar Namen genannt. Ich habe nicht genau hingehört. Aber als ich dann aufgelegt hatte, kam ich ins Grübeln. Einer der Namen kam mir irgendwie bekannt vor. Von einem Fall, den wir vor kurzem behandelt haben.«

Wallander setzte sich im Stuhl auf. »Du meinst doch nicht etwa, daß Yngve Leonard Holm da oben wohnt? Daß er dort einen Unterschlupf hat?«

Martinsson nickte. »Ganz genau. Es hat eine Weile gedauert, bis ich drauf gekommen bin.«

Verdammt, dachte Wallander. Ich wußte, daß mit ihm etwas nicht stimmt. Ich habe sogar an das Flugzeug gedacht. Aber wir waren ja gezwungen, ihn laufenzulassen.

»Wir holen ihn her«, sagte Wallander und schlug mit einer Faust nachdrücklich auf den Schreibtisch.

»Genau das habe ich auch zu den Kollegen in Sjöbo gesagt, als mir der Zusammenhang klarwurde«, sagte Martinsson. »Aber als sie nach Långelunda kamen, war Holm verschwunden.«

»Was meinst du damit?«

»Verschwunden, weg, abgetaucht. Er hat dort gewohnt. Obwohl er die letzten Jahre hier in Ystad gemeldet war. Und er hat seine große Villa hier in Ystad gebaut. Die Kollegen haben mit ein paar anderen Bewohnern gesprochen. Ziemlich unangenehme Typen, wenn ich sie richtig verstanden habe. Holm war gestern da. Aber dann war er verschwunden. Und niemand hat ihn seitdem gesehen. Ich bin zur Villa hier in Ystad gegangen, aber die ist verrammelt.«

Wallander dachte nach. »Es war also ungewöhnlich, daß Holm verschwand?«

»Die anderen Bewohner wirkten offensichtlich beunruhigt.«

»Es könnte also, mit anderen Worten, einen Zusammenhang geben«, sagte Wallander.

»Ich dachte, daß Holm vielleicht einer von den beiden Insassen der abgestürzten Maschine gewesen sein könnte.«

»Wohl kaum«, antwortete Wallander. »Das hieße, daß die Maschine irgendwo gelandet wäre und ihn an Bord genommen hätte. Und einen solchen Platz haben die Kollegen in Sjöbo doch nicht gefunden, oder? Eine improvisierte Landebahn. Außerdem sprengt das den Zeitplan.«

»Ein Sportflugzeug mit einem guten Piloten braucht vielleicht nur eine kleine ebene Fläche, um zu landen und wieder abzuheben.«

Wallander zögerte. Vielleicht hatte Martinsson recht. Auch wenn er es bezweifelte. Anderseits fiel es ihm nicht schwer, sich vorzustellen, daß Holm in bedeutend größere Drogengeschäfte verwickelt war, als sie bis jetzt geahnt hatten.

»Wir müssen weiter daran arbeiten«, sagte Wallander. »Leider wirst du dabei ziemlich allein sein. Wir anderen müssen uns um die ermordeten Schwestern kümmern.«

»Habt ihr ein denkbares Motiv?«

»Wir haben nichts weiter als eine unbegreifliche Hinrichtung und einen explosionsartigen Brand. Aber wenn es in dem Aschenhaufen etwas gibt, dann findet Nyberg es auch.«

Martinsson ging. Wallander merkte, wie seine Gedanken zwischen dem abgestürzten Flugzeug und dem Brand hin und her gingen. Es wurde zwei Uhr. Sein Vater mußte jetzt in Kairo gelandet sein, wenn die Maschine pünktlich in Kastrup abgeflogen war. Dann dachte er an Björks merkwürdiges Verhalten. Er spürte, daß er sich wieder aufregte und gleichzeitig zufrieden war, daß er seinem Chef die Meinung gesagt hatte.

Da er Schwierigkeiten hatte, sich auf seine Akten zu konzentrieren, fuhr er wieder zur Brandstelle hinunter. Nyberg stand mit den anderen Technikern bis zu den Knien im Dreck. Der Brandgeruch war immer noch stark.

Nyberg entdeckte Wallander und kam auf die Straße. »Es hat mit ungeheurer Hitze gebrannt, meinen Eders Leute«, sagte er. »Alles scheint geschmolzen zu sein. Und das verstärkt natürlich die Theorie, daß es sich um einen gelegten Brand handelt, der an vielen Stellen gleichzeitig ausbrach. Vielleicht mit Hilfe von Benzin.«

»Wir müssen die kriegen, die das getan haben«, sagte Wallander.

»Das wäre wohl das beste«, antwortete Nyberg. »Man hat langsam das Gefühl, daß hier ein Verrückter am Werk war.«

»Oder das Gegenteil«, sagte Wallander. »Jemand, der wirklich wußte, was er wollte.«

»In einem Handarbeitsgeschäft? Bei zwei unverheirateten alten Schwestern?« Nyberg schüttelte ungläubig den Kopf und ging zu dem abgebrannten Haus zurück.

Wallander machte einen Spaziergang zum Hafen hinunter. Er brauchte frische Luft. Es war einige Grad unter Null und fast windstill. Vor dem Theater blieb er stehen und sah, daß ein Gastspiel vom Rikstheater auf dem Programm stand. *Ein Traumspiel* von Strindberg. Wenn es eine Oper wäre, dachte er. Dann würde ich hingehen. Aber bei gesprochenem Theater zögerte er.

Er ging auf den Steg des Sportboothafens hinaus. Vom großen Terminal daneben legte gerade eine Fähre nach Polen ab. Gedankenverloren fragte er sich, wie viele Autos mit dieser Fähre wohl gerade aus Schweden herausgeschmuggelt wurden.

Erst um halb vier kehrte er ins Polizeipräsidium zurück. Er fragte sich, ob sein Vater sich in seinem Hotel zurechtgefunden hatte. Und ob er selbst wegen unerlaubter Abwesenheit einen erneuten Rüffel von Björk bekommen würde. Um vier hatte er seine Kollegen im Sitzungszimmer versammelt. Sie gingen durch, was im Laufe des Tages geschehen war. Noch immer war das Material mager.

»Auffallend mager«, meinte Rydberg. »Da brennt mitten in Ystad ein Haus ab, und niemand hat irgend etwas Ungewöhnliches bemerkt.«

Svedberg und Hansson berichteten, was sie herausbekommen hatten. Keine der Schwestern war jemals verheiratet gewesen. Es gab eine Reihe entfernter Verwandter, Cousinen und Vettern zweiten Grades. Aber keiner von ihnen wohnte in Ystad. Das Handarbeitsgeschäft hatte keinen aufsehenerregenden Gewinn ausgewiesen. Auch Bankkonten mit großen Beträgen hatten sie nicht gefunden. Hansson hatte ein Schließfach bei der Handelsbank entdeckt. Aber da die Schlüssel fehlten, war Per Åkeson gezwungen, einen Antrag zu stellen, um das Fach aufbrechen zu lassen. Hansson rechnete damit, daß das im Laufe des nächsten Tages geschehen würde.

Danach legte sich eine schwere Stille über den Raum.

»Es muß ein Motiv geben«, sagte Wallander. »Früher oder später werden wir es finden. Wir müssen nur Geduld haben.«

»Wer kannte die beiden Schwestern?« fragte Rydberg. »Sie müssen Freunde gehabt haben und ab und zu ein bißchen Freizeit, wenn sie nicht im Geschäft standen. Waren sie an irgendeiner Form von Vereinsleben beteiligt? Hatten sie ein Sommerhäuschen? Sind sie in Urlaub gefahren? Ich glaube immer noch, daß wir nur an der Oberfläche kratzen.«

Wallander merkte, daß Rydbergs Stimme gereizt klang. Er hat sicher starke Schmerzen, dachte Wallander schnell. Ich frage mich, was ihm eigentlich fehlt. Wenn es denn nicht nur das Rheuma ist.

Niemand hatte etwas gegen Rydbergs Einwurf einzuwenden. Die Arbeit mußte fortgeführt und vertieft werden.

Wallander blieb fast bis acht Uhr in seinem Zimmer. Er machte eine eigene Aufstellung aller Fakten, die sie zu den Schwestern Eberhardsson in der Hand hatten. Als er noch einmal durchlas, was er geschrieben hatte, sah er, wie wenig es tatsächlich war. Sie hatten nicht die geringste Spur.

Bevor er sein Büro verließ, rief er Martinsson zu Hause an, der ihm mitteilte, daß Holm noch immer nicht aufgetaucht war.

Wallander fuhr nach Hause. Es dauerte lange, bis sich der Motor in Gang hustete. Er beschloß wütend, einen Kredit aufzunehmen und sich so schnell wie möglich ein neues Auto zu kaufen.

Als er nach Hause kam, trug er sich in die Liste im Waschkeller ein und machte anschließend eine Dose mit Würstchen auf. Als er sich, den Teller auf den Knien balancierend, vor den Fernseher gesetzt hatte, klingelte das Telefon. Es war Emma. Sie fragte, ob sie vorbeikommen könne.

»Heute abend nicht«, antwortete Wallander. »Du hast sicher von dem Brand und den beiden Schwestern gelesen. Wir arbeiten zur Zeit rund um die Uhr.«

Sie verstand. Als Wallander aufgelegt hatte, fragte er sich, warum er ihr nicht die Wahrheit gesagt hatte. Daß er nicht mehr mit ihr zusammensein wollte. Obwohl es unverzeihlich feige gewesen wäre, das am Telefon zu tun. Er würde sich wohl die Mühe machen müssen, einmal abends zu ihr zu fahren. Er versprach sich selbst, das sofort zu tun, wenn er Zeit hätte.

Er aß die inzwischen kalten Würstchen. Mittlerweile war es neun Uhr.

Das Telefon klingelte wieder. Ärgerlich stellte Wallander den Teller hin und nahm ab.

Es war Nyberg. Er war noch immer an der Brandstelle und rief von einem Polizeiwagen aus an. »Ich glaube, jetzt haben wir was gefunden«, sagte er. »Einen Safe. Von der exklusiven Sorte, der sehr großer Hitze widersteht.«

»Warum habt ihr den nicht früher gefunden?«

»Gute Frage«, antwortete Nyberg, ohne beleidigt zu klingen. »Aber der Safe war im Fundament des Hauses versenkt. Unter all dem Schlamm haben wir eine hitzeisolierte Luke gefunden. Als wir sie aufgebrochen haben, ist ein Hohlraum zum Vorschein gekommen. Und darin stand der Safe.«

»Habt ihr ihn aufgemacht?«

»Womit denn? Schlüssel gibt es ja keine. Das Ding hier wird nicht leicht zu knacken sein.«

Wallander sah auf die Uhr. Zehn nach neun. »Ich komme«, sagte er. »Vielleicht hast du da den Ansatzpunkt gefunden, nach dem wir gesucht haben.«

Als Wallander losfahren wollte, bekam er seinen Wagen nicht in Gang. Er gab auf und ging zu Fuß bis zur Hamngata.

Zwanzig Minuten vor zehn stand er neben Nyberg und betrachtete den Safe, der von einem einsamen Scheinwerfer beleuchtet wurde.

Ungefähr zur selben Zeit begann die Temperatur zu fallen, und ein böiger Wind aus Osten setzte ein.

6

Kurz nach Mitternacht am 15. Dezember war es Nyberg und seinen Männern gelungen, den Safe mit Hilfe eines Krans zu heben. Er wurde auf der Ladefläche eines Lastwagens abgesetzt und sofort zum Polizeipräsidium gefahren. Aber bevor Nyberg und Wallander den Ort verließen, untersuchte Nyberg den Hohlraum im Fundament des Hauses.

»Er ist nicht so alt wie das Haus«, sagte er. »Ich kann es mir nur so erklären, daß er nachträglich wegen dieses Safes eingebaut wurde.«

Wallander nickte, schwieg aber. Er dachte an die Schwestern Eberhardsson. An das fehlende Tatmotiv. Jetzt hatten sie es vielleicht gefunden, obwohl sie noch nicht wußten, was der Safe enthielt.

Aber jemand anders kann es gewußt haben, dachte Wallander. Nicht nur, daß der Safe existierte, sondern auch, was sich in ihm befand.

Sie verließen die Brandstelle und traten auf die Straße.

»Kann man den Safe aufschneiden?« fragte Wallander.

»Ja, natürlich«, antwortete Nyberg. »Aber dafür braucht man ein Spezialschweißgerät. Das hier ist ein Safe, an den ein gewöhnlicher Safeknacker sich nicht im Traum herantrauen würde.«

»Wir müssen ihn so schnell wie möglich öffnen.«

Nyberg schälte sich aus dem Overall. Er betrachtete Wallander ungläubig.

»Meinst du, daß der Safe heute nacht geöffnet werden soll?«

»Am liebsten«, sagte Wallander. »Es geht um einen Doppelmord.«

»Das schaffen wir nicht«, sagte Nyberg. »Ich kann erst morgen die Leute mit den Spezialschweißgeräten erreichen.«

»Sind sie hier in Ystad?«

Nyberg dachte nach. »Es gibt einen Betrieb, der das Militär beliefert«, sagte er. »Die haben sicher brauchbare Schweißgeräte. Ich glaube, er heißt Fabricius. In der Industrigata.«

Wallander sah, wie müde Nyberg war. Es wäre Wahnsinn, ihn

jetzt nicht nach Hause zu schicken. Auch er selbst sollte nicht bis zur Morgendämmerung weitermachen.

»Morgen früh um sieben«, sagte Wallander.

Nyberg nickte.

Wallander sah sich nach seinem Wagen um. Dann fiel ihm ein, daß er nicht angesprungen war. Nyberg hätte ihn nach Hause fahren können. Aber er zog es vor, zu laufen. Der Wind war kalt. Vor einem Schaufenster in der Stora Östergata hing ein Thermometer. Minus sechs Grad. Der Winter kommt angeschlichen, dachte Wallander. Bald ist er da.

Eine Minute vor sieben am Morgen des 15. Dezember trat Nyberg in Wallanders Zimmer. Wallander hatte das Telefonbuch aufgeschlagen vor sich. Er hatte sich den Safe schon angesehen, der in einem Zimmer neben der Anmeldung stand, das vorübergehend leer war. Einer der Polizisten, deren Nachtdienst gerade zu Ende ging, hatte erzählt, daß sie einen Gabelstapler gebraucht hatten, um den Safe hineinzubekommen. Wallander nickte. Er hatte die Spuren vor der Glastür bemerkt und gesehen, daß eine der Türangeln verbogen war. Darüber wird Björk nicht froh sein, dachte er. Aber er wird es leider ertragen müssen. Wallander versuchte erfolglos, den Safe von der Stelle zu rücken. Er fragte sich, was darin sein mochte. Oder ob er leer war.

Nyberg rief den Betrieb in der Industrigata an. Wallander holte Kaffee. Gleichzeitig kam Rydberg. Wallander erzählte von dem Safe.

»Wie ich vermutet habe«, sagte Rydberg. »Wir wissen sehr wenig von diesen Schwestern.«

»Wir sind dabei, ein Schweißgerät zu besorgen, um den Safe zu knacken«, sagte Wallander.

»Ich hoffe, du sagst Bescheid, bevor ihr das Wunderwerk aufmacht«, sagte Rydberg. »Das wird spannend.«

Wallander kehrte in sein Zimmer zurück. Er hatte den Eindruck, daß Rydberg heute weniger Schmerzen hatte.

Nyberg beendete gerade sein Gespräch, als Wallander mit den Kaffeebechern kam.

»Ich habe eben mit Ruben Fabricius gesprochen«, sagte er. »Er meint, sie würden den Safe wohl schaffen. Sie sind in einer halben Stunde hier.«

»Gib mir Bescheid, wenn sie kommen«, sagte Wallander.

Nyberg verließ den Raum. Wallander dachte an seinen Vater in Kairo. Hoffte, daß seine Erlebnisse den Erwartungen entsprachen. Er betrachtete den Zettel mit der Telefonnummer des Hotels, Mena House, und überlegte, ob er anrufen sollte. Aber plötzlich war er unsicher, mit welcher Zeitverschiebung er zu rechnen hatte und ob es überhaupt eine gab. Er ließ den Gedanken fallen und rief statt dessen Ebba an und fragte, wer schon im Haus sei.

»Martinsson hat sich gemeldet und gesagt, er sei auf dem Weg nach Sjöbo«, antwortete sie. »Svedberg ist noch nicht da. Hansson duscht. Er hat anscheinend zu Hause einen Wasserrohrbruch.«

»Wir werden gleich einen Safe öffnen lassen«, sagte Wallander. »Es könnte ein bißchen Lärm geben.«

»Ich hab ihn mir gerade angesehen«, sagte Ebba. »Ich dachte, Safes wären größer.«

»In einem wie diesem hier ist bestimmt auch viel Platz.«

»Igitt, ja.«

Später fragte sich Wallander, was sie eigentlich mit ihrem letzten Kommentar gemeint hatte. Erwartete sie, daß in dem Safe eine Kinderleiche lag? Oder ein abgehackter Kopf?

Hansson stand in der Tür. Sein Haar war noch naß.

»Ich habe eben mit Björk gesprochen«, sagte er fröhlich. »Er hat darauf hingewiesen, daß die Eingangstür des Präsidiums in der Nacht beschädigt worden ist.«

Hansson hatte noch nichts von dem Safe gehört. Wallander erklärte es ihm.

»Das gibt uns vielleicht ein Motiv«, sagte Hansson.

»Im besten Fall«, erwiderte Wallander. »Im schlimmsten Fall ist der Safe leer. Und dann stehen wir noch dümmer da.«

»Kann ja sein, daß der Mörder der beiden Schwestern ihn geleert hat«, wandte Hansson ein. »Vielleicht hat er eine erschossen und die andere gezwungen, den Safe zu öffnen?«

Der Gedanke war Wallander auch schon gekommen. Aber etwas sagte ihm, daß es nicht so gewesen war. Ohne daß er selbst erklären konnte, woher er dieses Gefühl hatte.

Um acht Uhr begannen die Schweißer unter der Leitung von Ruben Fabricius, den Safe aufzuschneiden. Es war, wie Nyberg befürchtet hatte, eine schwere Arbeit.

»Spezialstahl«, sagte Fabricius. »Ein gewöhnlicher Safeknacker würde sein ganzes Leben brauchen, um so einen Safe zu knacken.«

»Kann man ihn nicht aufsprengen?« fragte Wallander.

»Dann besteht leider die Gefahr, daß das Haus gleichzeitig zusammenfällt«, antwortete Fabricius. »Daher würde ich den Safe erst nach draußen auf ein offenes Feld bringen. Aber manchmal braucht man so viel Sprengstoff, daß der Safe in Stücke gerissen wird. Der Inhalt verbrennt oder wird pulverisiert.«

Fabricius war ein großer, kräftiger Mann, der jeden Satz mit einem kurzen Lachen beendete. »Ein Safe wie dieser kostet sicher hunderttausend Kronen«, sagte er und lachte.

Wallander sah ihn verwundert an. »So viel?«

»Bestimmt.«

Eins war in jedem Fall klar, dachte Wallander und erinnerte sich an den Bericht vom Vortag über die finanzielle Situation der Ermordeten. Die Schwestern Eberhardsson hatten erheblich mehr Geld besessen, als sie das Finanzamt hatten wissen lassen. Sie verfügten über Einkünfte, die sie nicht angegeben hatten. Aber was kann man in einem Handarbeitsgeschäft verkaufen, das so wertvoll ist? Goldfäden? Diamantene Manschettenknöpfe?

Um Viertel nach neun wurden die Schweißgeräte ausgeschaltet. Fabricius nickte Wallander zu und lachte. »Fertig«, sagte er.

Rydberg, Hansson und Svedberg waren gekommen. Nyberg hatte die Arbeit die ganze Zeit verfolgt. Mit einem Kuhfuß brach Fabricius nun die hintere Wand heraus, die mit den Schweißgeräten zerschnitten worden war. Alle, die um den Safe herumstanden, reckten die Hälse. Wallander sah mehrere in Plastik eingeschlagene Päckchen. Nyberg nahm eins heraus, das obendrauf lag. Das Plastik war weiß und mit Tesafilm zugeklebt. Nyberg legte das Päckchen auf einen Stuhl und schnitt das Klebeband auf. Drinnen war ein dickes Bündel Scheine. Amerikanische Hundert-Dollar-Scheine. Es waren zehn Bündel mit jeweils zehntausend Dollar.

»Nicht schlecht«, sagte Wallander. Er löste vorsichtig einen Schein heraus und hielt ihn gegen das Licht. Er schien echt zu sein.

Nyberg nahm die anderen Päckchen eines nach dem anderen heraus und öffnete sie. Fabricius stand im Hintergrund und lachte jedesmal, wenn ein neues Bündel ausgepackt wurde.

»Wir nehmen den Rest mit ins Sitzungszimmer«, sagte Wallander.

Dann dankte er Fabricius und den beiden Männern, die den Safe aufgeschnitten hatten.

»Schicken Sie uns eine Rechnung. Ohne Sie hätten wir ihn niemals aufgekriegt.«

»Ich glaube, das hier war gratis«, sagte Fabricius. »Das war ein Erlebnis für einen Fachmann. Und eine ausgezeichnete Weiterbildung dazu.«

»Es ist vielleicht nicht nötig, an die große Glocke zu hängen, was in dem Safe war«, sagte Wallander und versuchte, seiner Stimme Nachdruck zu verleihen.

Fabricius lachte und salutierte. Wallander sah ihm an, daß er es nicht ironisch meinte.

Als alle Päckchen geöffnet und die Bündel gezählt waren, überschlug Wallander die Summe. Das meiste waren amerikanische Dollar. Aber es waren auch englische Pfund und Schweizer Franken dabei. »Ich komme auf ungefähr fünf Millionen schwedische Kronen«, sagte er. »Nicht gerade *peanuts.*«

»Mehr Geld hätte man auch kaum in den Safe pressen können«, sagte Rydberg. »Aber wenn dieses Geld das Motiv war, dann hat der oder haben die Täter nicht bekommen, was sie wollten.«

»Und trotzdem haben wir so etwas wie ein Motiv«, sagte Wallander. »Dieser Safe war versteckt. Nyberg meint, daß er schon einige Jahre dort stand. Irgendwann hielten die Schwestern es also für nötig, ihn anzuschaffen, da sie große Geldsummen zu verwahren und zu verstecken hatten. Es sind fast alles neue und ungebrauchte Dollarscheine. Also muß es möglich sein, ihre Herkunft zu ermitteln. Sind sie auf legalem oder auf illegalem Weg nach Schweden gekommen? Außerdem brauchen wir so schnell wie möglich Antwort auf mehrere Fragen. Was hatten diese Schwestern für Kontakte? Was für Gewohnheiten hatten sie?«

»Wir brauchen auch die schlechten«, warf Rydberg ein. »Die sind mindestens so wichtig wie die anderen.«

Gegen Ende der Sitzung kam Björk ins Zimmer. Er stutzte, als er das viele Geld auf dem Tisch liegen sah. »Das hier muß genau registriert werden«, sagte er, als Wallander ein wenig angestrengt erklärte, was passiert war. »Selbstverständlich darf nichts wegkommen. Außerdem frage ich mich, was mit der Eingangstür geschehen ist.«

»Ein Arbeitsunfall«, antwortete Wallander. »Als der Gabelstapler den Safe hereinheben sollte.«

Er sagte das mit solchem Nachdruck, daß Björk nicht dazu kam, Einwände zu machen.

Sie beendeten die Sitzung. Wallander verließ schnell den Raum, um nicht mit Björk allein zu bleiben. Es war Wallander zugefallen, Kontakt mit einem örtlichen Tierschutzverein aufzunehmen, in dem den Angaben der Nachbarn zufolge mindestens eine der Schwestern, Emilia, aktiv gewesen war. Svedberg hatte ihm einen Namen und eine Adresse gegeben: Tyra Olofsson in der Käringgata 11. Als Wallander die Adresse sah, mußte er lachen: Altweibergasse. Er fragte sich, ob es in Schweden noch eine andere Stadt außer Ystad mit so merkwürdigen Straßennamen gab.

Bevor Wallander das Polizeigebäude verließ, rief er Arne Hurtig an, den Autohändler, bei dem er in der Regel seine Autos kaufte. Er erklärte die Situation mit seinem Peugeot. Hurtig machte ihm verschiedene Angebote. Wallander fand sie alle zu teuer. Aber als Hurtig versprach, ihm für seinen alten Wagen noch einen guten Preis zu machen, entschied er sich für einen anderen Peugeot. Er legte auf und rief bei seiner Bank an. Es dauerte ein paar Minuten, bis er mit dem Angestellten sprechen konnte, der ihn normalerweise betreute. Wallander bat um einen Kredit von 20000 Kronen. Das sollte kein Problem sein. Er könnte am nächsten Tag kommen, um den Kreditvertrag zu unterschreiben und das Geld abzuholen.

Der Gedanke an ein neues Auto versetzte ihn in gute Laune. Warum er immer Peugeot fuhr, wußte er nicht. Ich bin wohl doch mehr Gewohnheitsmensch, als ich bisher geglaubt habe, dachte er, als er das Polizeipräsidium verließ. Er blieb stehen und sah sich den verbeulten Rahmen der Eingangstür an. Da niemand in der Nähe war, trat er noch einmal kräftig dagegen. Die Beule wurde größer. Er ging schnell davon und duckte sich gegen den böigen

Wind. Natürlich hätte er Tyra Olofsson anrufen sollen, um sicherzugehen, daß sie zu Hause war. Aber da sie Rentnerin war, ging er einfach davon aus.

Als er an der Tür klingelte, wurde sie fast sofort geöffnet. Tyra Olofsson war klein und trug eine Brille, die verriet, daß sie sehr kurzsichtig war. Wallander erklärte, wer er war, und zeigte ihr seinen Ausweis, den sie wenige Zentimeter vor ihre Brille hielt und genau studierte.

»Die Polizei«, sagte sie. »Dann muß es mit der armen Emilia zu tun haben.«

»Das stimmt«, antwortete Wallander. »Ich hoffe, ich störe nicht.«

Sie bat ihn herein. Im Flur roch es stark nach Hund. Sie führte ihn in die Küche. Auf dem Boden zählte Wallander vierzehn Freßnäpfe. Schlimmer als Haverberg, dachte er.

»Ich halte sie draußen«, sagte Tyra Olofsson, die seinem Blick gefolgt war.

Wallander fragte sich, ob es im Stadtzentrum wirklich erlaubt war, so viele Hunde zu halten. Sie bot ihm einen Kaffee an. Er lehnte dankend ab. Er hatte Hunger und würde etwas essen, sobald das Gespräch mit Tyra Olofsson beendet war. Er setzte sich an den Tisch und suchte vergeblich nach etwas zu schreiben. Ausnahmsweise hatte er daran gedacht, ein kleines Notizbuch in die Tasche zu stecken. Aber jetzt fehlte ihm ein Stift. Er angelte sich einen Bleistift, der auf der Fensterbank lag.

»Sie haben recht, Frau Olofsson«, begann er. »Es geht um Emilia Eberhardsson, die auf so tragische Weise ums Leben gekommen ist. Wir haben von einer Nachbarin gehört, daß sie im hiesigen Tierschutzverein mitgearbeitet hat. Und daß Sie sie gut kannten.«

»Daß ich sie gut kannte, würde ich nicht behaupten. Das tat niemand, glaube ich.«

»Und die zweite Schwester, Anna Eberhardsson, hatte nie etwas mit Ihrer Arbeit für den Tierschutz zu tun?«

»Nein.«

»Ist das nicht etwas merkwürdig? Ich meine, zwei Schwestern, beide unverheiratet, die zusammenleben. Ich stelle mir vor, daß man dann auch gemeinsame Interessen hat.«

»Das ist ein Vorurteil«, antwortete Tyra Olofsson bestimmt.

»Außerdem waren Emilia und Anna vermutlich sehr unterschiedliche Frauen. Ich habe mein ganzes Leben als Lehrerin gearbeitet. Da lernt man, die Unterschiedlichkeit der Menschen zu erkennen. Man sieht es schon, wenn die Kinder klein sind.«

»Wie würden Sie Emilia beschreiben?«

Die Antwort überraschte Wallander.

»Hochnäsig. War davon überzeugt, immer alles besser zu wissen als andere. Sie konnte sehr unangenehm sein. Aber da sie es war, die Geld für unsere Arbeit spendete, konnten wir sie ja nicht rauswerfen. Auch wenn wir es gewollt hätten.«

Tyra Olofsson erzählte vom örtlichen Tierschutzverein, den sie selbst mit ein paar Gleichgesinnten in den sechziger Jahren gegründet hatte. Sie hatten immer vor Ort gearbeitet, und der Anlaß für die Gründung des Vereins war das wachsende Problem mit den ausgesetzten Katzen. Der Verein war immer klein geblieben und hatte nur wenige Mitglieder gehabt. Irgendwann Anfang der siebziger Jahre hatte Emilia Eberhardsson in *Ystads Allehanda* von dem Verein gelesen und war Mitglied geworden. Sie hatte jeden Monat Geld gespendet und an Sitzungen und verschiedenen Aktivitäten teilgenommen. »Aber ich glaube, sie mochte Tiere eigentlich gar nicht«, sagte Tyra Olofsson unerwartet. »Ich glaube, sie tat es, weil man glauben sollte, daß sie ein guter Mensch sei.«

»Das klingt nicht besonders freundlich.«

Die Frau auf der anderen Seite des Tisches zwinkerte ihm zu. »Ich dachte, die Polizei will die Wahrheit wissen«, sagte sie. »Oder irre ich mich?«

Wallander wechselte das Thema und fragte nach dem Geld.

»Sie spendete einen Tausender im Monat. Für uns war das viel.«

»Machte sie den Eindruck, als sei sie reich?«

»Sie kleidete sich nicht besonders teuer. Aber Geld hatte sie immer.«

»Sie haben sich doch sicherlich gefragt, woher es kam. Ein Handarbeitsgeschäft verbindet man kaum mit Reichtum.«

»Tausend Kronen im Monat auch nicht«, antwortete sie. »Ich bin kein besonders neugieriger Mensch. Vielleicht weil ich so schlecht sehe? Aber woher das Geld kam oder wie ihr Handarbeitsgeschäft ging, darüber weiß ich nichts.«

Wallander zögerte einen kleinen Moment. Dann sagte er es, wie es war. »Aus den Zeitungsberichten ging hervor, daß die beiden Schwestern verbrannt sind«, sagte er. »Aber dort stand nicht, daß sie erschossen wurden. Sie waren also schon tot, als der Brand ausbrach.«

Sie streckte sich. »Wer erschießt denn zwei alte Frauen? Das ist genauso unglaublich, wie wenn jemand mich erschießen wollte.«

»Genau das versuchen wir zu verstehen«, sagte Wallander. »Deshalb bin ich hier. Hat Emilia nie etwas darüber gesagt, daß sie Feinde hatte? Machte sie nie den Eindruck, als hätte sie Angst?«

Tyra Olofsson brauchte nicht nachzudenken. »Sie war immer sehr selbstsicher. Über ihr Leben und das ihrer Schwester hat sie nie ein Wort verloren. Und wenn sie verreist waren, haben sie nicht einmal eine Postkarte geschrieben. Nicht ein einziges Mal. Wo es doch überall so schöne Karten mit Tiermotiven gibt.«

Wallander zog die Augenbrauen hoch. »Sie sind also oft verreist?«

»Zwei Monate jedes Jahr. November und März. Manchmal auch noch im Sommer.«

»Wissen Sie, wohin sie gefahren sind?«

»Ich habe Gerüchte gehört, daß sie nach Spanien fuhren.«

»Wer kümmerte sich dann um das Geschäft?«

»Sie haben sich immer abgewechselt. Vielleicht brauchten sie zuweilen Abstand voneinander.«

»Spanien? Was sagen die Gerüchte noch? Und woher kommen sie?«

»Das weiß ich nicht mehr. Ich höre normalerweise nicht auf Gerüchte. Vielleicht war es Marbella. Aber ich bin mir nicht sicher.«

Wallander fragte sich, ob Tyra Olofsson wirklich so wenig an Gerüchten und Tratsch interessiert war, wie sie ihn glauben machen wollte. Er hatte nur noch eine Frage. »Wer, glauben Sie, kannte Emilia am besten?«

»Ich vermute, ihre Schwester.«

Wallander bedankte sich und ging zurück zum Polizeipräsidium. Der Wind hatte aufgefrischt. Er dachte über Tyra Olofssons Worte nach. In ihrer Stimme hatte keine Bosheit mitgeklungen. Sie war sehr sachlich gewesen. Aber ihre Charakterisierung von Emilia Eberhardsson war gnadenlos.

Als Wallander im Polizeipräsidium ankam, erzählte Ebba, daß Rydberg ihn gesucht habe. Wallander ging direkt in sein Büro.

»Das Bild wird klarer«, sagte Rydberg. »Ich denke, wir holen die anderen und machen eine kleine Sitzung. Ich weiß, daß sie im Haus sind.«

»Was ist passiert?«

Rydberg wedelte mit ein paar Papieren.

»WPZ«, sagte er. »Und hier steht viel Interessantes drin.«

Es dauerte einen Augenblick, bis Wallander sich erinnerte, daß WPZ Wertpapierzentrale bedeutete. Wo unter anderem Aktienbesitz registriert wurde.

»Und ich habe in der Zwischenzeit herausgefunden, daß zumindest die eine der beiden Schwestern eine ausgesprochen unangenehme Person war«, sagte Wallander.

»Wundert mich absolut nicht«, gluckste Rydberg. »Reiche Menschen werden meistens so.«

»Reich?« fragte Wallander.

Aber Rydberg wartete mit der Antwort, bis alle im Sitzungszimmer versammelt waren. Dann wurde er um so deutlicher.

»Den Informationen der Wertpapierzentrale zufolge besaßen die Schwestern Eberhardsson Wertpapiere für annähernd zehn Millionen Kronen. Wie sie es geschafft haben, dafür keine Vermögenssteuer zu zahlen, ist ein Rätsel. Auch die Dividende scheinen sie nicht versteuert zu haben. Aber ich habe dem Finanzamt Dampf gemacht. Es sieht ganz danach aus, als sei Anna Eberhardsson in Spanien gemeldet gewesen. Aber was das angeht, habe ich noch keine klaren Informationen. Wie dem auch sei, sie besaßen ein beachtliches Aktienvermögen, sowohl in Schweden als auch im Ausland. Die Möglichkeiten der Wertpapierzentrale, Aktienbesitz im Ausland zu kontrollieren, sind natürlich minimal. Das ist auch nicht ihre Aufgabe. Aber die Schwestern haben mit Vorliebe Geld in die britische Waffen- und Flugzeugindustrie investiert. Und es scheint, als hätten sie ungemein viel Geschick und Risikobereitschaft an den Tag gelegt.«

Rydberg legte die Papiere auf den Tisch.

»Wir dürfen also nicht von der Möglichkeit absehen, daß wir nur die berühmte Spitze des ebenso berühmten Eisbergs vor uns haben. Fünf Millionen in einem Safe und zehn Millionen in Aktien und Fonds. Das haben wir im Laufe weniger Stunden herausgefunden. Was geschieht, wenn wir noch eine Woche so weitermachen? Vielleicht steigt der Betrag auf hundert Millionen?«

Wallander berichtete von seinem Treffen mit Tyra Olofsson.

»Die Beschreibung der Schwester Anna ist auch nicht gnädig«, sagte Svedberg, als Wallander fertig war. »Ich habe mit dem Mann gesprochen, der den Schwestern vor ungefähr fünf Jahren das Haus verkauft hat. Als der Immobilienmarkt anfing zu wackeln. Davor waren sie nur Mieter. Offensichtlich war Anna diejenige, die verhandelte. Emilia habe sich nie gezeigt. Und der Mann sagte, Anna sei die anstrengendste Klientin gewesen, die er jemals gehabt habe. Außerdem war es ihr offenbar gelungen, herauszubekommen, daß seine Immobilienfirma sich gerade in einer Krise befand, in Hinsicht auf die Solidität ebenso wie auf die Liquidität. Er meinte, sie sei vollkommen eiskalt gewesen und habe ihn mehr oder weniger erpreßt.«

Svedberg schüttelte den Kopf.

»Das ist nicht gerade das Bild, das man von zwei alten Tanten hat, die Knöpfe verkaufen«, schloß er, und es wurde still im Raum.

Schließlich brach Wallander die Stille. »In gewisser Weise ist das hier wieder ein Durchbruch«, begann er. »Wir haben noch immer keine Spur von dem, der sie getötet hat. Aber wir haben ein denkbares Motiv. Und es ist das gewöhnlichste aller Motive: Geld. Außerdem wissen wir, daß die Frauen Steuerhinterziehung begangen und dem Finanzamt große Summen vorenthalten haben. Wir wissen, daß sie reich waren. Es würde mich nicht wundern, wenn noch ein Haus in Spanien auftauchte. Und vielleicht noch anderer Besitz, an anderen Orten auf der Welt.«

Wallander goß sich ein Glas Ramlösa ein, bevor er fortfuhr. »Alles, was wir bis jetzt wissen, läßt sich in zwei Punkten zusammenfassen. Zwei Fragen. Woher hatten sie das Geld? Und wer wußte, daß sie vermögend waren?«

Wallander wollte sein Glas heben, um zu trinken, als er sah, daß Rydberg zusammenzuckte, als habe er einen Stoß bekommen.

Dann fiel er kopfüber mit dem Oberkörper auf den Tisch.

Als wäre er tot.

7

Später erinnerte sich Wallander, daß er ein paar Sekunden lang wirklich geglaubt hatte, Rydberg sei tot. Alle, die im Raum waren, als Rydberg zusammenbrach, hatten gedacht, Rydbergs Herz sei plötzlich stehengeblieben. Svedberg hatte als erster reagiert. Er saß neben Rydberg, und als er merkte, daß dieser noch lebte, hatte er nach dem Telefonhörer gegriffen und einen Krankenwagen gerufen. Gleichzeitig hatten Wallander und Hansson Rydberg auf den Boden gelegt und sein Hemd aufgeknöpft. Wallander horchte nach seinem Herzschlag, der viel zu schnell ging. Dann war der Krankenwagen gekommen und Wallander war das kurze Stück bis zum Krankenhaus mitgefahren. Rydberg wurde sofort behandelt, und Wallander erfuhr nach weniger als einer halben Stunde, daß es wohl kein Herzinfarkt gewesen sei. Rydberg hatte eher aus unbekannter Ursache kollabiert. Er hatte das Bewußtsein wiedererlangt, schüttelte aber abwehrend den Kopf, als Wallander mit ihm sprechen wollte. Er sollte zur Beobachtung im Krankenhaus bleiben. Sein Zustand wurde als stabil bezeichnet. Für Wallander gab es keinen Grund, länger zu bleiben. Ein Polizeiwagen stand bereit, um ihn zurück ins Präsidium zu bringen. Die Kollegen hatten unterdessen im Sitzungszimmer gewartet. Sogar Björk war jetzt da. Wallander konnte berichten, daß Rydbergs Zustand unter Kontrolle war.

»Wir arbeiten zu hart«, sagte er und sah Björk an. »Wir haben immer mehr zu tun. Aber das Personal wird nicht aufgestockt. Früher oder später kann es uns allen so ergehen wie Rydberg.«

»Die Situation ist schwierig«, räumte Björk ein. »Aber unsere Mittel sind nun einmal begrenzt.«

Für die nächste halbe Stunde ruhte das Ermittlungsverfahren. Alle waren erschüttert und sprachen über die Arbeitssituation. Als Björk gegangen war, gab es härtere Worte. Über unmögliche Planung, merkwürdige Prioritäten und ständig fehlende Information.

Gegen zwei Uhr meinte Wallander, sie müßten weitermachen. Schließlich war es ihm selbst ein Bedürfnis. Seit er gesehen hatte, was Rydberg passiert war, dachte er daran, was ihm selbst passieren konnte. Wie lange würde sein Herz den Belastungen standhalten? Der ständigen falschen Ernährung, den häufigen Schlafstörungen? Und nicht zuletzt der Trauer nach der Scheidung? »Rydberg würde das hier nicht gefallen«, sagte er. »Daß wir Zeit damit vergeuden, darüber zu sprechen, wie es uns geht. Das können wir nachher tun. Jetzt müssen wir einen Doppelmörder fassen. Und am besten so schnell wie möglich.«

Sie brachen auf. Wallander ging in sein Zimmer und rief im Krankenhaus an. Man teilte ihm mit, daß Rydberg schlief. Für eine Erklärung für seinen Zusammenbruch war es selbstverständlich noch zu früh.

Wallander legte auf. Im selben Moment kam Martinsson herein.

»Was ist passiert?« fragte er. »Ich war in Sjöbo. Ebba saß an der Anmeldung und war ganz erschüttert.«

Wallander erzählte. Martinsson ließ sich schwer auf den Besucherstuhl fallen. »Wir arbeiten uns noch zu Tode«, sagte er. »Und wer dankt es uns?«

Wallander spürte, daß er ungeduldig wurde. Er mochte nicht mehr an Rydbergs Zusammenbruch denken. Jedenfalls im Moment nicht.

»Sjöbo«, sagte er. »Was wolltest du berichten?«

»Ich bin auf diversen Äckern im Lehm herumgestapft«, antwortete Martinsson. »Wir konnten diese Lichter ziemlich gut lokalisieren. Aber nirgends gibt es eine Spur, weder von Scheinwerfern noch von einem Flugzeug, das gelandet und wieder gestartet ist. Anderseits ist einiges andere herausgekommen, was wahrscheinlich erklärt, warum das Flugzeug nicht identifiziert werden konnte.«

»Und was?«

»Es existiert ganz einfach nicht.«

»Wie meinst du das?«

Martinsson blätterte eine Weile in den Papieren, die er aus seiner Aktentasche gezogen hatte.

»Nach Angaben der Herstellerfirma ist die Maschine 1986 in Vientiane abgestürzt. Besitzer war damals ein laotisches Konsortium, das die Maschine für den Transport seiner Chefs zu verschiedenen landwirtschaftlichen Anlagen im Lande einsetzte. Der offiziellen Erklärung zufolge ist die Maschine wegen Benzinmangels abgestürzt. Niemand scheint verletzt worden oder umgekommen zu sein. Aber das Flugzeug war Schrott und wurde aus allen aktuellen Listen gestrichen, auch von der Versicherungsgesellschaft, die offensichtlich eine Art Tochtergesellschaft von Lloyd's war. Das alles hat die Kontrolle der Nummer auf dem Motor ergeben.«

»Aber es stimmte also nicht?«

»Die Herstellerfirma ist natürlich sehr an dem Fall interessiert. Es ist nicht gut für ihren Ruf, wenn ein Flugzeug, das es nicht mehr gibt, plötzlich wieder fliegt. Es kann sich also um einen Versicherungsbetrug handeln oder um etwas anderes, wovon wir keine Ahnung haben.«

»Und die Männer in der Maschine?«

»Wir warten immer noch darauf, daß sie identifiziert werden. Ich habe ein paar gute Kontakte zu Interpol. Sie haben versprochen, die Sache schnell anzugehen.«

»Von irgendwoher muß diese Maschine doch gekommen sein«, sagte Wallander.

Martinsson nickte. »Das stellt uns vor ein weiteres Problem. Wenn man ein Flugzeug mit Extratanks ausrüstet, kann es sehr weit fliegen. Nyberg hat den Verdacht, daß er möglicherweise die Reste eines Extratanks identifiziert hat. Aber wir wissen es noch nicht. Im Prinzip kann dieses Flugzeug also von überall her gekommen sein. Jedenfalls aus England und Mitteleuropa.«

»Aber es müßte bemerkt worden sein«, beharrte Wallander. »Man kann nicht einfach so über Landesgrenzen fliegen.«

»Das denke ich auch«, antwortete Martinsson. »Deshalb ist wohl die Vermutung angebracht, daß es aus Deutschland kam. Da fliegt man über das offene Meer, bis man die schwedische Küste erreicht.«

»Was sagen die deutschen Luftfahrtbehörden?«

»Das dauert«, antwortete Martinsson. »Aber ich bleibe dran.«

Wallander dachte nach. »Eigentlich wirst du bei dem Doppelmord gebraucht«, sagte er. »Kannst du einen Teil deiner Arbeit delegieren? Jedenfalls solange wir auf die Mitteilung warten, wer die Piloten waren und ob die Maschine aus Deutschland kam?«

»Ich wollte gerade dasselbe vorschlagen«, sagte Martinsson.
»Bitte Hansson oder Svedberg, dich kurz auf den letzten Stand zu bringen«, sagte Wallander.

Martinsson stand auf.

»Hast du etwas von deinem Vater aus Ägypten gehört?«

»Er ruft nicht an, wenn es nicht unbedingt nötig ist.«

»Mein Vater ist mit fünfundfünfzig gestorben«, sagte Martinsson plötzlich. »Er hatte eine eigene Firma. Klempnerei. Er hat ununterbrochen gearbeitet, um den Laden in Gang zu bringen. Als es endlich von selbst lief, starb er. Wenn er noch lebte, wäre er jetzt erst siebenundsechzig.«

Martinsson ging. Wallander versuchte, den Gedanken an Rydberg beiseite zu schieben. Er ging noch einmal alles durch, was sie bis jetzt über die Schwestern Eberhardsson wußten. Sie hatten ein mögliches Motiv, Geld, aber keine Spur des Täters oder der Täter. Wallander schrieb ein paar Worte auf seinen Notizblock.

Das Doppelleben der Schwestern Eberhardsson?

Dann schob er den Block zur Seite. Jetzt, wo Rydberg ausfiel, fehlte ihnen ihr bestes Instrument. Wenn eine Ermittlungsgruppe wie ein Orchester ist, dachte Wallander, dann haben wir unseren Konzertmeister verloren. Und ohne erste Geige klingt das Orchester nicht gut.

Im selben Augenblick beschloß er, selbst mit der Person im Nachbarhaus zu sprechen, die die Angaben zu Anna Eberhardsson gemacht hatte. Svedberg war oft zu ungeduldig, wenn er mit Menschen darüber sprach, was sie möglicherweise gesehen oder gehört hatten. Das betraf auch die Frage, was Leute dachten. Er suchte den Namen der Nachbarin heraus, einer Frau namens Linnea Gunnér. Nur Frauen bei dieser Ermittlung, dachte er. Er wählte ihre Nummer und hatte Glück. Linnea Gunnér war zu Hause und wollte ihn gern empfangen. Er notierte sich den Türcode, den sie ihm nannte.

Er verließ das Präsidium um kurz nach drei und trat im Vorbeigehen noch einmal gegen die beschädigte Tür. Die Beule vergrößerte sich wieder ein Stück. Als er an die Brandstelle kam, war schon der Bagger im Einsatz. Noch immer standen viele Neugierige herum und betrachteten die Reste des abgebrannten Hauses.

Linnea Gunnér wohnte in der Möllegata. Wallander tippte den Code ein und ging die Treppe hinauf in den ersten Stock. Das Haus war irgendwann um die Jahrhundertwende erbaut und hatte schöne Muster an den Wänden im Treppenhaus. An Frau Gunnérs Wohnungstür hing ein großes Schild, auf dem sie sich jede Form von Werbung verbat. Wallander klingelte. Die Frau, die ihm öffnete, war äußerlich der absolute Gegensatz zu Tyra Olofsson. Sie war groß, hatte einen scharfen Blick und eine feste Stimme. Sie bat ihn in ihre Wohnung, die mit allen möglichen Gegenständen aus fremden Erdteilen gefüllt war. Im Wohnzimmer gab es sogar eine Galionsfigur. Wallander betrachtete sie lange.

»Sie gehörte zu dem Kutter ›Felicia‹, der in der Irischen See gekentert und gesunken ist«, sagte Linnea Gunnér. »Ich habe sie einmal billig in Middelsborough gekauft.«

»Sie sind also auf See gewesen?« fragte Wallander.

»Mein Leben lang. Erst als Köchin, dann als Stewardeß.«

Sie sprach nicht Schonisch. Wallander fand, daß sie eher nach Småland klang, oder vielleicht nach Östergötland.

»Woher kommen Sie?« fragte er.

»Aus Skänninge in Östergötland. So weit vom Meer entfernt wie nur möglich.«

»Und jetzt leben Sie in Ystad?«

»Ich habe diese Wohnung von einer Schwester meiner Mutter übernommen. Und ich kann das Meer sehen.«

Sie hatte Kaffee gekocht. Wallander dachte, daß sein Magen den sicher am allerwenigsten gebrauchen konnte. Aber er trank ihn dennoch. Er hatte sofort Vertrauen zu Linnea Gunnér gefaßt. In Svedbergs Papieren hatte er gelesen, daß sie sechsundsechzig Jahre alt war. Aber sie wirkte viel jünger.

»Mein Kollege Svedberg war hier«, begann Wallander.

Sie brach in Lachen aus. »Ich habe noch nie jemanden gesehen, der sich soviel an der Stirn gekratzt hat.«

Wallander nickte. »Wir haben alle unsere Eigenheiten. Ich zum Beispiel ahne immer, daß es mehr Fragen zu stellen gibt, als man vielleicht zuerst glaubt.«

»Ich habe ihm nur gesagt, welchen Eindruck ich von Anna hatte.«

»Und von Emilia?«

»Sie waren verschieden. Anna redete kurz und abgehackt, Emilia war eher schweigsam. Aber sie waren beide gleich unsympathisch. Gleich verschlossen.«

»Was für ein Verhältnis hatten Sie zu ihnen?«

»Ich hatte kein Verhältnis zu ihnen. Manchmal trafen wir uns auf der Straße. Dann grüßten wir uns. Aber nie ein unnötiges Wort. Da ich gerne sticke, habe ich ziemlich oft bei ihnen eingekauft. Ich bekam immer, was ich wollte. Wenn sie etwas bestellen mußten, ging es schnell. Aber sympathisch waren sie nicht.«

»Manchmal braucht man Zeit«, sagte Wallander. »Zeit, um Erinnerungen aufsteigen zu lassen an Dinge, die man meinte, vergessen zu haben.«

»Woran denken Sie?«

»Ich weiß es nicht. Sie wissen es. Ein unerwartetes Ereignis. Etwas, was gegen ihre Gewohnheiten verstieß.«

Sie dachte nach. Wallander betrachtete einen schönen, messinggefaßten Kompaß, der auf einem Sekretär stand.

»Mein Erinnerungsvermögen war noch nie gut«, sagte sie schließlich. »Aber jetzt, wo Sie es sagen, erinnere ich mich tatsächlich an etwas, das im letzten Jahr passiert ist. Ich glaube, es war im Frühling. Aber ob es wichtig ist, kann ich nicht sagen.«

»Alles kann bedeutungsvoll sein«, sagte Wallander.

»Es war an einem Nachmittag. Ich brauchte Garn. Blaues Garn, das weiß ich noch. Ich ging ins Geschäft hinunter. Zu dem Zeitpunkt waren Emilia und Anna beide hinter dem Tresen. Als ich die Garnrolle bezahlen wollte, kam ein Mann herein. Ich weiß noch, daß er zusammenzuckte. Als hätte er nicht erwartet, daß jemand im Laden wäre. Und Anna wurde böse. Sie warf Emilia einen Blick zu, der hätte töten können. Dann ging dieser Mann wieder. Er hatte eine Tasche in der Hand. Ich bezahlte das Garn. Und dann ging ich.«

»Können Sie ihn beschreiben?«

»Er sah nicht gerade schwedisch aus. Dunkler, ziemlich klein. Schwarzer Schnauzbart.«

»Wie war er gekleidet?«

»Anzug. Ich glaube, es war eine gute Qualität.«

»Und die Tasche?«

»Eine gewöhnliche schwarze Aktentasche.«

»Nichts weiter?«

Sie dachte noch einmal nach.

»Ich kann mich nicht erinnern.«

»Sie haben ihn nur dieses eine Mal gesehen?«

»Ja.«

Wallander wußte, daß es stimmte, was sie sagte. Was es bedeutete, konnte er noch nicht sagen. Aber es bestärkte ihn in der Auffassung, daß die beiden Schwestern ein Doppelleben geführt hatten. Langsam drang er unter die Oberfläche.

Wallander bedankte sich für den Kaffee.

»Was ist eigentlich passiert?« fragte sie, als sie im Flur standen. »Ich bin von einem Brand aufgewacht. Der Schein der Flammen war so stark, daß ich dachte, es würde bei mir brennen.«

»Anna und Emilia wurden ermordet«, antwortete Wallander. »Sie waren schon tot, als das Feuer ausbrach.«

»Wer tut denn so etwas?«

»Ich wäre wohl kaum hier, wenn ich es wüßte«, antwortete Wallander und verabschiedete sich.

Als er auf die Straße kam, blieb er einen Moment an der Brandstätte stehen und betrachtete geistesabwesend, wie der Bagger die Ladefläche eines Lastwagens füllte. Er versuchte sich das Ganze vorzustellen. Wie Rydberg es ihn gelehrt hatte. In einen Raum zu gehen, in dem der Tod gewütet hat, und zu versuchen, das Drama von hinten zu schreiben. Aber hier gibt es nicht einmal einen Raum, dachte Wallander. Hier gibt es gar nichts.

Er ging langsam in Richtung Hamngata. Im Haus neben dem von Linnea Gunnér war ein Reisebüro. Er blieb stehen, als er im Schaufenster ein Plakat von Kairo entdeckte, auf dem die Pyramiden zu sehen waren. In vier Tagen sollte sein Vater nach Hause kommen. Wallander dachte, daß er sicher ungerecht gewesen war. Warum sollte er seinem Vater nicht gönnen, einen alten Traum zu verwirklichen? Wallander betrachtete die Plakate im Schaufenster. Mallorca, Kreta, Spanien.

Plötzlich schoß ihm ein Gedanke durch den Kopf. Er öffnete die Tür und betrat das Geschäft. Beide Angestellten bedienten Kunden. Wallander setzte sich und wartete. Als die erste, eine Frau, kaum älter als zwanzig, frei wurde, stand er auf und setzte sich an ihren Tisch. Er mußte noch ein paar Minuten warten, während sie ein Telefonat führte. Auf einem Namensschild auf dem Schreibtisch las er, daß sie Anette Bengtsson hieß.

Sie legte auf und lächelte. »Wollen Sie verreisen?« fragte sie. »Um Weihnachten und Neujahr gibt es nur noch Restplätze.«

»Mein Anliegen ist ein anderes«, sagte Wallander und zeigte ihr seinen Ausweis. »Sie wissen sicher, daß hier gegenüber zwei alte Damen verbrannt sind?«

»Das war schrecklich.«

»Kannten Sie sie?«

Er bekam die Antwort, auf die er vage gehofft hatte.

»Sie haben bei uns immer ihre Reisen gebucht. Es ist so furchtbar, daß sie nicht mehr da sind. Emilia wollte im Januar fahren. Und Anna im April.«

Wallander nickte langsam. »Wohin wollten sie?« fragte er.

»Nach Spanien. Wie immer.«

»Wohin genau?«

»Nach Marbella. Sie hatten dort ein Haus.«

Die Fortsetzung überraschte Wallander noch mehr.

»Ich war einmal da«, sagte sie. »Im letzten Jahr war ich in Marbella. Zu einer Weiterbildung. Die Konkurrenz zwischen den vielen Reisebüros ist heute groß. An einem Tag, als wir frei hatten, bin ich hingefahren und habe mir ihr Haus angesehen. Ich kannte ja die Adresse.«

»War es groß?«

»Es war ein Palast. Mit großem Grundstück. Hohen Mauern und Wachen.«

»Ich wäre dankbar, wenn Sie mir die Adresse aufschreiben könnten«, sagte Wallander und konnte nicht verbergen, wie aufgeregt er plötzlich war.

Sie suchte in einem Ordner und schrieb sie ihm dann auf.

»Sie sagten, Emilia wollte im Januar fliegen?«

Sie tippte etwas in ihren Computer.

»Am 7. Januar«, antwortete sie. »Um neun Uhr fünf von Kastrup, über Madrid.«

Wallander nahm einen Stift von ihrem Tisch und notierte.

»Sie buchte also keine Charterflüge?«

»Das taten sie beide nie. Immer erster Klasse.«

Ganz richtig, dachte Wallander. Die Damen liebten es vom Feinsten.

Sie gab ihm Auskunft, bei welcher Fluggesellschaft Emilia gebucht hatte. Wallander notierte: Iberia.

»Ich weiß nicht, was jetzt damit wird«, sagte sie. »Das Ticket ist schon bezahlt.«

»Das wird sich sicher klären«, antwortete Wallander. »Wie haben sie übrigens ihre Tickets bezahlt?«

»Immer in bar. Mit Tausendern.«

Wallander stopfte seine Notizen in die Tasche und stand auf.

»Sie haben mir sehr geholfen«, sagte er. »Wenn ich das nächste Mal verreise, dann komme ich her und buche bei Ihnen. Aber bei mir wird es wohl ein Charterflug werden.«

Es war fast vier Uhr. Wallander ging an der Bank vorbei, in der er am nächsten Tag seine Kreditpapiere und das Geld für den Autokauf abholen sollte. Als er den Marktplatz überquerte, zog er vor dem Wind die Schultern hoch. Um zwanzig nach vier war er wieder im Polizeipräsidium. Und noch einmal gab er der Beule an der Eingangstür einen rituellen Tritt. Ebba berichtete, daß Hansson und Svedberg unterwegs waren. Aber noch wichtiger war, daß sie im Krankenhaus angerufen und selbst mit Rydberg gesprochen hatte. Es gehe ihm gut, hatte er gesagt, aber er müsse über Nacht dort bleiben.

»Ich besuche ihn.«

»Das hat er zum Schluß gesagt: Er will unter keinen Umständen Besuche oder Anrufe haben. Und am allerwenigsten Blumen.«

»Das wundert mich nicht«, sagte Wallander. »Es paßt zu ihm.«

»Ihr arbeitet zuviel, eßt zu schlecht und bewegt euch zu wenig.«

Wallander beugte sich zu ihr. »Das tust du auch«, sagte er. »Du bist auch nicht mehr so schmal wie vor ein paar Jahren.«

Ebba fing an zu lachen. Wallander ging in den Eßraum und fand ein halbes Brot, das jemand hatte liegenlassen. Er machte ein paar Schnitten zurecht und nahm sie mit in sein Zimmer. Beim Essen schrieb er eine Zusammenfassung dessen, was Linnea Gunnér und Anette Bengtsson gesagt hatten. Um Viertel nach fünf war er fertig und las durch, was er geschrieben hatte. Überlegte, wie es weitergehen sollte. Das Geld kommt irgendwoher, dachte er. Ein Mann betritt das Geschäft und dreht auf dem Absatz wieder um. Sie hatten eine Art Signalsystem.

Die Frage ist, was dem Ganzen zugrunde liegt. Und warum die Frauen plötzlich ermordet wurden. Sie hatten irgendein System entwickelt, das plötzlich zusammenbrach.

Um sechs Uhr versuchte er noch einmal, seine Kollegen zu erreichen. Er traf nur Martinsson an. Sie beschlossen, um acht Uhr am nächsten Morgen eine Besprechung abzuhalten. Wallander legte die Füße auf den Tisch und grübelte noch einmal über den Doppelmord nach. Aber da er nicht das Gefühl hatte, weiterzukommen, konnte er die Grübelei ebensogut zu Hause fortsetzen. Außerdem mußte er sein Auto saubermachen, um es am nächsten Tag abzuliefern.

Er hatte sich gerade die Jacke angezogen, als Martinsson ins Zimmer kam. »Ich glaube, es ist besser, du setzt dich«, sagte Martinsson.

»Ich stehe gut«, sagte Wallander gereizt. »Was ist passiert?«

Martinsson schien besorgt. Er hatte ein Telex in der Hand.

»Das hier ist eben vom Außenministerium in Stockholm gekommen«, sagte er.

Er reichte Wallander das Schreiben, der es las, ohne ein Wort zu verstehen. Dann setzte er sich an den Tisch und las es langsam, Wort für Wort, noch einmal.

Jetzt verstand er. Weigerte sich aber, es zu glauben.

»Hier steht, daß mein Vater von der Polizei in Kairo verhaftet worden ist. Und daß er vor ein Gericht gestellt wird, wenn er nicht sofort ein Bußgeld von umgerechnet zehntausend Kronen bezahlt. Er ist ›illegalen Eindringens sowie verbotener Besteigung‹ angeklagt. Was zum Teufel bedeutet das?«

»Ich habe im Außenministerium angerufen«, sagte Martinsson. »Ich fand es auch merkwürdig. Aber offensichtlich hat er versucht, auf die Cheopspyramide zu klettern. Obwohl es verboten ist.«

Wallander starrte Martinsson fassungslos an.

»Du wirst wohl hinfliegen und ihn nach Hause holen müssen«, sagte Martinsson. »Es gibt Grenzen für das, was die schwedische Botschaft tun kann.«

Wallander schüttelte den Kopf.

Er weigerte sich, es zu glauben.

Es war kurz nach sechs. Am 15. Dezember 1989.

8

Am nächsten Tag um 13.10 Uhr versank Wallander im Sitz einer DC-9 der SAS mit dem Namen »Agne«. Er hatte Platz 19 C, einen Gangplatz, und die vage Hoffnung, daß das Flugzeug ihn mit Zwischenlandungen in Frankfurt und Rom nach Kairo bringen würde. Die Ankunft sollte um 20.15 sein. Wallander wußte noch immer nicht, ob es zwischen Schweden und Ägypten eine Zeitverschiebung gab. Er wußte überhaupt sehr wenig über das, was ihn aus seinem Alltag in Ystad gerissen hatte, weg von den Ermittlungen über ein Flugzeugunglück und einen brutalen Doppelmord, hinein in ein startklares Flugzeug in Kastrup und auf den Weg nach Nordafrika.

Am Abend zuvor, als ihm der Inhalt des Telex vom Außenministerium wirklich klargeworden war, hatte er ausnahmsweise vollkommen die Kontrolle verloren. Er hatte ohne ein Wort das Polizeipräsidium verlassen und nicht einmal Martinsson geantwortet, der ihn immerhin bis zum Parkplatz begleitet und ihm seine Hilfe angeboten hatte.

Zu Hause in der Mariagata hatte er zwei ordentliche Glas Whisky getrunken. Dann hatte er das zusammengeknüllte Telex noch ein paarmal gelesen, in der Hoffnung, daß es eine verborgene Botschaft enthielt, der er entnehmen könnte, daß alles nur eine Erfindung war, ein Streich, den ihm jemand spielte, vielleicht sogar sein eigener Vater. Aber er mußte einsehen, daß das Außenministerium in Stockholm es ernst meinte. Er hatte keine andere Wahl, als die Tatsachen zu akzeptieren: Sein wahnsinniger Vater hatte versucht, eine Pyramide hinaufzuklettern, woraufhin er verhaftet worden war und jetzt bei der Polizei in Kairo saß.

Kurz nach acht hatte Wallander in Malmö angerufen. Glücklicherweise bekam er Linda an den Apparat. Er schilderte ihr die Sache wahrheitsgemäß und fragte sie um Rat. Was sollte er tun? Ihre Antwort war sehr bestimmt. Es gab keine andere Möglichkeit, als schon am nächsten Tag nach Ägypten zu fliegen und dafür zu sorgen, daß ihr Großvater aus der Haft entlassen wurde. Wallander hatte viele Einwände gemacht, aber sie hatte sie sämtlich entkräftet. Schließlich hatte er eingesehen, daß sie recht hatte. Sie versprach ihm auch herauszufinden, welche Verbindungen nach Kairo es am nächsten Tag gab.

Langsam hatte Wallander sich beruhigt. Am nächsten Tag würde er zur Bank gehen, um die 20 000 Kronen für den Autokauf abzuholen. Niemand würde ihn fragen, wofür er das Geld wirklich verwendete. Er würde genug Geld haben, um ein Ticket zu kaufen und den Rest in englische Pfund oder Dollar zu tauschen, um seinen Vater mit dem Bußgeld auszulösen. Um zehn Uhr rief Linda an und sagte, es gäbe eine Maschine um 13.10. Er beschloß auch, Anette Bengtsson um Hilfe zu bitten. Als er wenige Stunden zuvor versprochen hatte, bei Gelegenheit die Dienste des Reisebüros in Anspruch zu nehmen, hatte er nicht im Traum daran gedacht, daß es so schnell aktuell werden würde.

Gegen Mitternacht hatte er versucht zu packen. Aber er wußte nichts über Kairo. Sein Vater war mit einem uralten Tropenhelm auf dem Kopf losgefahren. Aber er war ganz offensichtlich geistesverwirrt und nicht wirklich ernstzunehmen. Am Ende warf Wallander ein paar Hemden und Unterwäsche in eine Reisetasche und beschloß, daß das reichen mußte. Er würde sowieso nicht länger bleiben als absolut notwendig.

Dann trank er noch ein paar Glas Whisky, stellte den Wecker auf sechs Uhr und versuchte zu schlafen. In einem unruhigen Halbschlaf trieb er unendlich langsam dem Morgengrauen entgegen.

Als die Bank am nächsten Tag öffnete, war er der erste Kunde, der durch die Türen trat. Es dauerte zwanzig Minuten, bis er die Kreditverträge unterzeichnet, sein Geld bekommen und die Hälfte in englische Pfund eingetauscht hatte. Er hoffte, daß niemand fragen würde, warum er das Auto mit Pfund bezahlen wollte. Von der Bank ging er direkt zum Reisebüro. Anette Bengtsson war erstaunt, als sie ihn zur Tür hereinkommen sah. Aber sie war sofort bereit, ihm bei der Buchung zu helfen. Der Rückflugtermin mußte bis auf weiteres offenbleiben. Als er den Preis hörte, verschlug es ihm die Sprache, aber er blätterte einfach die Tausender hin, bekam seinen Flugschein und verließ das Reisebüro.

Dann nahm er ein Taxi nach Malmö.

Früher war es manchmal vorgekommen, daß er zuviel getrunken hatte und mit dem Taxi von Malmö nach Ystad gefahren war. Aber nie in umgekehrter Richtung, und nie in nüchternem Zustand. Ein neues Auto würde er sich nicht leisten können. Vielleicht sollte er sich statt dessen überlegen, ein Moped zu kaufen. Oder ein Fahrrad.

Linda wartete bei den Flugbooten auf ihn. Sie hatte nur wenige Minuten Zeit. Aber sie überzeugte ihn, daß er das Richtige tat. Und fragte, ob er an seinen Paß gedacht habe.

»Du brauchst ein Visum«, sagte sie. »Aber das kannst du auf dem Flughafen in Kairo kaufen.«

Jetzt saß er auf Platz 19 C und spürte, wie das Flugzeug beschleunigte und abhob, den Wolken und den unsichtbaren Flugrouten in Richtung Süden entgegen. Noch immer kam es ihm vor, als befände er sich in seinem Zimmer im Polizeipräsidium, und Martinsson stände mit dem Telex in der Hand und einem unglücklichen Gesicht in der Tür.

Den Frankfurter Flughafen behielt er als ein Labyrinth von unendlich vielen Gängen und Treppen in Erinnerung. Wieder saß er danach auf seinem Gangplatz, und als sie in Rom landeten, zog er sich die Jacke aus, weil es plötzlich sehr warm geworden war. Mit einer halben Stunde Verspätung setzte die Maschine auf dem Kairoer Flughafen auf. Um seine Unruhe, seine Flugangst und seine Nervosität zu dämpfen, hatte Wallander während der Reise viel zuviel getrunken. Er war nicht betrunken, als er in die schwüle ägyptische Dunkelheit hinauskletterte, aber auch nicht nüchtern. Den größten Teil des Geldes trug er in einem Stoffbeutel unter seinem Hemd. Ein müder Paßkontrolleur schickte ihn zurück zu einer Bank, wo er ein Touristenvisum kaufen konnte. Er bekam ein dickes Bündel schmutziger Scheine in die Hand und hatte plötzlich Paß- und Zollkontrolle hinter sich. Ein Haufen Taxifahrer wollte ihn an jeden Ort auf der Welt fahren. Aber Wallander war geistesgegenwärtig genug, um sich nach einem Minibus umzusehen, an dem das Mena House als Fahrtziel angegeben war, anscheinend ein ziemlich großes Hotel. Er hatte nicht weiter geplant, als daß er vom selben Hotel aus vorgehen wollte, in dem auch sein Vater wohnte. Eingeklemmt inmitten einer Gruppe lautstarker Amerikanerinnen, fuhr er mit dem Minibus durch die Stadt ins Hotel. Er spürte die warme Nachtluft im Gesicht, merkte plötzlich, daß sie einen Fluß überquerten, möglicherweise den Nil, und dann waren sie am Ziel.

Als er aus dem Bus stieg, war er wieder nüchtern. Von diesem Moment an hatte er nicht die geringste Ahnung, was er tun sollte. Ein schwedischer Polizist in Ägypten kann sich ganz schön klein vorkommen, dachte er düster, als er die prächtige Eingangshalle des Hotels betrat. Er ging an die Rezeption, wo ihn ein junger Mann in untadeligem Englisch fragte, ob er ihm behilflich sein könne. Wallander erklärte wahrheitsgemäß, daß er kein Zimmer bestellt habe. Der junge Mann sah einen Augenblick lang besorgt aus und schüttelte den Kopf. Aber dann fand er doch noch ein freies Zimmer.

»Ich glaube, Sie haben schon einen Gast mit dem Namen Wallander.«

Der Mann suchte auf seinem Bildschirm in der Gästeliste und nickte dann.

»Das ist mein Vater«, sagte Wallander und stöhnte innerlich über seine schlechte englische Aussprache.

»Ich kann Ihnen leider kein Zimmer neben seinem geben«, sagte der junge Mann. »Wir haben nur noch einfachere Zimmer. Ohne Aussicht auf die Pyramiden.«

»Das paßt mir ausgezeichnet«, sagte Wallander, der nicht mehr als nötig an die Pyramiden erinnert werden wollte.

Er schrieb sich ein, bekam einen Schlüssel und eine kleine Karte und suchte sich durch das Labyrinth des Hotels seinen Weg. Er merkte, daß hier im Laufe der Jahre viel angebaut worden war. Er fand sein Zimmer und setzte sich auf das Bett. In dem klimatisierten Raum war es angenehm kühl. Er zog sein Hemd aus, das von Schweiß durchnäßt war.

Im Badezimmer betrachtete er sein Gesicht im Spiegel. »Jetzt bin ich hier«, sagte er laut zu sich selbst. »Es ist spät. Ich sollte etwas essen. Und schlafen. Vor allem schlafen. Aber das kann ich nicht, weil mein wahnsinniger Vater irgendwo hier in der Stadt auf einer Polizeiwache sitzt.«

Er wechselte das Hemd, putzte sich die Zähne und ging zur Rezeption zurück. Der junge Mann, der ihm das Zimmer gegeben hatte, war nicht zu sehen. Er näherte sich einem älteren Mann, der unbeweglich dastand und das gesamte Geschehen zu überwachen schien. Er lächelte, als Wallander vor ihm auftauchte.

»Ich bin hierhergekommen, weil mein Vater in Schwierigkeiten geraten ist«, sagte er. »Er heißt Wallander und ist vor ein paar Tagen angekommen.«

»Welche Art von Schwierigkeiten?« fragte der Mann. »Ist er krank geworden?«

»Er scheint versucht zu haben, auf eine der Pyramiden zu klettern«, antwortete Wallander. »Wie ich ihn kenne, hat er sich sicher die höchste ausgesucht.«

Der Portier nickte langsam. »Ich habe davon gehört«, sagte er. »Sehr bedauerlich. Der Polizei und dem Ministerium für Tourismus hat das überhaupt nicht gefallen.«

Er verschwand durch eine Tür und kam sofort in Begleitung eines anderen, ebenfalls älteren Mannes zurück. Sie sprachen einen Moment sehr schnell miteinander. Dann wandten sie sich Wallander zu.

»Sind Sie der Sohn des alten Mannes?« fragte der eine.

Wallander nickte. »Nicht nur das«, sagte Wallander. »Ich bin außerdem noch Polizist.«

Er zeigte ihnen seinen Ausweis, auf dem deutlich »Polizei« stand.

Aber die beiden Männer schienen nicht zu verstehen. »Sie sind also nicht sein Sohn, sondern ein schwedischer Polizist?«

»Ich bin beides«, antwortete Wallander. »*Sowohl* sein Sohn *als auch* Polizist.«

Sie dachten einen Augenblick darüber nach. Ein paar weitere Portiers, die zufällig nicht beschäftigt waren, hatten sich dazugesellt. Das ratternde, unverständliche Gespräch begann von neuem. Wallander spürte, daß er wieder durchgeschwitzt war.

Dann baten sie ihn zu warten. Sie zeigten auf eine Sitzgruppe im Foyer. Wallander setzte sich. Eine verschleierte Frau ging vorbei. Scheherazade, dachte Wallander. Sie hätte mir helfen können. Oder Aladin. Aus der Abteilung könnte ich jemanden gebrauchen. Er wartete. Es verging eine Stunde. Er stand auf und wollte zurück an die Rezeption gehen, aber sofort zeigte jemand wieder auf das Sofa. Er hatte großen Durst. Es war lange nach Mitternacht.

Noch immer war das Foyer sehr belebt. Die Amerikanerinnen verschwanden mit einem Reiseleiter, der sie offensichtlich durch die ägyptische Nacht führen sollte. Wallander schloß die Augen. Er zuckte erst zusammen, als jemand seine Schulter berührte. Als er die Augen aufschlug, stand der Portier neben ihm, zusammen mit einer großen Gruppe von Polizisten in imponierenden Uniformen. Wallander stand auf. Eine Uhr an der Wand zeigte halb drei. Einer der Polizisten, der etwa in seinem Alter war und die meisten Tressen an seiner Uniformjacke hatte, salutierte.

»Ich habe gehört, Sie sind von der schwedischen Polizei geschickt worden«, sagte er.

»Nein«, antwortete Wallander. »Ich *bin* Polizist. Aber ich bin in erster Linie Herrn Wallanders Sohn.«

Der Polizist, der salutiert hatte, explodierte augenblicklich und überschüttete die Portiers mit einem unbeschreiblichen Wortschwall. Wallander dachte, daß es am besten sei, sich wieder zu setzen.

Nach ungefähr einer Viertelstunde leuchtete das Gesicht des Polizisten plötzlich auf. »Ich heiße Hassaneyh Radwan«, sagte er. »Jetzt sehe ich klar. Ich bin erfreut, einen schwedischen Kollegen zu treffen. Kommen Sie mit mir.«

Sie verließen das Hotel. Umgeben von Polizisten, die alle eine Waffe trugen, fühlte sich Wallander wie ein Verbrecher. Die Nacht war sehr warm. Er setzte sich neben Radwan auf den Rücksitz eines Polizeiwagens, der sofort mit quietschenden Reifen losfuhr und die Sirenen anstellte. In dem Moment, als sie den Hotelvorplatz verließen, entdeckte Wallander plötzlich die Pyramiden. Sie waren von Scheinwerfern angestrahlt. Es ging so schnell, daß er zuerst seinen Augen nicht traute. Aber es waren wirklich die Pyramiden, die er schon so oft auf Abbildungen gesehen hatte. Und dann dachte er mit Schrecken, daß sein Vater versucht hatte, an einer von ihnen hochzuklettern.

Sie fuhren in Richtung Osten, den gleichen Weg, den er vom Flughafen aus gekommen war.

»Wie geht es meinem Vater?« fragte Wallander.

»Er ist ein sehr eigenwilliger Mensch«, antwortete Radwan. »Aber er spricht leider ein schwerverständliches Englisch.«

Er spricht überhaupt kein Englisch, dachte Wallander resigniert.

Sie fuhren mit ungeheurem Tempo durch die Stadt. Wallander sah flüchtig ein paar Kamele, die sich mit schweren Lasten langsam und würdevoll bewegten. Der Brustbeutel unter seinem Hemd scheuerte. Schweiß lief ihm über das Gesicht. Sie fuhren über den Fluß.

»Der Nil?« fragte Wallander.

Radwan nickte. Er zog eine Packung Zigaretten hervor, aber Wallander schüttelte den Kopf.

»Ihr Vater raucht«, sagte Radwan.

Mein Vater raucht ganz und gar nicht, dachte Wallander. Mit zunehmendem Schrecken begann er, sich zu fragen, ob er tatsächlich auf dem Weg zu seinem Vater war. Sein Vater hatte sein ganzes Leben lang nie geraucht. Gab es vielleicht mehrere alte Männer, die versucht hatten, auf die Pyramiden zu klettern?

Der Polizeiwagen bremste. Wallander hatte mitbekommen, daß die Straße Sadei Barrani hieß. Sie befanden sich vor einer großen Polizeistation, vor deren hohen Toren bewaffnete Wachen in kleinen Schilderhäuschen standen. Wallander folgte Radwan. Sie kamen in einen großen Raum, an dessen Decke grelle Neonlampen leuchteten. Radwan zeigte auf einen Stuhl. Wallander setzte sich und fragte sich, wie lange er wohl warten müßte. Bevor Radwan ihn verließ, fragte Wallander, ob es möglich sei, kalte Getränke zu kaufen.

Radwan rief einen jungen Polizisten. »Er wird Ihnen helfen«, sagte Radwan und verschwand.

Wallander war sich des Wertes der Scheine äußerst ungewiß und gab dem Polizisten ein kleineres Päckchen.

»Coca-Cola«, sagte er.

Der Polizist sah ihn fragend an. Aber er sagte nichts, nahm das Geld an sich und ging.

Nach einer Weile kam er mit einem Karton voller Colaflaschen wieder zurück. Wallander zählte vierzehn Stück. Er öffnete zwei mit einem Taschenmesser und gab die anderen zwölf dem Polizisten, der sie mit seinen Kollegen teilte.

Mittlerweile war es halb fünf. Wallander betrachtete eine Fliege, die unbeweglich auf einer der Flaschen saß. Irgendwoher war ein Radio zu hören. Dann fiel ihm auf, daß es tatsächlich eine Ähnlichkeit zwischen diesem Polizeigebäude und dem Polizeipräsidium in Ystad gab. Die gleiche nächtliche Stille. Das Warten darauf, daß etwas geschah. Oder nicht. Der Polizist, der in eine Zeitung vertieft war, hätte Hansson sein können, der über seine Trabrennprogramme gebeugt saß.

Radwan kam zurück. Er gab Wallander ein Zeichen, ihm zu folgen. Sie gingen durch unzählige verwinkelte Korridore, treppauf und treppab, und blieben schließlich vor einer Tür stehen, vor der ein Polizist Wache stand. Radwan nickte, und die Tür wurde geöffnet.

Dann gab er Wallander ein Zeichen hineinzugehen. »Ich komme in einer halben Stunde zurück«, sagte er und verschwand.

Wallander ging hinein. In dem Raum, der von den ewiggleichen Neonröhren erleuchtet war, standen ein Tisch und zwei Stühle. Auf einem Stuhl saß sein Vater, in Hemd und Hose, aber barfuß. Das Haar stand ihm zu Berge. Plötzlich tat er Wallander leid.

»Hallo, Papa«, sagte er. »Wie geht es dir?«

Der Vater sah ihn ohne die geringste Spur von Verwunderung an.

»Ich werde Beschwerde einlegen«, sagte er.

»Wogegen?«

»Daß man Menschen daran hindert, auf die Pyramiden zu klettern.«

»Ich glaube, wir sollten mit der Beschwerde warten«, sagte Wallander. »Das wichtigste ist im Moment, dich hier rauszubekommen.«

»Ich bezahle kein Bußgeld«, antwortete sein Vater hitzig. »Ich will meine Strafe hier absitzen. Zwei Jahre, haben sie gesagt. Die vergehen schnell.«

Wallander überlegte, ob er wütend werden sollte. Aber das würde den Vater vielleicht noch mehr aufregen. »Ägyptische Gefängnisse sind sicher nicht besonders gemütlich«, sagte er vorsichtig. »Gefängnisse sind nie gemütlich. Außerdem glaube ich nicht, daß sie dir erlauben werden, in der Zelle zu malen.«

Der Vater betrachtete ihn schweigend. An das Problem hatte er offensichtlich nicht gedacht.

Er nickte und stand auf. »Dann gehen wir«, sagte er. »Hast du Geld, um das Bußgeld zu bezahlen?«

»Setz dich«, sagte Wallander. »Ganz so einfach ist das, glaube ich, nicht. Du kannst nicht einfach aufstehen und gehen.«

»Warum denn nicht? Ich habe nichts Schlimmes getan.«

»Soweit ich es verstanden habe, hast du versucht, auf die Chepspyramide zu klettern, oder?«

»Deshalb bin ich doch nach Kairo gekommen. Gewöhnliche Touristen können unten zwischen den Kamelen stehen und glotzen. Ich wollte die Spitze besteigen.«

»Das ist nicht erlaubt. Außerdem ist es lebensgefährlich. Wie würde das aussehen, wenn die Leute überall an den Pyramiden hängen und klettern würden?«

»Ich rede nicht von den Leuten. Ich rede von mir selbst.«

Wallander wußte, daß es sinnlos war, seinen Vater zur Einsicht bringen zu wollen. Gleichzeitig konnte er nicht umhin, seine Sturheit zu bewundern.

»Jetzt bin ich hier«, sagte Wallander. »Ich werde versuchen, dich morgen rauszubekommen. Oder heute noch. Ich bezahle das Bußgeld, und dann ist es vorbei. Wir gehen hier raus, fahren zum Hotel und holen deine Tasche. Dann fliegen wir nach Hause.«

»Ich habe mein Zimmer bis zum 21. bezahlt.«

Wallander nickte geduldig.

»Ich fliege nach Hause. Du bleibst. Aber wenn du noch einmal auf die Pyramiden kletterst, mußt du es selbst ausbaden.«

»Ich bin nicht sehr weit gekommen«, sagte der Vater. »Es war schwierig. Und steil.«

»Warum wolltest du eigentlich auf die Spitze klettern?«

Der Vater zögerte, bevor er antwortete. »Ein Traum, den ich immer hatte. Nichts weiter. Ich finde, man soll seinen Träumen treu sein.«

Das Gespräch verebbte. Wenige Minuten später kam Radwan zurück. Er bot Wallanders Vater eine Zigarette an und gab ihm Feuer.

»Rauchst du neuerdings?«

»Nur wenn ich im Gefängnis bin. Sonst nicht.«

Wallander wandte sich an Radwan. »Ich nehme an, daß es keine Möglichkeit gibt, meinen Vater jetzt mitzunehmen?«

»Er wird heute um zehn Uhr einem Richter vorgeführt. Der Richter wird das Bußgeld vermutlich akzeptieren.«

»Vermutlich?«

»Nichts ist sicher«, antwortete Radwan. »Aber wir wollen das Beste hoffen.«

Wallander verabschiedete sich von seinem Vater. Radwan begleitete ihn zu einem Polizeiwagen, der ihn zum Hotel zurückbringen sollte. Mittlerweile war es sechs Uhr.

»Ich schicke um neun Uhr einen Wagen, der Sie abholt«, sagte Radwan zum Abschied. »Einem ausländischen Kollegen sollte man immer helfen.«

Wallander bedankte sich und stieg ein. Wieder wurde er durch einen Kavaliersstart in den Sitz zurückgeworfen. Die Sirenen wurden eingeschaltet.

Wallander bestellte den Weckdienst für halb acht und streckte sich nackt auf dem Bett aus. Ich muß ihn rausholen, dachte er. Wenn er im Gefängnis landet, stirbt er.

Wallander sank in einen unruhigen Halbschlaf und wachte davon auf, daß die Sonne über den Horizont gestiegen war. Er duschte und zog sich an. Und schon mußte er sein letztes sauberes Hemd nehmen.

Er ging nach draußen. Jetzt am Morgen war es kühler. Plötzlich blieb er stehen. Er sah die Pyramiden. Er stand ganz still. Ihre Größe war überwältigend. Er ging den Weg hinauf, der zum Eingang des Gizehplateaus führte. Unterwegs wurden ihm Esel und Kamele zum Reiten angeboten. Aber er ging zu Fuß. Tief im Inneren verstand er seinen Vater. *Man soll seinen Träumen treu sein.*

Wie treu war er sich selbst eigentlich gewesen? Er blieb direkt vor dem Eingang stehen und betrachtete die Pyramiden. Stellte sich seinen Vater vor, wie er die steile Wand hinaufkletterte. Lange stand er so da, bevor er schließlich ins Hotel zurückkehrte, um zu frühstücken. Pünktlich um neun Uhr stand er vor dem Hoteleingang und wartete. Der Polizeiwagen kam nach wenigen Minuten. Es herrschte dichter Verkehr, und wie immer hatte der Fahrer die Sirenen eingeschaltet. Zum viertenmal überquerte Wallander den Nil. Er befand sich in einer riesigen, unübersichtlichen, lärmenden Stadt.

Das Gerichtsgebäude lag in einer Straße namens Al Azhar. Radwan stand auf der Treppe und rauchte, als der Wagen vorfuhr. »Ich hoffe, Sie haben ein paar Stunden geschlafen«, sagte er. »Es ist nicht gut für einen Menschen, wenn er nicht schläft.«

Sie betraten das Gebäude.

»Ihr Vater ist schon da.«

»Hat er einen Anwalt?« fragte Wallander.

»Er hat einen juristischen Beistand. Das hier ist ein Gericht für leichtere Fälle.«

»Trotzdem kann er zu zwei Jahren Gefängnis verurteilt werden?«

»Es ist ein großer Unterschied zwischen der Todesstrafe und zwei Jahren«, antwortete Radwan nachdenklich.

Sie gingen in den Gerichtssaal. Ein paar Polizisten waren dabei, Staub zu wischen.

»Ihr Vater ist heute der erste Fall«, sagte Radwan.

Dann wurde der Vater hereingeführt. Wallander war entsetzt. Der Vater trug Handschellen. Er spürte, wie ihm die Tränen in die Augen traten. Radwan sah ihn kurz an und klopfte ihm auf die Schulter.

Ein einzelner Richter kam herein und setzte sich. Der Staatsanwalt, der aus dem Nichts aufgetaucht war, ließ eine lange, ratternde Tirade vom Stapel, von der Wallander annahm, daß es sich um die Anklage handelte.

Radwan beugte sich zu ihm herüber. »Es sieht gut aus«, flüsterte er. »Er behauptet, Ihr Vater sei alt und geistig verwirrt.«

Wenn das nur niemand übersetzt, dachte Wallander. Sonst wird er wirklich wahnsinnig.

Der Staatsanwalt setzte sich. Der Rechtsbeistand faßte sich sehr kurz.

»Er plädiert für ein Bußgeld«, flüsterte Radwan. »Ich habe das Gericht darüber informiert, daß Sie hier sind, daß Sie sein Sohn sind und Polizist.«

Der Rechtsbeistand nahm wieder Platz. Wallander konnte seinem Vater ansehen, daß er etwas sagen wollte. Aber sein Rechtsbeistand schüttelte den Kopf.

Der Richter schlug mit dem Hammer auf den Tisch und gab einige wenige Worte von sich. Dann schlug er erneut auf den Tisch, erhob sich und ging.

»Bußgeld«, sagte Radwan und klopfte Wallander auf die Schulter. »Es soll hier im Gerichtssaal bezahlt werden. Danach ist Ihr Vater wieder frei.«

Wallander angelte die Stofftasche unter seinem Hemd hervor. Radwan führte ihn zu einem Tisch, wo ein Mann die Summe von amerikanischen Dollar in ägyptische Pfund umrechnete. Fast Wallanders gesamtes Geld verschwand. Er bekam eine unlesbare Quittung über den Betrag.

Radwan veranlaßte, daß die Handschellen abgenommen wurden. »Ich hoffe, daß der Rest der Reise angenehm wird«, sagte er und gab ihnen beiden die Hand. »Aber es wäre wohl nicht angebracht, daß Ihr Vater noch einmal versucht, auf eine Pyramide zu klettern.«

Radwan ließ sie von einem Polizeiwagen zum Hotel zurückbringen. Wallander hatte seine Adresse bekommen. Ihm war klar, daß die Sache ohne Radwan nicht so einfach verlaufen wäre. Er sollte ihm irgendwie danken. Vielleicht wäre es am passendsten, ihm ein Bild mit einem Auerhahn zu schicken.

Sein Vater war in strahlender Laune und kommentierte alles, was sie im Vorbeifahren sahen. Wallander war nur müde.

»Jetzt zeige ich dir die Pyramiden«, sagte sein Vater fröhlich, als sie im Hotel angekommen waren.

»Jetzt nicht«, sagte Wallander. »Ich muß zuerst ein paar Stunden schlafen. Du auch. Danach können wir uns die Pyramiden ansehen. Wenn ich meinen Rückflug gebucht habe.«

Der Vater sah ihn forschend an. »Ich muß sagen, du erstaunst mich. Daß du die Kosten nicht gescheut hast, herzukommen und mich auszulösen. Das hätte ich dir nicht zugetraut.«

Wallander antwortete nicht.

»Leg dich schlafen«, sagte er nur. »Wir treffen uns hier um zwei Uhr.«

Wallander konnte nicht einschlafen. Nachdem er sich eine Stunde lang im Bett gewälzt hatte, ging er an die Rezeption und bat um Hilfe bei der Buchung der Heimreise. Er wurde an ein Reisebüro verwiesen, das in einem anderen Teil des Hotels lag. Dort half ihm eine unbeschreiblich schöne Frau, die außerdem noch perfekt Englisch sprach. Es gelang ihr, ihm einen Platz in einer Maschine zu beschaffen, die am nächsten Tag, dem 18. Dezember, um neun Uhr von Kairo abflog. Da die Maschine nur in Frankfurt zwischenlandete, würde er schon um zwei Uhr nachmittags in Kastrup ankommen. Als er seinen Platz bestätigt bekommen hatte, war es erst ein Uhr. Er setzte sich in ein Café neben der Rezeption und trank Wasser und eine Tasse sehr starken Kaffee, der ihm viel zu süß war. Um punkt zwei Uhr kam sein Vater in die Rezeption. Er hatte seinen Tropenhelm auf.

Gemeinsam wanderten sie dann in der brütenden Hitze über das Gizehplateau. Wallander hatte mehrmals das Gefühl, ohnmächtig zu werden, aber seinem Vater schien die Hitze gar nichts auszumachen. Unten bei der Sphinx fand Wallander endlich ein wenig Schatten. Der Vater erzählte, und Wallander mußte zugeben, daß er eine Menge Wissen über das alte Ägypten besaß, in dem die Pyramiden und die eigenartige Sphinx einst erbaut worden waren.

Es war schon fast sechs Uhr, als sie endlich wieder ins Hotel kamen. Da Wallander sehr früh am nächsten Tag abreisen mußte, beschlossen sie, zusammen im Hotel zu essen, in dem es mehrere Restaurants zur Auswahl gab. Auf den Vorschlag des Vaters hin bestellten sie einen Tisch in einem indischen Restaurant, und hinterher dachte Wallander, daß er selten so gut gegessen hatte. Der Vater war die ganze Zeit freundlich gewesen, und Wallander bekam den Eindruck, daß er sich die Idee, Pyramiden zu besteigen, gänzlich aus dem Kopf geschlagen hatte.

Sie trennten sich gegen elf Uhr. Wallander sollte das Hotel schon um sechs Uhr verlassen.

»Ich werde dir natürlich winken«, sagte der Vater.

»Lieber nicht«, antwortete Wallander. »Wir mögen doch beide keine Abschiede.«

»Danke, daß du gekommen bist«, sagte der Vater. »Du hast sicherlich recht, es wäre schwer gewesen, zwei Jahre im Gefängnis zu sitzen und nicht malen zu dürfen.«

»Wenn du am 21. nach Hause kommst, ist alles vergessen«, antwortete Wallander.

»Das nächstemal fahren wir nach Italien«, sagte sein Vater und verschwand aufs Zimmer.

In dieser Nacht schlief Wallander wie ein Stein. Um sechs Uhr saß er im Taxi zum Flugplatz und überquerte den Nil zum sechsten und hoffentlich letzten Mal. Die Maschine hob pünktlich ab, und er landete planmäßig in Kastrup. Er nahm ein Taxi zu den Flugbooten und war um Viertel vor vier in Malmö. Zu Fuß lief er das Stück bis zum Bahnhof und erreichte gerade noch einen Zug nach Ystad. Er ging nach Hause in die Mariagata, zog sich um und trat um halb sieben durch die Tür des Polizeipräsidiums. Die Beule war repariert worden. Björk weiß, was Prioritäten sind, dachte er grimmig. Martinssons und Svedbergs Zimmer waren leer, aber Hansson war an seinem Platz. Wallander erzählte kurz von seiner Reise. Aber als erstes fragte er, wie es Rydberg ging.

»Er soll wohl morgen wiederkommen«, sagte Hansson. »Das hat jedenfalls Martinsson gesagt.«

Wallander fühlte sich sofort erleichtert. Offensichtlich war es nicht so schlimm gewesen, wie sie befürchtet hatten.

»Und hier?« fragte er dann. »Unser Fall?«

»Es ist etwas anderes Wichtiges passiert«, sagte Hansson. »Aber das hat eigentlich mit dem abgestürzten Flugzeug zu tun.«

»Und zwar?«

»Yngve Leonard Holm ist ermordet aufgefunden worden. In einem Wald bei Sjöbo.«

Wallander setzte sich.

»Aber das ist nicht alles«, fuhr Hansson fort. »Er ist nicht irgendwie ermordet worden. Es war ein Genickschuß. Genau wie bei den Schwestern Eberhardsson.«

Wallander hielt den Atem an.

Das hatte er nicht erwartet. Daß sich ein Zusammenhang zwischen dem abgestürzten Flugzeug und den beiden ermordeten Frauen ergeben würde, die man nach dem verheerenden Brand gefunden hatte.

Er sah Hansson an.

Was bedeutet das? dachte er. Was folgt aus dem, was Hansson berichtet?

Die Reise nach Kairo war plötzlich in weite Ferne gerückt.

9

Am 19. Dezember um zehn Uhr morgens rief Wallander bei der Bank an und fragte, ob er seinen Kredit um weitere 20 000 Kronen erhöhen könne. Er log und sagte, daß er den Preis des Autos, das er kaufen wolle, falsch verstanden habe. Der Bankangestellte antwortete, er sehe kein Problem. Wallander könne noch am selben Tag den Kreditvertrag unterschreiben und das Geld abholen. Nachdem er aufgelegt hatte, rief er Arne an, der ihm das Auto verkaufen sollte, und verabredete, daß dieser um ein Uhr mit dem neuen Peugeot in die Mariagata kommen sollte. Dann würde Arne auch gleich versuchen, den alten wieder zum Leben zu erwecken oder ihn in eine Werkstatt abzuschleppen.

Diese beiden Anrufe tätigte Wallander unmittelbar nach ihrer Morgensitzung. Sie hatten zwei Stunden getagt, seit Viertel vor acht. Aber Wallander war schon um sieben im Polizeipräsidium gewesen. Am Abend zuvor, als er erfahren hatte, daß man Yngve Leonard Holm ermordet aufgefunden hatte und daß es möglicherweise einen Zusammenhang zwischen ihm und den Schwestern Eberhardsson oder zumindest ihren Mördern gab, war er auf einmal hellwach gewesen und hatte fast eine Stunde mit Hansson zusammengesessen und sich die vorhandenen Informationen geben lassen. Aber dann hatte ihn eine plötzliche Müdigkeit befallen. Er war nach Hause gegangen und hatte sich auf das Bett gelegt, um kurz auszuruhen, bevor er sich auszog, war aber sofort eingeschlafen und erst am nächsten Morgen aufgewacht. Um halb sechs fühlte er sich ausgeschlafen. Er lag noch eine Weile im Bett und dachte an die Reise nach Kairo. Sie war schon zu einer fernen Erinnerung geworden.

Als er ins Polizeipräsidium kam, war Rydberg schon da. Sie gingen in den Eßraum, wo ein paar Polizisten von der Nachtschicht saßen und gähnten. Rydberg trank Tee und aß Zwieback. Wallander setzte sich ihm gegenüber.

»Du warst in Ägypten, habe ich gehört?« sagte Rydberg. »Wie waren die Pyramiden?«

»Hoch«, antwortete Wallander. »Sehr eigenartig.«

»Und dein Vater?«

»Er hätte im Gefängnis landen können. Aber ich habe ihn gegen fast zehntausend Kronen Bußgeld rausbekommen.«

Rydberg lachte. »Mein alter Herr war Pferdehändler«, sagte er. »Habe ich davon mal erzählt?«

»Du hast niemals irgend etwas von deinen Eltern erzählt.«

»Er hat Pferde verkauft. Ist auf Märkte gefahren, hat sich Gebisse angesehen und war offensichtlich ein richtiger Teufel, wenn es darum ging, die Preise hochzutreiben. Die Geschichte mit der Pferdehändlerbrieftasche stimmt wirklich. Papa hatte so eine, sie war voller Tausender. Aber ich frage mich, ob er überhaupt wußte, daß die Pyramiden in Ägypten stehen. Geschweige denn, daß die Hauptstadt Kairo heißt. Er war total ungebildet. Es gab eine Sache, von der er was verstand. Pferde. Und Weiber vielleicht. Meine Mutter war ewig in Panik wegen seiner Frauengeschichten.«

»Seine Eltern kann man sich nicht aussuchen«, sagte Wallander. »Wie geht es dir?«

»Irgendwas ist nicht in Ordnung«, antwortete Rydberg. »Von Rheuma klappt man nicht so zusammen. Irgendwas stimmt nicht. Aber ich weiß nicht, was. Und im Moment interessiert mich vor allem dieser Holm, den sie ins Genick geschossen haben.«

»Ich habe es gestern von Hansson gehört.«

Rydberg schob seine Teetasse weg. »Es wäre natürlich eine unglaublich faszinierende Geschichte, wenn sich herausstellte, daß die Schwestern Eberhardsson in Rauschgiftgeschäfte verwickelt waren. Das wäre mal ein richtiger Volltreffer für die schwedische Handarbeitsbranche. Stickereien raus, Heroin rein.«

»Der Gedanke ist mir auch schon gekommen«, antwortete Wallander und stand auf. »Wir sehen uns nachher.«

Als er in sein Zimmer ging, dachte er, daß Rydberg niemals so offenherzig über seinen Zustand sprechen würde, wenn er nicht überzeugt wäre, daß tatsächlich etwas nicht in Ordnung war. Wallander war beunruhigt.

Bis Viertel vor acht ging er einige Berichte durch, die man in den Tagen seiner Abwesenheit auf seinen Tisch gelegt hatte. Mit Linda hatte er am Tag vorher gesprochen, sobald er zu Hause war und seine Tasche abgestellt hatte. Sie hatte versprochen, ihren Großvater in Kastrup abzuholen und aufzupassen, daß er gut nach Löderup kam. Wallander hatte es nicht gewagt, mit einem zweiten Kredit zu rechnen, um ein anderes Auto zu kaufen, mit dem er ihn in Malmö abholen konnte.

Er fand eine Mitteilung, daß Sten Widén angerufen hatte. Und seine Schwester. Die Zettel hob er auf. Außerdem hatte sich sein Kollege Göran Boman aus Kristianstad gemeldet, mit dem er sich ab und zu traf, nachdem sie auf einem der regelmäßigen Seminare der Reichspolizeibehörde Bekanntschaft geschlossen hatten. Auch den Zettel legte er zur Seite. Den Rest wischte er in den Papierkorb.

Die Sitzung begann damit, daß Wallander kurz von seinem Abenteuer in Kairo und von dem hilfsbereiten Polizisten namens Radwan berichtete. Dann brach eine Diskussion darüber aus, wann in Schweden eigentlich die Todesstrafe abgeschafft worden war. Es gab verschiedene Auffassungen. Svedberg meinte, daß noch in den dreißiger Jahren Leute erschossen worden seien, was Martinsson ausdrücklich bestritt, der behauptete, es habe in Schweden keine Hinrichtungen mehr gegeben, seit irgendwann in den neunziger Jahren des neunzehnten Jahrhunderts eine Anna Mänsdotter im Gefängnis von Kristianstad geköpft worden war. Am Ende rief Hansson einen Kriminalreporter in Stockholm an, mit dem ihn das Interesse für Trabrennen verband.

»1910«, sagte er danach. »Da wurde in Schweden zum ersten und zum letzten Mal die Guillotine benutzt. Bei einem Mann namens Ander.«

»Ist der nicht in einem Ballon zum Nordpol geflogen?« wandte Martinsson ein.

»Der hieß Andrée«, sagte Wallander. »Und jetzt mal zur Sache.«

Rydberg hatte die ganze Zeit stumm dagesessen. Wallander kam es vor, als sei er irgendwie abwesend.

Sie sprachen über Holm. Seine Leiche war auf dem Gebiet des Polizeidistrikts Sjöbo gefunden worden, aber nur ein paar hundert Meter entfernt von dem Feldweg, an dem der Polizeidistrikt Ystad anfing.

»Die Kollegen in Sjöbo schenken ihn uns gern«, sagte Martinsson. »Wir tragen die Leiche symbolisch über den Feldweg, und sie gehört uns. Besonders weil wir schon mit Holm zu tun hatten.«

Wallander bat um einen Zeitplan. Martinsson konnte Auskunft geben. Holm war also ein paar Tage nach dem Flugzeugabsturz verschwunden. Während Wallander in Kairo war, hatte ein Mann die Leiche bei einem Waldspaziergang gefunden. Sie hatte am Ende eines Waldweges gelegen. Es gab Wagenspuren. Aber Holm hatte seine Brieftasche noch, ein Raubmord dürfte es also kaum gewesen sein. Beobachtungen, die von Interesse sein konnten, waren nicht eingegangen. Die Umgebung des Fundorts war unbewohnt.

Martinsson war gerade fertig, als die Tür zum Sitzungszimmer geöffnet wurde. Ein Polizist steckte den Kopf herein und sagte, es sei eine Meldung von Interpol gekommen. Martinsson ging, um sie zu holen. Unterdessen berichtete Svedberg, welch erstaunliche Energie Björk darauf verwandt hatte, die Eingangstür reparieren zu lassen.

Martinsson kam zurück. »Einer der Piloten ist identifiziert«, sagte er. »Pedro Espinosa, dreiunddreißig Jahre. Geboren in Madrid. Hat wegen Betrugs in Spanien im Gefängnis gesessen und in Frankreich wegen Schmuggels.«

»Schmuggel«, sagte Wallander. »Das paßt genau.«

»Hier ist noch etwas Interessantes«, sagte Martinsson. »Seine letzte bekannte Adresse war in Marbella. Wo die Schwestern Eberhardsson ihre große Villa hatten.«

Es wurde still im Raum. Wallander war sich darüber im klaren, daß es sich immer noch um Zufälle handeln konnte. Ein Haus in

Marbella und ein abgestürzter Pilot, der zufällig am selben Ort wohnte. Aber insgeheim wußte er, daß sie dabei waren, eine verblüffende Verbindung aufzudecken. Was das bedeutete, wußte er nicht. Aber jetzt konnten sie immerhin anfangen, eine bestimmte Richtung zu verfolgen.

»Der andere Pilot ist noch nicht identifiziert«, fuhr Martinsson fort. »Aber sie arbeiten dran.«

Wallander sah sich im Raum um. »Wir brauchen mehr Hilfe von der spanischen Polizei«, sagte er. »Wenn sie genauso hilfsbereit sind wie Radwan in Kairo, dann sollten sie ganz flott das Haus der Schwestern Eberhardsson durchsuchen. Und zwar nach einem Safe. Und nach Rauschgift. Rausfinden, mit wem die Schwestern dort verkehrt haben. Das müssen wir wissen. Und ziemlich bald.«

»Sollte nicht vielleicht jemand von uns hinfahren?« fragte Hansson.

»Noch nicht«, sagte Wallander. »Sonnen kannst du dich im Sommer.«

Sie gingen noch einmal das ganze Material durch und verteilten die anstehenden Aufgaben. In erster Linie würden sie sich jetzt auf Yngve Leonard Holm konzentrieren. Wallander spürte, daß das Arbeitstempo in der Ermittlungsgruppe gestiegen war.

Um Viertel vor zehn brachen sie auf. Hansson erinnerte Wallander an die traditionelle Weihnachtsfeier der Polizei, die am 21. Dezember im Hotel Continental stattfinden sollte. Wallander suchte vergeblich nach einer guten Entschuldigung, um nicht hingehen zu müssen.

Als er seine Telefonate erledigt hatte, legte er den Hörer neben das Telefon und schloß die Tür. Er begann, das verfügbare Material zu dem abgestürzten Flugzeug, zu Yngve Leonard Holm und den beiden Schwestern Eberhardsson noch einmal Schritt für Schritt durchzugehen. Er zeichnete ein Dreieck auf seinen Kladdenblock, wobei jedes der drei Ereignisse eine Spitze darstellte. Fünf Tote, dachte er. Zwei Piloten, von denen der eine aus Spanien kam. In einem Flugzeug, das buchstäblich ein fliegender Holländer war, da es offiziell nach einem Absturz in Laos verschrottet worden war. Ein Flugzeug, das nachts heimlich über die schwedische Grenze flog, südlich von Sjöbo sofort wieder wendete und bei Mossby

Strand abstürzte. Auf dem Boden waren Lichter zu sehen gewesen, was auf einen Abwurf irgendwo hindeuten kann.

Das ist die erste Spitze.

Die zweite Spitze sind die beiden Schwestern, die in Ystad ein Handarbeitsgeschäft betrieben. Sie werden durch Genickschüsse hingerichtet, und ihr Haus wird abgebrannt. Es stellt sich heraus, daß sie vermögend sind, im Fundament ihres Hauses einen Safe installiert haben und ein Haus in Spanien besitzen. Die zweite Spitze besteht also aus zwei Schwestern, die ein Doppelleben führten.

Wallander zog einen Querstrich zwischen Pedro Espinosa und den Schwestern Eberhardsson. Dort gab es eine Verbindung. Marbella.

Die dritte Spitze war Yngve Leonard Holm, der auf einem Waldweg bei Sjöbo hingerichtet wurde. Über ihn wußten sie, daß er ein notorischer Rauschgifthändler war, mit einer ungewöhnlich gut entwickelten Fähigkeit, seine eigenen Spuren zu verwischen.

Aber jemand hatte ihn bei Sjöbo eingeholt, dachte Wallander.

Er stand auf und betrachtete sein Dreieck. Was erzählte es? Er setzte einen Punkt in die Mitte. Ein Zentrum, dachte er. Hembergs und Rydbergs ständige Frage: Wo gibt es ein Zentrum, einen Mittelpunkt? Er fuhr fort, seine Zeichnung zu betrachten. Dann erkannte er plötzlich, daß sein Bild an eine Pyramide erinnerte. Die Basis war ein Quadrat. Aber aus der Ferne konnte die Pyramide wie ein Dreieck aussehen.

Er setzte sich wieder an den Tisch. *Alles, was ich vor mir habe, erzählt im Grunde von einer einzigen Sache. Es ist etwas geschehen, wodurch ein Muster zerstört worden ist. Höchstwahrscheinlich ist das abgestürzte Flugzeug der Ausgangspunkt. Es kam zu einer Kettenreaktion, die zu drei Morden führte, drei Hinrichtungen.*

Er fing noch einmal von vorn an. Der Gedanke an die Pyramide wollte ihn nicht loslassen. Konnte es sich um einen eigenartigen Machtkampf handeln? In dem die Schwestern Eberhardsson, Yngve Leonard Holm und das Flugzeug die Spitzen in einem Dreieck waren? In dem es aber einen nach wie vor unbekannten Mittelpunkt gab?

Langsam und systematisch arbeitete er sich durch alle Fakten, die er zur Verfügung hatte. Ab und zu schrieb er eine Frage auf. Ohne daß er es merkte, war es plötzlich zwölf Uhr geworden. Er ließ den Stift fallen, nahm seine Jacke und ging hinunter zur Bank. Draußen waren ein paar Grad über Null. Nieselregen. Er füllte seine Kreditverträge neu aus und hob weitere 20 000 Kronen ab. Im Moment wollte er nicht an all das Geld denken, das in Ägypten verschwunden war. Das Bußgeld war eine Sache. Was ihn ärgerte, ja, was ihm regelrecht weh tat, war der Preis für das Flugticket. Er hatte auch wenig Hoffnung, daß seine Schwester sich an den Ausgaben beteiligen würde.

Exakt um ein Uhr kam der Autohändler mit dem neuen Peugeot. Der alte weigerte sich anzuspringen. Wallander wartete nicht auf den Abschleppwagen. Statt dessen fuhr er eine Runde mit dem neuen dunkelblauen Wagen. Er war abgenutzt und verraucht. Aber er lief gut. Das war das wichtigste. Wallander fuhr in Richtung Hedeskoga und wollte gerade wenden, als er es sich plötzlich anders überlegte. Er befand sich auf der Strecke nach Sjöbo. Martinsson hatte ihm genau erklärt, wo Holms Leiche gefunden worden war. Er wollte die Stelle mit eigenen Augen sehen. Und vielleicht sogar das Haus besuchen, in dem Holm gewohnt hatte.

Die Stelle, an der Holm gefunden worden war, war immer noch abgesperrt. Aber es waren keine Polizisten da. Wallander stieg aus dem Wagen. Um ihn herrschte Stille. Er kletterte über das Absperrband und sah sich um. Wenn man einen Menschen umbringen wollte, dann war dies ein ausgezeichneter Ort dafür. Er versuchte, sich vorzustellen, was geschehen war. Holm war mit jemandem zusammen hergekommen. Laut Martinsson gab es nur Spuren von einem Wagen.

Eine Abrechnung, dachte Wallander. Etwas soll übergeben werden, etwas soll bezahlt werden. Dann geschieht etwas. Holm wird in den Nacken geschossen. Er ist tot, bevor er zu Boden fällt. Der Mörder verschwindet spurlos.

Ein Mann, dachte Wallander. Oder mehr als einer. Derselbe oder dieselben, die ein paar Tage zuvor die Schwestern Eberhardsson getötet hatten.

Plötzlich hatte er das Gefühl, sich irgend etwas zu nähern. Einer weiteren Verbindung, die er entdecken müßte, wenn er sich nur anstrengte. Daß es um Drogengeschäfte ging, erschien ihm offensichtlich. Auch wenn es immer noch schwer vorstellbar war, daß zwei Schwestern, die ein Handarbeitsgeschäft führten, in so etwas verwickelt sein sollten. Aber Rydberg hatte recht. Sein erster Kommentar – was sie eigentlich von den beiden Schwestern wüßten – war berechtigt gewesen.

Wallander verließ den Waldweg und fuhr weiter. Er hatte Martinssons Karte deutlich vor seinem inneren Auge. In dem großen Kreisverkehr südlich von Sjöbo mußte er nach rechts abbiegen. Dann die zweite Straße, eine Schotterstraße, nach links, das letzte Haus auf der rechten Seite, eine rote Scheune an der Straße. Blauer, halbzerfallener Briefkasten. Zwei Schrottautos und ein rostiger Traktor auf einem Hof neben der Scheune. Bellender Hund unbestimmter Rasse in einem großen Zwinger. Er hatte keine Schwierigkeiten, es zu finden. Schon bevor er die Wagentür öffnete, hörte er den Hund. Er stieg aus und betrat den Hof. Vom Wohnhaus war die Farbe abgeblättert. Fallrohre hingen in Stücken an den Giebeln. Der Hund bellte wie wild und sprang am Gitter hoch. Wallander fragte sich, was passieren würde, wenn es zusammenbrach und der Hund frei wäre. Er ging zur Haustür und drückte auf einen Klingelknopf. Dann sah er, daß die Leitung durchgeschnitten war. Er klopfte und wartete. Schließlich hämmerte er so fest gegen die Tür, daß sie aufging. Er rief hinein, ob jemand zu Hause sei. Noch immer keine Antwort. Ich sollte nicht reingehen, dachte er. Dann breche ich eine ganze Reihe von Regeln, die nicht nur für Polizisten, sondern für jedermann gelten. Doch er schob die Tür auf und ging hinein. Lose hängende Tapeten, stickige Luft, Tohuwabohu. Zerrissene Sofas, Matratzen auf dem Boden. Allerdings ein Fernseher mit Großbildschirm und ein Videogerät der modernsten Sorte. CD-Spieler mit enormen Boxen. Er rief noch einmal und lauschte. Keine Antwort. In der Küche herrschte ein unbeschreibliches Chaos. Schmutziges Geschirr stapelte sich in der Spüle. Papiertüten, Plastiktüten, leere Pizzaverpackungen auf dem Boden, über den mehrere Ameisenstraßen verliefen.

In einer Ecke huschte eine Maus vorbei. Es roch muffig. Wallander ging weiter. Blieb vor einer Tür stehen, an die »Yngves Kirche«

gesprayt war. Er schob die Tür auf. Dahinter gab es ein richtiges Bett. Aber nur mit einem Laken und einer Decke. Eine Kommode, zwei Stühle. Auf der Fensterbank ein Radio. Eine Uhr, die um zehn Minuten vor sieben stehengeblieben war. Hier hatte also Yngve Leonard Holm gewohnt. Während er gleichzeitig ein großes Haus in Ystad baute. Auf dem Boden lag das Oberteil eines Trainingsanzugs. Den hatte er getragen, als Wallander ihn verhört hatte. Wallander setzte sich vorsichtig auf die Bettkante, aus Angst, das Bett könnte zusammenbrechen, und sah sich um. Hier hatte ein Mensch gewohnt, dachte er. Ein Mensch, der davon lebte, andere Menschen in verschiedene Varianten der Drogenhölle zu treiben. Er schüttelte verständnislos den Kopf. Dann beugte er sich nach vorn und sah unter das Bett. Große Wollmäuse. Ein Hausschuh und ein paar Pornozeitschriften. Er stand auf und zog die Schubladen der Kommode heraus. Noch mehr Zeitschriften mit unbekleideten Damen mit gespreizten Beinen. Manche von ihnen erschrekkend jung. Unterwäsche, Kopfschmerztabletten, Pflaster.

Nächste Schublade. Eine alte Lötlampe, wie man sie früher verwendete, um die Motoren von Fischerbooten in Gang zu bekommen. In der letzten Schublade lag ein Haufen hineingeworfener Papiere. Alte Schulzeugnisse. Wallander las, daß Holm ausschließlich in dem Fach »Gut« bekommen hatte, das auch sein eigenes Lieblingsfach gewesen war, in Geographie. Ansonsten war er ein eher mittelmäßiger Schüler gewesen. Ein paar Fotos. Holm in einer Bar mit einem Bierglas in jeder Hand. Betrunken. Rote Augen. Ein anderes Foto: Holm nackt an einem Strand. Mit einem breiten Grinsen direkt in die Kamera starrend. Dann ein altes Schwarzweißfoto von einem Mann und einer Frau auf einer Straße. Wallander drehte das Bild um. »Båstad 1937«. Es waren möglicherweise Holms Eltern.

Er suchte weiter unter den Papieren. Hielt bei einem alten Flugschein inne. Nahm ihn mit ans Fenster. Kopenhagen–Marbella, hin und zurück. Am 12. August 1989. Rückreise am 17. August. Fünf Tage in Spanien. Kein Charterticket. Ob Economy oder Business Class konnte er nicht erkennen. Er stopfte das Ticket in die Tasche. Suchte noch ein paar Minuten und schob dann die Schublade wieder zu. Im Schrank gab es nichts, was Wallanders Aufmerksamkeit erregte. Nur eine unbeschreibliche Unordnung. Er setzte sich wieder auf das Bett. Fragte sich, wo die anderen Hausbewohner waren. Er ging in das Wohnzimmer zurück. Auf einem Tisch stand ein Telefon. Er rief das Polizeipräsidium an und sprach mit Ebba.

»Wo bist du? Man sucht nach dir.«

»Wer sucht mich?«

»Du weißt, wie es ist. Sobald du mal nicht da bist, suchen dich alle.«

»Ich komme«, sagte Wallander. Dann bat er sie, die Telefonnummer des Reisebüros herauszusuchen, in dem Anette Bengtsson arbeitete. Er merkte sich die Nummer, beendete das Gespräch mit Ebba und rief das Reisebüro an. Eine Kollegin meldete sich. Er bat, mit Anette sprechen zu dürfen. Ein paar Minuten vergingen. Dann meldete sie sich. Er sagte, wer er war.

»Wie war die Reise nach Kairo?« fragte sie.

»Gut. Die Pyramiden sind sehr hoch. Sehr eigenartig. Und es war heiß.«

»Sie hätten länger dableiben sollen.«

»Ein andermal.«

Dann fragte er sie, ob sie ihm sagen könne, ob Anna oder Emilia Eberhardsson zwischen dem 12. und 17. August in Spanien gewesen waren.

»Das wird einen Moment dauern«, sagte sie.

Sie legte den Hörer ab. Wallander sah wieder flüchtig eine Maus in einer Ecke. Ob es dieselbe war wie vorher, konnte er natürlich nicht erkennen. Der Winter kündigt sich an, dachte er. Die Mäuse kommen ins Haus.

Anette Bengtsson kam wieder an den Apparat. »Anna Eberhardsson flog am 10. August«, sagte sie. »Sie kam erst Anfang September wieder zurück.«

»Danke für die Hilfe«, antwortete Wallander. »Ich würde gern eine Liste sämtlicher Reisen der beiden Schwestern im letzten Jahr haben.«

»Warum?«

»Für die polizeiliche Ermittlung«, antwortete er. »Ich komme morgen vorbei.«

Sie versprach, ihm zu helfen. Er legte auf. Dachte, daß er sich sicher in sie verliebt hätte, wenn er zehn Jahre jünger wäre. Jetzt wäre es sinnlos. Sie würde einen Vorstoß seinerseits nur abgeschmackt finden. Er verließ das Haus und dachte abwechselnd an Holm und an Emma Lundin. Dann kehrten seine Gedanken zu Anette Bengtsson zurück. Er konnte sich im Grunde nicht ganz sicher sein, ob sie es ihm übelnähme. Aber sie hatte sicher schon einen Freund. Obwohl er sich nicht erinnern konnte, einen Ring an ihrer linken Hand gesehen zu haben.

Der Hund bellte wie besessen. Wallander trat an den Zwinger, und er verstummte. Sobald Wallander sich umdrehte und wegging, bellte der Hund wieder. Ich kann froh und dankbar sein, daß Linda nicht in einem Haus wie diesem wohnt, dachte er. Wie viele Menschen in Schweden, von den normalen, ahnungslosen Bürgern, kennen solch ein Milieu? Wo Menschen in einem ewigen Dämmerzustand und in Elend und Verwahrlosung leben. Er setzte sich ins Auto und fuhr davon. Aber zuerst hatte er den Briefkasten geöffnet. Darin lag ein Brief an Holm. Er öffnete ihn. Es war eine Mahnung von einer Autovermietung. Wallander steckte den Brief ein.

Es war schon vier Uhr, als er ins Polizeipräsidium zurückkam. Auf seinem Tisch lag ein Zettel von Martinsson. Wallander ging zu ihm. Martinsson saß am Telefon. Als Wallander in der Tür stand, bat er darum, zurückrufen zu dürfen. Wallander nahm an, daß er mit seiner Frau gesprochen hatte. Martinsson legte den Hörer auf.

»Die spanische Polizei durchsucht gerade das Haus in Marbella«, sagte er. »Ich habe mit einem Polizisten namens Fernando Lopez gesprochen. Er sprach ausgezeichnet Englisch und schien ein sehr hohes Tier zu sein.«

Wallander erzählte von seinem Ausflug und von dem Gespräch mit Anette Bengtsson. Er zeigte Martinsson das Ticket.

»Der Saukerl mußte kein Charterticket nehmen«, sagte Martinsson.

»Bestimmt nicht«, antwortete Wallander. »Aber jetzt haben wir noch eine Verbindung. Keiner soll sagen, das hier sei ein Zufall.«

Das sagte er auch bei der Sitzung der Ermittlungsgruppe um fünf Uhr. Sie war sehr kurz. Per Åkeson saß dabei, ohne ein Wort zu sagen. Er hat schon aufgehört, dachte Wallander. Er ist hier, aber im Geiste ist er schon nicht mehr im Dienst.

Als es nichts mehr zu sagen gab, beendeten sie die Sitzung. Jeder fuhr mit seiner Arbeit fort. Wallander rief Linda an und teilte ihr mit, daß er jetzt ein funktionierendes Auto habe, so daß er ihren Großvater in Malmö abholen könne. Um kurz vor sieben ging er nach Hause. Emma Lundin rief an. Diesmal sagte Wallander ja. Sie blieb wie gewöhnlich bis kurz nach Mitternacht. Wallander dachte an Anette Bengtsson.

Am nächsten Tag ging er ins Reisebüro und bekam die Angaben, um die er gebeten hatte. Es waren viele Kunden da, die über Weihnachten Last-Minute-Reisen buchen wollten. Wallander hatte Lust, ein wenig zu bleiben und mit Anette Bengtsson zu reden. Aber sie hatte keine Zeit. Er blieb vor dem niedergebrannten Handarbeitsladen stehen. Plötzlich fiel ihm ein, daß es nicht einmal mehr eine Woche war bis Weihnachten. Das erste Weihnachten als Geschiedener.

An dem Tag geschah nichts, was die Ermittlungen voranbrachte. Wallander grübelte über seine Pyramide nach. Das einzige, was er hinzufügte, war eine dicke Linie zwischen Anna Eberhardsson und Yngve Leonard Holm.

Am nächsten Tag, dem 21. Dezember, fuhr Wallander nach Malmö und holte seinen Vater ab. Er war sehr erleichtert, als er ihn aus dem Flugbootterminal herauskommen sah. Er brachte ihn in sein Haus nach Löderup. Der Vater redete ununterbrochen von seiner gelungenen Reise. Daß er im Gefängnis gesessen hatte und Wallander auch in Kairo gewesen war, schien er vergessen zu haben.

Am Abend ging Wallander zum Weihnachtsessen der Polizei. Er vermied es, am selben Tisch wie Björk zu sitzen. Aber die Rede, die dieser hielt, war ungewöhnlich gelungen. Er hatte sich die Mühe gemacht, in der Geschichte der Ystader Polizei zu forschen. Seine Erläuterungen waren sowohl witzig als auch gut vorgetragen. Wallander mußte mehrmals lachen. Zweifellos konnte Björk gut Vorträge halten.

Als Wallander nach Hause kam, war er betrunken. Bevor er einschlief, dachte er an Anette Bengtsson. Und beschloß im nächsten Augenblick, nicht mehr an sie zu denken.

Am 22. Dezember gingen sie nochmals den Stand der Ermittlungen durch. Es war nichts Neues passiert. Die spanische Polizei hatte im Haus der Schwestern nichts Auffälliges gefunden. Keine geheimen Safes, nichts. Noch immer warteten sie darauf, daß der zweite Pilot identifiziert würde.

Am Nachmittag ging Wallander los und kaufte sich selbst ein Weihnachtsgeschenk. Ein Radio für sein Auto. Es gelang ihm auch, es selbst einzubauen.

Am 23. Dezember faßten sie die Ermittlungsergebnisse zusammen. Nyberg konnte berichten, daß Holm mit derselben Waffe erschossen worden war wie die beiden Schwestern Eberhardsson. Aber noch immer gab es keine Spur von der Waffe. Wallander zog neue Linien auf seiner Zeichnung. Die Verbindungen verdichteten sich, doch welche Spitze die wichtigste war, blieb ihm weiter verborgen.

Während der Weihnachtstage sollte die Arbeit nicht ruhen. Aber Wallander wußte, daß sie höchstens mit halber Kraft laufen würde. Nicht zuletzt, weil es schwer war, Leute zu erreichen oder bestimmte Auskünfte zu bekommen.

Am Nachmittag des 24. Dezember regnete es. Wallander holte Linda vom Bahnhof ab. Gemeinsam fuhren sie nach Löderup. Sie hatte ihrem Großvater ein Halstuch mitgebracht. Wallander schenkte ihm eine Flasche Cognac. Linda und Wallander bereiteten das Weihnachtsessen zu, während der Vater am Küchentisch saß und von den Pyramiden erzählte. Der Abend verlief ungewöhnlich harmonisch, besonders weil Linda sich so gut mit ihrem Großvater verstand. Wallander fühlte sich manchmal ausgeschlossen. Aber das machte ihm nichts aus. Hin und wieder dachte er zerstreut an die beiden Schwestern, an Holm und an das Flugzeug, das auf den Acker gestürzt war.

Nachdem Wallander und Linda nach Ystad zurückgefahren waren, saßen sie noch lange zusammen und redeten miteinander. Am nächsten Morgen schlief Wallander aus. Er schlief immer gut, wenn Linda in der Wohnung war. Der erste Weihnachtstag war kalt und klar. Sie machten einen langen Spaziergang durch Sandskogen. Sie erzählte von ihren Plänen. Wallander hatte ihr zu Weihnachten ein Versprechen geschenkt. Nämlich möglichst viel von den Kosten zu übernehmen, wenn sie sich entschied, in Frankreich ein Praktikum zu machen. Spät am Nachmittag brachte er sie zum Zug. Er hätte sie gern nach Malmö gebracht, aber sie wollte lieber mit dem Zug fahren. Am Abend fühlte Wallander sich einsam. Er sah sich im Fernsehen einen alten Film an und hörte dann *Rigoletto*. Dachte, daß er Rydberg hätte anrufen und ihm frohe Weihnachten wünschen sollen. Jetzt war es zu spät.

Als Wallander am zweiten Weihnachtstag um kurz nach sieben aus dem Küchenfenster sah, fiel ein düsterer Schneeregen auf Ystad. Plötzlich erinnerte er sich an die warme Nachtluft in Kairo. Dachte auch, daß er auf keinen Fall vergessen durfte, Radwan für seine Hilfe zu danken. Er schrieb es auf seinen Notizblock, der auf dem Küchentisch lag. Dann machte er sich zur Feier des Tages ein ordentliches Frühstück.

Erst gegen neun Uhr fuhr er ins Polizeipräsidium. Er sprach mit ein paar Polizisten von der Nachtschicht. Weihnachten war dieses Jahr ungewöhnlich ruhig gewesen. Am Heiligabend war es zwar wie gewöhnlich zu zahlreichen Familienstreitigkeiten gekommen, aber keine davon war wirklich ernst gewesen. Wallander ging durch den einsamen Korridor in sein Zimmer.

Jetzt mußte er wieder ernsthaft die Ermittlungen der Mordfälle anpacken. Noch immer waren es zwei verschiedene Fälle, obwohl er überzeugt war, daß es dieselbe Person war, die die Schwestern Eberhardsson und Yngve Leonard Holm getötet hatte. Es war nicht nur dieselbe Waffe und dieselbe Hand. Es gab auch ein gemeinsames Motiv. Er holte Kaffee aus dem Eßraum und beugte sich über seine Anmerkungen. Die Pyramide mit ihrer Basis. Er zeichnete ein großes Fragezeichen in die Mitte des Dreiecks. Die Spitze, die sein Vater hatte erklimmen wollen und zu der er sich nun selbst vorarbeiten mußte. Nach mehr als zweistündigem Grübeln war er sich seiner Sache sicher. Was sie nun mit aller Kraft suchen mußten, war ein fehlendes Glied. Ein Muster, vielleicht eine Organisation, war zusammengebrochen, als das Flugzeug abstürzte. Dann waren einer oder mehrere Unbekannte hastig aus dem Schatten getreten und hatten gehandelt. Sie hatten drei Menschen getötet.

Schweigen, dachte Wallander. Vielleicht geht es genau darum? Um ein Wissen, das nicht ans Licht kommen darf? Tote reden nicht.

So konnte es gewesen sein. Aber auch ganz anders.

Er stellte sich ans Fenster. Der Schnee fiel jetzt dichter.

Es wird seine Zeit brauchen, dachte er.

Das ist das erste, was ich bei unserer nächsten Sitzung sagen werde.

Wir müssen damit rechnen, daß diese Untersuchung ihre Zeit braucht.

10

In der Nacht zum 27. Dezember hatte Wallander einen Alptraum. Er war wieder in Kairo, im Gerichtssaal. Radwan war nicht mehr an seiner Seite. Aber jetzt konnte er plötzlich alles verstehen, was der Staatsanwalt und der Richter sagten. Sein Vater saß in Handschellen da, und Wallander war entsetzt, als er zum Tode verurteilt wurde. Wallander stand auf, um zu protestieren. Aber niemand nahm von ihm Notiz. Dann strampelte er sich aus dem Traum heraus, hoch an die Oberfläche, und als er aufwachte, war er schweißnaß. Er lag ganz still da und starrte in die Dunkelheit.

Der Traum hatte ihn so beunruhigt, daß er aufstand und in die Küche ging. Es schneite immer noch. Die Straßenlaterne schaukelte langsam im Wind. Es war halb fünf. Er trank ein Glas Wasser und stand eine Weile da und spielte mit einer halbleeren Whiskyflasche. Aber er ließ sie zu. Er dachte daran, daß Linda gesagt hatte, Träume würden Botschaften überbringen. Auch wenn die Träume von anderen Menschen handelten, waren sie in erster Linie Botschaften für einen selbst. Wallander hatte immer bezweifelt, daß es Sinn machte, zu versuchen, Träume zu deuten. Was konnte es denn für ihn bedeuten, daß sein Vater zum Tode verurteilt wurde? Hatte der Traum ein Todesurteil über ihn selbst ausgesprochen? Dann dachte er, daß die Ursache vielleicht seine eigene Beunruhigung über Rydbergs Gesundheitszustand war. Er trank noch ein Glas Wasser und ging wieder ins Bett.

Aber der Schlaf wollte nicht kommen. Die Gedanken wanderten. Mona, der Vater, Linda, Rydberg. Und dann war er wieder bei seinem ewigen Ausgangspunkt. Der Arbeit. Den Morden an den Schwestern Eberhardsson und an Yngve Leonard Holm. Den beiden toten Piloten, der eine aus Spanien, der andere noch nicht identifiziert. Er dachte an seine Zeichnung. Das Dreieck, in dessen Mitte er ein Fragezeichen gesetzt hatte. Aber jetzt lag er in der Dunkelheit und dachte, daß ein Dreieck auch verschiedene Eckpunkte hatte.

Bis sechs Uhr wälzte er sich im Bett. Dann stand er auf, ließ Badewasser einlaufen und kochte Kaffee. Die Morgenzeitung war schon gekommen. Er blätterte zu den Immobilienanzeigen, fand aber nichts Interessantes. Die Kaffeetasse nahm er mit ins Badezimmer. Dann lag er dösend bis halb sieben im heißen Wasser. Der Gedanke an das Wetter verursachte ihm Widerwillen. Der ständige Schneematsch. Aber jetzt hatte er immerhin ein Auto, das hoffentlich startete.

Um Viertel nach sieben drehte er den Zündschlüssel herum. Der Motor sprang sofort an. Er fuhr zum Polizeipräsidium und parkte so nah wie möglich am Eingang. Dann lief er durch den Schneematsch und wäre an der Treppe vor der Eingangstür fast ausgerutscht. Martinsson stand an der Anmeldung und blätterte in der Polizeizeitung. Als er Wallander sah, nickte er.

»Hier steht, daß wir in allen Belangen besser werden müssen«, sagte er düster. »Vor allem sollen wir unsere Beziehung zur Öffentlichkeit vertiefen.«

»Das ist doch nur gut«, antwortete Wallander.

Es gab ein Bild, das immer wieder in seiner Erinnerung auftauchte. Ein Vorfall, der sich vor zwanzig Jahren in Malmö zugetragen hatte. Damals war er in einem Café von einem jungen Mädchen beschimpft und beschuldigt worden, sie bei einer Vietnamdemonstration mit dem Gummiknüppel geschlagen zu haben. Aus irgendeinem Grund hatte er diesen Augenblick nie vergessen. Sie war später mitschuldig daran, daß er fast erstochen worden wäre, doch das war dabei weniger wichtig. Aber ihren Gesichtsausdruck, die totale Verachtung darin, hatte er nie vergessen.

Martinsson warf die Zeitung auf den Tisch. »Denkst du nie daran aufzuhören?« fragte er. »Etwas anderes zu tun?«

»Jeden Tag«, antwortete Wallander. »Aber ich weiß nicht, was das sein könnte.«

»Vielleicht sollte man sich bei einem privaten Sicherheitsdienst bewerben«, sagte Martinsson.

Wallander war erstaunt. Er hatte immer gedacht, Martinssons sehnlichster Wunsch wäre, einmal Polizeichef zu werden.

Dann erzählte er von seinem Besuch in dem Haus, das Holm bewohnt hatte. Martinsson war enttäuscht, als er hörte, daß nur der Hund zu Hause gewesen war.

»Da wohnen mindestens noch zwei Personen«, sagte er. »Eine junge Frau um die Fünfundzwanzig. Ich habe sie nie gesehen. Aber ein Mann war da. Rolf hieß er. Rolf Nyman, glaube ich. An den Namen der Frau kann ich mich nicht erinnern.«

»Da war nur ein Hund«, wiederholte Wallander. »Der war so feige, daß er anfing zu kriechen, als ich ihn angebrüllt habe.«

Sie einigten sich darauf, am nächsten Morgen erst gegen neun Uhr zusammenzutreffen. Martinsson war sich nicht sicher, ob Svedberg kommen würde. Er hatte am Abend vorher angerufen und gesagt, er habe Fieber und sei stark erkältet.

Wallander ging in sein Zimmer. Wie immer waren es dreiundzwanzig Schritte vom Anfang des Korridors. Manchmal wünschte er sich, daß plötzlich etwas passierte, daß der Korridor länger oder kürzer geworden wäre. Aber alles war wie immer. Er hängte seine Jacke auf und bürstete ein paar Haare von der Stuhllehne. Er fühlte mit der Hand im Nacken und auf dem Scheitel nach. Mit jedem Jahr wurde er besorgter, daß er eines Tages seine Haare verlieren würde.

Dann hörte er schnelle Schritte auf dem Korridor. Es war Martinsson, der, mit einem Papier wedelnd, hereinkam. »Der zweite Pilot ist identifiziert«, sagte er. »Das hier ist gerade von Interpol gekommen.«

Wallander vergaß auf der Stelle sein Haarproblem.

»Ayrton McKenna«, las Martinsson. »Geboren 1945 in Süd-Rhodesien. Hubschrauberpilot seit 1964 beim damaligen süd-rhodesischen Militär. Während der sechziger Jahre mehrfach dekoriert. Wofür, kann man sich fragen. Dafür, daß er massenhaft Schwarze bombardiert hat?«

Wallander hatte nur eine sehr vage Vorstellung davon, was sich in den ehemaligen britischen Kolonien in Afrika abgespielt hatte. »Wie heißt noch Süd-Rhodesien heute? Sambia?«

»Das war Nord-Rhodesien. Süd-Rhodesien heißt Zimbabwe.«

»Mein Wissen über Afrika läßt einiges zu wünschen übrig. Was steht da noch?«

Martinsson las weiter. »Irgendwann nach 1980 zog Ayrton McKenna nach England. Zwischen 1983 und 1985 sitzt er wegen Rauschgiftschmuggels in Birmingham im Gefängnis. Nach 1985 gibt es keine Angaben, bis er 1987 in Hongkong auftaucht. Dort verdächtigt man ihn des Menschenschmuggels aus der Volksrepublik. Er bricht aus der Haft in Hongkong aus, erschießt dabei zwei Wachen und wird seitdem gesucht. Aber die Identifizierung ist eindeutig. Er war es, der mit Espinosa vor Mossby abgestürzt ist.«

Wallander dachte nach.

»Was haben wir?« sagte er. »Zwei vorbestrafte Piloten. Beide wegen Schmuggels. In einem Flugzeug, das es nicht mehr gab. Sie fliegen illegal für ein paar Minuten über die schwedische Grenze. Wahrscheinlich sind sie auf dem Rückweg, als das Flugzeug abstürzt. Sie sollten entweder etwas abliefern oder etwas holen. Da es keine Anzeichen für eine Landung gibt, sieht es danach aus, als hätten sie etwas abgeworfen. Was wirft man aus einem Flugzeug? Außer Bomben?«

»Rauschgift.«

Wallander nickte. Dann beugte er sich über den Tisch nach vorn. »Hat die Havariekommission ihre Arbeit schon aufgenommen?«

»Es hat alles unglaublich lange gedauert. Aber es spricht nichts dafür, daß die Maschine abgeschossen wurde, wenn es das ist, worauf du hinauswillst.«

»Nein«, sagte Wallander. »Was mich interessiert, sind eigentlich nur zwei Dinge. Hatte die Maschine Reservetanks, das heißt, von wie weit her kann sie gekommen sein? Und war es ein Unfall?«

»Wenn sie nicht abgeschossen wurde, kann es kaum etwas anderes gewesen sein.«

»Es gibt die Möglichkeit der Sabotage. Aber das ist vielleicht zu weit hergeholt.«

»Das Flugzeug war alt«, sagte Martinsson. »Das wissen wir. Es ist vermutlich bei Vientiane abgestürzt. Und dann wieder repariert worden. Es kann mit anderen Worten in schlechtem Zustand gewesen sein.«

»Wann fängt diese Havariekommission eigentlich ernsthaft an zu arbeiten?«

»Am 28. Also morgen. Die Maschine ist geborgen und in eine Flugzeughalle nach Sturup gebracht worden.«

»Du solltest wohl dabei sein«, sagte Wallander. »Das mit den Reservetanks ist wichtig.«

»Es gehört eine Menge Sprit dazu, damit die Maschine ohne Zwischenlandung von Spanien gekommen sein kann«, sagte Martinsson skeptisch.

»Davon gehe ich auch nicht aus. Aber ich will wenigstens wissen, ob sie auf der anderen Seite des Meeres abgeflogen sein kann. In Deutschland. Oder in einem der baltischen Staaten.«

Martinsson ging. Wallander machte sich Notizen. Neben den Namen Espinosa schrieb er nun McKenna, unsicher, wie es richtig buchstabiert wurde.

Um halb neun traf sich die Ermittlungsgruppe. Sie war an diesem Tag dezimiert. Svedberg war stark erkältet. Nyberg war nach Eksjö gefahren, um seine sechsundneunzigjährige Mutter zu besuchen. Er sollte im Laufe des Vormittags zurück sein, aber sein Auto hatte irgendwo südlich von Växjö eine Panne gehabt. Rydberg sah müde und mitgenommen aus. Wallander meinte, einen schwachen Alkoholgeruch wahrzunehmen. Vermutlich hatte Rydberg die Weihnachtstage allein verbracht und getrunken. Nicht so, daß er betrunken wurde, das kam selten vor. Aber er pflegte ein stilles und regelmäßiges Trinken. Hansson beklagte sich, er habe zuviel gegessen. Weder Björk noch Åkeson ließen sich blicken. Wallander betrachtete die drei Männer, die um den Tisch verteilt saßen. Im Fernsehen sieht es selten so aus wie hier, dachte er. Dort sind die Polizisten jung und frisch und immer motiviert. Vielleicht hätte Martinsson in solch ein Bild gepaßt. Ansonsten bietet diese Ermittlungsgruppe im Moment nicht gerade einen erbaulichen Anblick.

»Heute nacht hat es eine blutige Schlägerei gegeben«, sagte

Hansson. »Zwei Brüder sind mit ihrem Vater aneinandergeraten. Natürlich betrunken. Einer der Brüder und der Vater liegen im Krankenhaus. Sie sind offensichtlich mit verschiedenen Werkzeugen aufeinander losgegangen.«

»Mit was für Werkzeugen?« fragte Wallander.

»Mit Hämmern. Einem Kuhfuß. Schraubenziehern vielleicht. Zumindest der Vater hat Stichwunden.«

»Wir werden uns darum kümmern, wenn wir Zeit haben«, sagte Wallander. »Im Moment haben wir drei Morde am Hals. Oder zwei, wenn wir die beiden Schwestern zusammenrechnen.«

»Ich verstehe immer noch nicht ganz, warum Sjöbo sich nicht selbst um diesen Holm kümmern kann«, sagte Hansson grantig.

»Weil Holm etwas mit uns zu tun hat«, antwortete Wallander ebenso grantig. »Wenn wir anfangen, jeder für sich zu ermitteln, dann kriegen wir das hier nie in den Griff.«

Hansson gab nicht auf. Er hatte an diesem Morgen wirklich sehr schlechte Laune. »Wissen wir denn, ob Holm etwas mit den Eberhardssons zu tun hatte?«

»Nein«, antwortete Wallander. »Aber alles spricht dafür, daß es sich um ein und denselben Mörder handelt. Ich meine doch, daß das ein hinreichender Zusammenhang ist, um die Ermittlungen zu koppeln und sie von Ystad aus zu leiten.«

»Hat Åkeson sich dazu geäußert?«

»Ja«, sagte Wallander.

Das stimmte nicht. Per Åkeson hatte gar nichts gesagt. Aber Wallander wußte, daß er ihm recht geben würde.

Wallander beendete das Gespräch mit Hansson demonstrativ, indem er sich an Rydberg wandte.

»Wissen wir etwas über den Drogenmarkt?« fragte er. »Ist in Malmö etwas passiert? Haben sich die Preise geändert oder das Angebot?«

»Ich habe angerufen«, sagte Rydberg. »Aber offensichtlich arbeitet dort kein Polizist während der Weihnachtstage.«

»Dann machen wir mit Holm weiter«, entschied Wallander. »Ich habe leider mittlerweile den Verdacht, daß diese Untersuchung langwierig werden wird. Wir müssen also graben. Wer war Holm? Mit wem hat er verkehrt? Welche Position hatte er in der Drogenszene? Hatte er überhaupt eine? Und die Schwestern? Wir wissen zu wenig.«

»Ganz richtig«, sagte Rydberg. »Wenn man in die Tiefe gräbt, kommt man meistens vorwärts.«

Wallander speicherte Rydbergs Worte. *Wenn man in die Tiefe gräbt, kommt man meistens vorwärts.*

Während ihnen noch Rydbergs Worte in den Ohren klangen, brachen sie auf. Wallander fuhr zum Reisebüro, um mit Anette Bengtsson zu sprechen. Zu seiner Enttäuschung hatte sie über Weihnachten frei. Ihre Kollegin hatte allerdings einen Briefumschlag, den sie Wallander übergab.

»Haben Sie die Täter schon gefunden?« fragte sie. »Die die Schwestern umgebracht haben?«

»Nein«, antwortete Wallander. »Aber wir arbeiten dran.«

Auf dem Weg zurück zum Polizeipräsidium fiel Wallander ein, daß er genau für diesen Morgen eine Waschzeit eingetragen hatte. Er hielt in der Mariagata an, ging in seine Wohnung hinauf und trug alle Schmutzwäsche aus dem Schrank nach unten. Als er in den Waschkeller kam, hing ein Zettel an der Waschmaschine, auf dem stand, daß sie defekt sei. Wallander wurde so wütend, daß er die Wäsche hinaustrug und in den Kofferraum warf. Es gab eine Waschmaschine im Polizeipräsidium. Als er in die Regementsgata einbog, wäre er beinahe mit einem Motorrad zusammengestoßen, das ihm mit hoher Geschwindigkeit entgegenkam. Er fuhr an den Straßenrand, schaltete den Motor aus und schloß die Augen. Ich bin fix und fertig, dachte er. Wenn mich eine defekte Waschmaschine dazu bringt, daß ich fast die Beherrschung verliere, dann stimmt etwas nicht mit meinem Leben.

Er wußte, was es war. Die Einsamkeit. Die immer trostloseren nächtlichen Stunden mit Emma Lundin.

Statt zum Polizeipräsidium zu fahren, beschloß er, seinen Vater in Löderup zu besuchen. Es war immer riskant, unangemeldet zu kommen. Aber im Moment spürte Wallander das Bedürfnis, die Ölfarben im Atelier zu riechen. Der Traum der letzten Nacht spukte auch noch in seinem Kopf herum. Er fuhr durch die graue Landschaft und fragte sich, womit er anfangen sollte, um sein Leben zu ändern. Vielleicht hatte Martinsson recht? Vielleicht sollte er sich ernsthaft die Frage stellen, ob er sein Leben lang Polizist sein wollte. Manchmal sprach Per Åkeson über ein Leben jenseits aller Anklagen, aller dumpfen und einförmigen Stunden in Gerichtssälen und Vernehmungszimmern. Sogar mein Vater hat etwas, was mir fehlt, dachte er, als er auf den Hofplatz einbog. Träume, denen er treu bleiben will. Auch wenn sie seinen einzigen Sohn ein Vermögen kosten.

Er stieg aus dem Wagen und ging auf das Atelier zu. Eine Katze spazierte durch die halboffene Tür und betrachtete ihn mit mißtrauischen Blicken. Als Wallander sich hinunterbeugte, um sie zu streicheln, wich sie zur Seite. Wallander klopfte und trat ein.

Der Vater saß vorgebeugt an seiner Staffelei. »Du bist es?« sagte er. »Du kommst unerwartet.«

»Ich war gerade in der Nähe«, antwortete Wallander. »Störe ich?«

Sein Vater tat, als habe er die Frage nicht gehört. Statt dessen begann er, von der Ägyptenreise zu sprechen. Als sei es eine lebendige, aber schon sehr entfernte Erinnerung. Wallander hatte sich auf einen alten Schemel gesetzt und hörte zu.

»Jetzt fehlt nur noch Italien«, schloß sein Vater. »Dann kann ich mich hinlegen und sterben.«

»Ich glaube, wir warten noch mit der Reise«, sagte Wallander. »Jedenfalls ein paar Monate.«

Der Vater malte. Wallander saß stumm da. Hin und wieder wechselten sie ein paar Worte. Dann wieder Stille. Wallander spürte, daß er sich erholte. Sein Kopf fühlte sich leichter an. Nach einer guten halben Stunde stand er auf, um zu gehen. »Ich komme Silvester vorbei«, sagte er.

»Bring eine Flasche Cognac mit«, antwortete der Vater.

Wallander kehrte zum Polizeipräsidium zurück, das immer noch einen fast völlig verlassenen Eindruck machte. Er wußte, daß alle es jetzt bis Silvester ruhig angehen ließen, wo es wie immer viel zu tun geben würde.

Wallander setzte sich in sein Zimmer und sah die Reisen der Schwestern Eberhardsson im vergangenen Jahr durch. Er versuchte, ein Muster herauszulesen, ohne genau zu wissen, wonach er eigentlich suchte. Ich weiß nichts über Holm, dachte er. Oder über diese Piloten. Ich habe nichts, was sich wie ein Raster über die Spanienreisen legen ließe. Es gibt keine Ansatzpunkte, abgesehen von der einen Reise, als Holm gleichzeitig mit Anna Eberhardsson in Marbella war.

Er steckte die Papiere in den Umschlag zurück und legte ihn in einen Ordner, in dem er alles verwahrte, was mit der Mordermittlung zu tun hatte. Dann notierte er auf einem Zettel, daß er nicht vergessen durfte, eine Flasche Cognac zu kaufen.

Es war schon nach zwölf. Er hatte Hunger. Um von seiner zur Gewohnheit gewordenen Unsitte loszukommen, an einem Kiosk ein paar Würstchen hinunterzuschlingen, ging er zum Krankenhaus hinunter und aß im Café ein belegtes Brot. Vom Nebentisch nahm er eine zerlesene Wochenzeitschrift und blätterte sie durch. Ein Popstar war fast an Krebs gestorben. Ein Schauspieler war bei der Vorstellung in Ohnmacht gefallen. Fotos von den Festen der Reichen. Er warf die Zeitschrift wieder auf den Tisch und kehrte ins Polizeipräsidium zurück. Er fühlte sich wie ein Elefant, der durch eine Manege stapfte, und die Manege war Ystad. Jetzt muß bald etwas passieren, dachte er. Von wem und warum sind diese drei Menschen hingerichtet worden?

Rydberg saß an der Anmeldung und wartete auf ihn. Wallander setzte sich neben ihn auf das Sofa. Wie immer kam Rydberg schnell zur Sache. »Malmö schwimmt in Heroin«, sagte er. »Ebenso Lund, Eslöv, Landskrona, Helsingborg. Ich habe mit einem Kollegen in Malmö gesprochen. Er sagte, es gäbe Anzeichen dafür, daß eine große Partie auf den Markt gekommen sei. Mit anderen Worten könnte es stimmen, daß aus dem Flugzeug Stoff abgeworfen worden ist. In dem Fall bleibt eigentlich nur noch eine wichtige Frage.«

Wallander verstand.

»Wer stand da und hat ihn im Empfang genommen?«

»Was das betrifft, kann man mit verschiedenen Gedanken spielen«, fuhr Rydberg fort. »Daß das Flugzeug abstürzen würde, hatte niemand erwartet. Eine Scheißkiste aus Asien, die längst hätte verschrottet werden müssen. Dann muß also da auf dem Feld etwas passiert sein. Entweder haben die Falschen die Ladung abgeholt, die in der Nacht geflogen kam, oder es lauerte mehr als ein Raubtier auf die Beute.«

Wallander nickte. So ähnlich hatte er auch gedacht.

»Etwas geht schief«, sagte Rydberg. »Und das führt dazu, daß zuerst die Schwestern Eberhardsson und dann Holm hingerichtet werden. Mit derselben Waffe. Durch dieselbe Hand oder dieselben Hände.«

»Ich mag es trotzdem nicht glauben«, sagte Wallander. »Daß Anna und Emilia keine netten alten Fräuleins waren, wissen wir mittlerweile. Aber von da bis zur Verwicklung in den Handel mit harten Drogen ist es noch ein großer Schritt.«

»Darin gebe ich dir im Grunde recht«, sagte Rydberg. »Aber mich wundert nichts mehr. Wenn die Gier die Leute erst einmal gepackt hat, dann kennt sie keine Grenzen mehr. Vielleicht ging es abwärts mit dem Handarbeitsgeschäft? Wenn wir ihre Steuerbescheide analysiert haben, wissen wir es. Außerdem sollte es möglich sein, aus den Zahlen herauszulesen, wann etwas passiert ist. Wann sie sich plötzlich nicht mehr um die finanzielle Lage des Handarbeitsgeschäftes zu kümmern brauchten. Vielleicht haben sie von einem Leben in einem sonnigen Paradies geträumt. Das hätten sie nie durch den Verkauf von Knöpfen und Nähseide erreichen können. Plötzlich geschieht etwas. Und sie sind in das Netz verstrickt.«

»Man kann es drehen und wenden«, sagte Wallander. »Einen besseren Deckmantel als zwei alte Damen in einem Handarbeitsgeschäft kann man sich kaum vorstellen. Die personifizierte Unschuld.«

Rydberg nickte. »Wer hat die Sendung entgegengenommen?« wiederholte er. »Und noch eine Frage: Wer stand hinter dem Ganzen? Oder richtiger: wer steht dahinter?«

»Wir suchen noch immer nach dem Zentrum«, sagte Wallander. »Nach der Spitze der Pyramide.«

Rydberg gähnte und stand mühsam auf. »Früher oder später finden wir es heraus«, sagte er.

»Ist Nyberg schon zurück?« fragte Wallander.

»Martinsson zufolge sitzt er noch immer in Tingsryd fest.«

Wallander kehrte in sein Zimmer zurück. Alle schienen darauf zu warten, daß etwas passierte. Um vier Uhr rief Nyberg an und berichtete, daß sein Auto nun endlich repariert sei. Um fünf hatten sie ein Treffen. Eigentlich hatte niemand etwas Neues zu sagen.

In der Nacht schlief Wallander lange und traumlos. Am Morgen schien die Sonne, und es waren fünf Grad über Null. Er ließ den Wagen stehen und ging zu Fuß zum Polizeipräsidium hinauf. Aber auf halber Strecke bereute er es. Ihm fiel ein, was Martinsson erzählt hatte. Von den zwei Bewohnern des Hauses, in dem Holm sein Zimmer hatte. Es war erst Viertel nach sieben. Er würde es noch vor der Sitzung im Polizeipräsidium schaffen, hinzufahren und nachzusehen, ob sie zu Hause waren.

Um Viertel vor acht bog er auf den Hof ein. Der Hund stand in seinem Zwinger und bellte. Wallander sah sich um. Das Haus wirkte genauso verlassen wie am Tag zuvor. Er ging zur Tür und klopfte. Keine Reaktion. Er drückte den Türgriff herunter. Die Tür war verschlossen. Es war also jemand dagewesen. Er wandte sich ab, um zur Rückseite des Hauses zu gehen. In dem Moment hörte er, wie die Tür hinter ihm geöffnet wurde. Unwillkürlich zuckte er zusammen. Ein Mann in Unterhemd und tief hängenden Jeans stand da und sah ihn an.

Wallander ging zurück und stellte sich vor. »Sind Sie Rolf Nyman?« fragte er.

»Ja, das bin ich.«

»Ich würde gerne mit Ihnen reden.«

Der Mann zögerte. »Hier ist nicht aufgeräumt«, antwortete er. »Und das Mädchen, das hier wohnt, schläft gerade.«

»Bei mir zu Hause ist auch nicht aufgeräumt«, sagte Wallander. »Und wir brauchen uns ja nicht auf ihre Bettkante zu setzen.«

Nyman trat zur Seite und nahm Wallander mit in die vollgestopfte Küche. Sie setzten sich. Der Mann machte keine Anstalten, Wallander irgend etwas anzubieten. Aber er wirkte freundlich. Wallander nahm an, daß er sich wegen des Durcheinanders schämte.

»Das Mädchen hat große Probleme mit Drogen«, sagte er. »Sie versucht gerade, davon wegzukommen. Ich helfe ihr, so gut ich kann. Aber es ist schwer.«

»Und Sie selbst?«

»Ich rühre nie etwas an.«

»Aber ist es nicht merkwürdig, daß Sie sich entschlossen haben, mit Holm zusammenzuwohnen. Wenn Sie tatsächlich wollen, daß sie von den Drogen loskommt.«

Nymans Antwort kam schnell und wirkte überzeugend. »Ich habe nicht geahnt, daß er mit Drogen zu tun hatte. Wir haben hier billig gewohnt. Er war nett. Ich hatte keinen blassen Schimmer, was er machte. Zu mir hat er gesagt, er studiert Astronomie. Wir haben immer abends hier draußen auf dem Hof gestanden. Er kannte jeden einzelnen Stern mit Namen.«

»Was machen Sie selbst?«

»Ich kann keine feste Stelle annehmen, solange es ihr schlechtgeht. Ich arbeite ab und zu in einer Diskothek.«

»Diskothek?«

»Ich lege Platten auf.«

»Sie sind also Diskjockey?«

»Ja.«

Wallander fand, daß der Mann einen sympathischen Eindruck machte. Das einzige, was ihn zu beunruhigen schien, war, daß das Mädchen, das irgendwo schlief, aufwachen könnte.

»Holm«, sagte Wallander. »Wie haben Sie ihn kennengelernt? Und wann war das?«

»In einer Diskothek in Landskrona. Wir kamen ins Gespräch. Er hat von diesem Haus erzählt. Ein paar Wochen später sind wir eingezogen. Das schlimmste ist, daß ich keine Lust habe, saubermachen. Früher habe ich das getan. Holm auch. Aber jetzt habe ich alle Hände voll damit zu tun, mich um meine Freundin zu kümmern.«

»Sie hatten nie einen Verdacht, was Holms Geschäfte anging?«

»Nein.«

»Hat er hier nie Besuch gehabt?«

»Nie. Er war tagsüber meistens weg. Aber er sagte immer, wann er wiederkäme. Nur beim letztenmal ist er nicht pünktlich zurückgekommen.«

»Wirkte er an dem Tag beunruhigt? Hatte sich etwas verändert?«

Rolf Nyman dachte nach. »Nein, er war wie immer.«

»Wie war er denn?«

»Fröhlich. Obwohl manchmal ein bißchen still.«

Wallander überlegte, wie er weiter vorgehen sollte.

»Hatte er viel Geld?«

»Er hat jedenfalls nicht aufwendig gelebt. Ich kann Ihnen sein Zimmer zeigen.«

»Das ist nicht nötig. Er hatte also niemals Besuch?«

»Nie.«

»Aber es muß doch mal jemand angerufen haben?«

Nyman nickte.

»Er schien es immer zu wissen, wenn jemand anrufen wollte. Wenn er sich auf den Stuhl neben das Telefon setzte, klingelte es. Wenn er nicht zu Hause oder in der Nähe war, klingelte es nie. Das war das Merkwürdigste an ihm.«

Wallander fielen plötzlich keine Fragen mehr ein. Er stand auf.

»Was geschieht jetzt?« fragte er.

»Ich weiß es nicht. Das Haus hatte Holm von jemandem gemietet, der in Örebro wohnt. Ich nehme an, wir werden ausziehen müssen.«

Rolf Nyman begleitete ihn hinaus auf die Treppe.

»Haben Sie Holm jemals von zwei Schwestern namens Eberhardsson reden hören?«

»Die beiden, die umgebracht worden sind? Nein, nie.«

Wallander hatte doch noch eine letzte Frage.

»Holm muß ein Auto gehabt haben«, sagte er. »Wo ist das?«

Rolf Nyman schüttelte den Kopf.

»Ich weiß es nicht.«

»Was für ein Wagen war es?«

»Ein schwarzer Golf.«

Wallander streckte die Hand aus und verabschiedete sich. Der Hund blieb stumm, als er zum Auto ging.

Holm mußte seine Geschäfte gut getarnt haben, dachte er auf dem Rückweg. Ebenso, wie er sein wirkliches Ich gut getarnt hat, als ich ihn verhört habe.

Um Viertel vor neun stellte er den Wagen vor dem Polizeipräsidium ab. Ebba war auf ihrem Platz und sagte ihm, daß Martinsson und die anderen ihn im Sitzungszimmer erwarteten. Er beeilte sich. Nyberg war auch da.

»Was ist passiert?« fragte Wallander, schon bevor er sich hingesetzt hatte.

»Große Neuigkeiten«, antwortete Martinsson. »Die Malmöer Kollegen haben eine Routinerazzia bei einem berüchtigten Drogenhändler gemacht. In seinem Haus fanden sie eine Pistole, Kaliber 0.38.«

Martinsson wandte sich an Nyberg. »Die Techniker waren schnell«, sagte er. »Die beiden Schwestern und Holm sind mit einer Waffe dieses Kalibers erschossen worden.«

Wallander hielt den Atem an.

»Wie heißt der Händler?«

»Nilsmark. Aber er wird ›Hilton‹ genannt.«

»Ist es dieselbe Waffe?«

»Das können wir noch nicht sagen. Aber die Möglichkeit besteht immerhin.«

Wallander nickte.

»Gut«, sagte er. »Vielleicht ist das der Durchbruch. Und vielleicht haben wir das hier doch bis Neujahr hinter uns.«

11

Sie arbeiteten bis Silvester drei Tage lang intensiv. Wallander und Nyberg fuhren noch am Vormittag des 28. nach Malmö. Nyberg, um mit dem Techniker der Malmöer Polizei zu sprechen, Wallander, um an einem Verhör mit dem Drogenhändler »Hilton« teilzunehmen, beziehungsweise ihn selbst zu verhören. Der Mann war in den Fünfzigern, übergewichtig, aber dennoch ungewöhnlich geschmeidig. Er saß da in Anzug und Krawatte und wirkte gelangweilt. Vor dem Verhör war Wallander von einem Kriminalinspektor Hyttner über seine Vorgeschichte informiert worden.

Hilton hatte Anfang der achtziger Jahre ein paar Jahre wegen Drogenhandels eingesessen. Aber Hyttner war überzeugt, daß Polizei und Staatsanwaltschaft damals nur an der Oberfläche gefischt und ihn nur für einen kleinen Teil seiner Machenschaften verurteilt hatten. Vom Gefängnis in Norrköping aus, wo er einen Teil der Strafe verbüßte, hatte er seine Geschäfte offenbar unter Kontrolle behalten können. Während seiner Abwesenheit war der Polizei in Malmö jedenfalls kein Machtkampf unter denen aufgefallen, die den Drogenhandel im südlichen Teil Schwedens in der Hand hatten.

Als Hilton aus dem Gefängnis kam, hatte er das Ereignis gefeiert, indem er sich scheiden ließ und unmittelbar darauf eine junge Schönheit aus Bolivien heiratete. Danach war er auf einen großen Hof direkt nördlich von Trelleborg gezogen. Sie wußten auch, daß er sein Revier bis Ystad und Simrishamn ausweitete und gerade im Begriff war, sich in Kristianstad zu etablieren. Am 28. Dezember meinte die Polizei, genügend gegen ihn in der Hand zu haben, damit der Staatsanwalt einer Razzia auf seinem Hof zustimmte. Bei der Gelegenheit hatten sie die Pistole gefunden. Hilton hatte sofort zugegeben, daß er für die Waffe keinen Waffenschein hatte. Er begründete ihre Anschaffung damit, daß er etwas zu seiner Verteidigung brauche, da er in einer einsamen Gegend lebe. Aber die Morde an den Schwestern Eberhardsson und Yngve Leonard Holm stritt er energisch ab.

Gegen Ende des Verhörs mit Hilton stellte Wallander ein paar Fragen, unter anderem danach, was Hilton an den jeweils aktuellen Tagen gemacht habe. Im Fall der Schwestern Eberhardsson gab es sehr exakte Zeitangaben; was Holm betraf, waren sie eher unklar. Als die Schwestern Eberhardsson starben, war Hilton in Kopenhagen, behauptete er. Da er allein gereist war, würde es Zeit brauchen, seine Behauptung zu überprüfen. Im Zeitraum zwischen Holms Verschwinden und dem Auffinden seiner Leiche hatte Hilton viele verschiedene Dinge getan.

Wallander wünschte, Rydberg wäre bei ihm. Normalerweise merkte er ziemlich schnell, ob die Person, die vor ihm saß, die Wahrheit sagte oder nicht. Aber bei Hilton war das schwieriger. Wenn Rydberg dabeigewesen wäre, hätten sie ihre Eindrücke vergleichen können.

Nach dem Verhör trank Wallander mit Hyttner Kaffee. »Wir haben ihm noch nie Gewalttätigkeiten nachweisen können«, sagte Hyttner. »Das hat er, wenn nötig, immer andere machen lassen.

Außerdem waren es nicht jedesmal dieselben Typen. Soweit wir wissen, hat er Leute vom Kontinent geholt, wenn er jemandem, der seine Rechnung nicht bezahlt hatte, die Knochen brechen ließ.«

»Die müssen alle ausfindig gemacht werden«, sagte Wallander. »Wenn sich herausstellen sollte, daß es die richtige Waffe ist.«

»Es fällt mir schwer zu glauben, daß er es war«, meinte Hyttner. »Dazu ist er nicht der Typ. Er hat keine Skrupel, Schulkindern Heroin zu verkaufen. Aber er fällt in Ohnmacht, wenn ihm Blut abgezapft wird.«

Wallander kehrte am frühen Nachmittag nach Ystad zurück. Nyberg war immer noch in Malmö. Wallander war sich bewußt, daß er eher hoffte als glaubte, daß sie sich einer Aufklärung der Morde näherten.

Gleichzeitig begann ein anderer Gedanke in ihm zu bohren. Etwas, was er übersehen haben konnte. Eine Schlußfolgerung, die er hätte ziehen müssen, eine Vermutung, zu der er hätte kommen müssen. Er suchte in seinem Kopf, fand aber keine Antwort.

Auf dem Weg zurück nach Ystad bog er bei Stjärnsund ab und blieb eine Weile auf Sten Widéns Pferdehof. Er fand Widén im Stall zusammen mit einer älteren Frau, der offensichtlich eines der Pferde gehörte. Sie war gerade im Begriff zu gehen, als Wallander kam. Gemeinsam sahen sie ihren BMW verschwinden.

»Sie ist nett«, sagte Sten Widén. »Aber die Pferde, die sie sich aufschwatzen läßt, machen niemanden glücklich. Ich sage ihr immer, daß sie mich um Rat fragen soll, bevor sie eins kauft. Jetzt hat sie eins, das ›Jupiter‹ heißt und garantiert nie ein Rennen gewinnt.«

Widén hob resigniert die Arme. »Aber sie hält mich am Leben.«

»Ich möchte ›Traviata‹ sehen«, sagte Wallander.

Sie gingen in den Stall zurück, wo die Pferde in den Boxen mit den Hufen stampften. Sten Widén blieb bei einer Stute stehen und strich ihr über das Maul. »Traviata«, sagte er. »Nicht besonders leichtfertig, würde ich sagen. Sie hat eher Angst vor den Hengsten.«

»Ist sie gut?«

»Sie kann es werden. Aber sie hat schwache Hinterbeine. Wir werden sehen.«

Sie gingen wieder auf den Hof. Wallander hatte im Stall bemerkt, daß Widéns Atem leicht nach Alkohol roch. Widén bot ihm Kaffee an, aber Wallander lehnte dankend ab.

»Ich habe einen Dreifachmord aufzuklären«, sagte er. »Ich nehme an, du hast in den Zeitungen davon gelesen?«

»Ich lese nur den Sportteil«, antwortete Sten Widén.

Wallander verließ Stjärnsund. Und fragte sich, ob Widén und er jemals zu der Vertrautheit zurückfinden würden, die es einmal zwischen ihnen gegeben hatte.

Als er im Präsidium ankam, traf er Björk an der Anmeldung. »Ich habe gehört, ihr habt diese Morde aufgeklärt«, sagte er.

»Nein«, antwortete Wallander. »Nichts ist aufgeklärt.«

»Dann müssen wir eben weiter hoffen.«

Björk verschwand durch die Tür. Es ist, als hätte unsere Auseinandersetzung niemals stattgefunden, dachte Wallander. Oder er ist konfliktscheuer als ich. Oder weniger nachtragend.

Wallander versammelte die Ermittlungsgruppe und wertete aus, was in Malmö passiert war.

»Glaubst du, er ist es?« fragte Rydberg, als Wallander schwieg.

»Ich weiß es nicht«, antwortete Wallander.

»Das heißt mit anderen Worten, du glaubst nicht, daß er es ist?«

Wallander antwortete nicht. Er zuckte nur resigniert mit den Schultern.

Als sie die Sitzung beendet hatten, fragte Martinsson, ob Wallander sich vorstellen könne, in der Silvesternacht mit ihm den Dienst zu tauschen. Wallander dachte nach. Vielleicht wäre es klug, zu arbeiten und beschäftigt zu sein, statt den ganzen Abend an Mona zu denken, aber er hatte seinem Vater versprochen, nach Löderup zu kommen. Das gab den Ausschlag.

»Ich bin schon mit meinem Vater verabredet«, antwortete er. »Frag doch jemand anders.«

Wallander blieb noch im Sitzungszimmer, nachdem Martinsson gegangen war. Er suchte nach dem Gedanken, der auf dem Weg von Malmö angefangen hatte, an ihm zu nagen. Er stellte sich ans Fenster und blickte eine Weile geistesabwesend über den Parkplatz zum Wasserturm. Langsam ging er alle Geschehnisse im Kopf noch einmal durch. Versuchte, etwas einzufangen, was er übersehen haben könnte. Aber vergeblich.

Den Rest des Tages geschah eigentlich gar nichts. Alle warteten. Nyberg kam aus Malmö zurück. Die Ballistiker arbeiteten auf Hochtouren an der Waffe. Martinsson gelang es, seinen Silvesterabend mit Näslund zu tauschen, der sich mit seiner Frau gestritten hatte und am liebsten nicht zu Hause sein wollte. Wallander wanderte im Korridor auf und ab. Er suchte weiter nach dem verschwundenen Gedanken, der ihm keine Ruhe ließ. Immerhin war ihm klar, daß es sich nur um ein Detail handelte, das vorbeigehuscht war. Vielleicht ein einziges Wort, das er hätte auffangen und genauer analysieren sollen.

Es wurde sechs Uhr. Rydberg verschwand ohne ein Wort. Wallander und Martinsson gingen noch einmal alles durch, was sie über Yngve Leonard Holm wußten. Er war in Brösarp geboren und, soweit sie es beurteilen konnten, in seinem ganzen Leben keiner ordentlichen Arbeit nachgegangen. Kleine Diebstähle in der Jugend hatten nach und nach zu gröberen Vergehen geführt. Aber keine Gewalt. In dieser Hinsicht erinnerte er an Nilsmark. Martinsson verabschiedete sich und ging nach Hause. Hansson saß über seine Wettscheine gebeugt, die er hastig in einer Schublade verschwinden ließ, wenn jemand eintrat. Im Eßraum wechselte Wallander ein paar Worte mit einigen Polizisten, die in der Silvesternacht Verkehrskontrollen durchführen sollten. Sie wollten sich auf »Promillestraßen« konzentrieren, Schleichwege, die Autofahrer mit guter Ortskenntnis benutzten, wenn sie nicht nüchtern waren und trotzdem mit dem eigenen Wagen nach Hause fahren wollten. Um sieben Uhr rief Wallander in Malmö an und sprach mit Hyttner. Auch dort gab es nichts Neues. Aber das Heroin schwappte jetzt sogar bis nach Varberg. Von dort an wurde der Drogenhandel von Göteborg aus kontrolliert.

Wallander fuhr nach Hause. Die Waschmaschine war immer noch nicht repariert. Seine Schmutzwäsche lag noch im Auto. Wütend fuhr er ins Präsidium zurück und stopfte die Waschmaschine bis zum Rand voll. Dann setzte er sich und zeichnete Männchen auf seinen Kollegblock. Dachte an Radwan und die gewaltigen Pyramiden. Als er die Wäsche aus dem Trockner nahm, war es schon nach neun. Er fuhr nach Hause, öffnete eine Dose Pyttipanna und aß vor dem Fernseher, während er sich einen alten schwedischen Film ansah. Vage erinnerte er sich, ihn in seiner Jugend schon einmal gesehen zu haben. Zusammen mit einem Mädchen, das ihm nicht erlaubt hatte, seine Hand auf ihren Schenkel zu legen.

Bevor er ins Bett ging, rief er Linda an. Diesmal war Mona am Apparat. An ihrer Stimme konnte er erkennen, daß sein Anruf ungelegen kam. Linda war nicht da. Wallander bat Mona nur, sie zu grüßen. Das Gespräch war schon vorbei, bevor es überhaupt begonnen hatte.

Er war gerade ins Bett gekrochen, als Emma Lundin anrief. Wallander tat, als habe sie ihn geweckt. Sie entschuldigte sich für die Störung. Dann fragte sie nach dem Silvesterabend. Wallander sagte, er würde mit seinem Vater feiern. Sie beschlossen, sich am Neujahrstag zu treffen. Wallander bereute es schon, bevor er den Hörer aufgelegt hatte.

Am folgenden Tag, dem 29. Dezember, geschah eigentlich nur eins: Björk hatte einen kleinen Verkehrsunfall. Ein schadenfroher Martinsson überbrachte die Neuigkeit. Björk hatte ein Auto zu spät bemerkt, als er in die linke Spur wechseln wollte. Es war glatt gewesen, und die Autos waren aneinandergeprallt, hatten jedoch nur leichte Blechschäden abbekommen.

Nyberg wartete immer noch auf den ballistischen Bericht. Wallander nutzte den Tag, um seine Papierberge abzuarbeiten. Am Nachmittag kam Per Åkeson in sein Zimmer und bat um einen Bericht über den bisherigen Verlauf des Geschehens. Wallander sagte wahrheitsgemäß, daß sie hofften, zur Zeit auf der richtigen Spur zu sein. Aber noch immer sei viel Routinearbeit zu leisten.

Es war Åkesons letzter Arbeitstag vor seinem halben Sabbatjahr.

»Meine Nachfolgerin ist eine Frau«, sagte er. »Aber das habe ich ja schon erzählt, oder? Sie heißt Anette Brolin und kommt aus Stockholm. Du kannst dich freuen. Sie ist viel attraktiver als ich.«

»Wir werden sehen«, antwortete Wallander. »Aber wir werden dich sicher vermissen.«

»Hansson nicht«, sagte Per Åkeson. »Er hat mich nie gemocht. Warum, weiß ich nicht. Das gilt auch für Svedberg.«

»Vielleicht finde ich den Grund heraus, während du weg bist.«

Sie wünschten einander ein frohes neues Jahr und versprachen, in Kontakt zu bleiben.

Am Abend telefonierte Wallander lange mit Linda. Sie wollte Silvester mit Freunden in Lund feiern. Wallander war enttäuscht. Er hatte gedacht, oder zumindest gehofft, daß sie mit nach Löderup käme.

»Zwei alte Kerle«, sagte sie nicht unnett. »Ich kann mir was Lustigeres vorstellen.«

Nach dem Gespräch erinnerte Wallander sich daran, daß er vergessen hatte, den Cognac zu kaufen, um den ihn sein Vater gebeten hatte. Er wollte auch eine Flasche Champagner mitnehmen. Er schrieb zwei Zettel. Einen legte er auf den Küchentisch, den anderen in einen seiner Schuhe. In der Nacht saß er lange auf und hörte sich eine alte Aufnahme von *Turandot* mit Maria Callas an. Aus irgendeinem merkwürdigen Grund dachte er an die Pferde in Sten Widéns Stall. Erst gegen drei Uhr schlief er ein.

Am Morgen des 30. fielen riesige Schneemassen auf Ystad. Wallander dachte, daß der Jahreswechsel chaotisch werden konnte, wenn das Wetter sich nicht änderte. Aber schon gegen zehn Uhr klarte es auf, und der Schnee begann zu schmelzen. Wallander wollte wissen, warum die Ballistiker so unendlich lange brauchten, um festzustellen, ob es sich um die richtige Waffe handelte. Nyberg wurde wütend und sagte, die Kriminaltechniker bekämen ihre schlechten Gehälter nicht, um zu schludern. Wallander gab sofort klein bei, sie vertrugen sich wieder und sprachen eine Weile über die ungerecht niedrigen Gehälter der Polizei. Nicht einmal Björk wurde besonders gut bezahlt.

Am Nachmittag versammelte sich die Ermittlungsgruppe. Es wurde eine anstrengende Sitzung, da es kaum Neuigkeiten gab. Die Polizei in Marbella hatte einen außerordentlich genauen Bericht über den Besuch im Haus der Schwestern Eberhardsson geschickt. Sie hatten sogar ein Foto beigelegt. Das Bild wanderte um den Tisch. Das Haus war wirklich ein Palast. Aber dennoch hatte der Bericht nichts Neues zu den Ermittlungen beigetragen. Kein Durchbruch, nur dieses Warten.

Am Morgen des 31. Dezember platzte die Hoffnung. Die Ballistiker konnten mitteilen, daß die Waffe, die man bei Nilsmark gefunden hatte, nicht diejenige war, mit der die Schwestern Eberhardsson und Holm ermordet worden waren. Für einen Moment schien allen die Luft auszugehen. Nur Rydberg und Wallander hatten vermutet, daß der Bericht mit großer Wahrscheinlichkeit negativ ausfallen würde. Der Malmöer Polizei war es außerdem gelungen, eine Bestätigung für Nilsmarks Reise nach Kopenhagen zu bekommen. Er konnte unmöglich in Ystad gewesen sein, als die Schwestern ermordet wurden. Hyttner glaubte, daß Nilsmark auch für die Holm betreffende Zeitspanne ein Alibi würde liefern können.

»Also stehen wir wieder am Anfang«, sagte Wallander. »Im neuen Jahr müssen wir mit Volldampf weiterarbeiten. Das Material noch einmal durchgehen, uns in die Tiefe arbeiten.«

Keiner gab einen Kommentar dazu ab. Während des Jahreswechsels würde die Arbeit zum größten Teil ruhen. Da sie keine eindeutige Spur zu verfolgen hatten, war Wallander der Ansicht, daß sie vor allem Ruhe brauchten. Dann wünschten sie einander ein frohes neues Jahr. Am Ende blieben Rydberg und Wallander allein zurück.

»Wir haben es gewußt«, sagte Rydberg. »Du und ich. Daß es mit diesem Nilsmark zu einfach gewesen wäre. Warum zum Teufel sollte er die Waffe noch haben? Es war von Anfang an falsch gedacht.«

»Und trotzdem mußten wir es klarstellen.«

»Polizeiarbeit heißt oft, Dinge zu tun, von denen man schon von Anfang an weiß, daß sie sinnlos sind«, sagte Rydberg. »Aber es ist, wie du sagst. Jeder Stein muß umgedreht werden.«

Dann sprachen sie über Silvester.

»Ich beneide die Kollegen in den Großstädten nicht«, sagte Rydberg.

»Es kann auch hier ganz schön lebhaft werden.«

Rydberg fragte Wallander, was er vorhabe.

»Ich sitze draußen bei meinem alten Herrn in Löderup. Er hat sich Cognac von mir gewünscht, wir essen etwas, spielen Karten, gähnen und stoßen um Mitternacht an. Dann fahre ich nach Hause.«

»Ich versuche meistens, nicht wach zu bleiben«, sagte Rydberg. »Silvester ist für mich ein Alptraum. Eines der wenigen Male im Jahr, wo ich eine Schlaftablette nehme.«

Wallander sollte Rydberg fragen, wie es ihm ging. Aber er beschloß, es sein zu lassen.

Sie schüttelten sich die Hand, wie um sich zu versichern, daß es ein besonderer Tag war. Dann ging Wallander in sein Zimmer, legte einen Kalender für 1990 heraus und räumte seine Schubladen auf. Silvester war dazu da, sich von alten Papieren zu befreien.

Wallander war erstaunt, was er alles fand. In einer Schublade war eine Kleisterflasche ausgelaufen. Er holte ein Messer aus dem Eßraum und fing an zu kratzen. Vom Korridor konnte er einen erregten Besoffenen hören, der mitteilte, daß er absolut keine Zeit habe, auf der Polizeiwache zu sein, weil er auf eine Party müsse. Es fängt ja gut an, dachte Wallander und ging mit dem Messer in den Eßraum zurück. Die Kleisterflasche warf er in den Abfall.

Um sieben Uhr fuhr er nach Hause, duschte und zog sich um. Kurz nach acht kam er in Löderup an. Auf dem Weg hatte er mehr unbewußt weiter nach dem Gedanken gesucht, der ihn beunruhigte, allerdings erfolglos. Sein Vater hatte ein überraschend gutes Fischgratin gemacht. Wallander hatte schnell noch Cognac eingekauft, und der Vater nickte erfreut, als er sah, daß es »Hennessy« war. Der Champagner wurde in den Kühlschrank gelegt. Zum Essen tranken sie Bier. Der Vater hatte sich zur Feier des Abends seinen alten Anzug angezogen und trug außerdem einen Schlips, der auf eine Weise gebunden war, wie es Wallander noch nie gesehen hatte.

Um kurz nach neun begannen sie, Poker zu spielen. Wallander bekam zweimal einen Dreier, warf aber beide Male eine der Karten ab, damit sein Vater gewinnen konnte. Gegen elf Uhr ging Wallander auf den Hof, um zu pinkeln. Es war klar geworden und viel kälter. Der Sternenhimmel funkelte. Wallander dachte an die Pyramiden. Von den starken Scheinwerfern angestrahlt, hatten sie den ägyptischen Sternenhimmel fast verschwinden lassen. Er ging wieder ins Haus. Der Vater hatte mehrere Glas Cognac getrunken und wurde langsam betrunken. Wallander nippte nur daran, weil er nachts nach Hause fahren wollte. Obwohl er wußte, wo die Verkehrskontrollen sein würden, gehörte es sich nicht, mit Alkohol im Blut zu fahren. Schon gar nicht Silvester. Ab und zu war es doch vorgekommen, und jedesmal hatte Wallander sich gesagt, daß dies das letztemal wäre.

Gegen halb zwölf rief Linda an. Sie sprachen nacheinander mit ihr. Im Hintergrund konnte Wallander eine sehr laut gestellte Musikanlage hören. Sie mußten einander zurufen.

»Du hättest es hier besser gehabt«, rief Wallander.

»Woher willst du das wissen?« rief sie zurück, aber es klang nicht unfreundlich.

Sie wünschten sich ein frohes neues Jahr. Der Vater genehmigte sich noch ein paar Glas Cognac. Mittlerweile kleckerte er, wenn er sich einschenken wollte. Aber er war in guter Stimmung. Und das war für Wallander das wichtigste.

Um zwölf Uhr saßen sie vor dem Fernseher und sahen zu, wie der Schauspieler Jarl Kulle mit einem Gedicht das neue Jahr einlas. Wallander schielte zu seinem Vater hinüber, der tatsächlich Tränen in den Augen hatte. Er selbst war überhaupt nicht ergriffen, nur müde. Mit Widerwillen dachte er daran, daß er am nächsten Tag Emma Lundin treffen sollte. Es war, als habe er ein falsches Spiel mit ihr getrieben. Wenn er an diesem Abend einen Neujahrsvorsatz fassen sollte, dann müßte es der sein, ihr so schnell wie möglich die Wahrheit zu sagen und die Beziehung mit ihr zu beenden.

Aber er faßte keinen Vorsatz.

Um kurz vor eins fuhr er nach Hause. Zuvor hatte er seinem Vater ins Bett geholfen. Er hatte ihm die Schuhe ausgezogen und eine Decke über ihn gebreitet.

»Bald fahren wir nach Italien«, sagte der Vater.

Wallander räumte die Küche auf. Das Schnarchen seines Vaters rollte schon durch das Haus.

Am Neujahrsmorgen wachte Wallander mit Hals- und Kopfschmerzen auf. Das sagte er auch Emma Lundin, als sie gegen zwölf Uhr kam. Da sie Krankenschwester war und Wallander nicht nur blaß aussah, sondern sich auch heiß anfühlte, zweifelte sie nicht daran, daß es stimmte. Sie schaute ihm auch in den Hals. »Dreitageerkältung«, sagte sie. »Bleib zu Hause.«

Sie kochte Tee, den sie im Wohnzimmer tranken. Wallander versuchte mehrmals, sich selbst dazu zu bewegen, ihr die Wahrheit zu sagen. Aber als sie kurz vor drei Uhr ging, hatten sie nur verabredet, daß Wallander sich melden würde, wenn es ihm wieder besserginge.

Den Rest des Tages lag Wallander im Bett. Er fing mehrere Bücher an, konnte sich aber nicht konzentrieren. Nicht einmal *Die geheimnisvolle Insel* von Jules Verne, sein absolutes Lieblingsbuch, vermochte sein Interesse zu wecken. Aber er erinnerte sich daran, daß eine der Personen im Buch auch Ayrton hieß, wie der tote Pilot, der zuletzt identifiziert wurde.

Über lange Phasen dämmerte er im Halbschlaf dahin. Immer wieder tauchten die Pyramiden in seinen Träumen auf. Sein Vater kletterte und fiel, oder er selbst befand sich tief in einem engen Gang, wo riesige Steinmassen über seinem Kopf lasteten.

Am Abend fand er in einer Küchenschublade eine Tütensuppe, die er sich zubereitete. Aber dann goß er fast alles weg. Er hatte keinen Appetit.

Am Tag darauf ging es ihm immer noch schlecht. Er rief Martinsson an und sagte, er habe vor, im Bett zu bleiben. Er erfuhr, daß der Jahreswechsel in Ystad ruhig verlaufen war, an vielen anderen Orten im Land hingegen ungewöhnlich stürmisch. Gegen zehn Uhr ging er einkaufen, da sein Kühlschrank und die Speisekammer fast leer waren. Er ging auch in der Apotheke vorbei und kaufte Kopfschmerztabletten. Seinem Hals ging es besser. Aber jetzt lief die Nase. Als er die Kopfschmerztabletten bezahlen wollte, mußte er niesen. Der Apotheker sah ihn mißbilligend an.

Er ging wieder ins Bett. Schlief ein.

Plötzlich wachte er mit einem Ruck auf. Er hatte wieder von den Pyramiden geträumt. Aber etwas anderes hatte ihn geweckt. Etwas, das mit dem Gedanken zu tun hatte, der ihn zum Narren hielt.

Was sehe ich nicht? dachte er. Er lag ganz still und starrte in den dunklen Raum. Es hatte etwas mit den Pyramiden zu tun. Und mit dem Silvesterabend bei seinem Vater in Löderup. Als er draußen auf dem Hof stand und in den Himmel schaute, hatte er die Sterne gesehen. Weil es um ihn herum dunkel war. Die Pyramiden bei

Kairo waren von starken Scheinwerfern angestrahlt. Sie hatten den Sternen das Licht genommen.

Endlich bekam er den Gedanken zu fassen, der ihn beunruhigt hatte.

Das Flugzeug, das heimlich über die schwedische Küste eingeflogen war, hatte etwas abgeworfen. In den Wäldern war Licht gesehen worden. Ein Gelände war markiert gewesen, damit die Maschine sich orientieren konnte. Scheinwerfer mußten an dem Feld installiert gewesen und anschließend wieder entfernt worden sein.

Es waren die Scheinwerfer, die ihn beunruhigten. Wer hatte Zugang zu starken Strahlern?

Die Idee schien weit hergeholt. Trotzdem vertraute er auf seine Intuition. Er überlegte eine Weile, im Bett sitzend. Dann faßte er einen Entschluß, stand auf, zog sich seinen alten Bademantel über und rief im Polizeipräsidium an. Er wollte mit Martinsson sprechen. Es dauerte ein paar Minuten, bis er ans Telefon kam.

»Tu mir einen Gefallen«, sagte Wallander. »Ruf Rolf Nyman an. Den, mit dem Holm in dem Haus bei Sjöbo gewohnt hat. Ruf an und tu so, als sei es eine Routinesache. Ein paar Personenangaben, die noch fehlen. Nyman hat mir erzählt, daß er als Diskjockey in verschiedenen Diskotheken arbeitet. Frag ihn, so ganz nebenbei, nach den Namen der Lokale, in denen er jobbt.«

»Warum ist das wichtig?«

»Ich weiß nicht«, log Wallander. »Aber tu mir den Gefallen.«

Martinsson versprach zurückzurufen. Wallander hatte sofort den Mut verloren. Es war natürlich viel zu weit hergeholt. Aber wie Rydberg gesagt hatte: Jeder Stein mußte umgedreht werden.

Die Stunden vergingen. Es war schon Nachmittag. Martinsson meldete sich nicht. Das Fieber war zurückgegangen. Aber Wallander bekam immer noch Niesanfälle. Und seine Nase lief.

Um halb fünf rief Martinsson an. »Ich habe ihn eben erst erreicht«, sagte er. »Aber ich glaube, er hat keinen Verdacht geschöpft. Ich habe hier eine Liste von vier Diskotheken. Zwei in Malmö, eine in Lund und eine in Råå, kurz vor Helsingborg.«

Wallander schrieb die Namen auf. »Gut«, sagte er.

»Ich hoffe, du verstehst, daß ich neugierig bin?«

»Ich hab nur so eine Idee. Wir können morgen darüber reden.«

Wallander beendete das Gespräch. Ohne zu zögern zog er sich an, verrührte ein paar Kopfschmerztabletten in einem Glas Wasser, trank eine Tasse Kaffee und nahm eine Rolle Toilettenpapier mit. Um Viertel nach fünf saß er im Auto und fuhr los.

Die erste Diskothek befand sich in einem alten Lagergebäude draußen im Freihafen von Malmö. Wallander hatte Glück. Gerade als er den Wagen anhielt, kam ein Mann aus der geschlossenen Diskothek. Wallander stellte sich vor und erfuhr, daß der Mann, den er vor sich hatte, Juhanen hieß, aus Haparanda kam und der Besitzer der Diskothek »Exodus« war.

»Wie kommt man aus Haparanda nach Malmö?« fragte Wallander.

Der Mann lächelte. Er war um die Vierzig und hatte schlechte Zähne.

»Man trifft ein Mädchen«, sagte er. »Die meisten ziehen aus einem von zwei Gründen weg. Um Arbeit zu suchen, oder weil sie jemanden kennenlernen.«

»Eigentlich wollte ich Sie nach Rolf Nyman fragen«, sagte Wallander.

»Ist was passiert?«

»Nein«, antwortete Wallander. »Nur Routinefragen. Er arbeitet manchmal für Sie?«

»Er ist gut. Hat vielleicht einen etwas konservativen Musikgeschmack. Aber er ist gut.«

»Eine Diskothek lebt von hoher Lautstärke und Lichteffekten«, sagte Wallander. »Wenn ich mich nicht völlig irre?«

»Richtig«, antwortete Juhanen. »Ich habe immer Wattepfropfen in den Ohren. Sonst wäre ich schon längst taub.«

»Hat sich Rolf Nyman jemals Beleuchtungsgeräte ausgeliehen? Ein paar von Ihren starken Scheinwerfern?«

»Warum hätte er das tun sollen?«

»Es war nur eine Frage.«

Juhanen schüttelte entschieden den Kopf.

»Ich habe sowohl das Personal als auch die Ausrüstung unter Kontrolle«, sagte er. »Hier verschwindet nichts. Hier wird auch nichts ausgeliehen.«

»Das war schon alles«, sagte Wallander. »Abgesehen davon, daß ich es begrüßen würde, wenn Sie bis auf weiteres niemandem von unserem Gespräch erzählten.«

Juhanen lächelte. »Sie meinen, ich soll es Rolf Nyman nicht erzählen?«

»Genau.«

»Was hat er angestellt?«

»Nichts. Aber manchmal müssen wir ein bißchen Geheimniskrämerei betreiben.«

Juhanen zuckte mit den Schultern. »Ich sage nichts.«

Wallander fuhr weiter. Die zweite Diskothek lag in der Innenstadt. Sie war geöffnet. Der Geräuschpegel traf Wallander wie ein Schlag vor den Kopf, als er durch die Tür trat. Die Diskothek gehörte zwei Männern, von denen einer anwesend war. Wallander brachte ihn dazu, mit auf die Straße zu kommen. Auch seine Antwort war negativ. Rolf Nyman hatte nie Lampen ausgeliehen. Sonstige Geräte waren auch nicht verschwunden.

Wallander setzte sich ins Auto und putzte sich die Nase mit dem Toilettenpapier. Es ist sinnlos, dachte er. Verlorene Liebesmüh. Das einzige, was dabei herauskommt, ist, daß ich länger krank sein werde.

Dann fuhr er nach Lund. Die Niesanfälle kamen und gingen in Wellen. Vermutlich hatte er wieder Fieber. Die Diskothek in Lund hieß »Lagårn« und lag am östlichen Stadtrand. Wallander verfuhr sich mehrmals, bevor er sie fand. Die Beleuchtung war ausgeschaltet, die Türen waren verschlossen. Die Diskothek »Lagårn« war ein Teil einer ehemaligen Meierei, konnte Wallander an der Fassade lesen. Er fragte sich, warum die Diskothek nicht »Meierei« hieß, sondern »Kuhstall«. Er sah sich um. Um das Lokal herum lagen ein paar kleine Industriebetriebe. Dazwischen lag eine Villa in einem Garten. Wallander ging darauf zu, öffnete die Pforte und klingelte an der Tür. Ein Mann in seinem Alter öffnete. Im Hintergrund konnte Wallander Opernmusik hören.

Wallander zeigte seinen Ausweis. Der Mann bat ihn in den Flur.

»Wenn ich mich nicht irre, ist das Puccini«, sagte Wallander.

Der Mann betrachtete ihn prüfend.

»Stimmt«, sagte er. »›Tosca‹.«

»Eigentlich bin ich hier, um über eine ganz andere Art von Musik zu sprechen«, sagte Wallander. »Ich will mich kurz fassen. Ich muß herausfinden, wem die Diskothek hier nebenan gehört.«

»Wie in Dreiteufelsnamen soll ich das wissen? Ich bin Genforscher. Kein Diskjockey.«

»Trotzdem sind Sie ja Nachbarn«, sagte Wallander.

»Warum sprechen Sie nicht mit Ihren Kollegen?« schlug der Mann vor. »Da draußen ist ziemlich oft Krawall. Die müßten es wissen.«

Völlig richtig, dachte Wallander.

Der Mann zeigte auf ein Telefon, das auf einem Tisch im Flur stand. Wallander hatte die Nummer der Polizei in Lund im Kopf. Nachdem man ihn ein paarmal hin und her gereicht hatte, bekam er die Auskunft, die Diskothek gehöre einer Frau namens Boman. Wallander notierte ihre Adresse und Telefonnummer.

»Es ist leicht zu finden«, sagte der Polizist am anderen Ende der Leitung. »Sie wohnt in dem Haus genau gegenüber vom Bahnhof, im Zentrum.«

Wallander legte auf. »Eine wunderschöne Oper«, sagte er. »Die Musik, meine ich. Leider habe ich sie nie auf der Bühne gesehen.«

»Ich gehe nie in die Oper«, sagte der Mann. »Die Musik reicht mir.«

Wallander bedankte sich und ging. Dann irrte er lange mit dem Auto in der Gegend herum, bevor er den Weg zum Bahnhof fand. Es gab unzählige Fußgängerstraßen und Sackgassen. Er parkte im Halteverbot. Dann riß er ein paar Meter Toilettenpapier ab, stopfte es in die Tasche und ging über die Straße. Er drückte auf einen Knopf, an dem Boman stand. Das Türschloß summte, und Wallander ging hinein. Die Wohnung sollte im zweiten Stock sein. Wallander suchte vergeblich nach einem Fahrstuhl. Obwohl er langsam ging, kam er außer Atem. Eine sehr junge Frau, kaum fünfundzwanzig, stand in der Tür und wartete auf ihn. Sie hatte kurzgeschorenes Haar und viele Ringe in den Ohren. Wallander stellte sich vor und zeigte ihr seinen Ausweis. Sie würdigte das Papier keines Blickes, sondern bat ihn nur, hereinzukommen. Wallander sah sich verwundert um. In der Wohnung gab es fast keine Möbel. Die Wände waren kahl. Trotzdem war es auf eine Weise wohnlich. Nichts stand im Weg. Es gab nur das Notwendigste.

»Warum will die Polizei aus Ystad mit mir sprechen?« fragte sie. »Ich habe schon genug Probleme mit der Polizei hier in Lund.«

Es klang so, als sei sie nicht übertrieben begeistert von Polizisten. Sie setzte sich in einen Sessel, und ihr Rock war sehr kurz.

Wallander suchte nach einem Punkt direkt neben ihrem Gesicht, an den er seinen Blick heften konnte.

»Ich werde mich kurz fassen«, sagte er. »Rolf Nyman.«

»Was ist mit ihm?«

»Nichts. Aber er arbeitet bei Ihnen?«

»Ich habe ihn als Reserve. Falls einer meiner festen DJs ausfallen sollte.«

»Meine Frage kommt Ihnen vielleicht merkwürdig vor«, sagte Wallander. »Aber ich muß sie trotzdem stellen.«

»Warum sehen Sie mir nicht in die Augen?« fragte sie plötzlich.

»Das kommt wohl vor allem daher, daß Ihr Rock sehr kurz ist«, antwortete Wallander und wunderte sich über seine Offenheit.

Sie brach in Lachen aus, streckte sich nach einer Decke und legte sie sich über die Beine. Wallander betrachtete die Decke, dann ihr Gesicht.

»Rolf Nyman«, wiederholte er. »Ist es vorgekommen, daß er sich Scheinwerfer aus der Diskothek geliehen hat?«

»Nie.«

Wallander merkte, daß ein fast unsichtbarer Hauch von Unsicherheit über ihr Gesicht huschte. Sofort war seine Aufmerksamkeit geschärft. »Nie?«

Sie biß sich auf die Lippe.

»Es ist eine seltsame Frage«, sagte sie. »Aber tatsächlich sind vor ungefähr einem Jahr einige Scheinwerfer aus der Diskothek verschwunden. Wir haben es der Polizei als Einbruch gemeldet. Aber sie haben nie eine Spur gefunden.«

»Wann war das? War es, nachdem Nyman bei Ihnen angefangen hatte?«

Sie dachte nach.

»Vor genau einem Jahr. Im Januar. Nachdem Nyman angefangen hatte.«

»Sie hatten nie einen ihrer Angestellten im Verdacht?«

»Nein.«

Sie stand auf und verließ schnell den Raum. Wallander betrachtete ihre Beine. Nach einem Moment kam sie mit einem Kalender in der Hand zurück.

»Die Lampen verschwanden irgendwann zwischen dem 9. und 12. Januar. Und jetzt, wo ich nachsehe, hat da tatsächlich Rolf gearbeitet.«

»Was waren es für Lampen?« fragte Wallander.

»Sechs Scheinwerfer. Eigentlich nichts für eine Diskothek. Sie waren mehr fürs Theater geeignet. Sehr stark, zweitausend Watt. Außerdem verschwanden eine Menge Kabel.«

Wallander nickte langsam.

»Warum fragen Sie danach?«

»Darauf kann ich noch keine Antwort geben«, sagte Wallander. »Aber um eines muß ich Sie bitten. Sie können es als eine polizeiliche Anordnung betrachten. Kein Wort zu Rolf Nyman.«

»Unter der Voraussetzung, daß Sie mit Ihren Kollegen hier in Lund reden und sie bitten, mich in Frieden zu lassen.«

»Ich werde sehen, was ich tun kann.«

Sie begleitete ihn in den Flur.

»Ich glaube, ich habe Sie gar nicht nach Ihrem Vornamen gefragt«, sagte er.

»Linda.«

»So heißt meine Tochter auch. Es ist ein sehr schöner Name.«

Wallander bekam einen Niesanfall. Sie zog sich ein paar Schritte zurück.

»Ich gebe Ihnen nicht die Hand«, sagte er. »Aber Sie haben mir die Antwort gegeben, auf die ich gehofft hatte.«

»Sie verstehen natürlich, daß ich gern wüßte, worum es geht?«

»Sie werden es erfahren. Früh genug.«

Sie wollte gerade die Tür schließen, als Wallander noch eine Frage einfiel.

»Wissen Sie etwas über Rolf Nymans Privatleben?«

»Nichts.«

»Sie wissen also nichts davon, daß er eine Freundin hat, die Drogenprobleme hat?«

Linda Boman sah ihn lange an, bevor sie antwortete. »Ob er eine

Freundin hat, die Drogen nimmt, weiß ich nicht. Aber ich weiß, daß Rolf selbst stark heroinabhängig ist. Keine Ahnung, wie lange er noch durchhält.«

Wallander trat auf die Straße. Mittlerweile war es zehn Uhr geworden. Die Nacht war kalt.

Wir sind durch, dachte er.

Rolf Nyman. Klar ist er es.

12

Wallander war schon fast in Ystad, als er beschloß, nicht direkt nach Hause zu fahren. Im zweiten Kreisverkehr bei der Abfahrt zur Stadt bog er statt dessen nach Norden ab. Es war zehn Minuten nach elf. Seine Nase lief immer noch. Aber die Neugierde trieb ihn an. Er dachte, daß das, was er jetzt tat – zum wievielten Mal, wußte er nicht –, gegen sämtliche elementaren Polizeiregeln verstieß. Vor allem gegen die, sich nicht in gefährliche Situationen zu begeben.

Wenn es stimmte, wovon er überzeugt war, daß Rolf Nyman sowohl Holm als auch die Schwestern Eberhardsson erschossen hatte, dann war er eindeutig als gefährlich zu betrachten. Außerdem hatte er Wallander hinters Licht geführt. Und zwar gehörig und mit großem Geschick. Wallander hatte während der Fahrt von Malmö aus darüber nachgegrübelt, was Nyman zu den Taten getrieben haben könnte. Wo hatte das System einen Riß bekommen? Die denkbaren Antworten wiesen in mindestens zwei Richtungen. Es konnte sich um einen Machtkampf handeln oder um Einflußnahme auf den Drogenhandel.

Linda Bomans Bemerkung über Nymans eigene Drogenabhängigkeit beunruhigte Wallander am meisten. Nyman spritzte sich selbst Heroin. Selten oder nie hatte Wallander es mit Drogenhändlern oberhalb des absoluten Bodensatzes zu tun gehabt, die selbst abhängig waren. Die Frage mahlte in Wallanders Kopf. Etwas stimmte da nicht, ein Teil fehlte.

Wallander bog in den Weg ein, der zum Haus führte, in dem Nyman wohnte. Er schaltete den Motor ab und das Licht aus. Aus dem Handschuhfach holte er eine Taschenlampe. Dann öffnete er vorsichtig die Wagentür, nachdem er die Innenbeleuchtung ausgeknipst hatte. Er horchte in die Dunkelheit, stieg aus und machte die Autotür so leise wie möglich zu. Es waren ungefähr hundert Meter bis zum Hofplatz. Er schirmte die Taschenlampe mit einer Hand ab und leuchtete vor seine Füße. Er spürte den kalten Wind. Zeit für einen wärmeren Pullover. Aber plötzlich lief seine Nase nicht mehr. Als er an den Waldrand kam, machte er die Taschenlampe aus. In einem Fenster war Licht. Also war jemand zu Hause. Jetzt kommt es auf den Hund an, dachte er. Er ging ungefähr fünfzig Meter den gleichen Weg zurück. Dann bog er ab in den Wald und schaltete die Taschenlampe wieder ein. Er würde sich von hinten nähern. Soweit er sich erinnerte, war das Zimmer, aus dem Licht drang, ein Durchgangszimmer mit Fenstern nach vorn und nach hinten.

Er bewegte sich langsam, versuchte die ganze Zeit, nicht auf Zweige zu treten. Als er die Rückseite des Hauses erreicht hatte, war er durchgeschwitzt. Gleichzeitig fragte er sich immer eindringlicher, was er da eigentlich tat. Im schlimmsten Fall würde der Hund bellen und Rolf Nyman die erste Warnung geben, daß jemand ihn beobachtete. Er stand regungslos da und lauschte. Es war nur das Rauschen des Waldes zu hören. In der Ferne ein Flugzeug im Anflug auf Sturup. Wallander wartete, bis sein Atem wieder normal geworden war, und näherte sich dann vorsichtig dem Haus. Er ging in die Hocke und hielt die Taschenlampe nur wenige Zentimeter über den Boden. Kurz bevor er in das Licht trat, das aus dem Fenster schien, schaltete er die Lampe aus und zog sich in den Schatten an der Hauswand zurück. Der Hund war immer noch still. Er lauschte mit einem Ohr an der kalten Wand. Keine Musik, keine Stimmen, überhaupt kein Geräusch. Dann streckte er sich vorsichtig und sah durch das Fenster.

Rolf Nyman saß mitten im Raum an einem Tisch. Er beugte sich über etwas, was Wallander zunächst nicht erkennen konnte. Dann sah er, daß Rolf Nyman Patiencen legte. Wallander fragte sich, was er eigentlich erwartet hatte. Einen Mann, der auf einer Waage weiße Pulvertütchen abwog?

Oder jemanden, der mit einem Gummiriemen um den Oberarm dasaß und sich einen Schuß setzte?

Ich habe mich geirrt, dachte er. Es ist von Anfang bis Ende ein Fehlschluß.

Aber gleichzeitig war er überzeugt. Der Mann, der dort am Tisch saß und Patiencen legte, hatte vor kurzem drei Menschen getötet. Brutal hingerichtet.

Als Wallander sich gerade von der Hauswand zurückziehen wollte, begann der Hund zu bellen. Rolf Nyman zuckte zusammen. Er sah direkt in Wallanders Richtung. Einen Augenblick lang dachte Wallander, er sei entdeckt. Dann stand der Mann eilig auf und ging zur Haustür. Da war Wallander schon auf dem Weg zurück in den Wald. Wenn er den Hund losläßt, habe ich schlechte Karten, dachte er. Er leuchtete auf den Boden und stolperte vorwärts. Er knickte um und spürte, wie ein Zweig seine Wange aufritzte. Im Hintergrund hörte er noch immer den Hund bellen.

Als er beim Auto ankam, hatte er die Taschenlampe verloren, war aber nicht stehengeblieben, um sie aufzuheben. Er drehte den Zündschlüssel herum und fragte sich, was passiert wäre, wenn er noch sein altes Auto gehabt hätte. So konnte er problemlos den Rückwärtsgang einlegen und davonfahren. Auf der Hauptstraße näherte sich ein Lastzug. Wenn es ihm gelänge, sein Motorengeräusch mit dem des Lastwagens zusammenfallen zu lassen, würde er davonkommen, ohne daß Rolf Nyman ihn hörte. Er wendete leise und fuhr vorsichtig im dritten Gang an. Als er an die Hauptstraße kam, sah er die Rücklichter des Fernlasters. Da es bergab ging, nahm er den Gang heraus und rollte. Im Rückspiegel war nichts zu sehen. Niemand folgte ihm. Wallander strich sich über die Wange, fühlte Blut und suchte nach seinem Toilettenpapier. Eine kurze Unaufmerksamkeit hätte ihn beinahe in den Graben fahren lassen. In letzter Sekunde gelang es ihm, den Wagen wieder auf die Fahrbahn zu lenken.

Als er in der Mariagata ankam, war es schon nach Mitternacht. Der Zweig hatte einen tiefen Riß auf seiner Wange hinterlassen. Wallander überlegte einen Augenblick, ob er ins Krankenhaus fahren sollte. Aber er begnügte sich damit, die Wunde zu säubern und ein großes Pflaster aufzukleben. Dann kochte er einen starken Kaffee, setzte sich an den Küchentisch und zog einen seiner halb vollgeschriebenen Notizblöcke heran. Er überdachte noch einmal das Dreieck seiner Pyramide und tauschte das Fragezeichen in der Mitte gegen Rolf Nyman aus. Von Anfang an wußte er, daß die Beweise sehr dünn waren. Das einzige, was er eigentlich gegen Nyman vorbringen konnte, war der Verdacht, daß er die Scheinwerfer gestohlen hatte, die dann verwendet wurden, um dem Flugzeug zu signalisieren, wo es seine Ladung abwerfen sollte.

Aber was hatte er sonst? Nichts. Welche Beziehung bestand zwischen Holm und Nyman? Wo kamen das Flugzeug und die Schwestern Eberhardsson ins Bild? Wallander schob den Notizblock zur Seite. Es bedurfte gründlicher Ermittlungen, um weiterzukommen. Außerdem fragte er sich, wie er seine Kollegen davon überzeugen sollte, daß er trotz allem die Spur gefunden hatte, auf die sie sich konzentrieren mußten. Wie weit würde er damit kommen, wieder einmal auf seine Intuition zu verweisen? Rydberg würde Verständnis haben, vielleicht auch Martinsson. Aber Svedberg und Hansson würden sie nicht ernst nehmen.

Es war zwei Uhr, als er das Licht löschte und ins Bett ging. Seine Wange schmerzte.

Am nächsten Tag, dem 3. Januar, war es kalt und klar in Schonen. Wallander stand früh auf, wechselte das Pflaster auf seiner Wange und war schon um kurz vor sieben im Polizeipräsidium. An diesem Morgen war er sogar noch vor Martinsson da. An der Anmeldung erfuhr er von einem schweren Verkehrsunfall, der sich vor einer Stunde in der Nähe von Ystad ereignet hatte; es gab mehrere Tote, unter anderem ein kleines Kind, was unter den Kollegen immer eine besonders gedrückte Stimmung verbreitete. Wallander ging in sein Zimmer und war dankbar, daß er bei Verkehrsunfällen nicht mehr ausrücken mußte. Er holte Kaffee und dachte über die Geschehnisse des Vorabends nach.

Aber der Zweifel des vergangenen Tages war immer noch da. Die Spur Rolf Nyman konnte sich als Holzweg erweisen. Dennoch gab es genügend Verdachtsmomente, um Nyman gründlich zu überprüfen. Wallander beschloß auch, daß sie das Haus diskret überwachen lassen sollten, nicht zuletzt, um zu erfahren, wann Nyman wegging. Eigentlich war das die Aufgabe der Polizei in

Sjöbo. Aber Wallander hatte schon den Entschluß gefaßt, sie nur auf dem laufenden zu halten. Was die Arbeit anging, würde die Polizei in Ystad darauf bestehen, sie selbst auszuführen.

Sie mußten in das Haus kommen. Aber es gab noch ein weiteres Problem. Rolf Nyman war nicht allein. Da war auch eine Frau. Die niemand gesehen hatte und die schlief, als Wallander zu Besuch gekommen war.

Plötzlich schoß Wallander der Gedanke durch den Kopf, daß die Frau vielleicht gar nicht existierte. Vieles von dem, was Nyman gesagt hatte, war ja nicht wahr gewesen. Er sah auf die Uhr. Zwanzig Minuten nach sieben. Wahrscheinlich sehr früh für eine Diskothekenbesitzerin. Aber er suchte trotzdem nach der Telefonnummer von Linda Boman in Lund. Sie nahm fast sofort ab. Wallander meinte zu hören, daß sie verschlafen war.

»Tut mir leid, wenn ich Sie geweckt habe«, sagte er.

»Ich war wach.«

Sie ist wie ich, dachte Wallander. Gibt nicht gern zu, daß sie geweckt wurde. Obwohl es eine Zeit ist, in der man normalerweise durchaus noch schlafen kann.

»Ich habe noch ein paar Fragen«, sagte Wallander. »Und die können leider nicht warten.«

»Rufen Sie in fünf Minuten wieder an«, sagte sie und legte auf. Wallander wartete sieben Minuten. Dann wählte er die Nummer noch einmal. Jetzt klang ihre Stimme weniger belegt.

»Es geht natürlich um Rolf Nyman«, sagte Wallander.

»Sie wollen mir immer noch nicht sagen, warum Sie sich für ihn interessieren?«

»Im Moment kann ich das nicht. Aber ich verspreche Ihnen, daß Sie die erste sein werden, die es erfährt.«

»Ich fühle mich geehrt.«

»Sie haben gesagt, daß er schwer heroinabhängig ist.«

»Ich weiß noch, was ich gesagt habe.«

»Meine Frage ist ganz einfach. Woher wissen Sie das?«

»Er hat es gesagt. Es hat mich überrascht. Er hat nicht versucht, es zu verbergen. Das hat mich beeindruckt.«

»Er hat es gesagt?«

»Ja.«

»Heißt das, daß Sie nie bemerkt haben, daß er ein Problem hatte?«

»Er hat seinen Job immer gut gemacht.«

»Er war also nie high?«

»Nicht so, daß man es merkte.«

»Er war auch nie nervös oder unruhig?«

»Nicht mehr als die meisten anderen. Ich bin auch manchmal nervös und unruhig. Besonders wenn die Polizei hier in Lund mir und der Diskothek Ärger macht.«

Wallander saß einen Augenblick stumm da und überlegte, ob er die Kollegen in Lund nach Linda Boman fragen sollte. Sie wartete.

»Lassen Sie mich das noch mal wiederholen«, sagte er. »Sie haben ihn nie high gesehen. Er hat nur gesagt, er sei heroinabhängig?«

»Ich kann mir kaum vorstellen, daß jemand bei so etwas lügt.«

»Ich auch nicht«, antwortete Wallander. »Aber ich wollte nur sicher sein, daß ich die Sache richtig verstanden habe.«

»Rufen Sie deswegen um sechs Uhr morgens an?«

»Es ist halb acht.«

»Für mich ist das fast dasselbe.«

»Ich habe noch eine Frage«, fuhr Wallander fort. »Sie sagen, Sie haben nie etwas von einer Freundin gehört?«

»Nein.«

»Er hatte nie jemanden bei sich?«

»Nie.«

»Wenn wir annehmen, daß er gesagt hat, er habe eine Freundin, dann könnten Sie nicht wissen, ob es stimmt oder nicht?«

»Ihre Fragen werden immer merkwürdiger. Warum sollte er keine Freundin haben? Er sieht schließlich nicht schlechter aus als viele andere Männer, oder?«

»Dann habe ich keine Fragen mehr«, sagte Wallander abschließend. »Und was ich gestern gesagt habe, gilt noch immer in höchstem Maße.«

»Ich werde nichts sagen. Ich werde schlafen.«

»Es ist möglich, daß ich mich wieder melde«, sagte Wallander. »Wissen Sie übrigens, ob Rolf einen engen Freund hatte?«

»Nein.«

Das Gespräch war beendet.

Wallander ging in Martinssons Zimmer. Der war gerade dabei, sich vor einem kleinen Taschenspiegel, den er in der Hand hielt, zu kämmen.

»Halb neun«, sagte Wallander. »Kannst du die Leute bis dahin zusammentrommeln?«

»Das klingt, als sei etwas passiert?«

»Vielleicht«, antwortete Wallander.

Dann wechselten sie ein paar Worte über den Autounfall. Offensichtlich war ein Personenwagen bei Glatteis auf die Gegenfahrbahn geraten und frontal mit einem polnischen Lastwagen zusammengestoßen.

Um halb neun berichtete Wallander seinen Kollegen, was geschehen war. Von seinem Gespräch mit Linda Boman und den verschwundenen Scheinwerfern. Seinen nächtlichen Besuch auf dem einsam gelegenen Hof außerhalb von Sjöbo erwähnte er allerdings nicht. Wie erwartet hielt Rydberg seine Entdeckung für wichtig, während Hansson und Svedberg viele Einwände hatten. Martinsson sagte nichts.

»Natürlich ist das mager«, sagte Wallander, nachdem er sich die Diskussion angehört hatte. »Trotzdem bin ich der Meinung, daß wir uns im Moment auf Nyman konzentrieren sollten. Deshalb lassen wir unsere in die Breite gehende Routinearbeit natürlich nicht liegen.«

»Und was sagt der Staatsanwalt dazu?« fragte Martinsson. »Wer ist übrigens im Moment Staatsanwalt?«

»Eine Frau. Sie heißt Anette Brolin und arbeitet in Stockholm«, sagte Wallander. »Sie kommt nächste Woche runter. Aber ich hatte vor, mit Åkeson zu sprechen. Auch wenn er nicht mehr offiziell die Verantwortung für die Voruntersuchung hat.«

Sie gingen zum nächsten Punkt weiter. Wallander meinte, sie müßten in das Haus bei Sjöbo kommen, ohne daß Nyman es merkte. Was sofort auf neue Proteste stieß.

»Das können wir nicht machen«, sagte Svedberg. »Das ist Einbruch.«

»Wir haben es mit einem dreifachen Mord zu tun«, sagte Wallander. »Wenn ich recht habe, dann ist Rolf Nyman sehr listig.

Wenn wir etwas finden wollen, müssen wir ihn überwachen, ohne daß er es merkt. Wann verläßt er das Haus? Was macht er? Wie lange ist er weg? Aber vor allem müssen wir wissen, ob da wirklich ein Mädchen ist.«

»Vielleicht kann ich mich als Schornsteinfeger verkleiden«, schlug Martinsson vor.

»Das durchschaut er«, sagte Wallander, den ironischen Ton überhörend. »Ich hatte gedacht, daß wir es indirekter machen. Durch den Landbriefträger. Herausfinden, wer für Nymans Post zuständig ist. Es gibt keinen Landbriefträger, der nicht weiß, was in einem Haus draußen auf dem Lande vor sich geht. Auch wenn einer nie seinen Fuß über die Schwelle gesetzt hat, weiß er zum Beispiel, wer dort wohnt.«

Svedberg war hartnäckig. »Vielleicht bekommt dieses Mädchen nie Post.«

»Darum geht es nicht«, antwortete Wallander. »Der Landbriefträger weiß Bescheid. So ist es eben.«

Rydberg nickte zustimmend. Wallander spürte seine Unterstützung. Er trieb sie an. Hansson versprach, bei der Post nachzufragen. Martinsson übernahm es widerwillig, die Überwachung des Hofes zu organisieren. Wallander sollte mit Åkeson sprechen.

»Versucht, alles über Nyman herauszufinden, was möglich ist. Aber seid diskret. Wenn er der Hund ist, für den ich ihn halte, dann darf er auf keinen Fall geweckt werden.«

Wallander machte Rydberg ein Zeichen, daß er in seinem Zimmer mit ihm sprechen wolle.

»Du bist überzeugt?« fragte Rydberg. »Daß es Nyman ist?«

»Ja«, antwortete Wallander. »Und doch bin ich mir vollkommen darüber im klaren, daß ich mich irren kann. Daß ich möglicherweise die Ermittlungen in eine völlig falsche Richtung lenke.«

»Der Scheinwerferdiebstahl ist ein starkes Indiz«, sagte Rydberg. »Das ist für mich der entscheidende Punkt. Wie bist du übrigens auf die Idee gekommen?«

»Die Pyramiden«, antwortete Wallander. »Sie werden von Scheinwerfern angestrahlt. Nur an einem Tag im Monat nicht. Bei Vollmond.«

»Woher weißt du das?«

»Mein Vater hat es erzählt.«

Rydberg nickte nachdenklich. »Drogenlieferungen richten sich wohl kaum nach dem Mondkalender«, sagte Rydberg. »Außerdem gibt es in Ägypten vielleicht nicht so viele Wolken wie hier in Schonen.«

»Eigentlich waren die Sphinxe das Interessanteste«, sagte Wallander. »Zur Hälfte Mensch, zur Hälfte Tier. Sie wachen darüber, daß die Sonne wirklich jeden Morgen wieder zurückkehrt. Aus derselben Richtung.«

»Ich habe von einem amerikanischen Sicherheitsdienst gelesen, der eine Sphinx als Logo benutzt«, sagte Rydberg.

»Das paßt wirklich gut«, sagte Wallander. »Die Sphinx wacht. Und wir wachen. Ob wir nun Polizisten oder Nachtwächter sind.«

Rydberg lachte laut auf. »Wenn man angehenden Polizisten so was erzählte, würden sie einen nicht für voll nehmen.«

»Ich weiß«, antwortete Wallander. »Aber vielleicht sollte man es trotzdem tun.«

Rydberg verließ den Raum.

Wallander rief Per Åkeson zu Hause an, der versprach, Anette Brolin zu informieren.

»Wie fühlt man sich?« fragte Wallander. »Wenn man alle Strafsachen los ist?«

»Gut«, antwortete Åkeson. »Besser, als ich es mir vorstellen konnte.«

Die Ermittlungsgruppe traf sich an diesem Tag noch zweimal. Martinsson organisierte die Überwachung des Hauses, Hansson verschwand, um die Landbriefträgerin zu treffen. Währenddessen versuchten die anderen, sich einen Eindruck von Rolf Nymans Leben zu bilden. Er hatte noch nie mit der Polizei zu tun gehabt, was die Arbeit erschwerte. Er war 1957 in Tranås geboren und Mitte der sechziger Jahre mit seinen Eltern nach Schonen gezogen. Sie hatten zunächst in Höör gewohnt und später in Trelleborg. Der Vater war als Monteur im Außendienst bei einer Elektrizitätsgesellschaft angestellt, die Mutter war Hausfrau; Rolf war das einzige Kind der beiden. Nach dem Tod des Vaters 1986 war die Mutter nach Tranås zurückgezogen, wo sie ein Jahr später ebenfalls starb. Wallander hatte immer stärker den Eindruck, daß Rolf Nyman ein unsichtbares Leben geführt hatte. Als hätte er absichtlich all seine Spuren verwischt. Mit Hilfe der Kollegen in Malmö erfuhren sie, daß sein Name nie in Verbindung mit dem Drogenmilieu genannt worden war. Er war zu unsichtbar, dachte Wallander mehrmals an diesem Nachmittag. Menschen hinterlassen Spuren. Alle, außer Rolf Nyman.

Hansson kam von seinem Gespräch mit der Landbriefträgerin Elfrida Wirmark zurück. Sie war sich ihrer Sache sehr sicher. Es wohnten zwei Menschen in dem Haus, Holm und Nyman. Was bedeutete, daß jetzt nur noch einer dort wohnte, da Holm im Leichenschauhaus lag und darauf wartete, begraben zu werden.

Um sieben Uhr abends waren sie im Sitzungszimmer versammelt. Nach den Berichten, die Martinsson erhalten hatte, hatte Nyman das Haus im Laufe des Tages nur einmal verlassen, um den Hund zu füttern. Es war auch niemand auf den Hof gekommen. Wallander fragte, ob diejenigen, die den Mann überwachten, den Eindruck hatten, daß er besonders mißtrauisch sei. Aber es gab keine entsprechenden Beobachtungen. Dann diskutierten sie lange über die Aufgaben eines Landbriefträgers. Am Ende einigten sie sich darauf, daß Rolf Nyman eine Freundin erfunden hatte, die nicht existierte.

Wallander gab die letzte Zusammenfassung des Tages: »Nichts deutet darauf hin, daß er heroinabhängig ist«, begann er. »Das ist seine erste Lüge. Die zweite ist die, daß er eine Freundin hat – er ist allein im Haus. Um hineinzukommen, haben wir zwei Möglichkeiten. Entweder warten wir, bis er das Haus verläßt. Früher oder später tut er das, zumindest um einzukaufen. Es sei denn, er hat einen großen Vorrat angelegt. Aber warum sollte er das getan haben? Oder wir lassen uns etwas einfallen, um ihn aus dem Haus zu locken.«

Sie beschlossen zu warten. Zumindest ein paar Tage. Wenn dann nichts geschehen war, würden sie die Situation neu überdenken.

Sie warteten den 4. und sie warteten den 5. Januar. Nyman verließ das Haus zweimal, um den Hund zu füttern. Nichts deutete darauf hin, das er wachsamer geworden wäre. Unterdessen versuchten sie weiterhin, Einzelheiten über sein Leben in Erfahrung zu bringen. Es war, als habe er in einem merkwürdigen Vakuum gelebt. Von der Steuerbehörde erfuhren sie, daß er ein niedriges Jahreseinkommen aus der Arbeit als Diskjockey bezog. Er hatte nie etwas von der Steuer abgesetzt, was irgendwie aus dem Rahmen fiel. 1986 hatte er einen Paß beantragt. Seit 1976 hatte er einen Führerschein. Wirkliche Freunde schien er nie gehabt zu haben.

Am Vormittag des 5. Januar setzte sich Wallander mit Rydberg zusammen und schloß die Tür ab. Rydberg meinte, daß sie noch ein paar Tage warten sollten. Aber Wallander trug ihm eine Idee vor, die es seiner Meinung nach ermöglichte, Nyman aus dem Haus zu locken. Gemeinsam beschlossen sie, diese Idee noch am Nachmittag vorzustellen. Wallander rief Linda Boman in Lund an. Am nächsten Abend hatte die Diskothek geöffnet. Ein dänischer Diskjockey sollte arbeiten. Wallander erklärte ihr seine Idee. Linda Boman fragte, wer die zusätzlichen Kosten übernehmen würde, da der Diskjockey aus Kopenhagen einen Vertrag mit ihr habe. Wallander sagte, sie könne die Rechnung an die Polizei in Ystad schicken, wenn es nötig würde. Er versprach, ihr innerhalb der nächsten Stunden Bescheid zu geben.

Um vier Uhr am Nachmittag des 5. Januar wehte ein beißend kalter Wind über Schonen. Eine Schneefront sollte von Osten her aufziehen und möglicherweise die südliche Küste streifen. Wallander versammelte die Ermittlungsgruppe im Sitzungszimmer. So kurz wie möglich erklärte er die Idee, über die er am Vormittag mit Rydberg diskutiert hatte.

»Wir müssen Rolf Nyman ausräuchern«, sagte er. »Offensichtlich bewegt er sich nicht unnötig aus dem Haus. Gleichzeitig sieht es nicht so aus, als sei er mißtrauisch geworden.«

»Vielleicht weil das Ganze unsinnig ist«, unterbrach ihn Hansson. »Weil er nämlich nichts mit den Morden zu tun hat.«

»Die Möglichkeit besteht«, gab Wallander zu, »aber im Moment gehen wir vom Gegenteil aus. Und das bedeutet, daß wir in das Haus kommen müssen, ohne daß er es merkt. Zuallererst müssen wir ihn herauslocken. Mit einem Vorwand, der ihn keinen Verdacht schöpfen läßt.«

Dann erklärte er seine Idee. Linda Boman sollte Rolf Nyman

anrufen und ihm sagen, daß der planmäßige Diskjockey verhindert sei. Ob Rolf einspringen könne? Wenn er zusagte, wäre das Haus den ganzen Abend leer. Sie würden jemanden bei der Diskothek Wache stehen lassen, der ständig mit den anderen im Haus Kontakt halten konnte. Wenn Rolf Nyman gegen Morgen nach Sjöbo zurückkäme, würde das Haus wieder leer sein. Keiner außer dem Hund würde gemerkt haben, daß jemand dort war.

»Was passiert, wenn er seinen Kollegen in Dänemark anruft?« fragte Svedberg.

»Daran haben wir gedacht. Linda Boman wird dem Dänen Bescheid sagen, daß er nicht ans Telefon gehen soll. Die Polizei wird seine verlorene Gage bezahlen. Diese Kosten übernehmen wir gern.«

Wallander hatte viele Einwände erwartet. Aber es kamen keine weiteren. Er wußte, daß das auf eine Ungeduld in der Ermittlungsgruppe zurückzuführen war. Sie kamen nicht weiter. Es mußte etwas passieren.

Wallander sah sich im Raum um. Niemand hatte noch etwas zu sagen.

»Dann sind wir uns also einig? Ich denke, daß wir schon morgen zuschlagen sollten.«

Wallander streckte sich nach dem Telefon auf dem Tisch und rief Linda Boman an. »Es geht los«, sagte er, als sie abgenommen hatte. »Rufen Sie ihn in einer Stunde an.«

Wallander legte auf, sah auf seine Armbanduhr und wandte sich an Martinsson. »Wer hat da oben zur Zeit Wache?«

»Näslund und Peters.«

»Ruf sie über Funk an und sag ihnen, daß sie ab zwanzig nach fünf besonders aufmerksam sein sollen. Dann ruft Linda Boman bei Nyman an.«

»Was wird eigentlich passieren? Was glaubst du?«

»Ich weiß es nicht. Ich spreche nur von erhöhter Wachsamkeit.«

Dann gingen sie den Ablauf durch. Linda Boman sollte Nyman bitten, am Abend schon um acht Uhr nach Lund zu kommen, um ein paar neue Platten durchzusehen. Das bedeutete, daß er gegen sieben in Sjöbo aufbrechen mußte. Die Diskothek würde bis drei Uhr morgens geöffnet haben. Sobald die Kollegen bei der Diskothek das Zeichen gaben, daß Nyman angekommen sei, würden die anderen in das Haus gehen. Wallander hatte Rydberg gebeten, mitzukommen. Aber der hatte Martinsson vorgeschlagen. So wurde es beschlossen.

»Martinsson und ich gehen ins Haus. Svedberg fährt mit und hält Wache. Hansson übernimmt die Diskothek in Lund. Die anderen bleiben hier im Präsidium. Falls etwas passiert.«

»Wonach suchen wir eigentlich?« fragte Martinsson.

Wallander wollte gerade antworten, als Rydberg die Hand hob.

»Das wissen wir nicht«, sagte er. »Wir wollen etwas finden, wovon wir nicht wissen, daß wir es suchen. Aber als Folge davon wird es ein Ja oder ein Nein geben. War es Nyman, der Holm und die beiden Schwestern umgebracht hat, oder nicht?«

»Drogen«, sagte Martinsson. »Ist es das?«

»Waffen, Geld, was auch immer. Garnrollen, die im Handarbeitsgeschäft der Schwestern Eberhardsson gekauft wurden. Kopien von Flugtickets. Wir wissen es nicht.«

Sie blieben noch eine Weile sitzen. Martinsson verschwand, um Kontakt mit Näslund und Peters aufzunehmen. Er kam zurück, nickte und setzte sich.

Um zwanzig nach fünf saß Wallander mit der Uhr in der Hand da.

Dann wählte er die Nummer von Linda Boman. Das Besetztzeichen ertönte.

Sie warteten. Neun Minuten später klingelte das Telefon. Wallander griff nach dem Hörer. Er lauschte und legte dann auf.

»Nyman hat zugesagt«, erklärte er. »Jetzt geht es los. Und dann werden wir sehen, ob wir auf dem richtigen oder auf dem falschen Weg sind.«

Sie brachen auf. Wallander hielt Martinsson zurück. »Es ist besser, wenn wir eine Waffe mitnehmen.«

Martinsson sah ihn fragend an. »Ich dachte, Nyman soll in Lund sein?«

»Zur Sicherheit«, antwortete Wallander. »Nichts weiter.«

Der Schnee kam nicht nach Schonen. Am nächsten Tag, dem 6. Januar, war der Himmel bedeckt. Es blies ein schwacher Wind, Regen lag in der Luft, und es war vier Grad über Null. Wallander überlegte lange, welchen Pullover er anziehen sollte. Um sechs

Uhr abends trafen sie sich im Sitzungszimmer. Hansson war schon nach Lund gefahren. Svedberg befand sich in einem Waldstück, von dem aus er die Vorderseite des Hofes in Sjöbo überblicken konnte. Rydberg saß im Eßraum und löste Kreuzworträtsel. Wallander hatte widerwillig seine Waffe herausgeholt und band sich das Halfter um, das nie ordentlich sitzen wollte. Martinsson hatte seine Waffe in der Jackentasche.

Neun Minuten nach sieben kam die Meldung von Svedberg über Funk. *Der Vogel ist ausgeflogen.* Wallander hatte kein unnötiges Risiko eingehen wollen. Der Polizeifunk wurde immer abgehört. Also wurde Rolf Nyman *Der Vogel* genannt. Weiter nichts.

Sie warteten. Um sechs Minuten vor acht kam die Meldung von Hansson. *Der Vogel ist gelandet.* Rolf Nyman war langsam gefahren.

Martinsson und Wallander standen auf. Rydberg sah von seinem Kreuzworträtsel auf und nickte.

Sie erreichten das Haus um halb neun. Svedberg empfing sie. Der Hund bellte. Aber das Haus lag im Dunkeln. »Ich habe mir das Schloß angesehen. Ein normaler Dietrich genügt.«

Wallander und Svedberg leuchteten mit ihren Taschenlampen, während Martinsson das Schloß mit dem Dietrich öffnete. Svedberg verschwand, um seinen Posten wieder einzunehmen.

Sie gingen hinein. Wallander machte alle Lampen an. Martinsson sah ihn fragend an.

»Nyman legt in einer Diskothek in Lund Platten auf«, sagte Wallander. »Jetzt fangen wir an.«

Sie durchkämmten das Haus langsam und systematisch.

Wallander konnte bald feststellen, daß es keine Spuren gab, die darauf schließen ließen, daß eine Frau im Haus lebte. Abgesehen von dem Bett, in dem Holm geschlafen hatte, gab es nur noch ein weiteres.

»Wir hätten einen Drogenhund mitnehmen sollen«, sagte Martinsson.

»Es ist unwahrscheinlich, daß er Ware zu Hause aufbewahrt«, meinte Wallander.

Sie durchsuchten das Haus drei Stunden lang. Kurz vor Mitternacht rief Martinsson Hansson über Funk an.

»Hier ist es sehr voll«, antwortete Hansson. »Und die Musik dröhnt wie wahnsinnig. Ich bleibe lieber draußen. Aber es ist kalt.«

Sie suchten weiter. Wallander wurde langsam unruhig. Keine Drogen, keine Waffen. Nichts, was darauf hindeutete, daß Nyman an der Sache beteiligt war. Martinsson hatte den Keller und den Schuppen gründlich durchsucht. Keine Scheinwerfer. Nichts. Nur der Hund bellte wie verrückt. Wallander verspürte mehrmals Lust, ihn zu erschießen. Aber er liebte Hunde. Ganz tief drinnen. Sogar Hunde, die bellten.

Um halb zwei sprach Martinsson wieder mit Hansson. Noch immer nichts.

»Was hat er gesagt?« fragte Wallander.

»Daß sich vor der Diskothek viele Leute drängen.«

Um zwei Uhr kamen sie nicht weiter. Wallander sah allmählich ein, daß er sich geirrt hatte. Rolf Nyman schien wirklich nichts weiter als ein Diskjockey zu sein. Die Lüge mit der Frau konnte man ihm kaum als kriminelle Tat anlasten. Außerdem hatten sie nichts gefunden, was darauf hindeutete, daß Nyman drogenabhängig war.

»Ich glaube, wir können aufhören«, sagte Martinsson. »Wir finden nichts.«

Wallander nickte. »Ich bleibe noch ein bißchen, aber du kannst mit Svedberg nach Hause fahren. Laß mir das Funkgerät da.«

Martinsson legte das Funkgerät eingeschaltet auf den Tisch.

»Blas das Ganze ab«, sagte Wallander. »Hansson muß warten, bis ich Bescheid gebe. Aber die im Präsidium können nach Hause gehen.«

»Was willst du noch finden, wenn du allein hierbleibst?«

Wallander hörte die Ironie in Martinssons Stimme. »Nichts«, antwortete er. »Vielleicht muß ich nur einsehen, daß ich uns alle auf die völlig falsche Spur geführt habe.«

»Wir fangen morgen von vorn an«, sagte Martinsson. »Ist nicht zu ändern.«

Martinsson verschwand. Wallander setzte sich in einen Sessel und sah sich im Raum um. Der Hund bellte. Wallander fluchte leise vor sich hin. Er war überzeugt, daß er recht hatte. Es war Rolf

Nyman, der die beiden Schwestern und Holm getötet hatte. Aber er fand keinen Beweis. Eine Weile blieb er noch sitzen. Dann ging er durch die Räume und schaltete die Lampen aus.

Da hörte der Hund auf zu bellen.

Wallander hielt inne. Lauschte. Der Hund war still. Sofort ahnte er die Gefahr. Woher sie kam, wußte er nicht. Die Diskothek sollte bis drei Uhr morgens geöffnet sein. Hansson hatte sich nicht gemeldet.

Was Wallander reagieren ließ, wußte er selbst nicht. Aber plötzlich merkte er, daß er vor einem hell erleuchteten Fenster stand. Er warf sich zur Seite. Gleichzeitig zerbarst die Fensterscheibe. Wallander lag reglos auf dem Boden. Jemand hatte geschossen. Wirre Gedanken jagten ihm durch den Kopf. Nyman konnte es nicht sein. Dann hätte Hansson sich gemeldet. Wallander preßte sich an den Boden und versuchte gleichzeitig, seine Waffe herauszuholen. Er versuchte, sich weiter in den Schatten zu wälzen, merkte aber, daß er fast wieder im Licht landete. Der Schütze konnte jetzt das Fenster erreicht haben. Vor allem die Deckenlampe erleuchtete das Zimmer. Er hatte seine Waffe herausgezogen und zielte auf die starke Glühbirne. Als er abdrückte, zitterte seine Hand so sehr, daß er sie verfehlte. Er zielte noch einmal und hielt die Waffe jetzt mit beiden Händen. Die Birne zersplitterte. Er lag still da und horchte in die Dunkelheit. Sein Herz hämmerte. Was er jetzt vor allem brauchte, war das Funkgerät. Aber das war auf dem Tisch mehrere Meter von ihm entfernt. Und der Tisch stand im Licht.

Der Hund war immer noch still. Er lauschte. Plötzlich meinte er, jemanden im Flur zu hören. Kaum wahrnehmbare Schritte. Er richtete die Waffe auf die Türöffnung. Seine Hände zitterten. Aber es kam niemand. Wie lange er wartete, wußte er nicht. Gleichzeitig versuchte er fieberhaft, zu begreifen, was passiert war. Dann sah er, daß der Tisch auf einem Teppich stand. Vorsichtig, ohne die Waffe loszulassen, begann er, an dem Teppich zu ziehen. Der Tisch war schwer. Aber er merkte, daß er sich bewegte. Unendlich langsam kam er näher. Aber als er das Funkgerät endlich in Reichweite hatte, knallte ein weiterer Schuß. Er traf das Funkgerät, das zersprang. Wallander kauerte sich in einer Ecke zusammen. Der Schuß war von der Vorderseite des Hauses gekommen. Wallander sah ein, daß er sich nicht mehr verstecken konnte, wenn der Schütze auf die Rückseite des Hauses ging. Ich muß raus, dachte er. Wenn ich hier bleibe, bin ich tot. Er versuchte verzweifelt, einen Plan zu entwickeln. An die Außenbeleuchtung kam er unmöglich heran. Der Mensch dort draußen würde es wahrscheinlich schaffen, ihn vorher zu erschießen. Bis jetzt hatte er eine sichere Hand bewiesen.

Wallander erkannte, daß er nur eine Möglichkeit hatte. Und die war ihm überaus zuwider. Aber er hatte keine Wahl. Er holte ein paarmal tief Luft. Dann stand er auf, rannte in den Flur, trat die Tür auf, warf sich zur Seite und schoß dreimal in Richtung des Hundezwingers. Ein Heulen sagte ihm, daß er getroffen hatte. Wallander wartete jede Sekunde darauf, daß er sterben würde. Aber das Heulen des Hundes gab ihm Zeit, in den Schatten zu kommen. Gleichzeitig entdeckte er Rolf Nyman. Er stand mitten auf dem Hof, einen Augenblick verwirrt durch die Schüsse auf den Hund. Dann sah er Wallander.

Wallander schloß die Augen und drückte ab, zweimal. Als er die Augen wieder aufmachte, sah er, daß Rolf Nyman am Boden lag. Langsam ging Wallander auf ihn zu.

Er lebte. Ein Schuß hatte ihn in die Seite getroffen. Wallander nahm ihm die Waffe aus der Hand. Dann ging er zum Hundezwinger. Der Hund war tot.

Aus der Ferne hörte Wallander Sirenen, die näher kamen.

Am ganzen Körper zitternd, setzte er sich auf die Treppe und wartete.

Auf einmal spürte er, daß es angefangen hatte zu regnen.

Epilog

Um Viertel nach vier Uhr morgens saß Wallander im Eßraum des Polizeipräsidiums und trank Kaffee. Seine Hände zitterten noch immer. Nach der ersten chaotischen Stunde, in der niemand wirklich sagen konnte, was passiert war, hatte sich das Bild schließlich geklärt. Zur gleichen Zeit, als Martinsson und Svedberg das Haus bei Sjöbo verließen und über Funk mit Hansson in Kontakt waren, hatte die Polizei in Lund in Linda Bomans Diskothek eine Razzia durchgeführt, weil man den Verdacht hatte, daß sich dort viel zu viele Menschen aufhielten. In dem allgemeinen Chaos hatte Hansson Martinsson mißverstanden. Er hatte geglaubt, alle hätten Nymans Haus verlassen. Außerdem hatte er viel zu spät bemerkt, daß Rolf Nyman durch eine Hintertür verschwunden war, die Hansson bei seiner Ankunft fahrlässigerweise nicht beachtet hatte. Er hatte einen der Polizisten gefragt, wo sich die Angestellten befanden, und erfahren, daß sie zum Verhör ins Polizeipräsidium gebracht worden waren. Er hatte angenommen, daß das auch Rolf Nyman betraf. Dann hatte er keinen Grund mehr gesehen, noch in Lund zu bleiben, und war in der festen Überzeugung nach Ystad zurückgefahren, daß das Haus bei Sjöbo seit über einer Stunde leer war.

Zu diesem Zeitpunkt lag Wallander auf dem Boden und zerschoß Deckenlampen, rannte auf den Hof, tötete einen Hund und verletzte Rolf Nyman mit einem Schuß in die Seite.

Wallander dachte nach seiner Rückkehr nach Ystad mehrmals, daß eigentlich ein Wutausbruch angebracht wäre. Aber er war sich mit sich selbst nicht einig, wem er eigentlich einen Vorwurf machen konnte. Es war eine unglückliche Verkettung von Irrtümern und Mißverständnissen, die leicht ein sehr böses Ende hätte nehmen und mehr Opfer hätte fordern können als nur den Hund. Nun war es anders gekommen. Aber viel hatte nicht gefehlt.

Zu leben hat seine Zeit, zu sterben hat seine Zeit, dachte Wallander. Diese Beschwörungsformel trug er mit sich herum, seit er vor vielen Jahren in Malmö mit einem Messer verletzt worden war. Jetzt war er wieder nah dran gewesen.

Rydberg betrat den Eßraum.

»Rolf Nyman kommt durch«, sagte er. »Du hast ihn nur leicht verletzt. Er wird keine bleibenden Schäden davontragen. Die Ärzte meinen, wir könnten schon morgen mit ihm sprechen.«

»Ich hätte ihn genausogut verfehlen können«, antwortete Wallander. »Oder ihn mitten zwischen die Augen treffen. Ich bin ein miserabler Schütze.«

»Das sind die meisten Polizisten«, sagte Rydberg.

Wallander schlürfte den heißen Kaffee.

»Ich habe mit Nyberg gesprochen«, fuhr Rydberg fort. »Er meinte, die Waffe könnte mit der übereinstimmen, mit der die Schwestern Eberhardsson und Holm getötet wurden. Außerdem haben die Kollegen Holms Wagen gefunden. Er war in einer Straße in Sjöbo geparkt. Vermutlich hat Nyman ihn dort abgestellt.«

»Etwas ist also aufgeklärt«, sagte Wallander. »Aber wir haben immer noch keine Ahnung, was eigentlich hinter dem Ganzen steckt.«

Rydberg hatte darauf natürlich keine Antwort.

Es sollte mehrere Wochen dauern, bis sie sich ein klares Bild machen konnten. Aber als Nyman anfing zu reden, konnte die Polizei eine gut aufgebaute Organisation ausheben, die große Mengen von harten Drogen nach Schweden einführte. Die Schwestern Eberhardsson waren Nymans gutbürgerliche Tarnung gewesen. Sie organisierten in Spanien die Annahme des Rauschgifts, das von Produzenten in Mittelamerika und Asien stammte und mit Fischerbooten ins Land kam. Holm war Nymans rechte Hand gewesen. Zu irgendeinem Zeitpunkt, den sie nie genau feststellen konnten, hatten Holm und die Schwestern Eberhardsson sich in ihrer Habgier vereint und beschlossen, Nyman herauszufordern. Als er merkte, was los war, schlug er zurück. Gleichzeitig war das Flugzeugunglück geschehen. Das Rauschgift war über Marbella nach Norddeutschland transportiert worden. Von einer privaten

Landebahn bei Kiel hatten dann die nächtlichen Flüge nach Schweden begonnen. Dorthin war das Flugzeug auch zurückgekehrt, bis auf dieses letzte Mal. Die Havariekommission hatte die Absturzursache nicht feststellen können. Aber vieles sprach dafür, daß das Flugzeug in äußerst schlechtem Zustand war und daß mehrere Faktoren zusammengekommen waren.

Wallander führte selbst die ersten Verhöre mit Nyman durch. Aber als zwei andere brutale Morde geschahen, mußte er den Fall abgeben und die neue Ermittlung übernehmen. Von Anfang an war ihm klargewesen, daß Rolf Nyman nicht die Spitze der Pyramide war, die er gezeichnet hatte. Über Nyman gab es noch andere, Investoren, unsichtbare Männer, die hinter der Fassade einer unbescholtenen bürgerlichen Existenz dafür sorgten, daß der Zufluß von Rauschgift nach Schweden nicht unterbrochen wurde.

An manchen Abenden dachte Wallander an die Pyramiden. An die Spitze, auf die sein Vater zu klettern versucht hatte. Wallander sagte sich, daß dieses Klettern wie ein Symbol für seine eigene Arbeit war. Er kam nie ganz ans Ziel. Immer gab es welche, die so hoch oben saßen und so unerreichbar waren, daß man ihnen niemals beikommen würde.

Aber an diesem Morgen des 7. Januar 1990 war Wallander nur müde.

Um halb sechs Uhr hatte er keine Kraft mehr. Ohne ein Wort, außer zu Rydberg, fuhr er nach Hause in die Mariagata. Er duschte und kroch ins Bett, konnte aber nicht einschlafen. Erst nachdem er in einer vergessenen Packung im Badezimmerschrank eine Schlaftablette gefunden hatte, fiel er in Schlaf und wachte erst um zwei Uhr am Nachmittag wieder auf.

Den Rest des Tages verbrachte er im Polizeipräsidium und im Krankenhaus. Björk erschien und gratulierte Wallander zu seinem Einsatz. Wallander antwortete nicht. Er hatte das Gefühl, das meiste falsch gemacht zu haben. Es war ihrem Glück, nicht ihrem Geschick zu verdanken, daß sie Rolf Nyman am Ende gefaßt hatten.

Dann hatte er ein erstes Gespräch mit Nyman im Krankenhaus geführt. Der Mann war blaß, aber gefaßt gewesen. Wallander hatte erwartet, er würde sich weigern, überhaupt etwas zu sagen. Aber er antwortete auf mehrere von Wallanders Fragen.

»Die Schwestern Eberhardsson?« fragte Wallander gegen Ende des ersten Verhörs.

Rolf Nyman lächelte. »Zwei gierige alte Frauen«, antwortete er. »Die dadurch verführt wurden, daß jemand in ihr trostloses Leben schneite und einen Hauch von Abenteuer verbreitete.«

»Das klingt wenig glaubwürdig«, sagte Wallander. »Der Schritt ist zu groß.«

»Anna Eberhardsson hat als junge Frau ein ziemlich wildes Leben geführt. Emilia mußte sie im Zaum halten. Vielleicht hätte sie insgeheim selbst gern so gelebt? Was weiß man über Menschen? Außer daß sie Schwächen haben? Und die gilt es zu finden.«

»Wie haben Sie sie eigentlich kennengelernt?«

Nymans Antwort überraschte ihn.

»Ich habe einen Reißverschluß gekauft. Das war in einer Zeit, als ich meine Sachen selbst nähte. Ich sah die beiden alten Fräuleins und hatte eine wahnsinnige Idee. Daß sie nützlich sein könnten. Als Schild.«

»Und dann?«

»Ich ging öfter hin. Kaufte Garnrollen. Erzählte von meinen Reisen um die Welt. Wie leicht es doch war, Geld zu verdienen. Und daß das Leben kurz sei. Aber es sei nie zu spät. Ich merkte, daß sie zuhörten.«

»Und dann?«

Rolf Nyman zuckte mit den Schultern. »Eines Tages machte ich ihnen einen Vorschlag. Einen Vorschlag, dem sie, wie man so sagt, nicht widerstehen konnten.«

Wallander wollte noch weiter fragen, aber plötzlich wollte Nyman nicht mehr antworten.

Wallander wechselte das Thema. »Und Holm?«

»War auch gierig. Und schwach. Viel zu dumm, um zu begreifen, daß er mich nicht hinters Licht führen konnte.«

»Wie haben Sie erfahren, daß die anderen solche Pläne hatten?«

Rolf Nyman schüttelte den Kopf.

»Die Antwort gebe ich Ihnen nicht«, sagte er.

Wallander machte einen Spaziergang vom Krankenhaus zum Polizeipräsidium. Dort fand eine Pressekonferenz statt, an der er zu seiner Erleichterung nicht teilnehmen mußte. Als er in sein

Zimmer kam, lag ein Päckchen auf dem Tisch. Jemand hatte auf einen Zettel geschrieben, das Päckchen sei aus Versehen in der Anmeldung liegengeblieben. Wallander sah, daß es aus Sofia in Bulgarien kam. Sofort wußte er, was es enthielt. Vor ein paar Monaten hatte er an einer internationalen Polizeikonferenz in Kopenhagen teilgenommen. Dort hatte er sich mit einem Polizisten aus Bulgarien angefreundet, der sein Interesse für Opern teilte. Wallander öffnete das Päckchen. Es enthielt eine Schallplatte. *La Traviata*, mit Maria Callas.

Wallander schrieb eine Zusammenfassung seines ersten Gesprächs mit Rolf Nyman. Dann fuhr er nach Hause. Machte Essen, schlief ein paar Stunden. Dachte, daß er Linda anrufen sollte. Ließ es aber sein.

Am Abend hörte er sich die neue Platte aus Bulgarien an. Er dachte, was er jetzt am meisten brauchte, wären ein paar Tage Ruhe.

Erst gegen zwei Uhr ging er ins Bett und schlief ein.

Der Telefonanruf wurde bei der Polizei in Ystad um 05.13 Uhr am 8. Januar registriert. Ein übermüdeter Beamter, der seit Silvester fast ununterbrochen im Dienst gewesen war, nahm ihn entgegen. Er hatte der stammelnden Stimme zugehört und zuerst gedacht, es handle sich um einen geistig verwirrten Greis. Aber etwas hatte seine Aufmerksamkeit geweckt. Er begann, Fragen zu stellen. Als das Gespräch beendet war, dachte er nur einen kurzen Augenblick nach, dann hob er den Hörer ab und wählte eine Nummer, die er auswendig konnte.

Als das Klingeln des Telefons Wallander aus dem Schlaf riß, war er mitten in einem erotischen Traum.

Er sah auf die Uhr und streckte sich gleichzeitig nach dem Telefon. Ein Unfall, war sein erster Gedanke. Plötzlich auftretendes Glatteis, und jemand ist zu schnell gefahren. Tote. Oder Ärger mit Flüchtlingen, die mit der Morgenfähre aus Polen angekommen sind.

Er setzte sich schwerfällig im Bett auf und preßte den Hörer an die Wange, wo die Bartstoppeln brannten.

»Wallander!«

»Ich hoffe, ich habe dich nicht geweckt?«

»Ich war wach.«

Warum diese Lügen, dachte er. Warum sage ich nicht, wie es ist? Daß ich am liebsten weiterschlafen und den entwischten Traum von einer nackten Frau wieder einfangen möchte?

»Ich dachte, ich rufe dich besser an. Ein alter Bauer hat angerufen und gesagt, er heiße Nyström und wohne in Lenarp. Er behauptet, die Nachbarsfrau säße gefesselt auf dem Boden und jemand sei tot.«

Wallander überlegte schnell, wo Lenarp lag. Nicht sehr weit von Marsvinsholm, in einem für Schonen ungewöhnlich hügeligen Gebiet.

»Es klang ernst. Ich dachte, es wäre am besten, gleich bei dir anzurufen.«

»Wer ist gerade verfügbar?«

»Peters und Norén sind unterwegs und suchen nach jemandem, der das Fenster des Continental eingeworfen hat. Soll ich sie rufen?«

»Sag, daß sie zur Kreuzung zwischen Kadesjö und Katslösa fahren und warten sollen, bis ich komme. Gib ihnen die Adresse. Wann kam der Notruf?«

»Vor ein paar Minuten.«

»Sicher, daß es nicht nur ein Besoffener war?«

»Es klang nicht so.«

Wallander stand auf und zog sich an. Die Ruhe, die er so nötig brauchte, war ihm anscheinend nicht vergönnt.

Er fuhr aus der Stadt hinaus, vorbei an dem neugebauten Möbelkaufhaus am Stadtrand, und ahnte das dunkle Meer dahinter. Der Himmel war bedeckt.

Die Schneestürme kommen, dachte er.

Früher oder später brechen sie über uns herein.

Dann versuchte er, sich darauf einzustellen, welcher Anblick ihm wohl bevorstand.

Der Polizeiwagen wartete an der Abzweigung nach Kadesjö auf ihn.

Es war noch dunkel.

Henning Mankell im dtv

»Groß ist die Zahl der Leser, die ganze Nächte mit Mankell verloren – bzw. gewonnen – haben.«
Martin Ebel im ›Rheinischen Merkur‹

Mörder ohne Gesicht
Roman
ISBN 3-423-20232-7
Wallanders erster Fall
Auf einem abgelegenen Bauernhof ist ein altes Ehepaar ermordet worden. »Ausländer, Ausländer!« waren die letzten Worte der sterbenden Frau. Schonen wird kurz darauf von einer Welle ausländerfeindlicher Gewalt überrollt …

Hunde von Riga
Roman
ISBN 3-423-20294-7
Wallanders zweiter Fall
Seine Ermittlungen führen Kommissar Wallander diesmal nach Osteuropa. Dort gerät er in ein kaum noch zu durchschauendes Komplott unsichtbarer Mächte, in dem er fast sein Leben läßt.

Die weiße Löwin
Roman
ISBN 3-423-20150-9
Wallanders dritter Fall
Alles beginnt mit dem spurlosen Verschwinden einer schwedischen Immobilienmaklerin – doch schon bald weisen immer mehr Details auf ein teuflisches Komplott von internationalen Dimensionen hin.

Der Mann, der lächelte
Roman
ISBN 3-423-20590-3
Wallanders vierter Fall
»Ich fürchte mich vor Nebel, dachte er. Dabei sollte ich eher den Mann fürchten, den ich eben auf Schloß Farnholm besucht habe.« Die Ermittlungen führen Kommissar Wallander diesmal in eine völlig neue Dimension internationalen Verbrechens.

Die falsche Fährte
Roman
ISBN 3-423-20420-6
Wallanders fünfter Fall
Der Selbstmord eines jungen Mädchens ist der Auftakt zu einer dramatischen Jagd nach einem Serienkiller. »Mankell beschreibt nicht nur die allmähliche Annäherung an eine kranke Täterseele – er legt gleich die ganze kaputte Gesellschaft mit auf die Couch.« (Der Spiegel)

Henning Mankell im dtv

Die fünfte Frau
Roman
ISBN 3-423-**20366**-8
Wallanders sechster Fall
Die Opfer dieser besonders grausamen Mordserie waren allesamt harmlose Bürger. Warum verfolgt der Mörder seine Opfer mit so brutaler Gewalt? »Faszinierend und unglaublich spannend.« (Brigitte)

Mittsommermord
Roman
ISBN 3-423-**20520**-2
Wallanders siebter Fall
Samstag, 22. Juni: Drei junge Leute um die Zwanzig feiern zusammen Mittsommer an einem geheimen Ort. Danach sind sie spurlos verschwunden. Wallander ist einem Mörder auf der Spur, der den Anblick junger, glücklicher Menschen nicht erträgt.

Der Chronist der Winde
Roman
ISBN 3-423-**12964**-6
Die bezaubernd-traurige Geschichte von Nelio, dem Straßenkind – dem Kleinen Prinzen Afrikas. »Dieser Roman hat einen besonderen Platz in meinem Herzen.« (Henning Mankell)

Die rote Antilope
Roman
ISBN 3-423-**13075**-X
Die Geschichte eines schwarzen Kindes, das im 19. Jahrhundert von einem wohlmeinenden Weißen nach Schweden gebracht wurde und sich dort nach seiner afrikanischen Heimat zu Tode sehnte. »Mit seinem poetischen Realismus vermittelt Henning Mankell mehr vom wahren Kern Afrikas als mehrere Wochen Tagesberichterstattung.« (Elmar Krekeler in der ›Welt‹)

Bücher von Henning Mankell

Kurt-Wallander-Romane

1. FALL *Mörder ohne Gesicht*
(Original 1991: *Mördare utan ansikte*)
Paul Zsolnay Verlag 2001
dtv 20232

2. FALL *Hunde von Riga*
(Original 1992: *Hundarna i Riga*)
Paul Zsolnay Verlag 2000
dtv 20294

3. FALL *Die weiße Löwin*
(Original 1993: *Den vita lejonninan*)
Paul Zsolnay Verlag 2002
dtv 20150

4. FALL *Der Mann, der lächelte*
(Original 1994: *Mannen som log*)
Paul Zsolnay Verlag 2001
dtv 20590

5. FALL *Die falsche Fährte*
(Original 1995: *Villospår*)
Paul Zsolnay Verlag 1999
dtv 20420

6. FALL *Die fünfte Frau*
(Original 1996: *Den femte kvinnan*)
Paul Zsolnay Verlag 1998
dtv 20366

7. FALL *Mittsommermord*
(Original 1997: *Steget efter*)
Paul Zsolnay Verlag 2000
dtv 20520

8. FALL *Die Brandmauer*
(Original 1998: *Brandvägg*)
Paul Zsolnay Verlag 2001
dtv 20661

Kriminalromane und Erzählungen

Wallanders erster Fall. Erzählungen
(Original 1999: *Pyramiden*)
Paul Zsolnay Verlag 2002
dtv 20700

Die Rückkehr des Tanzlehrers
(Original 2000: *Danslärarens återkomst*)
Paul Zsolnay Verlag 2002

Vor dem Frost
(Original 2002: *Innan frosten*)
Paul Zsolnay Verlag 2003

Afrika-Romane

Der Chronist der Winde
(Original 1995: *Comédia infantil*)
Paul Zsolnay Verlag 2000
dtv 12964

Die rote Antilope
(Original 2000: *Vindens son*)
Paul Zsolnay Verlag 2001
dtv 13075

Tea-Bag
(Original 2001: *Tea-Bag*)
Paul Zsolnay Verlag 2003

Das Auge des Leoparden
(Original 1990: *Leopardens öga*)
Paul Zsolnay Verlag 2004

Theaterstück

Butterfly Blues
Paul Zsolnay Verlag 2003

Mankell-Websites:
www.mankell.de
www.wallander-web.de
www.wallander.ch
www.wallander.at